L'ENVIRONNEMENT EN FRANCE

L'ENVIRONNEMENT EN FRANCE

APPROCHE RÉGIONALE

- ÉDITION 1996-1997 -

ifen

Éditions La Découverte

Catalogage Électre-Bibliographie

INSTITUT FRANÇAIS DE L'ENVIRONNEMENT
L'environnement en France : approche régionale/Institut français de l'environnement.
- Paris : La Découverte, 1996.

Rameau :	environnement
	protection : France
	statistiques politique de l'environnement : France
Dewey :	304.1 : Écologie et population. Écologie humaine
Public concerné :	tout public

Ouvrage collectif réalisé sous la direction de

Thierry Lavoux (IFEN) et Pierre Chapuy (GERPA).

Coordination : Nathalie Liamine (GERPA) et Nathalie Sailleau (IFEN).

Secrétariat : Elisabeth Collet (IFEN), Céline Franchin (IFEN) et DelphineAlves (GERPA).

PARTIE I : ÉTAT DES MILIEUX ET PRESSIONS ENVIRONNEMENTALES : COMPARAISONS RÉGIONALES

Textes thématiques : Jean Bréas (IFEN), Pierre Chapuy (GERPA), Loïc Chauveau (journaliste), Michelle Dobré (IFEN), Laurent Duhautois (IFEN), Jean-Pierre Fontelle (CITEPA), Thierry Lavoux (IFEN), Vincent Piveteau (IFEN), Guy Rouillé (IFEN), Nathalie Sailleau (IFEN).

Traitement statistique : Haude Gourmel (IFEN), Chrystel Leroux-Scribe (IFEN), Guy Viennot (IFEN).

PARTIE II : SITUATION ENVIRONNEMENTALE DES RÉGIONS FRANÇAISES

avec la collaboration des directions régionales de l'environnement (DIREN) et des services de l'État en région.

Textes régionaux : Nathalie Liamine (GERPA) et Pierre Chapuy (GERPA).
Encadrés : Loïc Chauveau (journaliste) et Nathalie Sailleau (IFEN).
Vignettes d'indicateurs : Nathalie Sailleau (IFEN) et Nathalie Liamine (GERPA).
Cartographie : ANTEA, coordination Guy Rouillé (IFEN).
Documentation : Colette Pesme (IFEN) et Jérôme Roch (GERPA).

Directeur de la publication : Bernard Morel, directeur de l'IFEN.

AVANT-PROPOS

POURQUOI UNE APPROCHE RÉGIONALE ?

Les rapports sur l'état de l'environnement constituent des instruments essentiels pour informer le public et les responsables sur l'évolution de la qualité des milieux et des pressions qui s'y exercent. L'OCDE et l'Union européenne recommandent vivement ce type de démarche qui s'inscrit, le plus souvent, dans une perspective nationale.

« L'environnement en France » publié par l'Institut français de l'environnement (IFEN) en 1994 avait pour objectif de rendre lisibles et compréhensibles des phénomènes complexes à des échelles le plus souvent nationale et internationale, en adoptant le découpage aujourd'hui classique : état des milieux et des ressources, pressions imputables aux activités économiques, réponses des acteurs.

Le présent ouvrage s'inspire largement de cette approche pour l'appliquer, pour la première fois, à l'ensemble des vingt-deux régions de la France métropolitaine.

Ce choix de la dimension régionale s'explique d'abord parce qu'il permet de dégager une vue d'ensemble des problèmes tout en demeurant à une échelle *de proximité* « porteuse de sens » pour la population et les acteurs locaux. Ensuite, parce que la France connaît une situation particulière en Europe du point de vue de la diversité de ses paysages, de ses climats, de ses cultures, bref de ses « environnements ». L'approche régionale elle seule permet, nous semble-t-il, de rendre compte de la diversité et de la richesse du patrimoine naturel et des territoires.

Le choix de cette dimension géographique et administrative facilite également la comparabilité interrégionale du point de vue de l'« état des lieux » mis en perspective avec les pressions des activités économiques. En corollaire, ce type de document, fondé sur des données de référence et en prise directe avec les questions environnementales, peut représenter un bon outil pour l'émergence du développement durable dans l'aménagement et la planification à l'échelle considérée.

Il faut souligner que cet ouvrage ne prétend ni à l'exhaustivité, ni à la description détaillée. D'une part, seules sont étudiées ici les vingt-deux régions de programme. Les départements et territoires d'outre-mer ne sont pas traités. D'autre part, l'accent est mis d'abord sur les données communes à toutes les régions. En complément, dans certaines régions, l'attention est attirée sur des aspects spécifiques de l'environnement local.

Parce qu'il se concentre sur l'état de l'environnement, cet ouvrage ne vise pas à la description ni à l'évaluation des politiques environnementales, publiques ou privées. Il va de soi que le « pilotage environnemental » d'une région est d'abord l'affaire des acteurs régionaux eux-mêmes. Il requiert la mise en place de processus d'évaluation plus complexes, et l'existence d'une instrumentation de type « tableaux de bord », plus détaillée, plus locale, que celle qui figure ici. Il s'agit de mettre à la disposition du public un premier ensemble d'informations *fiables, pertinentes et comparables.*

LA CONSTITUTION PROGRESSIVE DE DONNÉES DE RÉFÉRENCE

Le contenu d'une synthèse sur l'état de l'environnement dans les régions françaises dépend étroitement de l'état des informations et des statistiques effectivement disponibles à un moment donné, à cette échelle. En 1994, l'IFEN a lancé, avec les directions régionales de l'environnement, le programme EIDER, dont l'objectif est précisément de rassembler, valider, puis diffuser, dans un cadre cohérent, les données sur l'environnement communes aux régions, voire aux départements français. Les différents services producteurs de données régionalisées sont désormais sollicités chaque année pour enrichir et actualiser cette base de références : services statistiques des ministères, établissements publics, échelons déconcentrés de l'État : DIREN, DRIRE, DDAF, DDE, etc.

Cette synthèse est ainsi l'occasion d'apprécier à la fois le chemin parcouru dans ce sens, mais aussi les lacunes qui devront être progressivement comblées : par exemple, l'indisponibilité de données exhaustives pour toutes les régions sur la qualité de l'air, sur les prélèvements et les consommations d'eau brute, ou encore sur la qualité de l'eau distribuée en 1994.

Notons néanmoins que la France n'est pas particulièrement en retard sur ses partenaires de l'Union européenne dans le domaine de l'information environnementale en général. Et c'est une des originalités de ce rapport que d'avoir élaboré, en l'état actuel de nos systèmes d'information, une première mise en perspective de données issues de sources multiples, afin de promouvoir concrètement une approche plus intégrée de ces questions.

STATISTIQUES COMMENTÉES ET SYNTHÈSE RÉGIONALE

La première partie de l'ouvrage regroupe une sélection de données disponibles concernant la situation environnementale régionale, accompagnées de commentaires en facilitant la lecture et l'utilisation.

Les thèmes présentés concernent l'état des milieux (eaux, air...) et les principales pressions (urbanisation, transports, agriculture). La place occupée par les « réponses » est modeste dans la mesure où l'information dans ce domaine est soit très récente (plans régionaux de déchets), soit peu synthétisée à cette échelle et sur une durée de temps suffisante. Les tableaux de chiffres autorisent une comparabilité minimale entre régions, sans qu'il soit pour autant question d'opérer sur cette seule base un classement qualitatif des régions par rapport à leurs conditions « écologiques » ou, à plus forte raison, par rapport à leurs performances environnementales.

La seconde partie comprend une série de textes décrivant la situation environnementale de chaque région présentée en une huitaine de pages selon un canevas identique : les richesses des milieux naturels, le cadrage socio-économique, les tendances de l'urbanisation, les pressions dues aux activités agricoles et industrielles, les risques technologiques, ainsi que certains problèmes d'environnement spécifiques à la région. Pour certaines régions, ces textes se sont parfois appuyés très directement sur des documents de synthèse publiés par les pouvoirs publics à l'échelle régionale. Ils ont par ailleurs bénéficié des contributions de services régionaux de l'État, et notamment d'une lecture par l'ensemble des DIREN.

Ces textes, naturellement très synthétiques, sont accompagnés d'une « vignette environnementale » de vingt-trois indicateurs d'état, de pression et de réponse, qui constitue en quelque sorte une « carte d'identité » de la région. Les chiffres sont tirés des tableaux de la partie I et une colonne « moyenne nationale » permet de situer la position de la région en France.

Pour chaque région, une carte vient éclairer d'une part les enjeux en terme de protection du patrimoine naturel (territoires correspondant aux ZNIEFF) et d'autre part les pressions issues de l'urbanisation, des infrastructures, de la production et de la distribution d'énergie et des activités industrielles à risque.

Compte tenu de la nature de la publication et de son « centrage » sur la région, il était intéressant de rendre compte d'un certain nombre de particularités de la dimension locale des problèmes environnementaux. C'est l'objet du « zoom » qui permet d'attirer l'attention sur un sujet particulier à chaque région et d'illustrer cette diversité.

Enfin, une bibliographie générale et des références bibliographiques par région figurent en fin d'ouvrage, ainsi qu'une liste des principaux acteurs régionaux.

SOMMAIRE

PARTIE I

ÉTAT DES MILIEUX ET PRESSIONS ENVIRONNEMENTALES : COMPARAISONS RÉGIONALES

SOMMAIRE

PARTIE II

SITUATION ENVIRONNEMENTALE DES RÉGIONS FRANÇAISES

PARTIE I

ÉTAT DES MILIEUX ET PRESSIONS ENVIRONNEMENTALES : COMPARAISONS RÉGIONALES

Signes conventionnels utilisés dans les tableaux :

...	Résultat non disponible
///	Absence de résultat due à la nature des choses
-	Résultat rigoureusement nul

MÉTÉO

PLANCHE 1

DONNÉES MÉTÉOROLOGIQUES

RÉGIONS / STATIONS D'OBSERVATION	TEMPÉRATURE MOYENNE			PRÉCIPITATIONS CUMUL ANNUEL			INSOLATION CUMUL ANNUEL			GELÉE NOMBRE ANNUEL		
	Degré Celsius			Millimètres			Nombre d'heures			Nombre de jours (1)		
	1984	1994	1961-90	1984	1994	1961-90	1984	1994	1961-90	1984	1994	1961-90
ALSACE Strasbourg	9,6	11,7	10,1	650,8	679,5	610,5	1 615,0	1 460,4	1 636,9	71,0	35,0	76,1
AQUITAINE Bordeaux	12,3	14,2	12,8	1 193,5	1 170,4	923,1	2 083,6	1 738,1	2 083,6	27,0	11,0	38,0
AUVERGNE Clermont-Ferrand	10,4	12,4	10,9	536,6	740,8	590,8	1 908,5	1 747,5	1 907,1	80,0	36,0	71,0
BASSE-NORMANDIE Caen	10,9	11,6	10,5	740,8	987,1	710,8	1 876,8	1 475,0	1 763,6	26,0	15,0	37,9
BOURGOGNE Dijon	9,8	11,8	10,5	720,9	752,4	732,2	1 774,5	1 619,2	1 831,2	70,0	36,0	67,4
BRETAGNE Rennes	11,3	12,6	11,4	835,6	774,0	648,8	1 957,5	1 621,7	1 851,2	31,0	14,0	38,6
CENTRE Orléans	10,4	12,1	10,6	846,1	730,1	637,2	1 882,1	1 522,9	1 804,5	60,0	27,0	60,6
CHAMPAGNE-ARDENNE Reims	9,6	11,2	10,0	614,3	613,5	604,2	1 569,7	1 668,0	1 728,9	59,0	42,0	67,5
CORSE Ajaccio	14,2	15,9	14,8	860,4	487,7	645,6	2 480,6	2 642,9	2 737,3	16,0	2,0	11,1
FRANCHE-COMTÉ Besançon	9,6	11,8	10,2	1 159,7	1 218,6	1 108,5	1 821,0	1 577,4	1 871,8	76,0	38,0	72,2
HAUTE-NORMANDIE Rouen-Boos (2)	9,7	10,9	9,9	911,2	925,3	825,6	1 678,9	1 495,8	1 644,8	51,0	28,0	53,2
ÎLE-DE-FRANCE Paris-Montsouris	11,5	12,9	11,7	745,3	699,4	641,6	1 754,2	1 580,9	1 797,5	16,0	11,0	28,9
LANGUEDOC-ROUSSILLON Montpellier	13,8	15,6	14,2	574,9	837,5	699,1	2 684,6	2 659,5	2 686,6	31,0	15,0	31,6
LIMOUSIN Limoges-Bellegarde (2)	10,4	11,6	11	1 142,6	1 448,5	1 062,7	1 966,6	1 587,0	1 927,3	45,0	20,0	41,9
LORRAINE Nancy	9,2	11,3	9,6	755,7	778,8	759,3	1 559,0	1 483,6	1 651,5	78,0	44,0	79,4
MIDI-PYRÉNÉES Toulouse-Blagnac	12,3	14,1	12,9	669,9	645,0	655,7	2 168,1	1 865,0	2 047,3	32,0	15,0	36,9
NORD-PAS-DE-CALAIS Lille	10,0	11,2	9,9	829,1	720,6	686,7	1 538,7	1 642,7	1 600,3	47,0	27,0	56,9
PAYS DE LA LOIRE Nantes	12,0	12,9	11,9	982,8	1 020,8	788,5	2 129,2	1 581,9	1 956,4	23,0	18,0	35,0
PICARDIE Abbeville	9,7	10,9	9,9	744,4	1 043,6	731,5	1 524,2	1 537,1	1 637,9	42,0	22,0	48,4
POITOU-CHARENTES Poitiers	10,9	12,5	11,3	822,7	750,8	708,5	1 903,2	1 724,8	1 930,3	54,0	27,0	54,7
PROV.-ALPES-CÔTE D'AZUR Marignane	13,8	15,9	14,8	584,9	689,4	544,4	2 754,5	2 785,2	2 835,5	30,0	12,0	25,8
RHÔNE-ALPES Lyon	11,5	13,1	11,4	772,4	895,9	824,8	1 930,6	1 760,7	1 975,7	47,0	29,0	58,3

Source : Météo France.

(1) Nombre de jours où le minimum de température est inférieur ou égal à zéro degré.
(2) Moyennes calculées sur les vingt dernières années (1975-1994).

TERRITOIRE

Un territoire de contrastes

Profondément marquée par l'espace agricole et la forêt (80 % du territoire), la France présente néanmoins de très importants contrastes en termes d'occupation du sol.

Les paysages agricoles dominent dans le Nord et dans l'Ouest (*planches 1 et 2*) : 83 % de l'occupation du sol en Basse-Normandie, 79 % en Nord-Pas-de-Calais, 76 % en Picardie, 78 % en Pays de la Loire et 74 % en Bretagne. Le Centre et l'Est sont en revanche beaucoup moins marqués par l'agriculture. Des régions comme Rhône-Alpes (36 %), la Franche-Comté (50 %), l'Alsace (48 %) et même la Lorraine (55 %) se situent en dessous de la moyenne nationale (56 %). Enfin, le paysage agricole est minoritaire dans les régions du Sud.

Les paysages dits « naturels » (hors agriculture et urbain mais incluant la forêt) qualifient davantage les régions de montagne (en Rhône-Alpes ils représentent 56 % de l'occupation du sol) et la frange méditerranéenne du territoire : Corse (83 %), Provence-Alpes-Côte d'Azur (71 %) et Languedoc-Roussillon (64 %). L'Aquitaine présente un profil un peu particulier en raison de son très fort taux de boisement.

Les paysages urbanisés sont eux aussi très localisés et varient dans un rapport de 1 à 10 entre les différentes régions. En tête viennent évidemment la région Île-de-France, avec 20 % de son territoire, et le Nord-Pas-de-Calais (11 %). En queue se trouvent la Corse (2 %), l'Auvergne et la Bourgogne (4,7 %).

Un territoire qui s'artificialise

Toutes les régions ont vu s'étendre entre 1982 et 1990 l'emprise du paysage urbain (*planche 3*). La progression a été très marquée dans le Sud et sur le pourtour méditerranéen (à l'exception de la Corse). Elle est ainsi de 23 % en Languedoc-Roussillon et en Midi-Pyrénées et de 22 % en Provence-Alpes-Côte d'Azur, où le taux d'urbanisation est déjà supérieur à la moyenne nationale. Les progressions plus modérées de grandes régions urbanisées, telles l'Île-de-France (8 %) ou le Nord-Pas-de-Calais (14 %), n'en demeurent pas moins importantes en termes absolus.

Toutes les régions ont vu l'emprise de l'activité agricole diminuer. Cette évolution a été plus marquée dans des zones où le paysage agricole est restreint (Provence-Alpes-Côte d'Azur : – 8 % ; Corse : – 6 % ; Languedoc-Roussillon : – 5 %). Alors que les cultures annuelles ont progressé dans toutes les régions (à l'exception de deux d'entre-elles, l'Île-de-France et Provence-Alpes-Côte d'Azur), les prairies ont régressé partout (– 27 % en Poitou-Charente, – 22 % en Picardie, – 21 % en Haute-Normandie). Les éléments boisés du paysage rural (haies, arbres épars, etc.) ont connu un sort quasi analogue (–19 % en Basse-Normandie, par exemple).

Les paysages plus naturels voient leur emprise osciller entre une légère augmentation (quinze régions) et une légère diminution (sept régions).

La montée du phénomène urbain

Sur le plan urbain, on observe une double tendance au niveau national, qui se matérialise à des degrés divers dans les différentes régions françaises (*planche 4*).

1 • Les villes s'étendent sur une part toujours plus grande du territoire. L'emprise du territoire urbanisé s'est ainsi accruc cn moyenne de 8 % entre 1982 et 1990. Toutes les régions sont concernées par ce mouvement, mais à des degrés divers. Les plus fortes progressions s'observent soit dans des régions où la part des surfaces urbaines est proche voire inférieure à la moyenne nationale, soit dans des régions limitrophes de l'Île-de-France (Centre : + 14 %, Haute-Normandie : + 14 %). Dans les régions fortement urbanisées (Nord-Pas-de-Calais, Île-de-France, Alsace), en revanche, la progression s'effectue à un rythme plus ralenti – même si la valeur absolue de cette progression reste importante !

2 • Dans toutes les régions, à part quatre d'entre elles (Auvergne, Champagne-Ardenne, Limousin et Lorraine), les villes concentrent toujours plus d'habitants. Cette situation résulte d'un double phénomène. D'une part, un phénomène de densification : la population vient s'installer dans les communes urbaines ; d'autre part, un phénomène d'extension : des communes rurales, souvent à proximité des villes, voient leur population gonfler jusqu'à devenir urbaines. Dans quinze régions, les deux phénomènes vont de pair : la pression urbaine résulte à la fois d'une densité de population plus importante dans les communes urbaines déjà constituées et d'une augmentation du nombre de communes urbaines. Dans sept régions toutefois, la tendance est à une « dédensification » des unités urbaines, que compense en revanche l'étalement spatial des ensembles urbains.

Les conséquences pour l'environnement de ces phénomènes sont multiples. D'une part, il y a un changement dans le mode d'occupation du sol et une artificialisation de l'espace qui s'effectuent sur des franges toujours plus larges de l'espace périurbain. Mais, d'autre part, le tissu plus lâche de la ville et sa spécialisation spatiale accentuent les distances, voire les temps de déplacement, favorisent le recours accru aux véhicules individuels et induisent des risques accrus de pollutions (atmosphère, bruit, paysage urbain, etc.).

PLANCHE 1

ÉVOLUTION DES TYPES D'OCCUPATION DES SOLS ENTRE 1982 ET 1990

RÉGIONS	Superficie totale	NATURELLE roches et eaux, landes, maquis, garrigues, parcours, alpages, forêt.			AGRICOLE vignes, vergers, prairies, cultures annuelles, haies, arbres épars, peupleraies			ARTIFICIELLE bâtis, non bâtis, routes et parkings.		
	Km²	1990 Km²	Part 1990	Variation 1982-90	1990 Km²	Part 1990	Variation 1982-90	1990 Km²	Part 1990	Variation 1982-90
ALSACE	8 330,9	3 594,8	43,2	- 0,8	3 994,3	47,9	- 1,0	734,8	8,9	10,2
AQUITAINE	41 831,7	21 038,9	50,3	- 1,2	17 837,8	42,6	- 0,5	2 739,5	7,1	13,5
AUVERGNE	26 167,7	9 871,8	37,7	- 0,2	15 064,4	57,6	- 1,3	1 230,4	4,7	21,2
BASSE-NORMANDIE	17 738,5	1 892,2	10,7	6,5	14 651,0	82,6	- 2,2	1 195,2	6,7	21,7
BOURGOGNE	3 1751,1	10 685,3	33,6	0,2	19 589,1	61,7	- 0,6	14 65,5	4,7	7,5
BRETAGNE	27 505,9	4 901,3	17,8	2,5	20 290,0	73,8	- 2,4	2 300,6	8,4	19,6
CENTRE	39 538,9	10 549,3	26,7	3,9	26 798,6	67,8	- 2,3	2 154,4	5,5	11,8
CHAMPAGNE-ARDENNE	25 718,6	6 928,1	26,9	- 0,6	17 112,9	66,6	- 0,4	1 238,7	6,5	7,1
CORSE	8 716,4	7 260,5	83,3	1,0	1 288,6	14,8	- 5,9	167,3	1,9	7,1
FRANCHE-COMTÉ	16 307,1	7 355,1	45,1	0,6	8 133,5	49,9	- 1,4	781,3	5,0	10,0
HAUTE-NORMANDIE	12 333,1	2 522,3	20,4	2,6	8 738,2	70,9	- 2,0	1 072,5	8,7	11,4
ÎLE-DE-FRANCE	12 064,3	3 034,9	25,2	- 0,2	6 673,4	55,3	- 2,3	2320,5	19,5	7,5
LANGUEDOC-ROUSSILLON	27 760,2	17 688,6	63,7	1,0	8 640,5	31,1	- 4,9	1413,2	5,2	22,9
LIMOUSIN	17 057,7	6 889,0	40,4	2,4	9 279,1	54,4	- 2,8	798,6	5,2	13,5
LORRAINE	23 668,3	9 333,9	39,4	- 0,1	13 014,5	55,0	- 0,4	1 301,1	5,6	4,1
MIDI-PYRÉNÉES	45 594,9	18 540,7	40,7	- 0,1	24 768,0	54,3	- 1,6	2 286,1	5,0	23,1
NORD-PAS-DE-CALAIS	12 449,8	1 147,9	9,2	2,8	9 885,7	79,4	- 2,0	1 416,2	11,4	13,9
PAYS DE LA LOIRE	32 401,3	4 617,1	14,2	8,3	25 167,3	77,7	- 3,2	2 591,6	8,1	22,7
PICARDIE	19 517,5	3 371,3	17,3	0,2	14 874,8	76,2	- 0,7	1 246,2	6,5	7,9
POITOU-CHARENTES	25 943,6	4 660,9	18,0	0,3	19 619,4	75,6	- 1,2	1 651,0	6,4	16,4
PROVENCE-ALPES-CÔTE D'AZUR	31 801,8	22 728,6	71,5	0,4	6 464,6	20,3	- 7,9	2 203,8	8,2	21,5
RHÔNE-ALPES	44 963,9	25 107,9	55,8	0,7	16 502,7	36,7	- 4,1	3 349,2	7,5	18,2
FRANCE MÉTROPOLITAINE	**549 164,3**	**203 721,6**	**37,1**	**0,7**	**308 389,3**	**56,2**	**- 2,0**	**35 658,4**	**6,7**	**15,1**

Source : ministère de l'Agriculture/SCEES (enquête TERUTI).

La catégorie «artificielle» recouvre toutes les surfaces qui font l'objet d'une emprise urbaine ou d'une pression humaine forte (bâtiments, surfaces imperméabilisées comme les routes et les parkings, décharges, chantiers, carrières, etc.).
La catégorie «agricole» recouvre l'ensemble des surfaces affectées à des productions agricoles (prairies, terres cultivées, vergers...) ainsi que les surfaces occupées par des éléments structurants du paysage agricole (haies, chemins de terre, bosquets et arbres épars, etc).

La catégorie «naturelle» recouvre l'ensemble des surfaces qui, loin de constituer des aires naturelles au sens strict du terme, font l'objet d'une moindre pression humaine et foncière ou d'un moindre degré d'artificialisation. On regroupe dans cet ensemble les milieux aquatiques intérieurs, les zones de haute montagne, les alpages, les landes, les maquis, ainsi que les massifs forestiers...

Remarque
Ces résultats sont issus de l'enquête TERUTI du ministère de l'Agriculture, qui rend compte annuellement, par l'observation de 550 000 points sur le territoire (qui sont restés fixes entre 1982 et 1990), des modes d'occupation et d'usage des terres.
La superficie totale des régions est en général très légèrement supérieure à la somme des trois catégories artificielle, agricole et naturelle (0,3 % en moyenne). Elle tient compte, en plus, de l'emprise des zones militaires interdites.

PLANCHE 2

OCCUPATION NATURELLE DES SOLS - 1990

RÉGIONS	ROCHES ET EAUX		LANDES, PARCOURS ET ALPAGES		FORÊTS				TOTAL
					FEUILLUS		AUTRES		
	1990	Part superficie régionale	1990	Part superficie régionale	1990	Part superficie régionale	1990	Part superficie régionale	1990
	Km²	%	Km²	%	Km²	%	Km²	%	Km²
ALSACE	115,5	1,4	197,8	2,4	1 559,7	18,8	1 721,6	20,8	3 594,8
AQUITAINE	992,9	2,4	2 699,8	6,5	5 871,9	14,2	11 474,3	27,8	21 038,9
AUVERGNE	295,9	1,1	2 874,6	11,1	2 765,2	10,6	3 931,9	15,1	9 867,8
BASSE-NORMANDIE	99,8	0,6	296,8	1,7	1 176,5	6,7	319,0	1,8	1 892,2
BOURGOGNE	363,8	1,2	824,4	2,6	7 886,8	25	1 610,2	5,1	10 685,3
BRETAGNE	432,1	1,6	2 011,0	7,4	1 218,7	4,5	1 239,4	4,6	4 901,3
CENTRE	749,1	1,9	1 269,1	3,2	6 828,6	17,4	1 698,3	4,3	10 545,3
CHAMPAGNE-ARDENNE	288,5	1,1	332,8	1,3	5 414,9	21,1	891,6	3,5	6 928,1
CORSE	1 367,6	15,8	2 012,4	23,2	1 171,3	13,5	667,3	7,7	5 218,8
FRANCHE-COMTÉ	190,3	1,2	476,7	2,9	4 478,1	27,6	2 209,9	13,6	7 355,1
HAUTE-NORMANDIE	176,0	1,4	237,3	1,9	1 738,1	14,1	369,8	3	2 521,3
ÎLE-DE-FRANCE	155,0	1,3	200,8	1,7	2 466,1	20,6	212,9	1,8	3 034,9
LANGUEDOC-ROUSSILLON	1 495,8	5,5	5 992,5	21,9	5 175,6	18,9	3878,4	14,2	16 542,5
LIMOUSIN	239,6	1,4	1 362,3	8	3 403,8	20,1	1 883,2	11,1	6 889,0
LORRAINE	287,6	1,2	529,9	2,3	5 845,6	24,8	2 670,7	11,3	9 333,9
MIDI-PYRÉNÉES	1 646,8	3,6	5 599,7	12,3	9 322,8	20,6	1 970,3	4,3	18 539,7
NORD-PAS-DE-CALAIS	153,2	1,2	198,9	1,6	753,5	6,1	42,1	0,3	1 147,9
PAYS DE LA LOIRE	793,5	2,5	786,5	2,5	2 050,5	6,4	986,4	3,1	4 617,1
PICARDIE	312,9	1,6	259,2	1,3	2 566,9	13,2	232,1	1,2	3 371,3
POITOU-CHARENTES	261,2	1	666,7	2,6	2 921,6	11,3	808,3	3,1	4 657,9
PROVENCE-ALPES-CÔTE D'AZUR	3 808,5	12,1	5 398,4	17,2	3 915,5	12,5	7 568,3	24,1	20 690,8
RHÔNE-ALPES	4 059,2	9,3	5 988,9	13,7	6 942,6	15,9	7 990,3	18,3	24 981,2
FRANCE MÉTROPOLITAINE	**18 285,9**	**3,4**	**40 217,1**	**7,4**	**85 475,5**	**15,7**	**54 377,4**	**10,0**	**198 356,1**

Source : ministère de l'Agriculture/SCEES (enquête TERUTI).

Roches et eaux: marais salants, étangs d'eau saumâtre, dunes blanches, plages de sable ou de galets, lacs, bassins, étangs d'eau douce, rivières, estuaires, canaux, marais, zones humides, glaciers, neiges éternelles, rochers, éboulis.

Landes, parcours, alpages: alpages et estives, superficies en herbes à faible productivité, friches, landes, maquis, garrigues.

Forêts : forêts de résineux, boisements à faible densité ou forêts mixtes (feuillus et résineux).

PLANCHE 2 (suite)

OCCUPATION AGRICOLE DES SOLS - 1990

RÉGIONS	CULTURES PERENNES		PRAIRIES		CULTURES ANNUELLES		HAIES, ARBRES, EPARS ET PEUPLERAIES		TOTAL
	1990	Part superficie régionale	1990	Part superficie régionale	1990	Part superficie régionale	1990	Part superficie régionale	1990
	Km²	%	Km²	%	Km²	%	Km²	%	Km²
ALSACE	205,5	2,5	1 245,7	15	2 299,2	27,8	158,1	1,9	3 994,3
AQUITAINE	1 857,8	4,5	6 256,0	15,1	7 883,4	19,1	1 611,4	3,9	17 837,8
AUVERGNE	62,0	0,2	10 729,2	41,2	3 241,1	12,5	903,9	3,5	15 064,4
BASSE-NORMANDIE	22,7	0,1	9 111,8	51,8	4 698,4	26,7	741,2	4,2	14 651,0
BOURGOGNE	305,0	1	9473,5	30	8 955,3	28,4	666,6	2,1	19 589,1
BRETAGNE	52,9	0,2	8 278,2	30,4	10 404,4	38,2	1 265,8	4,7	20 290,0
CENTRE	439,5	1,1	5 364,6	13,7	19 840,6	50,7	871,7	2,2	26 798,6
CHAMPAGNE-ARDENNE	351,7	1,4	4 735,2	18,5	11 210,6	43,8	694,2	2,7	17 112,9
CORSE	266,8	3,1	233,4	2,7	1 06,1	1,2	648,9	7,5	1 288,6
FRANCHE-COMTÉ	39,6	0,2	5 617,7	34,7	1 926,6	11,9	480,1	3	8 133,5
HAUTE-NORMANDIE	37,0	0,3	3 285,3	26,7	5 200,8	42,2	158,8	1,3	8 738,2
ÎLE-DE-FRANCE	47,3	0,4	361,3	3	5 812,7	48,5	368,8	3,1	6 673,4
LANGUEDOC-ROUSSILLON	4 143,1	15,1	1 698,9	6,2	2 105,8	7,7	595,4	2,2	8 640,5
LIMOUSIN	50,9	0,3	7 203,4	42,5	1 426,8	8,4	494,5	2,9	9 279,1
LORRAINE	58,8	0,2	6 575,0	27,9	5 803,8	24,6	398,3	1,7	13 014,5
MIDI-PYRÉNÉES	818,2	1,8	10 033,1	22,1	12 160,1	26,8	1 559,6	3,4	24 768,0
NORD-PAS-DE-CALAIS	21,2	0,2	2 627,8	21,2	6 768,8	54,5	251,1	2	9 885,7
PAYS DE LA LOIRE	755,8	2,4	11 346,5	35,4	11 605,5	36,2	1 127,2	3,5	25 167,3
PICARDIE	70,1	0,4	2 393,1	12,3	11 578,3	59,7	656,9	3,4	14 874,8
POITOU-CHARENTES	1 142,4	4,4	5 648,9	21,9	11 624,6	45,1	951,2	3,7	19 619,4
PROVENCE-ALPES-CÔTE D'AZUR	2 091,8	6,7	1 337,9	4,3	2 014,5	6,4	924,7	2,9	6 464,6
RHÔNE-ALPES	1 337,2	3,1	8 262,9	18,9	5 306,1	12,1	1 350,4	3,1	16 502,7
FRANCE MÉTROPOLITAINE	**14 178,1**	**2,6**	**121 820,3**	**22,4**	**151 974,7**	**27,9**	**16 879,6**	**3,1**	**308 389,3**

Source : ministère de l'Agriculture/SCEES (enquête TERUTI).

Cultures pérennes: vergers (toutes espèces, vignes et pépinières).

Prairies : prairies artificielles, temporaires, permanentes et prés vergers.

Cultures annuelles: céréales (toutes espèces) et plantes sarclées (de plein champ ou de potager).

PLANCHE 2 (suite)

OCCUPATION ARTIFICIELLE DES SOLS - 1990

RÉGIONS	BÂTIS		NON BÂTIS		ROUTES ET PARKINGS		TOTAL
	1990	Part superficie régionale	1990	Part superficie régionale	1990	Part superficie régionale	1990
	Km^2	%	Km^2	%	Km^2	%	Km^2
ALSACE	262,5	3,2	173,8	2,1	298,4	3,6	734,8
AQUITAINE	775,5	1,9	926,0	2,2	1 037,9	2,5	2 739,5
AUVERGNE	346,9	1,3	320,3	1,2	563,1	2,2	1 230,4
BASSE-NORMANDIE	355,0	2	331,9	1,9	508,2	2,9	1 195,2
BOURGOGNE	381,3	1,2	378,9	1,2	705,3	2,2	1 465,5
BRETAGNE	775,5	2,9	637,6	2,3	887,3	3,3	2 300,6
CENTRE	610,3	1,6	687,8	1,8	856,2	2,2	2 154,4
CHAMPAGNE-ARDENNE	285,4	1,1	341,7	1,3	611,5	2,4	1 238,7
CENTRE	610,3	1,6	687,8	1,8	856,2	2,2	2 154,4
CORSE	40,3	0,5	33,2	0,4	93,7	1,1	167,3
FRANCHE-COMTÉ	194,2	1,2	209,8	1,3	377,2	2,3	781,3
HAUTE-NORMANDIE	230,8	1,9	465,4	3,8	376,2	3,1	1 072,5
ÎLE-DE-FRANCE	695,2	5,8	909,3	7,6	716,0	6	2 320,5
LANGUEDOC-ROUSSIL,	390,4	1,4	347,7	1,3	675,0	2,5	1 413,2
LIMOUSIN	210,7	1,2	220,1	1,3	367,8	2,2	798,6
LORRAINE	393,9	1,7	351,5	1,5	555,5	2,4	1 301,1
MIDI-PYRENEES	828,9	1,8	649,4	1,4	807,7	1,8	2 286,1
NORD-PAS-DE-CALAIS	534,6	4,3	421,4	3,4	460,1	3,7	1 416,2
PAYS DE LA LOIRE	780,2	2,4	750,4	2,3	1 060,9	3,3	2 591,6
PICARDIE	367,7	1,9	394,7	2	483,7	2,5	1 246,2
POITOU-CHARENTES	477,7	1,9	474,9	1,8	698,3	2,7	1 651,0
PROVENCE-ALPES-CÔTE D'AZUR	765,0	2,4	515,9	1,6	922,8	2,9	2 203,8
RHÔNE-ALPES	987,9	2,3	1 027,8	2,4	1 333,4	3,1	3 349,2
FRANCE MÉTROPOLITAINE	**10 690,7**	**2**	**10 570,4**	**1,9**	**14 397,2**	**2,6**	**35 658,4**

Source : ministère de l'Agriculture/SCEES (enquête TERUTI)

Bâtis: tout volume construit, quels que soient sa hauteur ou son usage. Y sont comptabilisés également les cimetières et les cours de fermes.

Non bâtis : toute surface altérée (chantier, carrière, décharge, terrain vague) ainsi que les pelouses d'agrément.

PLANCHE 3

ÉVOLUTION DES TYPES D'OCCUPATION DES SOLS ENTRE 1982 ET 1990

RÉGIONS	ROCHES ET EAUX	LANDES, PARCOURS ET ALPAGES	FORÊTS FEUILLUS	FORÊTS AUTRES	CULTURES PERENNES	PRAIRIES	CULTURES ANNUELLES	HAIES, ARBRES, ÉPARS ET PEUPLERAIES	BÂTIS	NON BÂTIS	ROUTES ET PARKINGS
	% Variation 1982/1990										
ALSACE	0,9	- 12,7	1,6	- 1,4	- 0,9	- 13,3	6	11,1	24,5	13,6	- 1,2
AQUITAINE	4,5	- 5,7	- 2,5	- 0,8	7,4	- 14,3	12,3	- 0,9	25,3	16	6,9
AUVERGNE	7,4	- 2,3	- 3,5	3,4	- 20,9	- 1,5	1,9	- 7,2	18	26,9	20,1
BASSE-NORMANDIE	6,1	19,8	2,8	9,9	77,5	- 13,9	38,3	- 18,5	20,9	26,9	19
BOURGOGNE	4	4,2	- 1,9	8,6	12,2	- 8,1	9,3	- 7,9	19	14,6	- 0,9
BRETAGNE	9,4	3,7	4	- 3	5,8	- 19	17,6	- 8,2	27,8	18	14
CENTRE	11,4	12,3	2,5	0,2	- 6,4	- 16,3	3,6	- 18	18	4,9	13,5
CHAMPAGNE-ARDENNE	11,6	- 7,9	- 1,3	3,1	6,4	- 13,7	6,5	- 2,4	22,3	9,6	5,3
CORSE	5,5	7,4	12,9	- 4,5	- 36,3	59	56,8	- 8,1	38,1	17,9	- 5,1
FRANCHE-COMTÉ	2,2	- 4,2	0,1	2,6	- 4,9	- 4,2	10,7	- 8,8	19,2	15,7	4,1
HAUTE NORMANDIE	2,3	35,4	- 0,8	3,3	12	- 20,6	14,9	3,9	13,9	19,8	1,3
ÎLE-DE-FRANCE	- 9,6	- 14,2	0,6	16,2	- 12,8	- 16	- 0,3	- 8,2	32,3	- 0,6	0,3
LANGUEDOC-ROUSSILLON	0,5	- 5,6	1,6	11,2	- 10	4,6	12,8	- 33,3	51,2	19,7	13,2
LIMOUSIN	7,6	5,6	- 0,5	5,1	- 8,8	- 4,9	7,5	1,2	8,7	35,7	9,2
LORRAINE	8,6	- 4,2	- 0,6	1,1	- 21,7	- 11,1	16,4	- 4,9	16,1	1	-1,5
MIDI-PYRÉNÉES	2,3	- 4,9	1,4	5,7	- 21,8	- 8,3	7,8	- 7,7	27,9	39	9,5
NORD-PAS-DE-CALAIS	14,3	- 1	1,6	5	16,9	- 16,9	5,2	- 2,4	14	23	6,5
PAYS DE LA LOIRE	7,3	62,7	0,5	- 0,6	- 2,9	- 19,2	21,3	- 14	22,7	22,7	23,4
PICARDIE	7,9	- 11	- 0,3	11,5	20,9	- 22,1	5,4	- 2,8	14,6	16,2	- 1,8
POITOU-CHARENTES	6,2	- 2	0,9	1,1	- 9,2	- 27,4	23	- 14,9	18,5	16,3	15,4
PROVENCE-ALPES-CÔTE D'AZUR	- 2,3	- 7,1	10,7	1,5	- 4,2	- 11,5	- 8,5	- 8,8	37,8	25,2	19,2
RHÔNE-ALPES	- 0,7	- 0,8	0,7	3	5,6	- 7,6	0,9	- 9,3	21,3	23	12,5
FRANCE MÉTROPOLITAINE	**2,1**	**- 1,6**	**0,6**	**2,5**	**- 5,7**	**- 12,5**	**10,1**	**- 9,6**	**23,5**	**17**	**9,7**

Source : ministère de l'Agriculture/SCEES (enquête TERUTI).

PLANCHE 4

POPULATIONS ET ESPACES URBAINS

RÉGIONS	SUPERFICIE URBAINE (1)		POPULATION URBAINE (2)		DENSITÉ URBAINE	PRESSION URBAINE (3)	
	Variation 1982/1990	Part superficie totale 1990	Variation 1982/1990 milliers	Part population totale 1990	1990	1982	1990
	%				Hab./km²	Hab. urbain/km²	
ALSACE	5,4	36,1	4,9	74,0	402	138,5	145,2
AQUITAINE	7,9	16,9	6,8	65,5	262	41,5	44,3
AUVERGNE	5,8	9,5	- 0,1	58,6	315	29,8	29,8
BASSE-NORMANDIE	7,1	9,3	2,6	53,1	453	41	42
BOURGOGNE	2,3	8,7	0,1	57,4	336	29,2	29,3
BRETAGNE	10,5	18,6	6,5	57,3	316	55,3	58,9
CENTRE	13,9	14,5	8,1	64,8	271	36,3	39,2
CHAMPAGNE-ARDENNE	3,6	8,8	- 0,1	62,2	372	32,8	32,8
CORSE	16,5	9,4	12,5	58,6	179	15,0	16,9
FRANCHE-COMTÉ	5,8	10,6	0,1	58,1	371	39,3	39,4
HAUTE-NORMANDIE	13,8	17,0	4,7	68,7	572	92,7	97,0
ÎLE DE FRANCE	7,1	41,4	5,7	96,2	2 063	807,8	854,0
LANGUEDOC-ROUSSILLON	11,8	18,5	13,5	73,1	306	49,7	56,5
LIMOUSIN	4,6	7,6	- 1,0	51,4	289	22,1	21,9
LORRAINE	3,8	18,3	- 1,0	72,0	386	71,2	70,5
MIDI-PYRÉNÉES	3,5	11,2	7,5	60,9	291	30,4	32,7
NORD-PAS-DE-CALAIS	2,1	38,5	0,5	86,2	715	273,8	275,2
PAYS DE LA LOIRE	16,2	19,9	8,5	62,5	299	54,9	59,6
PICARDIE	5,7	15,8	4,4	60,9	359	54,5	56,9
POITOU-CHARENTES	6,6	11,4	2,9	50,8	274	30,6	31,5
PROVENCE-ALPES-CÔTE D'AZUR	7,7	27,8	7,6	89,7	437	113,2	121,7
RHÔNE-ALPES	4,8	19,5	6,1	76,4	479	88,1	93,6
FRANCE MÉTROPOLITAINE	**7,6**	**16,5**	**5,1**	**74,0**	**467**	**73,3**	**77,0**

Source : IFEN d'après INSEE, ministère de l'Agriculture/SCEES.

(1) La superficie urbaine dépasse celle des « sols artificiels et bâtis ». Elle comprend, en effet, la totalité de la superficie des communes urbaines, y compris celle des espaces non construits.

(2) Une commune est urbaine si elle appartient à une unité urbaine. On entend par unité urbaine une ou plusieurs communes sur le territoire desquelles se trouve un ensemble d'habitations qui présentent entre elles une continuité et comportent au moins 2 000 habitants.

(3) L'indicateur de pression urbaine est le rapport de la population urbaine à la superficie totale de la région. Il est donc le produit de la densité moyenne des villes par la part de l'espace qu'elles occupent dans la région. Son évolution, comme celle de la population, est faite de deux composantes :

– une qui provient de la variation des villes déjà définies comme telles lors du précédent recensement ; c'est la densification ;

– l'autre qui résulte de l'apport supplémentaire de population par les communes antérieurement rurales qui changent de statut pour devenir urbaines ; c'est l'extension.

EAU

Les rejets d'effluents en provenance des agglomérations urbaines

Les rejets des eaux usées des collectivités locales, qui englobent les ménages, les services et certaines industries raccordées aux ouvrages d'épuration urbaine, représentent une part importante, et parfois majeure, de la pollution des cours d'eau. L'assainissement individuel en zone rurale, l'assainissement collectif et leurs stations d'épuration dans les agglomérations sont les moyens utilisés pour réduire la nocivité des effluents avant rejet dans le milieu naturel.

Les politiques de lutte contre la pollution de l'eau des collectivités doivent s'apprécier notamment par rapport aux engagements de la France contenus dans la directive européenne du 21 mai 1991, reprise par la loi sur l'eau et le décret du 3 juin 1994. Aujourd'hui, plus de la moitié de la pollution oxydable des collectivités est rejetée dans le milieu naturel, alors que le plan national pour l'environnement, cohérent avec cette réglementation, a pour objectif d'épurer deux tiers de cette pollution domestique d'ici l'horizon 2000.

Lorsqu'on analyse les données régionales disponibles pour les agglomérations de plus de 10 000 habitants, l'effort et la réussite des régions dans le domaine de la réduction des pollutions urbaines de l'eau varient assez fortement (*planche 1*). Le taux de dépollution (exprimé ici pour la pollution oxydable), qui mesure l'efficacité globale des systèmes (niveau de collecte et performance de la station d'épuration), varie en effet en 1993 de 32 % à 65 %. Certaines régions apparaissent ainsi deux fois plus efficaces que d'autres.

Sept régions atteignent, pour leurs agglomérations, un taux de dépollution inférieur ou égal à 40 % : l'Aquitaine, la Basse-Normandie, la Haute-Normandie, l'Île-de-France, le Nord-Pas-de-Calais, Provence-Alpes-Côte d'Azur et Rhône-Alpes. *A contrario*, trois régions dépassent un niveau de taux d'épuration de 60 % : l'Alsace, la Bretagne et Poitou-Charentes, et sont ainsi proches de l'objectif du plan national.

Naturellement, ces chiffres régionaux peuvent masquer des différences notables intra-régionales. Par ailleurs, une hiérarchisation des performances relatives des régions doit tenir compte de l'état des cours d'eau, des richesses de l'environnement aquatique local et de la vulnérabilité des milieux.

Enfin, le poids relatif de chaque région en terme de quantité de pollution rejetée, qui traduit l'impact sur le milieu, varie dans des proportions considérables. Les agglomérations des régions les plus peuplées rejettent, pour certaines en un nombre de points assez réduits compte tenu de la concentration de l'urbanisation, des quantités très différentes de celles des régions rurales. Pour 194 500 équivalents-habitant rejetés par les agglomérations de plus de 10 000 habitants en Corse, 717 000 en Limousin, ou 982 200 en Auvergne, on passe à 5,7 millions d'équivalents-habitant rejetés dans le Nord-Pas-de-Calais ou en Provence-Alpes-Côte d'Azur, 5,8 millions en Rhône-Alpes et 15,5 millions en Île-de-France.

Des variations notables dans la réduction de la pollution industrielle de l'eau

La pollution industrielle de l'eau a été réduite en France, tout particulièrement pour les matières toxiques. Les rejets nets de l'industrie dans le milieu ont ainsi baissé de plus de 20 % entre 1981 et 1991 pour les matières oxydables et de près de 40 % pour les matières toxiques (*planche 2*). Cette tendance était déjà engagée depuis plusieurs années puisque les réductions des rejets sur quinze ans (1976-1991) sont plus importantes encore (– 38 % pour les matières oxydables et – 62 % pour les matières toxiques).

Cette évolution générale en France est due aux efforts des industriels dans la lutte contre les pollutions, notamment dans les branches telles que le papier, la chimie, les traitements de surface, ainsi qu'au développement de nouvelles technologies, plus « propres », qui permettent de produire autant, ou plus, avec moins de rejets.

Mais ces baisses, et parfois ces hausses localisées, traduisent aussi les changements intervenus dans le tissu industriel de chacune des régions et dans la place relative de chaque branche. Des évolutions telles que par exemple la forte réduction de l'activité de la sidérurgie ou le développement des industries agroalimentaires jouent un rôle dans l'évolution des rejets. Par ailleurs, des créations d'activités nouvelles ou des extensions d'activités polluantes peuvent conduire à des augmentations des rejets comme en Bretagne, en Basse-Normandie ou en Bourgogne en ce qui concerne les rejets toxiques (développement d'activités notamment dans le domaine des traitements de surface).

La qualité de l'eau des rivières

Depuis plus de vingt ans en France, la qualité de l'eau des rivières s'apprécie à partir de la mesure de plusieurs dizaines de paramètres regroupés dans une grille de qualité en cinq classes. Matières organiques, matières oxydables, matières en suspension, polluants azotés, polluants phosphatés, métaux lourds..., tous ces paramètres concourent à la description et à l'évaluation de la qualité de l'eau. Mais, n'étant pas mesurés systématiquement partout ni de façon régulière, ces paramètres ne peuvent donc être tous retenus et synthétisés pour une description de la qualité de l'eau dans les régions sur la période 1989-1993.

La qualité de l'eau des cours d'eau dans le domaine des matières organiques et oxydables, étroitement liée à la pollution urbaine, à l'élevage intensif et à certaines industries (dont l'agroalimentaire), est, en France, plutôt moyenne ou bonne mais elle est comporte une part notable de points de mesure de qualité moyenne ou mauvaise en Auvergne, en Bretagne, en Haute-Normandie, en Île-de-France et dans le Nord-Pas-de-Calais (*planche 3*).

L'indicateur qui rend compte des divers types de pollutions phosphorées, essentiellement lié aux rejets urbains et aux engrais agricoles, comporte une part notable de points de mesure de qualité mauvaise ou très mauvaise en Haute-Normandie, en Île-de-France, dans le Nord-Pas-de-Calais et en Provence-Alpes-Côte d'Azur (*planche 4*).

Enfin, en ce qui concerne les nitrates et pollutions assimilées, aucune région n'est dans une situation significativement mauvaise ou très mauvaise, mais la qualité de l'eau est moyenne dans sept régions : en Bretagne, en Basse-Normandie et Haute-Normandie, en Champagne-Ardenne, dans le Nord-Pas-de-Calais, dans les Pays de la Loire et en Poitou-Charentes, la tendance semblant être clairement à la dégradation dans ces classes moyennes (*planche 5*).

Néanmoins, il convient de garder à l'esprit que ces données sont très agrégées, que la qualité varie très fortement sur un même cours d'eau à l'intérieur d'une région et que des variations notables peuvent être observées d'une année à l'autre, ne serait-ce que du fait des conditions météorologiques (périodes de sécheresse notamment).

Une qualité des eaux de baignade globalement bonne, mais néanmoins assez hétérogène selon les régions

À l'intérieur de la tendance relativement générale à l'amélioration de la qualité des eaux de baignade sur longue période en France, il demeure que la situation est sensiblement meilleure sur le littoral qu'à l'intérieur des terres et que cette qualité peut varier assez fortement selon les régions (*planche 6*). Il ne faut pas oublier, cependant, que l'analyse des évolutions sur longue période doit prendre en compte l'évolution des sites et des conditions des mesures et, notamment, le fait que des sites de baignade peuvent être fermés, en particulier sur certaines rivières, lorsque les mesures de qualité sont mauvaises. Les sites ne sont alors pas repris les années suivantes dans l'observation de la qualité.

Si 91 % des plages du littoral français sont en 1994 conformes aux normes impératives de la Directive européenne de 1976, seulement 87 % des points de baignade des cours d'eau ou des lacs de l'intérieur des terres respectent cette obligation. Mais les écarts sont bien plus importants entre les régions. L'Alsace, l'Aquitaine, la Corse, le Languedoc-Roussillon, le Limousin, Midi-Pyrénées, les Pays de la Loire et Provence-Alpes-Côte d'Azur ont moins de 10 % de baignades non conformes, alors que ce chiffre est supérieur à 20 % dans trois régions : la Basse-Normandie, Champagne-Ardenne et la Picardie.

PLANCHE 1

ASSAINISSEMENT COLLECTIF DES AGGLOMÉRATIONS DE PLUS DE 10 000 HABITANTS - 1993

RÉGIONS	POLLUTION PRODUITE	TAUX DE COLLECTE	RENDEMENT D'ÉPURATION	TAUX DE DÉPOLLUTION
	EH	%	%	%
ALSACE	2 556 500	74	87	65
AQUITAINE	2 373 900	54	65	35
AUVERGNE	982 200	66	77	50
BASSE-NORMANDIE	1 201 300	75	53	40
BOURGOGNE	1 199 900	68	74	50
BRETAGNE	2 386 900	80	77	61
CENTRE	1 734 700	65	83	54
CORSE	194 500	73	64	46
CHAMPAGNE-ARDENNE	1 361 400	58	77	45
FRANCHE-COMTÉ	798 000	67	77	52
HAUTE-NORMANDIE	1 514 200	57	56	32
ÎLE-DE-FRANCE	15 521 500	55	73	40
LANGUEDOC-ROUSSILLON	2 074 500	74	76	56
LIMOUSIN	717 900	76	72	54
LORRAINE	1 839 300	59	76	45
MIDI-PYRÉNÉES	1 957 500	74	73	54
NORD-PAS-DE-CALAIS	5 661 500	59	62	37
PAYS DE LA LOIRE	2 935 500	73	77	56
PICARDIE	1 592 000	66	81	53
POITOU-CHARENTES	1 148 300	74	83	62
PROVENCE-ALPES-CÔTE D'AZUR	5 747 200	76	51	39
RHÔNE-ALPES	5 854 100	67	55	37
FRANCE MÉTROPOLITAINE	**61 352 800**	**65**	**69**	**45**

Source : réseau national des données sur l'eau - 1995 (RNDE).

Pollution produite : c'est la quantité de pollution oxydable émise par les habitants relevant de l'assainissement collectif et les industries raccordées. Elle est estimée :

– pour les industries raccordées, en fonction de leur activité ;

– pour les habitants, à partir de la quantité produite chaque jour par un individu, appelée l'« équivalent-habitant » (EH).

Taux de collecte : c'est la part de pollution émise qui parvient à l'entrée des stations d'épuration.

Rendement de l'épuration : c'est la part de pollution collectée qui est éliminée par les stations d'épuration.

PLANCHE 2

POLLUTION INDUSTRIELLE DES EAUX

RÉGIONS	REJETS NETS EN MATIÈRES OXYDABLES (t/j)			REJETS NETS EN MATIÈRES TOXIQUES (K.éq/j)		
	1981	1991	Évolution %	1981	1991	Évolution %
ALSACE	240	160	- 33	2 000	1 739	- 13
AQUITAINE	160	152	-5	2 000	2 100	5
AUVERGNE	50	37	- 26	600	438	- 27
BASSE-NORMANDIE	55	44	-20	600	1 117	86
BOURGOGNE	60	53	- 12	1 300	1 596	23
BRETAGNE	110	103	-6	380	633	67
CENTRE	60	61	2	1 050	983	- 6
CHAMPAGNE-ARDENNE	84	90	7	760	752	- 1
CORSE	1	1	0	-	-	-
FRANCHE-COMTÉ	45	35	- 22	800	656	- 18
HAUTE-NORMANDIE	150	99	- 34	11 000	4 644	- 58
ÎLE-DE-FRANCE	210	176	- 16	8 000	3 610	- 55
LANGUEDOC-ROUSSILLON	100	60	- 40	400	259	- 35
LIMOUSIN	45	46	2	450	173	- 62
LORRAINE	135	69	- 49	3 000	1 200	- 60
MIDI-PYRÉNÉES	140	98	- 30	1 700	1 260	- 26
NORD-PAS-DE-CALAIS	240	160	- 33	8 000	5 549	- 31
PAYS DE LA LOIRE	100	100	0	1 250	1 010	- 19
PICARDIE	115	98	- 15	1 150	1 177	2
POITOU-CHARENTES	60	65	8	1 050	603	- 43
PROVENCE-ALPES-CÔTE D'AZUR	140	99	- 29	2 100	1 041	- 50
RHÔNE-ALPES	280	201	- 28	9 000	3 873	- 57
FRANCE MÉTROPOLITAINE	**2 580**	**2 007**	**- 22**	**56 590**	**34 413**	**- 39**

Source : ministère de l'Environnement/DPPR/SEI.

Ces résultats relatifs à la pollution industrielle de l'eau sont établis sur la base des données collectées par les agences de l'eau dans le cadre du calcul des redevances et des primes pour les usagers non domestiques. Une proportion importante des établissements à l'origine des rejets vers le milieu aquatique (90 % des établissements représentant 50 % des flux émis) fait l'objet d'une évaluation par un procédé forfaitaire, et non par mesure.

Matières oxydables (MO) : les matières oxydables sont une moyenne pondérée de la demande chimique en oxygène (DCO) et de la demande biochimique sur cinq jours (DBO) suivant la formule :

MO = (DCO+DBO5)/3.

Matières toxiques : le degré de toxicité d'un effluent est défini à partir des matières inhibitrices. Cette toxicité aiguë est appréciée grâce à un test visant à caractériser leurs effets sur des organismes vivants particuliers du règne animal (test « daphnies »). Les flux sont exprimés en K.équitox/j.

PLANCHE 3

QUALITÉ DES EAUX SUPERFICIELLES - 1989 ET 1993

RÉGIONS	MATIÈRES ORGANIQUES ET OXYDABLES (1)									
	Trés bonne %		Bonne %		Moyenne %		Mauvaise %		Trés mauvaise %	
	1989	1993	1989	1993	1989	1993	1989	1993	1989	1993
ALSACE	21	11	49	54	31	31	0	4	0	0
AQUITAINE	27	13	44	75	29	11	0	1	0	0
AUVERGNE	8	17	33	40	25	33	33	8	0	2
BASSE-NORMANDIE	18	10	33	37	37	30	5	18	7	5
BOURGOGNE	18	13	55	55	17	27	11	5	0	0
BRETAGNE	12	9	35	38	32	31	22	17	0	5
CENTRE	14	12	35	43	39	39	12	7	0	0
CHAMPAGNE-ARDENNE	0	5	78	80	22	13	0	2	0	0
CORSE	...	100	...	0	...	0	...	0	...	0
FRANCHE-COMTÉ	19	25	17	40	58	27	6	8	0	0
HAUTE-NORMANDIE	4	0	19	4	52	25	21	63	4	8
ÎLE-DE-FRANCE	0	0	48	42	38	35	14	24	0	0
LANGUEDOC-ROUSSILLON	18	13	38	55	33	21	11	1	0	10
LIMOUSIN	14	3	81	44	6	44	0	6	0	3
LORRAINE	13	11	58	31	28	47	0	11	0	0
MIDI-PYRÉNÉES	11	8	57	74	24	16	7	2	1	0
NORD-PAS-DE-CALAIS	0	0	23	17	16	31	56	52	5	0
PAYS DE LA LOIRE	2	3	47	30	42	48	9	17	0	3
PICARDIE	0	0	27	36	65	44	6	20	1	0
POITOU-CHARENTES	21	0	42	60	27	38	7	2	2	0
PROVENCE-ALPES-CÔTE D'AZUR	40	36	23	28	17	21	19	8	2	7
RHÔNE-ALPES	14	14	60	41	26	44	0	1	0	0
FRANCE MÉTROPOLITAINE	**13**	**14**	**43**	**42**	**32**	**30**	**11**	**13**	**1**	**2**

Source : IFEN d'après OIE (BNDE).

(1) Observations par classe de l'altération « matières organiques et oxydables » sur l'ensemble des points caractéristiques du sous-bassin de la région.

PLANCHE 4

QUALITÉ DES EAUX SUPERFICIELLES - 1989 ET 1993

RÉGIONS	PHOSPHORE(1)									
	Trés bonne %		Bonne %		Moyenne %		Mauvaise %		Trés mauvaise %	
	1989	1993	1989	1993	1989	1993	1989	1993	1989	1993
ALSACE	2	11	30	11	38	38	28	35	2	6
AQUITAINE	51	8	34	61	11	23	4	4	0	3
AUVERGNE	0	46	38	46	35	6	8	2	19	0
BASSE-NORMANDIE	7	0	40	32	38	52	10	15	5	2
BOURGOGNE	19	25	32	61	37	1	5	1	7	12
BRETAGNE	17	13	37	53	25	16	7	11	15	7
CENTRE	0	8	47	80	36	10	6	2	11	0
CHAMPAGNE-ARDENNE	39	12	50	62	8	22	0	2	3	3
CORSE	...	100	...	0	...	0	...	0	...	0
FRANCHE-COMTÉ	0	33	19	47	56	7	14	13	11	0
HAUTE-NORMANDIE	0	0	6	0	29	4	35	33	29	63
ÎLE-DE-FRANCE	17	0	17	39	26	27	27	19	13	14
LANGUEDOC-ROUSSILLON	13	19	51	38	28	24	8	8	0	11
LIMOUSIN	39	78	58	19	0	3	3	0	0	0
LORRAINE	0	4	12	28	50	33	33	29	5	6
MIDI-PYRÉNÉES	60	24	32	56	6	12	3	4	0	4
NORD-PAS-DE-CALAIS	5	2	19	15	9	20	49	36	18	27
PAYS DE LA LOIRE	0	0	17	24	70	58	11	13	2	5
PICARDIE	7	4	33	33	54	45	6	15	0	2
POITOU-CHARENTES	21	8	46	56	26	25	6	8	0	2
PROVENCE-ALPES-CÔTE D'AZUR	50	54	15	29	6	0	4	1	25	15
RHÔNE-ALPES	24	22	19	70	5	7	1	1	51	0
FRANCE MÉTROPOLITAINE	**18**	**21**	**31**	**39**	**28**	**20**	**13**	**12**	**10**	**8**

Source : IFEN d'après OIE (BNDE).

(1) Observations par classe de l'altération « phosphore » sur l'ensemble des points caractéristiques du sous-bassin de la région.

PLANCHE 5

QUALITÉ DES EAUX SUPERFICIELLES - 1989 ET 1993

RÉGIONS	NITRATES (1)									
	Trés bonne %		Bonne %		Moyenne %		Mauvaise %		Trés mauvaise %	
	1989	1993	1989	1993	1989	1993	1989	1993	1989	1993
ALSACE	3	7	97	93	0	0	0	0	0	0
AQUITAINE	20	11	78	80	2	9	0	0	0	0
AUVERGNE	67	48	33	52	0	0	0	0	0	0
BASSE-NORMANDIE	10	0	62	60	28	40	0	0	0	0
BOURGOGNE	12	7	82	77	6	15	0	0	0	0
BRETAGNE	5	0	67	18	28	72	0	10	0	0
CENTRE	26	21	70	68	4	12	0	0	0	0
CHAMPAGNE-ARDENNE	0	13	92	57	8	30	0	0	0	0
CORSE	...	100	...	0	...	0	...	0	...	0
FRANCHE-COMTÉ	11	20	89	80	0	0	0	0	0	0
HAUTE-NORMANDIE	2	0	52	42	46	58	0	0	0	0
ÎLE-DE-FRANCE	0	0	94	74	6	26	0	0	0	0
LANGUEDOC-ROUSSILLON	72	70	28	30	0	0	0	0	0	0
LIMOUSIN	97	81	3	19	0	0	0	0	0	0
LORRAINE	17	21	82	78	2	1	0	0	0	0
MIDI-PYRÉNÉES	46	38	53	60	1	3	0	0	0	0
NORD-PAS-DE-CALAIS	2	0	57	76	40	24	1	0	0	0
PAYS DE LA LOIRE	9	14	83	49	7	35	0	2	0	0
PICARDIE	1	1	98	99	1	0	0	0	0	0
POITOU-CHARENTES	2	5	86	60	12	35	0	1	0	0
PROVENCE-ALPES-CÔTE D'AZUR	56	68	42	32	2	0	0	0	0	0
RHÔNE-ALPES	64	64	36	36	0	0	1	0	0	0
FRANCE METROPOLITAINE	**25**	**27**	**66**	**56**	**9**	**16**	**0**	**1**	**0**	**0**

Source : IFEN d'après OIE (BNDE).

(1) Observations par classe de l'altération « nitrates » sur l'ensemble des points caractéristiques du sous-bassin de la région.

PLANCHE 6

QUALITÉ DES EAUX DE BAIGNADE - 1994 (1)

RÉGIONS	EAU DE MER		EAU DOUCE		TOTAL		POINTS DE SURVEILLANCE (2)	
	Conforme	Non conforme	Conforme	Non conforme	Conforme	Non conforme	Mer	Eau douce
	%						Nombre	
ALSACE	///	///	94,4	5,6	94,4	5,6	///	18
AQUITAINE	90,3	9,7	89,9	10,1	90,1	9,9	113	126
AUVERGNE	///	///	80,6	19,4	80,6	19,4	///	98
BASSE-NORMANDIE	54,8	45,2	60,0	40,0	55,0	45,0	125	5
BOURGOGNE	///	///	84,1	15,9	84,1	15,9	///	99
BRETAGNE	91,2	8,8	72,7	27,3	89,7	10,3	501	46
CENTRE	///	///	89,8	10,2	89,8	10,2	///	64
CHAMPAGNE-ARDENNE	///	///	66,6	33,4	66,6	33,4	///	34
CORSE	99,3	0,7	94,5	5,5	98,1	1,9	154	54
FRANCHE-COMTÉ	///	///	87,2	12,8	87,2	12,8	///	39
HAUTE-NORMADIE	87,5	12,5	80,0	20,0	86,2	13,8	24	6
ÎLE-DE-FRANCE	///	///	81,2	18,8	81,2	18,8	///	16
LANGUEDOC-ROUSSILLON	76,2	3,8	89,2	10,8	92,3	7,7	132	172
LIMOUSIN	///	///	94,8	5,2	94,8	5,2	///	118
LORRAINE	///	///	86,4	13,6	86,4	13,6	///	54
MIDI-PYRÉNÉES	///	///	92,5	7,5	92,5	7,5	///	179
NORD-PAS-DE-CALAIS	91,9	8,1	71,4	28,6	86,3	13,7	37	14
PAYS DE LA LOIRE	85,6	4,4	92,3	7,7	94,6	5,4	137	66
PICARDIE	75,0	25,0	60,0	20,0	77,3	22,7	12	10
POITOU-CHARENTES	89,2	10,8	81,4	18,6	86,3	13,7	74	48
PROVENCE-ALPES-CÔTE D'AZUR	97,2	2,8	78,4	21,6	93,0	7,0	356	104
RHÔNE-ALPES	///	///	89,6	10,4	89,6	10,4	///	246
FRANCE ENTIÈRE (3)	**90,9**	**9,1**	**87,3**	**12,7**	**89,3**	**10,7**		

Source : ministère des Affaires sociales, de la Santé et de la Ville, ministère de l'Environnement (surveillance des eaux de baignade).

(1) Exprimée en pourcentage de points de surveillance conformes aux normes impératives de la Directive européenne n° 76160 CEE du 8 décembre 1975.

(2) Le total des points de surveillance en métropole s'élève à 1 665 en eau de mer et 1 616 en eau douce.

(3) Les données France entière in-cluent les résultats pour les départements d'outre-mer (soit 255 points de surveillance, où la qualité des eaux de baignade est en moyenne légèrement inférieure à la métropole).

ATMOSPHÈRE

Les pollutions atmosphériques sont globales (effet de serre), continentales (pluies acides) et locales (pollutions industrielles et transports dans les grandes villes). Concernées par les pollutions locales, les régions françaises présentent des situations très contrastées. La loi sur l'air présentée par le ministre de l'Environnement Corinne Lepage prend en compte ces disparités puisque le texte instaure des « plans régionaux pour la qualité de l'air » facultatifs. Les régions intéressées se voient assigner des objectifs d'amélioration de la qualité de l'air. Les élus régionaux sont associés à l'élaboration des plans et sont même incités à agir d'eux-mêmes.

Pour cinq des huit substances présentées ci-après, les rejets dans l'air sont essentiellement liés aux activités de consommation d'énergie fossile pour le chauffage urbain et les transports. Les régions les plus urbanisées et les plus industrialisées ont quasi systématiquement les contributions les plus élevées : Île-de-France, Provence-Alpes-Côte d'Azur, Rhône-Alpes, Nord-Pas-de-Calais, Lorraine (*planche 1*).

Pour deux substances plus caractéristiques entre autres de l'activité agricole, les régions de l'Ouest se détachent nettement (Bretagne, Pays de la Loire, Basse-Normandie).

Le dioxyde de carbone (CO_2)

Le dioxyde de carbone contribue de façon prépondérante au phénomène d'accroissement de l'effet de serre. Ses émissions sont principalement liées à l'utilisation de l'énergie. De ce fait, la distribution régionale reflète à peu près la consommation d'énergie. L'Île-de-France (20 % de la population, mais relativement plus orientée vers le tertiaire que vers l'industrie) arrive en tête avec environ 10 % des émissions, suivie par le Nord-Pas-de-Calais (8,5 %), Rhône-Alpes, la Lorraine et Provence-Alpes-Côte d'Azur avec environ 8 % chacune (*planche 1*).

Le monoxyde de carbone (CO)

Substance caractéristique du trafic automobile (63 % des émissions nationales), le monoxyde de carbone est également émis en quantité significative par certains procédés métallurgiques, ce qui explique la présence de Provence-Alpes-Côte d'Azur en tête des régions avec à peu près 13 % des émissions totales. Viennent ensuite Rhône-Alpes et l'Île-de-France (environ chacun 9 %) puis le Nord-Pas-de-Calais (environ 8,5 %) et la Lorraine (environ 8 %) (*planche 1*).

Le protoxyde d'azote (N_2O)

Le protoxyde d'azote est un gaz à effet de serre que l'on rencontre dans les rejets des installations de combustion et des moteurs en quantité relativement modeste. Paradoxalement, on observe des émissions comparativement plus élevées avec l'emploi de techniques de dépollution comme les lits fluidisés désulfurants et les pots catalytiques. Les principales sources de protoxyde d'azote sont dues, d'une part, à l'utilisation des engrais et, d'autre part, à la fabrication de certains produits comme l'acide nitrique. Cette dernière cause étant le fait d'un nombre limité de sources géographiquement peu dispersées, contrairement aux sources agricoles, on comprend mieux la hiérarchie des régions : Alsace 27 %, Haute-Normandie 9 %, Midi-Pyrénées 8,5 % et Pays de la Loire 7 % (*planche 1*).

Le méthane (CH_4)

Autre gaz à effet de serre direct, il est principalement émis par les animaux d'élevage (digestion et déjections). D'autres sources notables sont constituées par les décharges d'ordures, les décompositions naturelles, l'exploitation du charbon (activité très localisée) et la distribution du gaz naturel. En conséquence, les régions les plus émettrices sont la Lorraine et les Pays de la Loire (10 % chacune) et la Bretagne (8,5 %) (*planche 1*).

Le dioxyde de soufre (SO_2)

Le dioxyde de soufre contribue à l'acidification de l'atmosphère. Il provient à plus de 85 % de l'utilisation de combustibles fossiles soufrés (charbon, fiouls, gazole). Les 15 % restants sont émis par quelques procédés industriels. Il n'est donc pas surprenant de voir se détacher la Haute-Normandie, Provence-Alpes-Côte d'Azur (chacune plus de 14 %), le Nord-Pas-de-Calais (12 %) puis la Lorraine et l'Île-de-France (chacune plus de 8 %). Ces cinq régions, où est localisée une grande partie des plus grandes installations de combustion, totalisent plus de la moitié des émissions nationales (*planche 1*).

Sur la période 1980-1990, les émissions de dioxyde de soufre ont diminué en France de plus de 60 %.

Les oxydes d'azote ($NO + NO_2 = NOx$)

Issus à 95 % de l'utilisation de l'énergie fossile dans des installations fixes et mobiles, les oxydes d'azote sont impliqués à la fois dans l'accroissement de l'effet de serre (gaz à effet indirect) et dans la formation des polluants photochimiques, tel que l'ozone troposphérique. Les plus fortes émissions sont observées dans les régions ayant des pôles urbains importants (trafic routier, chauffage) et une proportion significative des grandes installations de combustion : Rhône-Alpes, Île-de-France et Provence-Alpes-Côte d'Azur (de l'ordre de 10 % chacune), suivies par le Nord-Pas-de-Calais (près de 8 %) (*planche 1*).

Les composés organiques volatils non méthaniques (COVNM)

Comme les oxydes d'azote, les composés organiques volatils non méthaniques interviennent indirectement dans l'accroissement de l'effet de serre et participent à la production d'ozone. En dehors des véhicules à essence, qui causent à peu près la moitié des rejets anthropiques (les émissions d'origine naturelle étant estimées à environ 15 % des émissions totales), les sources de composés organiques volatils se caractérisent par une très grande dispersion des émetteurs. Ce sont donc les régions les plus peuplées qui émergent à nouveau : Île-de-France (12 %), Rhône-Alpes et Provence-Alpes-Côte d'Azur (9 % chacune), Aquitaine (près de 7 %) (*planche 1*).

L'ammoniac

Les émissions d'ammoniac sont essentiellement d'origine agricole. C'est pourquoi elles sont plus accentuées en Bretagne (16 %), dans les Pays de la Loire (12 %) et en Basse-Normandie (environ 8 %) (*planche 1*).

Effet de serre et pluies acides

L'effet de serre et les pluies acides concernent presque tous les secteurs (industrie, résidentiel/tertiaire, agriculture, transport) (*planche 2*).

Dès lors, on observe un certain lissage de la distribution des contributions régionales.

– Accroissement de l'effet de serre : six régions ont une part comprise entre 6,9 % et 8,5 % (Île-de-France, Nord-Pas-de-Calais, Rhône-Alpes, Lorraine, Pays de la Loire, Provence-Alpes-Côte d'Azur).

– Pluies acides : six régions ont une contribution supérieure à 7 % (Pays de la Loire, Lorraine, Nord-Pas-de-Calais, Haute-Normandie, Bretagne, Rhône-Alpes). La plupart de ces régions allient un développement industriel notable avec une activité agricole importante.

PLANCHE 1

ÉMISSIONS DE POLLUANTS ATMOSPHÉRIQUES

RÉGIONS	DIOXYDE DE CARBONE CO_2(1)		MONOXYDE DE CARBONNE CO		PROTOXYDE D'AZOTE N_2O		MÉTHANE CH_4	
	Quantité 1990	Part France métrop.	Quantité 1990	Part France métrop.	Quantité 1990	Part France métrop.	Quantité 1990	Part France métrop.
	Kilo-tonnes	%	Kilo-tonnes	%	Kilo-tonnes	%	Kilo-tonnes	%
ALSACE	12 845	2,7	344,9	3,2	59,9	26,9	40,5	1,3
AQUITAINE	21 673	4,5	555,6	5,1	9,2	4,2	157,8	5,2
BASSE-NORMANDIE	13 778	2,9	275,4	2,5	4,9	2,2	177,4	5,8
BOURGOGNE	15 829	3,3	310,9	2,8	7,7	3,5	134,0	4,4
BRETAGNE	25 108	5,2	522,9	4,8	6,7	3	256,6	8,4
CENTRE	17 770	3,7	478,9	4,4	9,5	4,3	105,8	3,5
CHAMPAGNE-ARDENNE	12 742	2,7	298,6	2,7	6,2	2,8	100,1	3,3
CORSE	2 248	0,5	87,3	0,8	1,4	0,6	8,5	0,3
FRANCHE-COMTÉ	9 635	2	215,6	2	3,6	1,6	67,5	2,2
HAUTE-NORMANDIE	26 843	5,6	318,9	2,9	20,5	9,2	91,4	3
ÎLE-DE-FRANCE	47 238	9,8	944,1	8,6	6,3	2,8	156,7	5,2
LANGUEDOC-ROUSSILLON	12 786	2,7	445,8	4,1	5,4	2,4	95,1	3,1
LIMOUSIN	8 356	1,7	160,1	1,5	3,7	1,7	78,7	2,6
LORRAINE	36 710	7,6	681,4	6,2	5,8	2,6	307,7	10,1
MIDI-PYRÉNÉES	22 557	4,7	511,6	4,7	14,8	6,7	166,5	5,5
NORD-PAS-DE-CALAIS	40 630	8,5	929,0	8,5	9,6	4,3	132,0	4,3
PAYS DE LA LOIRE	34 217	7,1	607,0	5,6	12,9	5,8	301,0	9,9
PICARDIE	15 133	3,2	324,0	3	5,2	2,3	117,3	3,9
POITOU-CHARENTES	14 869	3,1	316,6	2,9	6,5	2,9	93,3	3,1
PROVENCE-ALPES-CÔTE D'AZUR	37 961	7,9	1 373,2	12,6	6,0	2,7	128,8	4,2
RHÔNE-ALPES	39 032	8,1	972,6	8,9	9,7	4,4	188,2	6,2
FRANCE MÉTROPOLITAINE	**480 222**	**100**	**10 926,3**	**100**	**222,6**	**100**	**3 038,1**	**100**

Source : CITEPA (inventaire Corinair).

(1) Le CO_2 est exprimé en « CO_2 à la source ».

PLANCHE 1 (suite)

ÉMISSIONS DE POLLUANTS ATMOSPHÉRIQUES

RÉGIONS	OXYDE D'AZOTE NOx(1)		AMMONIAC NH_3		Composés organiques volatils non méthaniques COVNM		DIOXYDE DE SOUFRE SO_2	
	Quantité 1990	Part France métrop.	Quantité 1990	Part France métrop.	Quantité 1990	Part France métrop.	Quantité 1990	Part France métrop.
	Kilo-tonnes	%	Kilo-tonnes	%	Kilo-tonnes	%	Kilo-tonnes	%
ALSACE	49,1	3,1	8,9	1,3	92,2	3,2	30,5	2,4
AQUITAINE	76,1	4,9	32,4	4,6	191,4	6,7	75,8	5,9
AUVERGNE	33,6	2,2	4,6	4,9	75,5	2,6	10,9	0,8
BASSE-NORMANDIE	33,2	2,1	52,5	7,5	63,0	2,2	17,2	1,3
BOURGOGNE	50,8	3,3	29,1	4,2	119,5	4,2	25,5	2
BRETAGNE	66,4	4,3	110,6	15,8	117,2	4,1	24,0	1,9
CENTRE	70,3	4,5	31,1	4,5	146,0	5,1	24,2	1,9
CHAMPAGNE-ARDENNE	45,2	2,9	23,5	3,4	90,9	3,2	19,3	1,5
CORSE	12,8	0,8	1,6	0,2	19,8	0,7	9,4	0,7
FRANCHE-COMTÉ	28,7	1,8	20,2	2,9	76,9	2,7	17,2	1,3
HAUTE-NORMANDIE	76,4	4,9	27,3	3,9	120,3	4,2	187,8	14,5
ÎLE-DE-FRANCE	153,8	9,8	7,3	1,1	344,1	12	110,3	8,5
LANGUEDOC-ROUSSILLON	58,0	3,7	9,3	1,3	102,9	3,6	20,8	1,6
LIMOUSIN	20,3	1,3	18,1	2,6	52,6	1,8	6,8	0,5
LORRAINE	94,3	6	28,5	4,1	118,7	4,1	114,1	8,8
MIDI-PYRÉNÉES	72,1	4,6	45,3	6,5	139,9	4,9	31,0	2,4
NORD-PAS-DE-CALAIS	114,3	7,3	30,7	4,4	162,6	5,7	159,9	12,4
PAYS DE LA LOIRE	102,4	6,6	85,1	12,2	146,2	5,1	81,8	6,3
PICARDIE	51,8	3,3	25,5	3,7	90,9	3,2	40,3	3,1
POITOU-CHARENTES	48,7	3,1	31,9	4,6	88,5	3,1	16,3	1,3
PROVENCE-ALPES-CÔTE D'AZUR	148,0	9,5	7,3	1	251,8	8,8	183,0	14,1
RHÔNE-ALPES	155,1	9,9	38,3	5,5	252,1	8,8	87,8	6,8
FRANCE MÉTROPOLITAINE	**1 562,4**	**100**	**700,1**	**100**	**2 864,0**	**100**	**1 295,1**	**100**

Source : CITEPA (inventaire Corinair).

(1) Les NOx sont exprimés en équivalents NO_2.

Inventaire Corinair. Il fournit les estimations des rejets de huit polluants (SO_2, NOx, COVNM, CH_4, CO, CO_2, N_2O, NH_3) dans l'atmosphère, en se fondant soit sur les mesures d'émissions, lorsqu'elles sont disponibles pour les grandes sources ponctuelles, soit sur des paramètres caractéristiques d'activité pour la source concernée (énergie consommée, quantité de produits fabriqués...) pondérés par un « facteur d'émission » caractérisant le rejet de la source lié à l'activité. Ces résultats présentent ainsi parfois des incertitudes selon les polluants et les secteurs.

SO_2, NOx, COVNM, CH_4, CO, CO_2, N_2O, NH_3. Ce sont les principales substances impliquées dans les phénomènes de pollution urbaine (CO, COV, SO_2, NOx...), d'acidification (SO_2, NOx), d'oxydation photochimique (NOx, COV, CO) et d'accroissement de l'effet de serre (CO_2, CH_4, N_2O, principalement).

PLANCHE 2

CONTRIBUTION DES RÉGIONS À L'ACCROISSEMENT DE L'EFFET DE SERRE ET AUX PLUIES ACIDES

RÉGIONS	EFFET DE SERRE		PLUIES ACIDES	
	Équivalent changement climatique 1990	Part France Métropolitaine	Équivalent acidification 1990	Part France Métropolitaine
	Millions de tonnes de CO_2-eq	%	Millions mol H+	%
ALSACE	33,0	5,2	2 547,1	2,2
AQUITAINE	28,5	4,5	5 935,3	5,13
AUVERGNE	17,4	2,7	3 107,1	2,69
BASSE NORMANDIE	19,7	3,1	4 355,5	3,77
BOURGOGNE	21,5	3,4	3 619,7	3,13
BRETAGNE	33,5	5,3	8 703,2	7,53
CENTRE	23,4	3,7	4 123,9	3,57
CHAMPAGNE-ARDENNE	17,1	2,7	2 975	2,57
CORSE	2,9	0,4	672	0,58
FRANCHE-COMTÉ	12,4	1,9	2 357,2	2,04
HAUTE-NORMANDIE	35,6	5,7	9 137,4	7,9
ÎLE-DE-FRANCE	53,0	8,8	7 224,9	6,25
LANGUEDOC-ROUSSILLON	16,8	2,9	2 463,4	2,13
LIMOUSIN	11,4	1,8	1 723	1,49
LORRAINE	46,1	7,3	7 298,7	6,31
MIDI-PYRÉNÉES	31,3	5,0	5 206,4	4,5
NORD-PAS-DE-CALAIS	46,9	7,5	9 293,6	8,04
PAYS DE LA LOIRE	45,7	7,3	9 792,5	8,47
PICARDIE	19,6	3,1	3 890,9	3,37
POITOU-CHARENTES	19,2	3,0	3 449,3	2,98
PROVENCE-ALPES-CÔTE D'AZUR	43,0	6,8	9 370	8,1
RHÔNE-ALPES	46,7	7,4	8 378,7	7,25
FRANCE MÉTROPOLITAINE	**625,8**	**100,00**	**115 625,8**	**100,00**

Source : IFEN d'après CITEPA (inventaire Corinair).

Millions de tonnes de CO_2-eq : pour permettre de comparer entre eux les effets sur le climat des différents gaz à effet de serre, des pondérations ont été déterminées par les scientifiques. Le potentiel de réchauffement global est le rapport de l'effet du gaz (forçage radiatif) à celui du gaz carbonique. Par construction, le PRG du CO_2 est donc 1.

Lorsqu'on somme les émissions de gaz, pondérées par leurs PRG, on obtient une estimation de la pression anthropique globale, exprimée en CO_2-eq.

1 x émissions (CO_2) + 24,5 x émissions (CH_4) + 320 x émissions (N_2O) = émissions (CO_2-eq).

Millions de mol. H+ : pour permettre de comparer entre eux les effets des principales substances acidifiantes, une pondération a été déterminée sur la base des réactions chimiques constitutives des dépôts acides. Les équilibres chimiques spécifient qu'une molécule de SO_2 pourra produire 2 ions H+, alors qu'une molécule de NOx ou de NH_3 produira un ion H+. En supposant que chaque molécule émise interviendra dans une réaction de ce type, on peut donc définir une pondération en divisant chaque substance par sa masse molaire :

2 x émissions SO_2(g) / 64 + 1 x émissions NOx (g) / 46 +1 x émissions NH_3 (g) / 17 = mol. H+.

PATRIMOINE NATUREL

La France possède une très grande diversité de conditions climatiques et géologiques, sans doute la plus forte en Europe, qui se traduit par l'existence de quatre grandes zones biogéographiques : atlantique, continentale, alpine et méditerranéenne. Cette diversité, augmentée de celle des pressions que les sociétés humaines ont imprimées sur leur environnement, se traduit par une très grande hétérogénéité de la diversité biologique sur l'ensemble du territoire métropolitain. Toute comparaison entre régions dans ce domaine se révèle donc très délicate, d'autant plus que la répartition précise des innombrables espèces vivant à l'état sauvage en France (plus de 600 vertébrés, 5 000 plantes, 50 000 insectes...) reste encore mal connue.

Des disparités importantes

L'examen de la diversité biologique par le biais des espaces de valeur écologique reconnus par l'inventaire des zones naturelles d'intérêt écologique, faunistique et floristique (ZNIEFF) montre de grandes diversités interrégionales (*planche 1*). L'importance patrimoniale des régions pourvues de vastes espaces naturels ou semi-naturels apparaît bien (Auvergne, Bourgogne, Corse, Languedoc-Roussillon, Midi-Pyrénées, Provence-Alpes-Côte d'Azur et Rhône-Alpes), mais cela ne signifie pas pour autant que des régions moins bien dotées en superficie bénéficient d'une nature moins riche. Certaines régions de grande taille montrent une grande disparité d'un bout à l'autre de leur territoire (Aquitaine, Centre), d'autres régions très étudiées ont bénéficié d'inventaires plus précis, amenant à délimiter des secteurs plus riches et plus restreints (Bretagne, Lorraine, Poitou-Charentes...).

Les régions dans lesquelles sont présents des éléments du patrimoine naturel que l'on ne trouve nulle part ailleurs (espèces endémiques) se situent en Corse, dans les Alpes, dans les Pyrénées et le sud du Massif central.

Pour réaliser des comparaisons sur le patrimoine naturel régional, sa diversité et sa fragilité, il faut raisonner à l'intérieur d'une zone biogéographique cohérente. Il faut étudier les données concernant des espèces apparentées sur des habitats comparables, par exemple les criquets des pelouses calcaires du domaine atlantique ou les plantes supérieures des tourbières montagnardes, ou encore les rapaces des falaises méditerranéennes, etc. Comparer simplement les espaces naturels du Nord-Pas-de-Calais avec ceux du Languedoc-Roussillon ou les espèces d'oiseaux de Bretagne avec celles de Rhône-Alpes n'aurait aucun sens.

Zones humides : un enjeu majeur

Les enjeux majeurs en termes de milieux naturels se situent dans les zones humides (marais, étangs, tourbières, prairies humides), les pelouses sèches, certaines landes et forêts, certains bocages, en particulier dans les régions littorales, montagnardes et autour des axes des grands fleuves.

Les zones humides bénéficient d'un plan d'action gouvernemental. Les zones humides littorales concernent le littoral atlantique du sud de la Bretagne et le littoral méditerranéen, de la Provence occidentale (Camargue) au Roussillon (*planche 5*). La majorité de ces zones a subi de très nombreuses dégradations dans les trente dernières années, mais abritent encore de nombreux sites d'importance internationale. Les zones humides alluviales se répartissent le long des grands fleuves. Les régions les plus concernées sont le Centre, la Bourgogne, la Lorraine et Champagne-Ardenne. Ces marais sont partout menacés par les mises en culture, notamment le maïs. Les régions Centre, Champagne-Ardenne, Lorraine et Rhône-Alpes abritent des zones humides de plaines remarquables menacées par la déprise agricole, la pression touristique ou le mitage.

Des comparaisons difficiles à établir

La protection des espaces naturels, en particulier la création des parcs nationaux, des réserves naturelles, et, à un certain degré, les parcs naturels régionaux, reflètent les efforts liés à ces enjeux, mais traduisent parfois aussi des urgences ou des opportunités locales (*planches 2, 3 et 4*).

Il est aussi délicat, en l'absence d'élément de référence (superficie et valeur de tel type d'habitat dans une région ou sur l'ensemble du territoire), d'exprimer un avis sur les objectifs restant à atteindre pour un groupe d'espèces ou une catégorie de milieux naturels donnés.

On remarquera l'absence de parc naturel régional dans deux régions (Limousin, Picardie), ainsi que l'absence de toute réserve naturelle sur un vaste territoire bordant l'ouest du Massif central, depuis le sud de la région Centre jusqu'aux Pyrénées dans leur partie centrale (Midi-Pyrénées).

PLANCHE 1

ZONES NATURELLES D'INTÉRÊT FAUNISTIQUE ET FLORISTIQUE - FÉVRIER 1996

RÉGIONS	Nombre total de ZNIEFF	ZNIEFF DE TYPE I		ZNIEFF DE TYPE II	
		Superficie	Part surface régionale	Superficie	Part surface régionale
		Km^2	%	Km^2	%
ALSACE	248	255	3	1 577	18,7
AQUITAINE	602	1 827	4,4	6 287	15,1
AUVERGNE	397	2 214	8,4	6 230	23,7
BASSE-NORMANDIE	489	1 007	5,7	3 682	20,8
BOURGOGNE	671	1 520	4,8	10 999	34,6
BRETAGNE	840	642	2,3	4 121	15
CENTRE	778	1 419	3,6	5 479	13,9
CHAMPAGNE-ARDENNE	603	701	2,7	3 069	11,9
CORSE	230	996	11,4	1 964	22,5
FRANCHE-COMTÉ	705	541	3,3	4 194	25,7
HAUTE-NORMANDIE	488	356	2,9	2 938	23,8
ÎLE-DE-FRANCE	676	670	5,5	1 824	15,1
LANGUEDOC-ROUSSILLON	919	1 514	5,4	11 295	40,7
LIMOUSIN	241	179	1	1 016	6
LORRAINE	680	464	2	2 440	10,3
MIDI-PYRÉNÉES	1 455	6 027	13,2	10 691	23,4
NORD-PAS-DE-CALAIS	321	1 881	15,3	3 164	25,7
PAYS DE LA LOIRE	840	1 959	6,1	4 276	13,3
PICARDIE	483	3 131	16,1	835	4,3
POITOU-CHARENTES	771	1 494	5,8	2 310	8,9
PROVENCE-ALPES-CÔTE D'AZUR	475	8174	25,6	8 699	27,2
RHÔNE-ALPES	1 988	7 042	15,7	19 365	43,2
FRANCE MÉTROPOLITAINE	**14 755**	**44 015**	**8**	**116 459**	**21,1**

Source : Museum national d'histoire naturelle/IEGB/SPN (inventaire ZNIEFF).

Sur le littoral, les limites départementales ont été étendues afin de prendre en compte l'ensemble des zones ou portions de zones décrites sur le domaine public maritime et même au-delà. Dans ce cadre, le tracé de l'extension des limites départementales comporte une part d'arbitraire en particulier dans la baie du Mont-Saint-Michel, l'estuaire de la Gironde, la baie de l'Aiguillon...

Inventaire ZNIEFF. L'inventaire des zones naturelles d'intérêt écologique, faunistique et floristique identifie, localise et décrit la plupart des sites d'intérêt patrimonial pour les espèces vivantes et les habitats. Il est conduit par le Service du patrimoine naturel (SPN-IEGB) du Muséum national d'histoire naturelle pour le compte du ministère de l'Environnement, avec la participation de l'IFEN.

On distingue les ZNIEFF de type 1, qui correspondent à des sites précis d'intérêt biologique remarquable (présence d'espèces ou d'habitat(s) de grande valeur écologique), et les ZNIEFF de type 2, grands ensembles naturels riches. Les zones de type 2 peuvent inclure plusieurs zones de type 1 ponctuelles.

PLANCHE 2

ESPACES FAISANT L'OBJET D'UNE PROTECTION FORTE

Régions	Parcs nationaux 1995 (zones centrales)		Réserves naturelles 1995		Arrêtés préfectoraux de protection de biotope 1995		Forêt de protection 1993		Réserves biologiques domaniales et fôrestières (1) 1993		Acquisition du Conservatoire du littoral et et des rivages lacustres (2)	
	Nbre	Surface ha	Nbre	Surface ha	Nbre	Surface ha	Nbre	Surface ha	Nbre	Surface ha	Nombre de sites	Surface cumulée de 1976 à 1994 ha
ALSACE	-	-	6	2 460	26	3 190	9	2 067	9	816	-	-
AQUITAINE	1	15 120	11	3 620	10	3 920	3	7 050	0	0	16	2 380
AUVERGNE	-	-	4	2 310	8	420	1	44	1	13	-	-
BASSE-NORMANDIE	-	-	7	3 320	17	2 440	1	81	0	0	34	2 655
BOURGOGNE	-	-	3	(3) 140	11	2 030	0	0	3	156	-	
BRETAGNE	-	-	5	450	18	550	0	0	0	0	63	4 261
CENTRE	-	-	4	(3) 450	20	3 340	0	0	0	0	-	-
CHAMPAGNE-ARDENNE	-	-	2	125	29	1 250	0	0	6	253	-	-
CORSE	-	-	5	8 670	11	1 200	0	0	4	654	41	10 605
FRANCHE-COMTÉ	-	-	6	960	10	11 920	1	836	3	735	-	-
HAUTE-NORMANDIE	-	-	1	95	6	100	1	2 611	1	9	5	167
ÎLE-DE-FRANCE	-	-	2	145	22	1 080	0	0	36	1 147	-	-
LANGUEDOC-ROUSSILLON	1	91 280	15	15 930	19	3 620	12	13 195	4	3 733	37	6 567
LIMOUSIN	-	-	-	-	12	1 620	0	0	0	0	-	-
LORRAINE	-	-	5	1 570	27	1 320	1	3 498	21	5 403	-	-
MIDI-PYRÉNÉES	1	30 590	1	2 310	40	12 330	14	21 716	6	1 382	-	-
NORD-PAS-DE CALAIS	-	-	3	980	7	1 200	2	505	12	745	18	2 514
PAYS DE LA LOIRE	-	-	3	2 950	9	600	0	0	1	212	16	366
PICARDIE	-	-	4	3 340	5	130	1	344	1	121	10	891
POITOU-CHARENTES	-	-	5	7 200	28	5 000	2	7 399	0	0	15	2 135
PROV.-ALPES-CÔTE D'AZUR	3	128 870	8	15 340	25	26 160	8	8 186	14	3 094	44	8 376
RHÔNE-ALPES	2	86 740	25	58 680	70	22 360	13	5 728	0	0	-	-
FRANCE MÉTROPOLITAINE	**6**	**352 600**	**122**	**131 045**	**430**	**105 780**	**69**	**73 260**	**122**	**18 473**	**299**	**40 917**

Sources : ministère de l'Environnement, Muséum national d'histoire naturelle/IEGB/SPN, Conservatoire de l'espace littoral et des rivages lacustres, ministère de l'Agriculture, de la Pêche et de l'Alimentation.

(1) Les zones tampons attenantes à certaines réserves biologiques sont comptabilisées.

(2) Les lacs ne sont pas compris.

(3) La réserve n° 127 répartie sur les régions Bourgogne et Centre (1 900 hectares) n'est pas comprise.

Certains espaces peuvent être protégés plusieurs fois à des titres divers. Il faut donc s'abstenir de cumuler les diverses protections.

Le nombre total n'est pas toujours égal à la somme des nombres de chaque région, car certaines protections font partie de plusieurs régions à la fois.

Parcs nationaux. Un parc national est le territoire de tout ou partie d'une ou plusieurs communes classées par décret en Conseil d'État pour l'intérêt de la conservation de son milieu naturel et pour le préserver, en application des articles L.241-1 et suivants du Code rural. Ils comportent une zone centrale strictement protégée et une zone périphérique davantage consacrée au développement culturel, social et économique du territoire.

Réserves naturelles. Une réserve naturelle est un espace protégé pour l'intérêt de la conservation de son milieu naturel et pour le préserver, en application des articles L. 242-1 et suivants du Code rural.

Arrêté préfectoral de protection biotope. Instauré par le décret n° 77-1295 du 25 novembre 1977 pris en application de la loi du 10 juillet 1976 (art. R.211-12 et suivants du Code rural), il permet au préfet de fixer par arrêté les mesures tendant à favoriser, sur tout ou partie du territoire d'un département, la conservation des biotopes nécessaires à l'alimentation, à la reproduction, au repos ou à la survie d'espèces protégées.

Forêts de protection. Régime de protection de forêts reconnues nécessaires au maintien des terres sur les montagnes et sur les pentes, à la défense contre les avalanches, les érosions et les envahissements des eaux et des sables, en application des articles L.411 et suivants du Code forestier. Des massifs peuvent également être protégés dans des zones périurbaines.

Réserves biologiques domaniales et forestières. Espaces forestiers riches protégés, rares ou fragiles, dans les forêts domaniales et dans les forêts non domaniales soumises au régime forestier par convention entre le ministère de l'Environnement, le ministère de l'Agriculture et l'Office national des forêts (conventions du 3 février 1981 et du 14 mai 1986).

Acquisitions du Conservatoire du littoral. Créé en 1975, le Conservatoire de l'espace littoral et des rivages lacustres (CERL) mène une politique foncière de sauvegarde de l'espace littoral, de gestion et d'ouverture au public des sites naturels dans les cantons littoraux et les communes riveraines des lacs de plus de 1 000 hectares.

PLANCHE 3

ESPACES FAISANT L'OBJET D'UNE AUTRE PROTECTION

RÉGIONS	ZONES PÉRIPHÉRIQUES DES PARCS NATIONAUX 1995	PARCS NATURELS RÉGIONAUX 1995		
	Surface ha	Surface ha	Nombre	
ALSACE	-	186 910	2	(2)
AQUITAINE	94 190	290 000	1	
AUVERGNE	-	695 000	2	
BASSE-NORMANDIE	-	267 740	2	(1)
BOURGOGNE	-	196 120	1	
BRETAGNE	-	172 000	1	
CENTRE	-	167 200	1	
CHAMPAGNE-ARDENNE	-	120 530	2	
CORSE	-	332 500	1	
FRANCHE-COMTÉ	-	144 190	2	(2)
HAUTE-NORMANDIE	-	58 000	1	
ÎLE-DE-FRANCE	-	91 300	2	
LANGUEDOC-ROUSSILLON	205 230	80540	1	(1)
LIMOUSIN	-	-	-	
LORRAINE	-	353 520	3	(2)
MIDI-PYRÉNÉES	112 160	448 620	2	(1)
NORD-PAS-DE-CALAIS	-	145 850	1	
PAYS DE LA LOIRE	-	207 750	3	(2)
PICARDIE	-	-	-	
POITOU-CHARENTES	-	72 880	1	(1)
PROVENCE-ALPES-CÔTE D'AZUR	270 500	289 330	3	
RHÔNE-ALPES	219 820	300 220	4	(1)
FRANCE MÉTROPOLITAINE	**901 900**	**4 620 200**	**29**	

Source : ministère de l'Environnement, Fédération des parcs naturels régionaux de France, Parcs naturels régionaux.

(1) Dont un parc réparti sur deux régions, surface sans double compte.

(2) Dont deux parcs répartis sur deux régions, surface sans double compte.

PLANCHE 4

ESPACES DE VALEUR EUROPÉENNE ET INTERNATIONALE

RÉGIONS	ZONES RAMSAR JANVIER 1996		RÉSERVES DE LA BIOSPHÈRE 1995		ZONES DE PROTECTION SPÉCIALE 1995	
	Nombre	Surface ha	Nombre	Surface ha	Nombre	Surface ha
ALSACE	-	-	1	71 180	-	-
AQUITAINE	-	-	-	-	12	27 030
AUVERGNE	-	-	-	-	2	2 800
BASSE-NORMANDIE	2	38 600 (1)	-	-	6	60 320
BOURGOGNE	-	-	-	-	3	1 430
BRETAGNE	2	28 380 (1)	1	21 400	20	61 500
CENTRE	1	140 000	-	-	3	1 480 (2)
CHAMPAGNE-ARDENNE	1	235 000	-	-	3	8 920
CORSE	1	1 450	1	23 400	7	46 320
FRANCHE-COMTÉ	-	-	-	-	1	430
HAUTE-NORMANDIE	-	-	-	-	2	8 450
ÎLE-DE-FRANCE	-	-	-	-	1	180
LANGUEDOC-ROUSSILLON	-	-	1	323 000	6	101 820
LIMOUSIN	-	-	-	-	-	-
LORRAINE	1	5 800	1	50 650	4	1 610
MIDI-PYRÉNÉES	-	-	-	-	1	3 000
NORD-PAS-DE-CALAIS	-	-	-	-	4	14 660
PAYS DE LA LOIRE	4	36 950	-	-	6	36 200
PICARDIE	-	-	-	-	2	15 050
POITOU-CHARENTES	-	-	-	-	6	61 040 (2)
PROVENCE-ALPES-CÔTE D'AZUR	1	85 000	2	83 070	8	210 760
RHÔNE-ALPES	1	3 340	-	-	6	70 600
FRANCE MÉTROPOLITAINE	**13**	**574 520**	**6**	**572 700**	**99**	**706 990**

Source : ministère de l'Environnement (ZPS, RASAR), Muséum national d'histoire naturelle/IEGB/SPN (réserves de biosphère).

(1) Surface de la zone marine de la baie du Mont-Saint-Michel non comprise.

(2) Y compris les zones en commun avec d'autres régions.

Certains espaces peuvent être protégés plusieurs fois à des titres divers. Il faut donc s'abstenir de cumuler les diverses protections. Le nombre total n'est pas toujours égal à la somme des nombres de chaque région, car certaines protections font partie de plusieurs régions à la fois.

Zones Ramsar (convention de Ramsar) : ce traité intergouvernemental, signé le 2 février 1971 à Ramsar (Iran) et ratifié par la France en 1986, est relatif aux zones humides d'importance internationale particulièrement comme habitat des oiseaux d'eau.

Réserves de la biosphère (programme *Man and Biosphere*) : programme lancé par l'Unesco pour constituer un réseau mondial de réserves de la biosphère combinant la conservation de l'espace et l'utilisation durable des ressources.

Zone de protection spéciale (directive Oiseaux) : des zones de protection spéciale (ZPS) sont désignées en application de la directive communautaire du 2 avril 1979 concernant la conservation des oiseaux sauvages, appelée directive Oiseaux.

PLANCHE 5

ZONES HUMIDES - 1993

RÉGIONS	ZONES HUMIDES (1)		
	Nombre	Superficie totale ha	Superficie protégée (2) %
ALSACE	1	20 000	11
AQUITAINE	10	110 000	5
AUVERGNE	2	22 800	5,5
BASSE-NORMANDIE	2	60 000	4
BOURGOGNE	2	5 200	0
BRETAGNE	7	54 600	3,5
CENTRE	3	140 000	6,5
CHAMPAGNE-ARDENNE	3	37 500	2
CORSE	3	25 100	14
FRANCHE-COMTÉ	1	12 000	4
HAUTE-NORMANDIE	1	7 000	5
ÎLE-DE-FRANCE	1	5 000	2
LANGUEDOC-ROUSSILLON	2	34 000	21
LIMOUSIN	1	150	0
LORRAINE	4	181 000	0,5
MIDI-PYRÉNÉES	1	8 000	3
NORD-PAS-DE-CALAIS	1	7 000	1
PAYS DE LA LOIRE	10	168 600	4
PICARDIE	2	27 000	11,5
POITOU-CHARENTES	3	48 000	9
PROVENCE-ALPES-CÔTE D'AZUR	3	93 130	19,5
RHÔNE-ALPES	7	85 700	6,5
FRANCE MÉTROPOLITAINE	**70**	**1 151 780**	**6,5**

Source : Commissariat général du plan, *Rapport d'évaluation des politiques publiques en matière de zones humides*, septembre 1994.

(1) Ces chiffres concernent 70 des 78 zones humides évaluées par l'instance d'évaluation. Huit zones humides comportant des tourbières n'ont pas été comptabilisées. Au total, la France compte 87 zones humides d'importance majeure.

(2) Les pourcentages concernent des types de protection très variés, limitant donc les possibilités de comparaison entre régions.

FORÊTS

Une surface forestière inégalement répartie entre les régions...

La forêt française, qui couvre 26 % du territoire national, présente une répartition géographique contrastée (*planche 1*).

À l'exception de l'Aquitaine, dont la physionomie a été complètement bouleversée par les plantations des pins maritimes au cours du XIXe siècle, l'ensemble des régions côtières, de l'Atlantique à la Manche, présente une couverture boisée assez réduite (7 % en Nord-Pas-de-Calais ; 9 % en Basse-Normandie ; 10 % en Bretagne par exemple).

À mesure qu'on s'éloigne vers l'est, la surface boisée augmente, pour représenter plus de 42 % de la surface régionale en Franche-Comté. Les formations boisées méditerranéennes, à la physionomie typique, tiennent une place importante dans l'occupation du sol.

... et entre les modes de propriétés

Essentiellement privée (74 % en moyenne nationale), la propriété forestière présente elle aussi des contrastes régionaux (*planche 5*). L'est de la France est marqué par le poids dominant des forêts soumises (domaniales ou communales) : 75 % en Alsace, 67 % en Lorraine, 55 % en Franche-Comté. À l'opposé, le Massif central et toutes les régions atlantiques sont dominés par la propriété privée (93 % en Bretagne, 92 % en Aquitaine, 91 % en Poitou-Charentes, 96 % en Limousin et 86 % en Auvergne).

Une surface forestière en forte augmentation.

Sur les cent dernières années, la surface forestière s'est largement étendue dans l'ensemble des régions françaises. Entre 1878 et 1995 ce sont essentiellement les régions à dominantes rurale et montagnarde et les régions méditerranéennes qui voient leur physionomie se transformer. Dans le Limousin, le taux de boisement a été multiplié par quatre pour atteindre plus de 33 % de la surface régionale ; l'Auvergne voit sa surface forestière doubler en un siècle. Les progressions sont fortes également en Languedoc-Roussillon (+ 125 %), en Provence-Alpes-Côte d'Azur (+ 63 %), en Midi-Pyrénées (+ 68 %) et en Rhône-Alpes (+ 58 %).

Sur la période plus récente, et par comparaison des deux derniers inventaires forestiers, cette augmentation se confirme, avec quelques exceptions et des contrastes.

En dépit des idées reçues, le Midi méditerranéen connaît les plus fortes progressions de la surface boisée. À l'opposé, la forêt recule très légèrement en Aquitaine ou en Champagne-Ardenne, au profit notamment de l'agriculture.

Une physionomie variée

La physionomie des forêts varie selon les régions. Deux éléments interviennent à ce niveau. L'appartenance à l'un des grands domaines biogéographiques (atlantique, méditerranéen, continental ou alpin) conditionne la présence de telle ou telle essence ou espèce.

La structure des peuplements, elle-même liée aux modes d'exploitation des forêts et à la composition en essences, achève de donner une physionomie aux espaces boisés.

Le taillis se retrouve ainsi essentiellement sur le pourtour méditerranéen (Languedoc-Roussillon : 40 % des surfaces ; Provence-Alpes-Côte d'Azur : 30 % ; Corse : 26 %), la région Midi-Pyrénées et la façade atlantique (Poitou-Charentes : 30 % ; Pays de la Loire : 24 % ; Bretagne : 22 %) (*planche 4*).

La futaie, à l'opposé, caractérise l'est du pays (Alsace : 82 %, Lorraine : 58 %) ainsi que les zones de montagne (Alpes : 54 % ; Auvergne : 69 %) et le Sud-Ouest (Aquitaine : 71 %).

Enfin, les structures en mélange (taillis feuillus sous futaie de feuillus ou de résineux) caractérisent une vaste région en écharpe, qui descend des Ardennes à la Dordogne et qui embrasse principalement la Champagne, la Bourgogne, la Franche-Comté, la région Centre et le Poitou-Charentes.

Une accessibilité contrastée

Chaque Français dispose en moyenne de 2 500 mètres carrés de forêt. Ce rapport, qui définit une accessibilité théorique, varie régionalement dans un rapport de 1 à 50 (minimum pour le Nord-Pas-de-Calais avec 200 mètres carrés par habitant et maximum pour la Corse avec 10 000 mètres carrés par habitant).

Au niveau national, la population et les espaces boisés ont connu entre 1878 et 1995 une croissance à un rythme similaire. Si la disponibilité moyenne reste, en plus d'un siècle, inchangée, les écarts, eux, se creusent.

Dans les régions où la pression urbaine a été la plus forte, cette accessibilité théorique a fortement chuté, passant de 700 mètres carrés à 300 mètres carrés par habitant en Île-de-France, de 300 à 200 mètres carrés par habitant en Nord-Pas-de-Calais ou de 4 700 à 2 800 mètres carrés par habitant en Provence-Alpes-Côte d'Azur (*planche 1*). À l'inverse, les régions rurales et de montagne, touchées à des degrés divers par l'exode et les reboisements, connaissent une amélioration de leur situation : 7 800 mètres carrés en Limousin contre 1 700 mètres carrés par habitant un siècle plus tôt, ou 5 300 mètres carrés par habitant en Auvergne contre 2 300 mètres carrés par habitant en 1878.

Une ressource en bois gérée de manière durable

Le volume de bois en forêt est proche de 2 milliards de mètres cubes. Quatre régions en capitalisent près de 40 %. Ce sont l'Aquitaine (240 millions de mètres cubes), Rhône-Alpes (200 millions de mètres cubes), la Lorraine (175 millions de mètres cubes) et la Franche-Comté (131 millions de mètres cubes). En prenant un découpage départemental, on constate que 50 % du volume du bois est concentré sur un quart des départements français (*planche 2*). Viennent en tête, évidemment, les Landes (83 millions de mètres cubes et 4,3 % du patrimoine boisé national), les Vosges (68 millions de mètres cubes et 3,6 %), la Gironde (63 millions de mètres cubes et 3,3 %).

La production biologique des écosystèmes forestiers, que l'on peut approcher par l'accroissement annuel de bois des essences forestières, varie selon les régions de 1 à 10 mètres cubes par hectare et par an (*planche 3*). Cet accroissement annuel du capital sur pied, qui tient au grossissement des arbres et au recrutement (c'est-à-dire à l'apparition de nouvelles tiges recensables), est globalement de l'ordre de 80 millions de mètres cubes par an. Il excède donc largement la récolte de bois, dont le niveau se situe autour de 52 millions de mètres cubes par an (en comptabilisant à la fois les volumes commercialisés et les volumes autoconsommés, en bois de feu essentiellement).

Quelle que soit la région considérée, le taux de prélèvement n'excède pas la production annuelle. Il est cependant, en général, plus élevé dans les peuplements de résineux que dans les peuplements feuillus.

PLANCHE 1

ÉVOLUTION DES SURFACES FORESTIÈRES

RÉGIONS	SURFACE EN FORÊT		TAUX DE BOISEMENT		PART DE LA RÉGION DANS LA SUPERFICIE FORESTIÈRE FRANCAISE		SURFACE FORESTIÈRE PAR HABITANT	
	1878	Dernier inventaire	1878	Dernier inventaire	1878	Dernier inventaire	1878	Dernier inventaire
	Milliers ha		%		%		Ha/hab	
ALSACE	///	312,0	///	37,69	///	2,18	///	0,19
AQUITAINE	1 183,6	1 743,6	28,66	42,22	12,88	12,18	0,53	0,62
AUVERGNE	342,2	701,7	13,16	26,98	3,73	4,90	0,23	0,53
BASSE-NORMANDIE	142,2	150,6	8,08	8,57	1,55	1,05	0,10	0,11
BOURGOGNE	779,8	968,3	24,69	30,66	8,49	6,76	0,47	0,60
BRETAGNE	168,5	266,8	6,19	9,81	1,83	1,86	0,07	0,10
CENTRE	602,3	832,4	15,38	21,26	6,56	5,81	0,33	0,35
CHAMPAGNE-ARDENNE	566,7	660,0	22,14	25,78	6,17	4,61	0,47	0,49
CORSE	209,1	252,2	24,10	29,06	2,28	1,76	0,81	1,01
FRANCHE-COMTÉ	478,0	682,9	29,51	42,15	5,20	4,77	0,51	0,62
HAUTE-NORMANDIE	210,6	225,6	17,10	18,32	2,29	1,58	0,18	0,13
ÎLE-DE-FRANCE	206,6	277,9	17,24	23,18	2,25	1,94	0,07	0,03
LANGUEDOC-ROUSSILLON	416,2	933,6	15,21	34,10	4,53	6,52	0,28	0,44
LIMOUSIN	148,9	563,2	8,79	33,24	1,62	3,93	0,17	0,78
LORRAINE	(1) 517,4	841,7	(1) 29,85	35,75	(1) 5,63	5,88	(1) 0,50	0,37
MIDI-PYRÉNÉES	706,7	1 193,3	15,58	26,32	7,69	8,34	0,28	0,49
NORD-PAS-DE-CALAIS	77,1	82,1	6,22	6,62	0,84	0,57	0,03	0,02
PAYS DE LA LOIRE	242,3	293,0	7,55	9,13	2,64	2,05	0,10	0,10
PICARDIE	241,5	298,3	12,45	15,38	2,63	2,08	0,16	0,16
POITOU-CHARENTES	287,2	370,6	11,15	14,39	3,13	2,59	0,19	0,23
PROVENCE-ALPES-CÔTE D'AZUR	741,7	1 210,5	23,62	38,55	8,07	8,46	0,47	0,28
RHÔNE-ALPES	917,8	1 454,4	21,00	33,28	9,99	10,16	0,27	0,27
FRANCE MÉTROPOLITAINE	(2) **9 187,3**	**14 315,7**	(2) **17,35**	**26,32**	(2) **100,00**	**100,00**	(2) **0,25**	**0,25**

Source : statistique forestière de 1878 et Inventaire forestier national (IFN) 1995 (inventaire permanent de la ressource forestière).

(1) Sans la Moselle (57).

(2) Le total France ne comprend ni l'Alsace, ni la Moselle.

Les données régionales contemporaines correspondent à la somme des données départementales les plus récentes. L'IFN procède en effet à une réactualisation à peu près régulière, mais décalée dans le temps, de ses relevés départementaux.

PLANCHE 2

ÉTAT DE LA RESSOURCE FORESTIÈRE - 1995

RÉGIONS	VOLUME DE FEUILLUS	VOLUME DE RÉSINEUX	TOTAL
	Milliers m^3	Milliers m^3	Milliers m^3
ALSACE	39 243	36 100	75 344
AQUITAINE	84 920	154 622	239 543
AUVERGNE	50 712	63 581	114 293
BASSE-NORMANDIE	18 462	4 406	22 868
BOURGOGNE	101 968	20 261	122 229
BRETAGNE	17 518	11 688	29 206
CENTRE	82 840	22 221	105 061
CHAMPAGNE-ARDENNE	81 363	11 869	93 233
CORSE	11 483	11 301	22 784
FRANCHE-COMTÉ	80 661	50 503	131 164
HAUTE-NORMANDIE	30 227	4 352	34 580
ÎLE-DE-FRANCE	57 627	6 211	63 838
LANGUEDOC-ROUSSILLON	32 785	36 668	69 454
LIMOUSIN	55 639	26 738	82 377
LORRAINE	114 734	60 740	175 475
MIDI-PYRÉNÉES	106 846	23 414	130 260
NORD-PAS-DE-CALAIS	10 502	514	11 017
PAYS DE LA LOIRE	22 391	55 393	77 785
PICARDIE	23 947	10 379	34 326
POITOU-CHARENTES	43 135	2 668	45 803
PROVENCE-CÔTE D'AZUR	32 471	10 830	43 302
RHÔNE-ALPES	81 456	119 166	200 622
FRANCE MÉTROPOLITAINE	**1 180 940**	**743 632**	**1 924 573**

Source : Inventaire forestier national.

PLANCHE 3

BILAN DES PRÉLÈVEMENTS EN FORÊT - 1994

RÉGIONS	FEUILLUS			RÉSINEUX		
	Production annuelle	Volume prélevé	Taux de prélèvement	Production annuelle	Volume prélevé	Taux de prélèvement
	Milliers de m^3/an		%	Milliers de m^3/an		%
ALSACE	1 493,4	1 088,6	73	1 216,4	1 205,7	99
AQUITAINE	3 533,6	1 815,8	51	9 197	6 555,7	71
AUVERGNE	1 794,2	767,6	42	2 848,9	1 576	55
BASSE-NORMANDIE	725	555,5	77	287,2	194,6	68
BOURGOGNE	4157,2	2 103,7	51	1 264,3	203,3	16
BRETAGNE	380,6	104,1	27	249,6	141	56
CENTRE	3 335,5	1 549,9	46	1 107	615,5	56
CHAMPAGNE-ARDENNE	3167,6	1 914,1	60	742,3	295,3	40
CORSE	344,1	196,4	57	274	40,8	15
FRANCHE-COMTÉ	2 595,4	1 657,9	64	1 659,8	1 342,3	81
HAUTE-NORMANDIE	1 158,2	944,9	82	252,9	164	65
LANGUEDOC-ROUSSILLON	1 224,8	609,6	50	1 406,2	942,3	67
LIMOUSIN	2 396,2	1 260,4	53	1 786	853,7	48
LORRAINE	2 469,1	1 702,4	69	1 895	1 824,2	96
MIDI-PYRÉNÉES	3 627,6	1 809,3	50	1 067	559,5	52
NORD-PAS-DE-CALAIS	401,9	323,3	80	28,6	12,3	43
PAYS DE LA LOIRE	1 116,4	939	84	587,9	495,9	84
PICARDIE	1 721,5	1 315,6	76	163,7	97,2	59
POITOU-CHARENTES	1 420,9	728,4	51	482,6	314,3	65
PROVENCE-ALPES-CÔTE D'AZUR	923,7	275,6	30	1 852,4	936,7	51
RHÔNE-ALPES	3 478,7	1 622,9	47	3 988,6	2 693,3	68
FRANCE MÉTROPOLITAINE	**41 467,3**	**23 279,9**	**56**	**32 358,4**	**21 064,6**	**65**

Source : estimation des prélèvements de bois dans la forêt française, Inventaire forestier national-ADEME, 1994.

Les départements des régions suivantes, n'ayant fait l'objet que d'un seul cycle d'inventaire, ne sont pas pris en compte.

- Île-de-France : tous les départements.
- Bretagne : Ille-et-Vilaine, Morbihan.
- Lorraine : Meuse.

Production annuelle courante : biomasse ligneuse produite en un an dans les forêts de production inventoriées par l'IFN (ne sont donc pas comprises les forêts de protection, ni les forêts dont la production n'est pas mobilisable dans la pratique – par exemple en raison de fortes pentes...).

Prélèvement : volume annuellement extrait de la forêt, soit à des fins commerciales, soit pour l'autoconsommation (bois de feu essentiellement).

Taux de prélèvement : prélèvement rapporté à la production annuelle courante.

PLANCHE 4

STRUCTURE DES PEUPLEMENTS FORESTIERS (1)

RÉGIONS	FUTAIE	MÉLANGE TAILLIS-FUTAIE	TAILLIS	TOTAL
	%	%	%	Km²
ALSACE	82	12	6	3 050,0
AQUITAINE	71	19,6	9,4	15 957,9
AUVERGNE	69,3	22,3	8,4	6 754,7
BASSE-NORMANDIE	53,5	35,8	10,7	1 453,9
BOURGOGNE	25,5	65,5	9	9 555,2
BRETAGNE	49	29	22	2 483,1
CENTRE	29,8	53,5	16,7	8 004,1
CHAMPAGNE-ARDENNE	29,7	62,7	7,6	6 354,0
CORSE	57,4	16,8	25,8	1 546,9
FRANCHE-COMTÉ	49	43,2	7,8	6 712,4
HAUTE-NORMANDIE	45,3	48,3	6,4	2 176,7
ÎLE-DE-FRANCE	21	56,1	23,9	2 363,8
LANGUEDOC-ROUSSILLON	49,7	10	40,3	7 848,0
LIMOUSIN	56,7	30,8	12,5	5 477,7
LORRAINE	58,1	38,3	3,6	8 334,1
MIDI-PYRÉNÉES	48,6	23,7	27,7	10 864,9
NORD-PAS-DE-CALAIS	55,1	37,6	7,3	760,5
PAYS DE LA LOIRE	41,2	34,9	23,9	2 705,3
PICARDIE	51,5	40,8	7,7	2 857,9
POITOU-CHARENTES	28,6	41,2	30,2	3 471,6
PROVENCE-ALPES-CÔTE D'AZUR	55,6	15,1	29,3	11 008,6
RHÔNE-ALPES	54,1	22,8	23,1	13 039,8
FRANCE MÉTROPOLITAINE	**50,6**	**32,4**	**17**	**132 791,2**

Source : Inventaire forestier national 1995 (inventaire permanent de la ressource forestière).

(1) Pour les essences feuillues et résineuses.

Futaie : forêt de semis ou de plantation, et présentant des arbres de grandes dimensions aux fûts élevés et droits.

Taillis : peuplement constitué d'arbres rejetant sous forme de touffes à partir de souches (cépées).

Mélange taillis-futaie : forêt associant un étage dominant constitué d'arbres issus de graines, voire de souches, et un sous-étage de taillis.

PLANCHE 5

STRUCTURE DE LA PROPRIÉTÉ FORESTIÈRE

RÉGIONS	DOMANIALE	SOUMISE NON DOMANIALE	PRIVÉE	TOTAL
	%	%	%	Km²
ALSACE	24,3	50,8	24,9	3 119,5
AQUITAINE	2,2	6,1	91,7	17 191,3
AUVERGNE	4,8	9,5	85,7	6 990,6
BASSE-NORMANDIE	19,1	1,9	79	1 497,2
BOURGOGNE	10,3	21,6	68,1	9 655,8
BRETAGNE	6,7	0,8	92,5	2 626,1
CENTRE	12,1	1,7	86,2	8 246,4
CHAMPAGNE-ARDENNE	14,1	27,9	58	6 473,3
CORSE	13,7	19,1	67,2	1 786,1
FRANCHE-COMTÉ	5,6	49,5	44,9	6 864,9
HAUTE-NORMANDIE	24,7	2,1	73,2	2 239,6
ÎLE-DE-FRANCE	24,8	2,3	72,9	2 592,4
LANGUEDOC-ROUSSILLON	14,4	12,3	73,3	8 298,5
LIMOUSIN	0,5	3,1	96,4	5 632,2
LORRAINE	25,4	41,4	33,2	8 425,6
MIDI-PYRÉNÉES	6,5	11,5	82	11 449,3
NORD-PAS-DE-CALAIS	35,7	3,5	60,8	817,2
PAYS DE LA LOIRE	10,1	0,6	89,3	2 903,0
PICARDIE	22,8	4,7	72,5	2 969,4
POITOU-CHARENTES	7,8	0,9	91,3	3 594,2
PROVENCE-ALPES-CÔTE D'AZUR	10,1	20,2	69,7	12 074,7
RHÔNE-ALPES	5,4	19,4	75,2	14 486,9
FRANCE MÉTROPOLITAINE	**10,3**	**16,2**	**73,5**	**139 935,3**

Source : Inventaire forestier national 1993 (inventaire permanent de la ressource forestière).

Forêts domaniales : forêts qui font partie du domaine de l'État ou sur lesquelles l'État a des droits de propriété indivis.

Forêts soumises non domaniales : forêts qui sont la propriété des régions, des départements, des communes, des sections de communes, des établissements publics, des sociétés mutualistes, des caisses d'épargne, de certains groupements forestiers ou de certaines propriétés privées localisées dans des secteurs de reboisement. Comme les forêts domaniales, elles sont gérées conformément aux dispositions prévues par le Code forestier.

RISQUES NATURELS

Environ 15 000 communes métropolitaines sont menacées par un ou plusieurs risques naturels. Au début de l'année 1996, le nombre de procédures prévues pour réglementer l'occupation des sols dans les zones dangereuses concerne seulement 880 communes (*planche 3*). Un tiers d'entre elles sont situées en Rhône-Alpes, région particulièrement exposée aux risques naturels. Constatant que de nombreuses zones à risques ne sont pas délimitées, le gouvernement a décidé d'accélérer la généralisation des procédures de prévention. L'objectif fixé est de doter d'ici 1999 les 2000 communes considérées comme prioritaires d'un plan de prévention des risques naturels prévisibles (PPR).

Inondations : le risque naturel le plus répandu

Le risque d'inondation affecte l'ensemble des régions françaises. La part du territoire susceptible d'être inondée est de l'ordre de 4 %. On distingue schématiquement en France trois types de crues : les crues de plaines généralement fluviales, les crues torrentielles sur les rivières de montagne et de la façade méditerranéenne (comme celle de Vaison-La-Romaine en 1992) et les inondations par ruissellement urbain (comme celle de Nîmes en 1988).

Les inondations constituent la source principale de dommages en France. Elles sont à l'origine de la majeure partie des arrêtés de reconnaissance de l'état de catastrophe naturelle (*planche 2*). Les dernières années ont été marquées par d'importants épisodes pluvieux. Peu de régions ont été épargnées. En 1993 et 1994, plusieurs milliers de communes touchées par les inondations ont fait l'objet d'un arrêté de catastrophe naturelle. Les régions Rhône-Alpes, Nord-Pas-de-Calais, Champagne-Ardenne, Aquitaine, Poitou-Charentes et Picardie concentrent plus de la moitié des communes sinistrées sur cette période.

Les feux de forêt du pourtour méditerranéen

En 1993, 16 700 hectares de forêt, landes, maquis et garrigue ont été parcourus, dans l'ensemble de la France, par 4 765 feux. La même année, 203 000 hectares ont brûlé en Italie, 93 000 en Espagne, 49 000 en Grèce. Depuis 1991, les superficies brûlées diminuent nettement. Les moyennes actuelles sont ainsi inférieures de moitié à celles observées entre 1980 et 1993 (*planche 1*). Le nombre d'éclosions de feux varie beaucoup moins que la surface totale brûlée. La différence tient à quelques grands feux, impossibles à maîtriser et qui représentent une proportion de plus en plus grande des surfaces brûlées.

Classés parmi les risques naturels, les feux de forêt ne sont pourtant quasi jamais d'origine naturelle ; 6 % sont imputables à la foudre, seule cause naturelle de déclenchement des incendies. Tous les autres feux sont provoqués par l'homme, par imprudence, inconscience ou malveillance.

La géographie des feux de forêt est fortement contrastée. Les conditions climatiques et météorologiques (sécheresse, vent) et la nature des essences rendent plus vulnérables la forêt landaise et surtout la forêt méditerranéenne ; 70 % des surfaces brûlées en 1993 se trouvent dans le sud méditerranéen, et plus précisément 47 % en Corse, 13,5 % en Provence-Alpes-Côte d'Azur et 6,8 % en Languedoc-Roussillon. La spécificité de la Corse provient du développement des feux allumés volontairement, selon les observateurs locaux, par les éleveurs à la recherche de pâturages pour leurs animaux.

Mouvements de terrain, avalanches et séismes

En 1994, 200 communes ont été touchées par un éboulement, un glissement ou un effondrement de terrain donnant lieu à un arrêté de catastrophe naturelle (*planche 2*).

Les risques de mouvements de terrain sont localisés principalement en zone de montagne. Le massif alpin est le plus exposé, tant par la variété que par la fréquence des événements observés. Deux sites très sensibles font l'objet d'une surveillance particulière, la Clapière (Alpes-Maritimes) et les Ruines de Séchilienne (Isère). Pour le reste du territoire, les risques sont modérés. Les régions de plaines et de plateaux sont surtout concernées par des problèmes d'effondrement ou d'affaissement de carrières souterraines ou de cavités naturelles, en Basse-Normandie, en Île-de-France et dans le Nord-Pas-de-Calais notamment. La moitié des catastrophes naturelles recensées sont localisées dans la région Provence-Alpes-Côte d'Azur.

La sécheresse qui a sévi en France de 1989 à 1993 a entraîné d'importants dommages aux constructions en raison des phénomènes de tassement du sol. D'abord observés dans la région Nord-Pas-de-Calais, ces dommages se sont étendus à partir de 1991 aux régions Centre, Poitou-Charentes, Aquitaine, Midi-Pyrénées et Île-de-France. En 1993, plus de 400 communes des régions Centre, Île-de-France et Midi-Pyrénées ont été reconnues sinistrées par les mouvements de terrain consécutifs à la sécheresse (*planche 2*).

Les risques d'avalanches concernent avant tout les Alpes du Nord, au premier rang desquelles la Savoie apparaît comme le département où les aléas sont les plus élevés. Ils concernent également les Hautes-Alpes, les Alpes-Maritimes et les Hautes-Pyrénées.

L'Hexagone est exposé au risque sismique. Actuellement, une activité sismique faible mais régulière est observée dans les régions Rhône-Alpes, Provence-Alpes-Côte d'Azur, Languedoc-Roussillon, Midi-Pyrénées, Aquitaine et Alsace.

PLANCHE 1

FEUX DE FORÊT

RÉGIONS	1993		MOYENNE ANNUELLE 1980/1993	
	Nombre de feux de forêt, lande, maquis, garrigue.	Surface ha	Nombre de feux de forêt,lande, maquis, garrigue.	Surface ha
ALSACE	24	25,1	38,8	40,9
AQUITAINE	801	1 344,6	954,5	3 049,6
AUVERGNE	53	370,0	93,6	393,4
BASSE-NORMANDIE	2	0,5	35	137,5
BOURGOGNE	16	29,6	30,4	71,3
BRETAGNE	361	382,6	151,9	627,2
CENTRE	26	116,1	49,7	218,3
CHAMPAGNE-ARDENNE	20	66,3	49,5	90,3
CORSE	1 536	7 840,8	1 040,2	11 393,2
FRANCHE-COMTÉ	19	69,0	17,5	46,6
HAUTE-NORMANDIE	2	0,3	8,1	6,2
ÎLE-DE-FRANCE	16	14,1	59,9	63,2
LANGUEDOC-ROUSSILLON	328	1 134,8	550	4 950,8
LIMOUSIN	22	59,0	47,6	197,2
LORRAINE	32	41,8	64,6	119,9
MIDI-PYRÉNÉES	274	2 170,1	175,4	1 853,7
NORD-PAS-DE-CALAIS	1	1,0	4,7	6,6
PAYS DE LA LOIRE	43	65,4	40	140,4
PICARDIE	2	2,3	13,8	32,2
POITOU-CHARENTES	40	100,2	53,7	383,7
PROVENCE-ALPES-CÔTE D'AZUR	901	2 268,4	1 007	10 741
RHÔNE-ALPES	246	592,8	343,2	1 482
FRANCE MÉTROPOLITAINE	**4 765**	**16 694,8**	**4 829,7**	**36 046,2**

Source : ministère de l'Agriculture, de la Pêche et de l'Alimentation et ministère de l'Intérieur (dispositif Prométhée, enquête statistique feux de forêt).

Les formations végétales «forêt»

• formations végétales dominées par les arbres ou arbustes d'essence forestière ayant un couvert apparent d'au moins 10 % de la superficie ou bien comportant au moins cinq cents semis ou plants forestiers à l'hectare lorsqu'il s'agit de jeunes peuplements.

• peupleraie comportant au moins cent tiges de peupliers à l'hectare.

Les formations subforestières «lande, maquis, garrigue» : formations végétales ligneuses ne pouvant être ni classées en forêt en raison de l'absence ou de l'insuffisance d'espèces forestières, ni rattachées à la catégorie des terres cultivées *stricto sensu* (culture, prairie, jardin, vigne, verger).

Feux de forêt : ne sont comptabilisés dans ce tableau que les feux ayant atteint des formations végétales (telles que définies ci-dessus) d'une superficie d'au moins un hectare d'un seul tenant et d'une largeur d'au moins 25 mètres, et ce quelle que soit la superficie parcourue par le feu.

PLANCHE 2

NOMBRE DE COMMUNES RECONNUES SINISTRÉES EN 1993 PAR ARRÊTÉ DE CATASTROPHE NATURELLE (1)

RÉGIONS	INONDATIONS	AVALANCHES	MOUVEMENTS DE TERRAIN	MOUVEMENTS DE TERRAIN CONSÉCUTIFS À LA SÉCHERESSE
	Nombre de communes en 1993 (2)			
ALSACE	29	///	-	2
AQUITAINE	638	///	15	8
AUVERGNE	40	-	1	9
BASSE-NORMANDIE	143	///	-	4
BOURGOGNE	206	///	1	6
BRETAGNE	127	///	-	1
CENTRE	67	///	2	177
CHAMPAGNE-ARDENNE	592	///	-	1
CORSE	197	-	-	1
FRANCHE-COMTÉ	36	-	1	1
HAUTE-NORMANDIE	396	///	2	1
ÎLE-DE-FRANCE	104	///	5	106
LANGUEDOC-ROUSSILLON	156	///	1	6
LIMOUSIN	85	///	4	1
LORRAINE	425	-	1	11
MIDI-PYRÉNÉES	436	1	26	144
NORD-PAS-DE CALAIS	521	///	3	21
PAYS DE LA LOIRE	141	///	2	2
PICARDIE	489	///	1	-
POITOU-CHARENTES	496	///	2	13
PROVENCE-ALPES-CÔTE D'AZUR	203	-	20	23
RHÔNE-ALPES	1 119	1	87	19
FRANCE MÉTROPOLITAINE	**6 646**	**2**	**174**	**557**

Source : Journal officiel de janvier 1993 à août 1995.

(1) Depuis la loi du 13 juillet 1982, tous les contrats d'assurance de dommages aux biens comprennent obligatoirement la garantie « catastrophe naturelle ». Celle-ci couvre les conséquences de l'« intensité anormale d'un agent naturel » (article 1 de la loi de 1982). Pour que les dégâts d'une catastrophe naturelle soient pris en charge par l'assureur, c'est-à-dire donnent lieu à une indemnisation, il faut qu'un arrêté interministériel reconnaisse l'état de catastrophe dans la commune.

(2) • Une commune est comptée au-tant de fois qu'elle a donné lieu à un arrêté de catastrophe naturelle.
• Par souci de simplification, les libellés exacts des événements figurant dans les arrêtés ont été regroupés en cinq catégories : inondation (inondation et coulée de boue...), avalanche, mouvement de terrain (éboulement, effondrement, glissement de terrain...), mouvement de terrain consécutif à la sécheresse et séisme.
• Il s'écoule souvent plusieurs mois entre la date de l'événement et la publication de l'arrêté au *Journal officiel*. Les statistiques présentées pour les événements survenus en 1993 et 1994 résultent de l'exploitation des arrêtés publiés entre janvier 1993 et août 1995.
• Pour les événements répartis sur les deux années (par exemple inondation de novembre 1993 à janvier 1994), le nombre de communes sinistrées correspondantes est établi pour les deux années.

PLANCHE 2 (suite)

NOMBRE DE COMMUNES RECONNUES SINISTRÉES EN 1994 PAR ARRÊTÉ DE CATASTROPHE NATURELLE (1)

RÉGIONS	INONDATIONS	AVALANCHES	MOUVEMENTS DE TERRAIN	MOUVEMENTS DE TERRAIN CONSÉCUTIFS À LA SÉCHERESSE	SÉISMES
	Nombre de ommunes en 1994 (2)				
ALSACE	67	///	-	-	-
AQUITAINE	273	///	18	2	-
AUVERGNE	202	-	2	-	-
BASSE-NORMANDIE	44	///	-	-	-
BOURGOGNE	96	///	2	-	-
BRETAGNE	79	///	1	-	-
CENTRE	56	///	3	1	-
CHAMPAGNE-ARDENNE	444	///	-	-	-
CORSE	125	-	-	-	-
FRANCHE-COMTÉ	14	-	-	-	-
HAUTE-NORMANDIE	113	///	5	1	-
ÎLE-DE-FRANCE	139	///	2	1	-
LANGUEDOC-ROUSSILLON	653	///	1	-	-
LIMOUSIN	21	///	12	-	-
LORRAINE	372	-	-	-	-
MIDI-PYRÉNÉES	267	2	26	8	-
NORD-PAS-DE CALAIS	677	///	2	-	-
PAYS DE LA LOIRE	169	///	1	-	-
PICARDIE	433	///	2	-	-
POITOU-CHARENTES	460	///	1	-	-
PROVENCE-ALPES-CÔTE D'AZUR	572	2	108	16	-
RHÔNE-ALPES	278	-	14	1	61
FRANCE MÉTROPOLITAINE	**5 554**	**4**	**200**	**30**	**61**

Source : Journal officiel de janvier 1993 à août 1995.

(1) Depuis la loi du 13 juillet 1982, tous les contrats d'assurance de dommages aux biens comprennent obligatoirement la garantie « catastrophe naturelle ». Celle-ci couvre les conséquences de l'« intensité anormale d'un agent naturel » (article 1 de la loi de 1982). Pour que les dégâts d'une catastrophe naturelle soient pris en charge par l'assureur, c'est-à-dire donnent lieu à une indemnisation, il faut qu'un arrêté interministériel reconnaisse l'état de catastrophe dans la commune.

(2) • Une commune est comptée au-tant de fois qu'elle a donné lieu à un arrêté de catastrophe naturelle.
• Par souci de simplification, les libellés exacts des événements figurant dans les arrêtés ont été regroupés en cinq catégories : inondation (inondation et coulée de boue…), avalanche, mouvement de terrain (éboulement, effondrement, glissement de terrain...), mouvement de terrain consécutif à la sécheresse et séisme.
• Il s'écoule souvent plusieurs mois entre la date de l'événement et la publication de l'arrêté au *Journal officiel*. Les statistiques présentées pour les événements survenus en 1993 et 1994 résultent de l'exploitation des arrêtés publiés entre janvier 1993 et août 1995.
• Pour les événements répartis sur les deux années (par exemple inondation de novembre 1993 à janvier 1994), le nombre de communes sinistrées correspondantes est établi pour les deux années.

PLANCHE 3

PROCÉDURES DE PRISE EN COMPTE DES RISQUES NATURELS DANS L'URBANISME - JANVIER 1996 (1)

RÉGIONS	DOCUMENTS APPROUVÉS		PROCÉDURES EN COURS
	Ensemble de risques	Inondation	
ALSACE	16	16	0
AQUITAINE	45	35	94
AUVERGNE	25	20	10
BASSE-NORMANDIE	3	0	24
BOURGOGNE	31	31	12
BRETAGNE	0	0	3
CENTRE	31	28	26
CHAMPAGNE-ARDENNE	8	8	11
CORSE	2	0	0
FRANCHE-COMTÉ	24	3	11
HAUTE-NORMANDIE	0	0	2
ÎLE-DE-FRANCE	129	70	53
LANGUEDOC-ROUSSILLON	56	54	61
LIMOUSIN	28	28	4
LORRAINE	41	17	104
MIDI-PYRÉNÉES	51	39	32
NORD-PAS-DE CALAIS	26	14	8
PAYS DE LA LOIRE	2	1	0
PICARDIE	34	33	40
POITOU-CHARENTES	12	12	20
PROVENCE-ALPES-CÔTE D'AZUR	52	21	46
RHÔNE-ALPES	265	210	92
FRANCE MÉTROPOLITAINE	**881**	**640**	**653**

Source : ministère de l'Environnement/DPPR.

(1) Plans de prévention des risques naturels prévisibles [PPR] et documents valant PPR (périmètres R.111-3, plans d'exposition aux risques naturels prévisibles [PER], plans de zones sensibles aux incendies de forêt [PZSIF], hors plans de surfaces submersibles [PSS]. Ces procédures prennent en compte un ou plusieurs types de risques (inondation, avalanche, mouvement de terrain, séisme). Elles délimitent des zones exposées à un risque à l'intérieur desquelles la construction est soit interdite, soit soumise à des contraintes particulières.

RISQUES TECHNOLOGIQUES ET NUCLÉAIRES

Le risque nul n'existe pas. Malgré la sophistication des études préalables, le développement des mesures préventives, la formation, l'information, l'intensification et l'efficacité des moyens d'intervention et l'évolution des technologies, de graves accidents industriels surviennent périodiquement (*planche 3*). Ces trente dernières années, peuvent notamment être cités parmi les cas les plus graves survenus en France :

– le 4 janvier 1966, sur le site de la raffinerie de Feyzin (69), l'explosion d'un nuage de gaz combustible liquéfié provoque l'explosion d'une sphère de 1 200 mètres cubes de propane et entraîne la mort de dix-sept personnes ;

– les 2 et 3 juin 1987, un gigantesque incendie et plusieurs explosions détruisent une grande partie du port Édouard-Herriot à Lyon. Deux ouvriers sont tués, cinq grièvement blessés et six pompiers blessés ;

– le 29 octobre 1987, dans un entrepôt de la zone portuaire de Nantes, la décomposition exothermique d'un stockage d'engrais provoque la formation d'un nuage toxique et conduit à l'évacuation de près de 37 000 personnes des communes de la banlieue ouest de Nantes ;

– le 8 juin 1988, un accident de fabrication survenu dans l'usine Protex, à Auzouer-en-Touraine (37), provoque une forte explosion et un violent incendie. Un important nuage toxique se forme et conduit à l'évacuation de 200 personnes voisines du site. En l'absence de dispositif de rétention approprié, les eaux d'extinction entraînent une pollution de la Loire. L'alimentation en eau potable de plusieurs communes est suspendue, et notamment de la ville de Tours (155 000 personnes touchées) pendant quatre jours. Au moins 20 tonnes de poissons sont morts lors de cette pollution ;

– le 9 novembre 1992, une violente explosion se produit à la raffinerie Total à La Mède (13). Ressentie jusqu'à 30 kilomètres du site, elle se soldera par la mort de six personnes. Les installations de la raffinerie sont détruites sur une superficie d'environ deux hectares. Les dégâts matériels sont évalués à plus de 2 milliards de francs. Cet accident a été classé au niveau maximal (6) de l'échelle de gravité des accidents ;

– le 16 juillet 1993, à Noyelles-Godault (62), un accident survient sur une colonne de distillation récemment remise à neuf. Cette explosion occasionne le décès de dix personnes. Reconstruite et remise en service le 19 janvier 1994, cette colonne explose de nouveau le 24 janvier, entraînant l'arrêt complet des installations.

Selon l'APSAD, les seuls sinistres d'un montant supérieur à 10 millions de francs survenus en France entre le 1er octobre 1994 et le 30 septembre 1995 ont coûté 2 092 millions de francs en risques directs et 1 025 millions de francs en pertes d'exploitation.

Installations classées

Parmi les installations industrielles susceptibles de créer des nuisances ou d'engendrer des accidents figurent notamment les installations classées pour la protection de l'environnement (ICPE). Elles sont soumises à autorisation préfectorale. La Bretagne compte 14 521 installations classées, soit près du quart de l'ensemble des installations du territoire national. Depuis décembre 1993, les établissements d'élevage intensif de bovins, porcs, lapins et volailles sont également soumis à cette législation ; la Bretagne en compte, à elle seule, 12 559 pour un total national de 22 731. Lorsque ces établissements d'élevage sont décomptés, les deux régions Île-de-France et Rhône-Alpes représentent 20 % du cumul. Les autres régions se répartissent le reste de façon assez homogène (*planche 1*).

Trois cent quanrante-six installations industrielles françaises présentent des risques graves pour les populations et l'environnement et entrent dans le champ d'application de la directive européenne Seveso. Haute-Normandie, Rhône-Alpes, Nord-Pas-de-Calais et Provence-Alpes-Côte d'Azur représentant 18 % de la surface nationale, et concentrent 50 % de ces établissements. L'Union européenne en dénombre à ce jour environ 2 000 dans l'ensemble des États membres. Une modification imminente de cette législation devrait accroître leur nombre de 10% à 20 %. Les incendies sont à l'origine de 50 % des accidents (*planche 3*). La région Île-de-France se détache plus nettement avec un taux de 83 %. Les rejets de produits dangereux se retrouvent dans 50 % des accidents entraînant une fois sur cinq une pollution des eaux de surface. Dans 3 % des cas, ces accidents ont des conséquences mortelles.

Grands barrages

La France se situe au deuxième rang européen pour la construction des grands barrages. Ceux pour lesquels une rupture engendrerait des conséquences graves pour les populations et les biens situés en aval font l'objet d'une réglementation et d'une surveillance spécifiques. Un tiers de ceux-ci sont implantés dans les deux régions de montagne Midi-Pyrénées et Rhône-Alpes, et, parmi eux, 20 % sont utilisés pour la production d'énergie hydroélectrique et 15 % pour l'irrigation et l'alimentation en eau potable (*planche 1*).

Nucléaire

Le parc de production français représente 17% de la puissance mondiale installée. C'est le deuxième derrière les États-Unis. Les trois quarts des régions françaises disposent d'au moins un équipement nucléaire, classé comme installation nucléaire de base soumise à une législation et à une surveillance rigoureuses. Ces installations font l'objet de plans de secours particuliers.

La moitié de ces grandes installations est constituée de réacteurs de production d'électricité. Les cinquante-quatre réacteurs actuellement en activité sont de type à eau pressurisée. Rhône-Alpes et Centre en regroupent 50 % (*planche 2*). Avec les grandes installations nucléaires implantées en Basse-Normandie, en Île-de-France et en Provence-Alpes-Côte d'Azur, 75 % de l'effectif total se retrouve dans un peu moins du quart des régions. Les exploitants de ces installations sont soumis à un régime fiscal sous forme de redevances annuelles calculées sur la base de la capacité de production de l'usinc. Lc quart du montant national provient de la seule région Rhône-Alpes. Les régions de Basse-Normandie et du Centre représentent chacune 15 %.

Déchets nucléaires

Les niveaux de radioactivité les plus élevés présents dans les déchets sont atteints dans les deux régions procédant au retraitement des combustibles nucléaires : Basse-Normandie et Languedoc-Roussillon (*planche 5*). Cependant, ces niveaux de radioactivité ne doivent pas être traduits comme une échelle de risques. En effet, d'autres paramètres, comme la nature des radioéléments, leur état physique et leur condition de stockage, doivent être pris en compte pour estimer le risque potentiel.

De nombreuses autres activités beaucoup plus traditionnelles sont également productrices de déchets radioactifs de plus faible niveau. Selon le recensement publié en 1995 par l'ANDRA, aucune région métropolitaine n'échappe à la détention de ce type de substance et plus de 40 % des sites répertoriés sont localisés en région Île-de-France. Ces déchets, souvent issus de petits producteurs, proviennent aussi bien du domaine industriel que de celui de la recherche, de l'enseignement et du domaine médical.

PLANCHE 1

LES INSTALLATIONS INDUSTRIELLES À RISQUES - 1994

RÉGIONS	ICPE			BARRAGES
	Soumises à autorisation	Dont Seveso	Autres installations potentiellement dangereuses	Intéressant la sécurité publique
ALSACE	1 915	19	7	5
AQUITAINE	3 221	24	11	17
AUVERGNE	1 545	2	20	31
BASSE-NORMANDIE	1 807	5	24	5
BOURGOGNE	1 441	9	20	22
BRETAGNE	14 521	11	6	24
CENTRE	2 721	12	58	5
CHAMPAGNE-ARDENNE	1 764	5	57	10
CORSE	112	5	0	11
FRANCHE-COMTÉ	1 447	4	20	4
HAUTE-NORMANDIE	3 132	49	34	-
ÎLE-DE-FRANCE	4 727	19	57	-
LANGUEDOC-ROUSSILLON	1 890	13	74	24
LIMOUSIN	698	3	4	35
LORRAINE	2 103	10	28	10
MIDI-PYRÉNÉES	3 510	10	18	69
NORD-PAS-DE-CALAIS	2 487	40	15	-
PAYS DE LA LOIRE	5 591	13	29	13
PICARDIE	1 820	9	22	-
POITOU-CHARENTES	2 625	4	10	3
PROVENCE-ALPES-CÔTE D'AZUR	1 552	38	34	31
RHÔNE-ALPES	3 975	42	143	64
FRANCE MÉTROPOLITAINE	**64 604**	**346**	**691**	**383**

Sources : ministère de l'Environnement/DPPR/SEI, ministère de l'Industrie, ministère de l'Aménagement du territoire, de l'Équipement et des Transports, CEMAGREF.

ICPE : installations classées pour la protection de l'environnement.

Soumises à autorisation : installations entrant dans le champ d'application de la loi n° 76-663 du 19 juillet 1976 relative aux installations classées pour la protection de l'environnement et pour lesquelles le régime de classement au titre du décret de nomenclature du 20 mai 1953 est celui de l'autorisation préfectorale.

Potentiellement dangereuses : installations classées soumises à autorisation qui présentent, en raison de l'activité exercée, des risques importants pour les personnes et l'environnement (incendie, explosion, émanation de substances toxiques dans l'air, l'eau ou le sol en cas d'accident, etc.) et qui, de ce fait, nécessitent l'élaboration d'un plan d'organisation des secours.

Seveso : parmi les installations classées soumises à autorisation, ce sont celles qui entrent dans le champ d'application de l'article 5 de la directive européenne n° 82/501 du 24 juin 1982 concernant les risques majeurs de certaines activités.

Barrages intéressant la sécurité publique : barrages ou réservoirs d'eau dont la rupture éventuelle aurait des répercussions graves pour les personnes.

PLANCHE 2

LES INSTALLATIONS NUCLÉAIRES DE BASE PAR TYPE D'ACTIVITÉ - 1994 (1)

RÉGIONS	RÉACTEURS EN ACTIVITÉ	RÉACTEURS ARRÊTÉS	SUBSTANCES RADIOACTIVES			ACCÉLÉRAT. DE PARTICULES	NOMBRE D'INB TOTAL	MONTANT DES REDEVANCES 1994 (MF)	PART FRANCE (%)
			Stockage ou dépôt	Utilisation	Fabrication ou transfor.				
ALSACE	2	-	-	-	-	-	2	102,3	2,1
AQUITAINE	2	-	-	-	-	-	2	214,3	4,5
AUVERGNE	-	-	-	-	-	-	0	0,0	0,0
BASSE-NORMANDIE	2	-	1	1	7	1	12	736,4	15,4
BOURGOGNE	-	-	-	-	-	-	0	0,0	0,0
BRETAGNE	-	1	-	-	-	-	1	3,1	0,1
CENTRE	7	4	2	1	-	-	14	718,2	15,0
CHAMPAGNE-ARDENNE	4	1	1	-	-	-	6	251,2	5,2
CORSE	-	-	-	-	-	-	0	0,0	0,0
FRANCHE-COMTÉ	-	-	-	-	-	-	0	0,0	0,0
HAUTE-NORMANDIE	6	-	-	-	-	-	6	440,6	9,2
ÎLE-DE-FRANCE	3	-	2	5	4	3	17	104,4	2,2
LANGUEDOC-ROUSSILLON	1	-	-	1	1	-	3	57,1	1,2
LIMOUSIN	-	-	-	-	-	-	0	0,0	0,0
LORRAINE	4	-	-	-	-	-	4	293,7	6,1
MIDI-PYRÉNÉES	2	-	-	-	-	-	2	146,9	3,1
NORD-PAS-DE-CALAIS	3	-	1	-	-	-	4	345,5	7,2
PAYS DE LA LOIRE	-	-	-	2	-	-	2	2,8	0,1
PICARDIE	-	-	-	-	-	-	0	0,0	0,0
POITOU-CHARENTES (2)	6	-	-	-	-	-	2	0,0	0,0
PROV.-ALPES-CÔTE D'AZUR	2	1	5	4	5	-	21	167,9	3,5
RHÔNE-ALPES	12	2	3	3	11	-	31	1 210,0	25,2
FRANCE MÉTROPOLITAINE	**56**	**9**	**15**	**17**	**28**	**4**	**129**	**4 794,4**	**100**

Source : IFEN d'après ministère de l'Industrie, de la Poste et des Télécommunications/D.S.I.N.

(1) Une INB peut comprendre plusieurs unités de production. Ainsi, les sept INB de type « réacteurs en activité » de la région Centre regroupent douze réacteurs de production d'énergie électrique.

(2) Les deux réacteurs de Civaux sont en phase de construction et ne sont pas en activité.

Les installations nucléaires de base (INB) sont les installations nucléaires qui entrent dans le champ d'application du décret modifié n° 63-1228 du 11 décembre 1963. Ces usines et ces installations ne relèvent de cette réglementation que lorsque la quantité ou l'activité totale des substances radioactives sont supérieures à un seuil fixé selon le type d'installation et le radioélément considéré.

Elles sont soumises depuis la loi de finances rectificative pour 1975 à un système de redevances perçues lors de la demande d'autorisation, lors de la prise du décret d'autorisation, lors de leur mise en exploitation et annuellement par la suite. Leur montant est calculé sur la base de la capacité de production et d'installation. Ces redevances servent essentiellement à financer les études de sûreté de ces installations.

Les autres installations nucléaires sont régies par la législation des installations classées.

PLANCHE 3

LES ACCIDENTS INDUSTRIELS - 1994

RÉGIONS	NOMBRE TOTAL D'ACCIDENTS	NATURE DES ACCIDENTS						RÉPARTITION PAR TYPE DE CONSÉQUENCES						
		Incendie	Rejet dangereux de produit	Explosion	Projection, chute d'équipements	Abandon de produits / équipements dangereux	Pollution chronique aggravée	Morts	Blessés	Pollution atmosphérique	Pollution des eaux de surface	Contamination des sols	Atteinte de la faune sauvage	Atteinte de la flore sauvage
ALSACE	31	15	17	-	1	2	-	-	4	4	2	1	-	-
AQUITAINE	54	27	28	1	-	-	1	1	9	5	12	5	5	-
AUVERGNE	29	19	8	3	1	-	-	-	5	2	1	4	1	-
BASSE-NORMANDIE	23	11	13	-	-	-	-	-	4	1	8	6	2	1
BOURGOGNE	40	20	21	1	-	-	1	1	7	2	14	3	5	1
BRETAGNE	34	11	21	2	-	-	1	1	6	3	11	4	4	1
CENTRE	19	9	9	2	-	1	-	-	5	1	2	1	-	-
CHAMPAGNE-ARDENNE	33	14	19	2	3	-	-	1	6	4	6	4	2	-
CORSE	3	2	1	2	-	-	-	-	-	-	1	-	-	-
FRANCHE-COMTÉ	35	23	12	-	-	-	-	2	3	4	5	3	-	-
HAUTE-NORMANDIE	28	11	19	1	1	-	-	-	6	6	2	2	-	-
ÎLE-DE-FRANCE	69	57	17	4	1	-	-	2	9	9	8	2	-	-
LANGUEDOC-ROUSSILLON	11	7	4	2	1	-	-	-	2	1	2	1	-	-
LIMOUSIN	10	5	4	1	-	-	-	2	3	-	4	-	1	-
LORRAINE	79	20	58	2	-	1	2	1	6	6	43	10	6	1
MIDI-PYRÉNÉES	34	20	14	4	3	-	-	3	7	1	4	4	-	-
NORD-PAS-DE-CALAIS	26	9	16	2	-	-	1	-	6	4	5	3	2	1
PAYS DE LA LOIRE	49	26	22	2	2	1	-	1	8	3	12	2	2	-
PICARDIE	12	5	7	-	-	-	-	1	1	-	4	1	1	-
POITOU-CHARENTES	34	24	10	1	-	-	-	-	5	2	5	1	2	-
PROVENCE-ALPES-CÔTE D'AZUR	70	31	37	5	3	1	-	4	14	12	10	8	1	-
RHÔNE-ALPES	148	80	64	15	9	3	1	3	27	12	26	10	11	1
FRANCE MÉTROPOLITAINE	**871**	**446**	**421**	**52**	**25**	**9**	**7**	**23**	**143**	**82**	**187**	**75**	**45**	**6**

Source : ministère de l'Environnement DPPR/SEI/BARPI (inventaire et analyse des accidents industriels et des pollutions accidentelles).

Ces données sont relatives aux accidents, pollutions graves et incidents significatifs survenus dans les installations et susceptibles de porter atteinte à l'environnement, à la sécurité ou à la santé publiques. Ces activités peuvent être industrielles, commerciales, agricoles ou de toute autre nature. Les accidents survenus hors des installations mais liés à leur activité sont aussi traités, en particulier le transport des matières dangereuses. Un accident peut avoir des causes et des conséquences multiples.

PLANCHE 4

INVENTAIRE DES FICHES DESCRIPTIVES DES SITES CONTENANT OU SUSCEPTIBLES DE CONTENIR DES DÉCHETS RADIOACTIFS

RÉGIONS	INDUSTRIE NUCLÉAIRE	DÉCHARGES	DÉFENSE NATIONALE	INDUSTRIE NON NUCLÉAIRE	MINES D'URANIUM	TOTAUX
ALSACE	1	-	1	4	1	7
AQUITAINE	1	-	2	-	-	3
AUVERGNE	-	-	-	1	2	3
BASSE-NORMANDIE	7	-	1	-	-	8
BOURGOGNE	1	1	1	-	2	5
BRETAGNE	1	-	3	-	-	4
CENTRE	8	1	3	2	-	14
CHAMPAGNE-ARDENNE	3	-	2	-	-	5
CORSE	-	-	-	-	-	-
FRANCHE-COMTÉ	-	-	1	-	-	1
HAUTE-NORMANDIE	2	-	-	4	-	6
ÎLE-DE-FRANCE	12	5	4	42	-	63
LANGUEDOC-ROUSSILLON	4	1	1	-	2	8
LIMOUSIN	-	-	-	-	12	12
LORRAINE	1	-	-	-	-	1
MIDI-PYRÉNÉES	1	-	2	-	1	4
NORD-PAS-DE-CALAIS	2	1	1	1	-	5
PAYS DE LA LOIRE	-	1	-	1	2	4
PICARDIE	-	-	-	-	-	-
POITOU-CHARENTES	-	1	-	1	-	2
PROVENCE-ALPES-CÔTE D'AZUR	8	-	3	5	-	16
RHÔNE-ALPES	17	6	3	6	1	33
FRANCE MÉTROPOLITAINE	**69**	**17**	**28**	**67**	**23**	**204**

Source : ANDRA (Inventaire national des déchets radioactifs - édition 1995).

L'inventaire national publié par l'ANDRA est constitué d'un recueil de deux cent quatre fiches descriptives présentant brièvement les informations techniques relatives aux déchets radioactifs détenus. Ces fiches ont été établies lorsque la limite de radioactivité globale était supérieure à 0,5 gbq. Pour un même site géographique comprenant des installations indépendantes ou appartenant à des exploitants différents, plusieurs fiches peuvent être établies.

Déchet radioactif : tout déchet constitué par un produit contaminé par des radioéléments artificiels ou par un matériau ayant subi une transformation mécanique ou chimique pouvant libérer des radioéléments naturels.

Industrie nucléaire : les centrales nucléaires de production d'électricité, les usines de retraitement de combustibles de la COGEMA, les centres de stockage gérés par l'ANDRA, les installations nucléaires qui ne sont plus exploitées, les sites des entreprises intervenant dans la fabrication du combustible et la maintenance des installations, les centres d'études du CEA.

Défense nationale : les établissements travaillant pour la Défense nationale impliqués dans les études et la fabrication des armes nucléaires et des cœurs des chaudières navales, ainsi que les établissements relevant du ministère de la Défense nationale.

Décharges : décharges de classe 1 ou 2 ou dépôts de chantiers qui ont reçu occasionnellement ou régulièrement des déchets de faible ou de très faible activité.

Industrie non nucléaire : cette catégorie regroupe les entreprises qui utilisent des matières contenant des radionucléides naturels, extraits lors des processus de fabrication et rejetés comme déchets (fabrication d'engrais, terres rares), les fournisseurs ou fabricants de sources scellées et les utilisateurs de radioéléments artificiels pour les besoins de l'industrie, de la recherche et de la médecine.

Mines d'uranium : sites d'extraction et de transformation du minerai d'uranium naturel.

PLANCHE 5

NOMBRE DE SITES CONTENANT OU SUSCEPTIBLES DE CONTENIR DES DÉCHETS RADIOACTIFS

RÉGIONS	NIVEAUX DE RADIOACTIVITÉ EN BECQUERELS				NOMBRE TOTAL DE SITES CONTENANT DES DÉCHETS RADIOACTIFS (2)
	> 1 EBq	>1 PBq	>1 TBq	>0.5 GBq	
	Nombre de sites (1)				
ALSACE	-	1	-	6	49
AQUITAINE	-	1	-	2	44
AUVERGNE	-	-	1	1	15
BASSE-NORMANDIE	1	2	1	-	14
BOURGOGNE	-	1	2	2	19
BRETAGNE	-	1	2	1	32
CENTRE	-	4	-	6	30
CHAMPAGNE-ARDENNE	-	2	1	1	12
CORSE	-	-	-	-	-
FRANCHE-COMTÉ	-	-	-	1	8
HAUTE-NORMANDIE	-	2	-	2	19
ÎLE-DE-FRANCE	-	1	8	41	450
LANGUEDOC-ROUSSILLON	1	1	3	1	34
LIMOUSIN	-	-	8	4	19
LORRAINE	-	1	-	-	42
MIDI-PYRÉNÉES	-	1	1	2	44
NORD-PAS-DE-CALAIS	-	1	1	3	26
PAYS DE LA LOIRE	-	-	2	2	20
PICARDIE	-	-	-	-	7
POITOU-CHARENTES	-	-	1	1	12
PROVENCE-ALPES-CÔTE D'AZUR	-	1	1	11	87
RHÔNE-ALPES	-	5	3	23	107
FRANCE MÉTROPOLITAINE	**2**	**25**	**35**	**110**	**1 090**

Source : ANDRA (Inventaire national des déchets radioactifs - édition 1995).

(1) Ces sites correspondent aux deux cent quatre fiches citées dans la *planche 4.*

(2) Environ 920 autres sites constitués de « petits producteurs » (hôpitaux, recherche, industrie, enseignement, défense) repartis sur l'ensemble du territoire détiennent également des déchets radioactifs dont la radioactivité globale est inférieure à 0,5 Gbq.

1 EBq (exa-becquerel) = 10^{18} becquerels.
1 PBq (péta-becquerel) = 10^{15} becquerels.
1 TBq (téra-becquerel) = 10^{12} becquerels.
1 GBq (giga-becquerel) = 10^{9} becquerels.

DÉCHETS

Il reste cinq ans aux collectivités locales et territoriales pour se mettre en conformité avec la loi Déchet du 13 juillet 1992 qui impose qu'en 2002 seuls les résidus ultimes issus des opérations de traitement seront admis en décharge. Les plans départementaux et régionaux d'élimination des déchets ménagers et industriels sont en cours d'achèvement. Ils révèlent de fortes disparités régionales dues au poids de l'urbanisation et des activités économiques.

Déchets ménagers et assimilés

En 1993, les Français ont produit 34 millions de tonnes de déchets ménagers et industriels banals (DIB). Ce volume a été traité par 868 installations et 62 % de ces ordures ont été mises en décharge. En 2002, ces 22 millions de tonnes ne pourront plus être simplement enfouies mais devront être préalablement traitées soit par incinération avec récupération d'énergie, soit par compostage, ou faire l'objet d'un tri sélectif. L'effort est immense et également partagé : les trois quarts des régions françaises mettent actuellement plus de la moitié de leurs déchets en décharge (*planche 3*).

Dans les régions très rurales, il faudra passer de la décharge communale brute plus ou moins contrôlée à un centre de traitement moderne. Nombre de ces communes partent de zéro et doivent à la fois supporter le coût de la collecte et du transport vers l'unité de traitement et le prix de cette unité. La situation est plus simple dans les grandes agglomérations où les dépenses de collecte sont déjà prises en compte.

L'Île-de-France, Rhône-Alpes, Nord-Pas-de-Calais, Provence-Alpes-Côte d'Azur et les Pays de la Loire représentent un quart de la superficie du territoire, mais totalisent la moitié de la population et 51 % du tonnage global de déchets. L'Île-de-France à elle seule en représente 20 %.

90 % des ordures de l'Auvergne partent en décharge. À l'inverse, l'Alsace n'en enfouit plus qu'un quart, les trois quarts restants faisant l'objet d'une valorisation. L'Alsace connaîtra peu de difficultés pour être à l'heure du rendez-vous de 2002, ce qui n'est pas le cas de l'Auvergne. Mais les deux régions n'ont pas la même superficie ni la même densité humaine, ni la même composition des déchets.

La valorisation des déchets ménagers stagne. En moyenne, un quart du tonnage global est incinéré avec récupération d'énergie et 5 % est valorisé par compostage. Seules deux régions atteignent un taux de valorisation supérieur à 50 % : l'Alsace, avec 66 % de valorisation énergétique et 7 % de compostage, et le Limousin, avec près de 58 % de valorisation énergétique.

La société Éco-emballages, l'un des trois organismes agréés pour prendre en charge les emballages usés, perçoit une contribution, de la part des industriels adhérents utilisateurs d'emballages, pour financer la recherche et aider les collectivités locales à investir dans la collecte séparative et le tri des déchets d'emballages ménagers. Elle revendique, fin 1995, 10 000 entreprises adhérentes payant 550 millions de francs de taxe. Éco-emballages a signé des accords de partenariat avec plus de 4 000 communes représentant 18 millions d'habitants. Mais seulement 5 millions de Français trient effectivement leurs ordures.

La collecte du verre a progressé de 140 % entre 1984 et 1994. Le calcin ménager représente à lui seul 77 % de la quantité totale de verre recyclé. Le rendement moyen de collecte est proche de 20 kilos par habitant et par an, pour un gisement théorique de 50 kilos par an. La région Île-de-France collectait la plus grosse quantité de verre ménager (13 % du total) mais avec un rendement parmi les plus faibles (12,8 kg/ habitant). La région Bretagne a un taux record de collecte supérieur à 31 kg/habitant et se situe en troisième position pour la quantité globale collectée (7,5 % du total). Le cumul du calcin ménager de ces deux régions avec Rhône-Alpes, deuxième en quantité, représente le tiers du tonnage de calcin ménager collecté en France en 1994 (*planche 4*).

Déchets industriels

L'inventaire des déchets industriels répertoriés du ministère de l'Environnement estimait en 1990 (dernier chiffre connu) que le flux global des déchets industriels nécessitant un traitement spécial était de 7 millions de tonnes, dont 5,8 millions recensés chez les industriels producteurs de déchets, 600 000 tonnes chez les industriels éliminateurs spécialisés et 600 000 tonnes estimées car non prises en compte dans l'enquête (*planche 1*). La France compte douze décharges spécialisées en déchets industriels spéciaux. Ces centres d'enfouissement technique, dits de classe 1, ne couvrent pas tout le territoire. La loi de 1992 oblige chaque région française à posséder une installation de stockage spécialisée mais les lieux d'implantation restent difficiles à trouver. La région Rhône-Alpes, grande région de la chimie française, ne dispose pas d'un tel équipement.

Parmi les déchets recensés chez les industriels, 50 % proviennent des régions Nord-Pas-de-Calais, Rhône-Alpes, Lorraine et Provence-Alpes-Côte d'Azur. Ils se présentent sous forme solide dans 34 % des cas, sous forme boueuse pour 31 % et sous forme liquide pour 18 %. Les 17 % restants correspondent aux huiles de graissage hors d'usage, aux batteries, aux accumulateurs...

Le traitement de ces déchets se fait à parts pratiquement égales entre le traitement sur le lieu de production (49 %) et le traitement par un industriel extérieur spécialisé (51 %). Les producteurs de Basse-Normandie ne traitent que 10 % de leur production en interne, alors que les producteurs du Nord-Pas-de-Calais traitent 68 % en filière interne et 32 % en externe. Pour les deux types de filières, la mise en décharge reste le principal mode de traitement avec 27 % pour le stockage interne et 24 % pour la mise en décharge de classe 1. Lorraine, Nord-Pas-de-Calais, Poitou-Charentes mettent 70 % de leurs déchets en décharge. L'Alsace ne l'utilise que pour moins de 20 %.

La valorisation est essentiellement thermique ; 31 % des déchets industriels sont incinérés. Les filières internes absorbent 15 % du tonnage et les filières externes 16 %. Limousin, Aquitaine, Picardie, Bretagne et Haute-Normandie valorisent plus de 50 % de leur production mais ces cinq régions ne représentent que 16 % du poids national. Franche-Comté et Poitou-Charentes n'atteignent pas le seuil des 20 % de revalorisation. Les procédés physico-chimiques, la régénération, la décontamination ne représentent que 17 % du tonnage global. L'Alsace utilise ces traitements pour 65 % de ses déchets contre 6 % pour la Bretagne, la Champagne-Ardenne, la Lorraine et le Nord-Pas-de-Calais.

Importation-exportation

En 1993, la France a importé 401 000 tonnes de déchets et en a exporté 97 000 tonnes. L'essentiel des flux se fait entre l'Allemagne et la Lorraine ; 73 000 tonnes de déchets banals et ordures ménagères sont entrées en France, dont 60 % en provenance d'Allemagne pour traitement et stockage dans les régions françaises limitrophes. Ont été importées 328 000 tonnes de déchets générateurs de nuisance, dont 73 % ont été éliminées par traitement physico-chimique, incinération ou régénération (*planche 2*). Les installations collectives de traitement sont réparties dans 17 régions de la métropole. La Lorraine reste cependant la première région importatrice avec 45 % du tonnage reçu. Elle stockait en décharge 58 % de son flux total importé.

L'exportation d'ordures ménagères ne concerne que la région Alsace. Une région sur deux a recours à l'exportation pour l'élimination de ses déchets générateurs de nuisances, dont plus de 50 % en provenance des deux régions Basse-Normandie et Picardie.

PLANCHE 1

PRODUCTION ET ÉLIMINATION DES DÉCHETS INDUSTRIELS - 1990 (1)

RÉGIONS	DÉCHETS INDUSTRIELS RÉPERTORIÉS DES PRODUCTEURS		VALORISATION	TRAITEMENT	STOCKAGE	NB D'INSTALLATIONS COLLECTIVES D'ÉLIMINATION	
	Quantité	Part France				Stockage CET1	Autres installations
	Kt	%	%			sept. 1995	mars 1994
ALSACE	296	5,1	18	65	17	-	3
AQUITAINE	192	3,3	61	9	30	-	4
AUVERGNE	70	1,2	27	19	54	-	-
BASSE-NORMANDIE	49	0,8	41	16	43	1	-
BOURGOGNE	111	1,9	41	16	43	1	1
BRETAGNE	162	2,8	55	6	39	-	-
CENTRE	139	2,4	36	19	46	-	5
CHAMPAGNE-ARDENNE	248	4,3	27	6	67	-	1
FRANCHE-COMTÉ	105	1,8	18	26	56	1	5
HAUTE-NORMANDIE	287	4,9	52	14	34	1	7
ÎLE-DE-FRANCE	342	5,9	27	23	50	2	4
LANGUEDOC-ROUSSILLON	72	1,2	32	14	55	1	2
LIMOUSIN	34	0,6	66	10	24	-	-
LORRAINE	699	12,0	20	6	74	2	6
MIDI-PYRÉNÉES	93	1,6	34	20	46	-	2
NORD-PAS-DE-CALAIS	1 133	19,5	21	5	73	-	12
PAYS DE LA LOIRE	162	2,8	45	18	37	3	5
PICARDIE	276	4,7	60	15	25	-	3
POITOU-CHARENTES	108	1,9	18	12	70	-	1
PROV.-ALPES-CÔTE D'AZUR	497	8,5	29	17	54	-	6
RHÔNE-ALPES	749	12,9	32	34	35	-	12
FRANCE MÉTROPOLITAINE	**5 824**	**100,0**	**31**	**17**	**52**	**12**	**79**

Source : ministère de l'Environnement et ADEME.

(1) Il s'agit des seules données disponibles comparables à l'échelle régionale. Elles sont en cours d'actualisation dans le cadre de l'approbation des plans régionaux d'élimination des déchets industriels spéciaux.

Les déchets industriels répertoriés (DIR) sont les déchets qui, de par leurs caractéristiques physico-chimiques, font courir un risque (risque physique, risque lié à des réactions dangereuses, risque biologique, risque pour l'environnement) et nécessitent un traitement spécifique dans des installations adaptées. Ils ne doivent pas être traités dans une filière commune à celle des ordures ménagères.

La valorisation regroupe la valorisation comme combustible, comme matière première et comme produit fini dans le même usage.

Le traitement comprend l'incinération sans récupération d'énergie et les traitements physico-chimiques.

Le stockage correspond au stockage en décharge de classe 1 et dans les autres décharges.

Stockage CET1 : installation d'élimination de déchets industriels spéciaux pour mise en décharge sur un site imperméable.

Autres installations : installations collectives de traitement et de valorisation des déchets industriels spéciaux.

PLANCHE 2

MOUVEMENTS TRANSFRONTALIERS DE DÉCHETS - 1993

RÉGIONS	DÉCHETS GÉNÉRATEURS DE NUISANCES (t)			
	IMPORTATIONS		EXPORTATIONS	
	Stockage	Traitement	Stockage	Traitement
ALSACE	-	33 775	1 245	2 318
AQUITAINE	-	1 465	-	-
AUVERGNE	-	-	-	-
BASSE-NORMANDIE	-	-	-	22 956
BOURGOGNE	2 661	7 623	-	-
BRETAGNE	-	-	-	556
CENTRE	-	882	-	1 084
CHAMPAGNE-ARDENNE	-	3 337	-	-
CORSE	-	-	-	-
FRANCHE-COMTÉ	-	16 253	-	-
HAUTE-NORMANDIE	-	4 228	-	7 482
ÎLE-DE-FRANCE	-	18 702	-	9 285
LANGUEDOC-ROUSSILLON	-	2 327	-	-
LIMOUSIN	-	-	-	-
LORRAINE	85 929	62 245	-	8 968
MIDI-PYRÉNÉES	-	2 947	-	-
NORD-PAS-DE-CALAIS	-	29 076	-	280
PAYS DE LA LOIRE	-	485	7	311
PICARDIE	-	7 483	-	23 256
POITOU-CHARENTES	-	8 914	-	-
PROV.-ALPES-CÔTE D'AZUR	-	13 288	-	-
RHÔNE-ALPES	-	26 205	-	4 659
FRANCE MÉTROPOLITAINE	**88 590**	**239 235**	**1 252**	**81 155**

Source : IFEN d'après ministère de l'Environnement - DPPR - SDPD.

Stockage : mise en décharge de classe 1 ou de classe 2, stockage dans les mines de sel.

Traitement : traitement physico-chimique, décontamination, incinération, valorisation, régénération, compostage, épandage, prétraitement.

Déchets générateurs de nuisances : ils comprennent notamment les déchets de traitement de surface des métaux et matières plastiques, les cendres d'incinération des ordures ménagères ou de déchets industriels et les déchets contenant des substances telles que l'amiante, le cadmium, le mercure, les solutions acides, etc.
La liste de ces catégories de déchets figure en annexe au décret n° 90-267.

PLANCHE 3

PRODUCTION ET ÉLIMINATION DES DÉCHETS MÉNAGERS - 1993

RÉGIONS	PRODUCTION DE DÉCHETS MÉNAGERS ET ASSIMILÉS		VALORISATION		INCINÉRATION SANS RÉCUPÉRATION D'ÉNERGIE DANS DES INSTALLATIONS AUTORISÉES	MISE EN DÉCHARGES AUTORISÉES RECEVANT AU MOINS 3000 TONNES/AN ET EN INSTALLATIONS DE BROYAGE (INTERDITES EN 2002)	
	Quantité reçue en installations autorisées (sauf décharges inférieures à 3000 tonnes/an)	Part de la région par rapport à la France métropolitaine	Taux de valorisation énergétique	Taux de valorisation organique	Taux	Taux	Décharges et installations de broyage
	milliers de tonnes	%	%	%	%	%	Nombre
ALSACE	757	2,3	66,4	7,7	-	25,9	7
AQUITAINE	1 298	3,9	12,3	18,9	12,8	56,0	36
AUVERGNE	584	1,7	8,6	-	1,0	90,3	23
BASSE-NORMANDIE	681	2,0	18,6	4,2	8,4	67,8	21
BOURGOGNE	1 353	4,0	44,4	1,9	5,2	48,6	21
BRETAGNE	1 043	3,1	35,1	13,2	14,1	37,6	25
CENTRE	1 672	5,0	5,0	10,9	10,6	73,5	30
CHAMPAGNE-ARDENNE	978	2,9	7,7	4,7	-	87,6	14
CORSE	68	0,2	-	-	20,9	79,1	5
FRANCHE-COMTÉ	484	1,4	41,2	3,0	12,2	42,9	11
HAUTE-NORMANDIE	974	2,9	34,8	8,3	7,5	49,4	11
ÎLE-DE-FRANCE	6 816	20,4	41,9	5,3	1,3	51,5	18
LANGUEDOC-ROUSSILLON	1 279	3,8	5,6	2,6	15,8	76,0	22
LIMOUSIN	274	0,8	57,6	-	2,4	40,0	12
LORRAINE	1 168	3,5	51,1	-	3,2	71,8	18
MIDI-PYRÉNÉES	1 193	3,6	18,2	-	5,5	76,3	37
NORD-PAS-DE-CALAIS	2 822	8,4	5,9	1,3	37,4	54,8	20
PAYS DE LA LOIRE	1 783	5,3	22,7	9,4	0,5	66,1	31
PICARDIE	1 518	4,5	2,8	-	4,0	88,8	27
POITOU-CHARENTES	977	2,9	18,9	6,9	13,7	60,6	25
PROV.-ALPES-CÔTE D'AZUR	2 634	7,9	20,6	1,8	14,7	62,8	24
RHÔNE-ALPES	3 116	9,3	27,9	1,3	8,8	62,0	49
FRANCE MÉTROPOLITAINE	**33 472**	**100,0**	**24,8**	**5,1**	**9,2**	**60,9**	**487** (1)

Source : ADEME (inventaire des installations de traitement, de transit ou de stockage des déchets ménagers et assimilés).

(1) Dont 413 décharges et 74 installations de broyage.

Les déchets ménagers et assimilés regroupent :
- les ordures ménagères et produits issus de la collecte sélective ;
- les déchets encombrants des ménages ;
- les déchets industriels banals et commerciaux ou artisanaux non nécessairement concernés par les seuls circuits de la collecte des ordures ménagères.

Valorisation : la valorisation est le terme générique qui consiste à utiliser un procédé (recyclage, compostage, régénération, incinération avec récupération d'énergie, etc.) pour redonner une valeur marchande aux déchets.

Décharge autorisée : lieu de stockage de déchets, également appelé centre d'enfouissement technique ou centre de stockage, qui a fait l'objet d'une autorisation préfectorale au titre des installations classées pour la protection de l'environnement.

PLANCHE 4

COLLECTE SÉLECTIVE DE VERRE MÉNAGER (1991-1994)

RÉGIONS	QUANTITÉ ANNUELLE DE VERRE COLLECTÉ (t)		POPULATION BÉNÉFICIANT D'UNE COLLECTE		RENDEMENT (kg/hab./an)	
	1994	Variation 1991/1994	1991	1994	1994	Variation 1991/1994
		%	%			%
ALSACE	41 122	39	96	100	25,4	34
AQUITAINE	46 428	44	81	89	18,6	31
AUVERGNE	20 784	97	88	91	17,4	92
BASSE-NORMANDIE	29 387	97	39	84	25,3	-7
BOURGOGNE	36 161	76	88	94	23,9	65
BRETAGNE	75 155	114	74	86	31,4	84
CENTRE	48 871	67	74	89	23,0	39
CHAMPAGNE-ARDENNE	31 964	22	86	95	25,1	11
CORSE	800	21	55	50	6,4	-37
FRANCHE-COMTÉ	30 588	67	80	97	28,7	37
HAUTE-NORMANDIE	26 314	53	62	80	19,0	20
ÎLE-DE-FRANCE	130 511	37	91	95	12,8	31
LANGUEDOC-ROUSSILLON	26 903	37	83	86	14,7	32
LIMOUSIN	10 530	131	56	85	17,2	53
LORRAINE	44 319	35	90	96	20,0	26
MIDI-PYRÉNÉES	25 174	46	74	81	12,8	34
NORD-PAS-DE-CALAIS	70 759	42	94	92	19,4	46
PAYS DE LA LOIRE	73 779	51	62	83	28,9	12
PICARDIE	37 560	48	85	93	22,3	35
POITOU-CHARENTES	39 065	51	84	93	26,2	35
PROVENCE-ALPES-CÔTE D'AZUR	43 403	46	91	96	10,5	36
RHÔNE-ALPES	109 605	40	87	91	22,6	36
FRANCE MÉTROPOLITAINE	**999 182**	**51**	**83**	**91**	**19,4**	**37**

Source : Chambre syndicale des verreries mécaniques de France.

La quantité annuelle de verre collecté représente la quantité de verre récupéré en porte à porte dans les conteneurs mis à la disposition du public. Ce calcin correspond essentiellement aux bouteilles, flacons, pots et bocaux ménagers à usage alimentaire.

SITES ET SOLS POLLUÉS

Le thème des sites et sols pollués vient de passer parmi les priorités environnementales de la France tant sur le plan technique que sur le plan économique. Les circulaires du 3 décembre 1993 et du 9 février 1994 du ministère de l'Environnement ont imposé deux axes d'action :

– la recherche systématique et permanente des sites pollués ;

– l'évaluation des risques et de la vulnérabilité de chaque site.

Une recherche systématique

Cette démarche préliminaire a été mise en œuvre par les services régionaux de l'environnement industriel des directions régionales de l'industrie, de la recherche et de l'environnement (DRIRE) sous l'autorité des préfets. Au 30 juin 1995, les DRIRE avaient recensé plus de 700 sites aux sols pollués et risquant de souiller les nappes phréatiques. En complément de ces recherches, des études historiques vont par ailleurs être systématiquement engagées pour les sites industriels anciens, susceptibles de générer des pollutions chroniques ou des accumulations de déchets. En fonction des hypothèses de travail retenues, ce nouvel inventaire pourrait conduire à lister plusieurs centaines de milliers de sites suspects. Ces estimations se rapprochent des inventaires réalisés à l'étranger, où ces travaux sont engagés depuis longtemps et couvrent un champ plus large. Aux États-Unis, après quinze années d'application d'une législation spécifique, 38 000 sites ont été recensés dans la catégorie des sites potentiellement pollués. En Allemagne, ce nombre est de 139 000. Aux Pays-Bas, 4 000 sites contaminés avaient été estimés au début des années quatre-vingt. Les chiffres actuels oscillent entre 100 000 et 200 000.

Dans le recensement de 1994 des sites pollués, quatre régions au passé industriel important (Nord-Pas-de-Calais, Rhône-Alpes, Île-de-France et Lorraine) totalisent 50 % du nombre de sites recensés en métropole. La région Nord-Pas-de-Calais possède le plus grand nombre de terrains pollués. L'Alsace et la Haute-Normandie sont également très concernées. Malgré un nombre de sites plus restreints, ces deux régions présentent une forte densité d'implantation industrielle.

Cent millions de francs par an

La pollution de plus de 50 % des sols ou des nappes provient des retombées des rejets, des infiltrations et déversements de substances liés à l'exploitation des installations industrielles ou aux accidents de transport. Les anciennes décharges de déchets industriels spéciaux, éventuellement mélangés à d'autres types de déchets, représentent 38 % des cas recensés. Les secteurs d'activité de l'industrie chimique, parachimique et pharmaceutique, d'une part, et de l'industrie des métaux ferreux, d'autre part, sont respectivement à l'origine de 20 % et 18 % des sites dénombrés en métropole. Les hydrocarbures sont à l'origine d'un tiers des pollutions. Moins d'un site sur deux est situé en zone d'habitat. Un site sur deux représente une menace de pollution pour la ressource en eau. Pour la moitié des sites, un traitement de dépollution est effectué, en cours de réalisation ou envisagé à court terme. Pour 20 % d'entre eux, un simple enlèvement des substances polluantes sera suffisant, mais dans 47 % des cas le traitement sera complexe et nécessitera des moyens importants de traitement des déchets, des terres et des eaux souterraines. Vingt sites pour lesquels il n'existe plus de responsable solvable identifié sont dits « orphelins ». Le financement des travaux de dépollution est alors à la charge de la collectivité. Les besoins financiers pour la réhabilitation de cette catégorie de terrains sont estimés à au moins 100 millions de francs par an au cours des prochaines années. La loi du 2 février 1995 a donc instauré une taxe sur l'élimination dans des centres collectifs de traitement et de stockage des déchets industriels spéciaux (DIS). Le produit attendu pour 1995 est de 55 millions de francs. Au 1er janvier 1996, le montant de base de la taxe est passé de 25 à 30 francs la tonne pour les DIS traités et de 50 à 60 francs la tonne pour les DIS stockés en décharge. En 1998, le montant estimé de cette taxe devrait atteindre 115 millions de francs.

PLANCHE 1

SITES ET SOLS POLLUÉS - 1994 (1)

RÉGIONS	NBRE SITES POLLUÉS au 30/09/1994	PART FRANCE %	INDICE DU NOMBRE DE SITES POLLUÉS RAPPORTÉ À (2)		
			Nombre d'établissements industriels (3) 1992	Superficie	Population RGP 1990
ALSACE	48	7,4	240	483	256
AQUITAINE	36	5,5	158	73	112
AUVERGNE	5	0,8	34	16	33
BASSE-NORMANDIE	21	3,2	145	99	131
BOURGOGNE	17	2,6	88	45	92
BRETAGNE	5	0,8	25	15	16
CENTRE	18	2,8	57	38	66
CHAMPAGNE-ARDENNE	24	3,7	130	78	154
CORSE	1	0,2	256	10	35
FRANCHE-COMTÉ	8	1,2	48	41	63
HAUTE-NORMANDIE	46	7,0	210	311	230
ÎLE-DE-FRANCE	77	11,8	54	534	63
LANGUEDOC-ROUSSILLON	7	1,1	59	21	29
LIMOUSIN	9	1,4	111	44	108
LORRAINE	49	7,5	201	173	184
MIDI-PYRÉNÉES	9	1,4	38	17	32
NORD-PAS-DE-CALAIS	109	16,7	239	731	238
PAYS DE LA LOIRE	16	2,5	42	42	45
PICARDIE	26	4,0	109	112	124
POITOU-CHARENTES	9	1,4	56	29	49
PROVENCE-ALPES-CÔTE D'AZUR	23	3,5	89	61	47
RHÔNE-ALPES	90	13,8	96	172	146
FRANCE MÉTROPOLITAINE	**653**	**100**	**100**	**100**	**100**

Source : ministère de l'Environnement/DPPR/SEI (inventaire des sites et sols pollués), INSEE, ministère de l'Industrie/SESSI.

(1) Données partielles pour cinq régions : pas de recensement dans les départements Corse-du-Sud, Puy-de-Dôme, Pyrénées-Orientales, Lot, Lozère, Finistère et Gers.

(2) Les différents indices régionaux ont été calculés par rapport à une base 100 nationale.

(3) Établissements industriels producteurs hors industries agricoles et alimentaires et hors énergie, appartenant à une entreprise industrielle de vingt personnes et plus.

AGRICULTURE

Les paysages agricoles occupent une large part du territoire national. Les trois quarts de la surface de certaines régions sont occupés par l'agriculture. C'est le cas de la Basse-Normandie, avec 81 % de la surface, du Nord-Pas-de-Calais (80 %) ou des Pays de la Loire (78 %).

Le contexte économique des dernières décennies a profondément transformé le secteur agricole. Les progrès techniques ont permis d'accroître la production, mais ont provoqué des pressions et des dommages toujours plus importants sur les milieux naturels et sur les ressources. En dépit des réorientations de la PAC, l'intensification agricole reste de mise : poursuite du drainage, développement de l'irrigation, utilisation généralisée d'engrais et de produits phytosanitaires, concentration des élevages, etc.

Aujourd'hui, l'agriculture se veut plus respectueuse de l'environnement. Le cadre réglementaire est plus strict (mise aux normes des bâtiments d'élevage, codes de bonnes pratiques culturales visant à réduire les pollutions des eaux) et le système d'aides et de conseils est plus incitatif (mesures agri-environnementales, plans de développement durable, etc.).

Irrigation et drainage : toujours plus

18 % de la surface agricole utile (SAU) nationale est équipée en systèmes de drainage ou d'irrigation (*planche 1*).

Deux régions viennent en tête : le Centre, où près de 40 % des surfaces sont concernées (à parité entre drainage et irrigation), et la région Aquitaine, où 33 % des surfaces sont aménagées (les deux tiers à des fins d'irrigation). Ces deux régions cumulent les effets d'une forte pression sur la ressource en eau et la réduction des zones humides. L'Île-de-France (29 % des surfaces) et la Bretagne (27 %) sont les deux régions où le drainage est le plus utilisé.

L'irrigation concerne en priorité les régions méridionales (Provence-Alpes-Côte d'Azur : 28 % des surfaces ; Languedoc-Roussillon : 16 %) et du Sud-Ouest (Aquitaine, Midi-Pyrénées : 15 % et Poitou-Charentes : 11 %).

Les aménagements fonciers continuent

Les aménagements fonciers concernent tous les ans un peu plus de 1 % du territoire agricole, qu'il s'agisse de remembrement, de remembrementaménagement ou de réorganisation foncière. En surface rapportée à la SAU régionale, la Champagne-Ardenne, l'Île-de-France et la Picardie viennent en tête de classement pour les opérations réalisées. Les régions méditerranéennes, à l'inverse, sont en général moins touchées (*planche 2*).

On modifie les parcellaires à des fins essentiellement agricoles. En pratiquant ces aménagements sans précautions, on risque de réduire la diversité des paysages notamment par l'arasement de haies, le comblement de talus, la rectification de cours d'eau. Depuis 1993, la loi oblige cependant l'aménageur à porter une attention particulière au paysage et à l'environnement avant toute opération.

La part des remembrements liés aux grands ouvrages publics (autoroutes, TGV) croît fortement, pour constituer même l'essentiel des opérations réalisées. Ainsi, en 1993, les grands ouvrages représentaient 99 % des opérations clôturées en Haute-Normandie (pont de Normandie, autoroute A14) et 67 % en Nord-Pas-de-Calais (tunnel sous la manche, TGV, autoroute).

Des pressions agricoles diffuses sur le territoire

L'agriculture contribue à l'émission diffuse de polluants, lorsque l'apport en engrais (d'origine organique ou minérale) excède la capacité de fixation par les cultures. L'utilisation d'engrais sur les terres agricoles se traduit par une charge annuelle moyenne à l'hectare de 129 kilogrammes d'azote et de 70 kilogrammes de phosphore.

Les régions françaises présentent quatre grands profils distincts (*planche 3*) :

– les régions de grande culture où la pression azotée est essentiellement d'origine minérale (par exemple Île-de-France, Picardie, Champagne-Ardenne, Centre) ;

– les régions d'élevage intensif où la pression est essentiellement organique et la charge totale est égale, voire légèrement supérieure, à la moyenne nationale (par exemple Rhône-Alpes, Basse-Normandie, Pays de la Loire) ;

– les régions d'élevage moins intensif, souvent de moyenne montagne (Limousin, Auvergne, Franche-Comté), où la pression azotée, essentiellement animale, se situe à 80 % de la moyenne nationale ;

– les régions présentant de faibles pressions organiques et minérales (Provence-Alpes-Côte d'Azur, Languedoc-Roussillon).

La Bretagne est un cas très particulier puisqu'on y atteint le niveau de 250 kilogrammes d'azote par hectare, en raison de la très forte densité des élevages industriels.

L'agriculture biologique dans les régions

Avec 66 000 hectares (hors reconversion) en 1994 et plus de 3 000 producteurs certifiés, l'agriculture biologique occupe une place modeste au plan national. Elle reste cependant intéressante à suivre comme marqueur, à côté d'autres formes d'agriculture (agriculture raisonnée, agriculture intégrée), d'une recherche de qualité croissante dans la production des denrées alimentaires.

L'agriculture biologique est quasi absente de certaines régions (0,02 % des surfaces agricoles en Île-de-France, 0,05 % en Haute-Normandie et Nord-Pas-de-Calais). Dans les régions où elle est bien représentée, elle n'excède cependant pas 1 % des surfaces agricoles (Franche-Comté : 0,6 %, Languedoc-Roussillon : 0,5 %).

Au sein de l'agriculture biologique, 58 % des surfaces sont consacrées en moyenne à l'élevage (*planche 4*). Parmi les régions à forte dominante d'élevage (plus de deux tiers des surfaces), on note la Franche-Comté, la Lorraine, le Limousin, la Basse-Normandie. À l'inverse, trois régions ont une forte dominante de « culture ». C'est le cas de Provence-Alpes-Côte d'Azur et de la Corse, autour du maraîchage et de la viticulture, et de la Picardie, avec les céréales.

PLANCHE 1

IRRIGATION ET DRAINAGE

RÉGIONS	SUPERFICIE IRRIGUÉE			SUPERFICIE IRRIGABLE			SUPERFICIE DRAINÉE DRAINS ENTERRÉS		
	1993	Part SAU 1993	Variation 1988/1993	1993	Part SAU 1993	Variation 1988/1993	1993	Part SAU 1993	Variation 1988/1993
	Km^2	%		Km^2	%		Km^2	%	
ALSACE	541,7	16	61,5	654,0	19,4	44,4	169,2	5	10,4
AQUITAINE	2 432,4	16,2	5,9	3 290,7	21,9	17,8	1 627,4	10,8	19,2
AUVERGNE	235,7	1,5	86,2	359,9	2,4	77,4	1 004,5	6,5	31,4
BASSE-NORMANDIE	49,9	0,4	22,5	109,3	0,9	43,2	858,1	6,7	14,1
BOURGOGNE	168,8	1	23,7	391,2	2,2	30,3	1 501,3	8,5	32,2
BRETAGNE	139,0	0,8	104,1	363,3	2,1	47,8	190,1	26,8	81
CENTRE	1 939,1	8,1	22,8	4 408,8	18,4	37,5	4 747,0	19,8	10,5
CHAMPAGNE-ARDENNE	170,0	1,1	254,4	331,0	2,1	154,7	920,7	5,8	1,2
CORSE	137,0	12,3	30,9	203,1	18,3	26,3	4,3	0,4	45,1
FRANCHE-COMTÉ	37,8	0,6	422,9	98,2	1,5	211,9	300,3	4,5	36,9
HAUTE-NORMANDIE	19,3	0,3	29,9	72,9	1	26,2	341,1	4,2	0,5
ÎLE-DE-FRANCE	165,8	2,5	32	426,5	6,4	44,7	1 640,0	27,9	14,4
LANGUEDOC-ROUSSILLON	820,7	8,1	15,9	1 617,2	15,9	9	405,9	4	32,5
LIMOUSIN	25,8	0,3	24,6	51,1	0,6	12,6	422,4	4,8	78,8
LORRAINE	7,2	0,1	22,6	27,2	0,2	169,7	1 483,4	13,2	23,3
MIDI-PYRÉNÉES	2 555,2	10,9	21,7	3 545,8	15,1	26,3	1 901,1	8,1	29,4
NORD-PAS-DE-CALAIS	91,0	1,1	312,3	243,5	2,8	514,5	1 461,8	16,9	4,5
PAYS DE LA LOIRE	1 085,4	5	57,8	1 507,7	6,9	55,3	2 895,5	13,2	3,3
PICARDIE	269,6	2	111,6	928,2	6,9	123,7	549,8	4,1	15,2
POITOU-CHARENTES	1 594,4	8,9	49,9	2 273,1	12,7	45,5	851,5	4,7	24,7
PROVENCE-ALPES-CÔTE D'AZUR	1 200,3	18,9	3,3	1 789,6	28,2	5,5	78,1	1,2	27,9
RHÔNE-ALPES	1 082,3	6,8	41,4	1 458,5	9,1	39,6	677,6	4,2	58
FRANCE MÉTROPOLITAINE	**14 768,4**	**5,2**	**28,7**	**24 151,8**	**8,6**	**34,5**	**25 080,6**	**8,9**	**20,3**

Source : ministère de l'Agriculture/SCEES (RGA, 1988, enquête sur la structure des exploitations agricoles, 1993).

La superficie irrigable est la surface agricole équipée pour l'irrigation.

La superficie irriguée est celle qui a fait l'objet d'une irrigation effective au cours de la campagne.

PLANCHE 2

OPÉRATIONS D'AMÉNAGEMENT FONCIER

RÉGIONS	OPÉRATIONS TERMINÉES CUMULÉES DU 07/01/1942 AU 31/12/1993				OPÉRATIONS CLOSES EN 1993			
	Au titre des activités agricoles	Au titre des grands ouvrages publics	Total	Part des grands ouvrages publics	Au titre des activités agricoles	Au titre des grands ouvrages publics	Total	Part des grands ouvrages publics
	Ha			%	Ha			%
ALSACE	276 603	31 772	308 375	10,3	3 217	880	4 097	21,4
AQUITAINE	331 037	39 495	370 532	10,7	6 379	1 317	7 696	17,1
AUVERGNE	575 336	45 409	620 745	7,3	9 645	4 839	14 484	33,4
BASSE-NORMANDIE	585 050	22 085	607 135	3,7	19 819	3 590	23 409	15,3
BOURGOGNE	875 091	104 223	979 134	10,7	12 212	12 198	24 410	49,9
BRETAGNE	1 152 999	61 174	1 214 173	5,0	18 730	3 558	22 288	15,9
CENTRE	1 574 170	148 745	1 722 915	8,7	29 940	1 352	31 292	4,3
CHAMPAGNE-ARDENNE	1 479 390	110 922	1 590 312	6,9	25 272	22 548	47 820	47,1
CORSE	11 668	0	11 668	0	0	0	0	0
FRANCHE-COMTÉ	599 673	22 156	621 829	3,5	6 491	1 550	8 041	19,2
HAUTE-NORMANDIE	425 490	71 438	496 928	14,3	389	33 976	34 365	98,9
ÎLE-DE-FRANCE	524 954	35 220	560 174	6,2	1 416	801	2 217	36,1
LANGUEDOC-ROUSSILLON	108 299	7 675	115 974	6,7	5 360	2 312	7 672	30,1
LIMOUSIN	190 527	1 191	191 715	0,7	1 450	0	1 450	0
LORRAINE	846 278	42 841	889 119	4,9	16 003	0	16 003	0
MIDI-PYRÉNÉES	313 574	27 181	340 755	7,9	9 278	2 618	11 896	22,0
NORD-PAS-DE-CALAIS	378 079	61 146	439 225	13,9	5 710	11 842	17 552	67,4
PAYS DE LA LOIRE	952 512	167 279	1 119 791	14,9	36 541	18 718	55 259	33,9
PICARDIE	1 116 042	70 052	1 186 094	5,9	14 274	5 548	19 822	27,9
POITOU-CHARENTES	740 883	57 788	198 671	29,0	14 250	506	14 756	3,4
PROVENCE-ALPES-CÔTE D'AZUR	103 334	165	103 499	0,1	374	0	374	0
RHÔNE-ALPES	335 425	34 122	369 547	9,2	6 704	6 483	13 187	49,1
FRANCE MÉTROPOLITAINE	**13 496 411**	**1 162 079**	**14 658 490**	**7,9**	**243 454**	**134 638**	**378 090**	**35,7**

Source : ministère de l'Agriculture et de la Pêche/DERF.

Les opérations d'aménagement foncier (réorganisation foncière, remembrement) peuvent être conduites pour plusieurs motifs :
– améliorer les conditions économiques d'exploitation des propriétés agricoles ou forestières ;
– réagencer l'espace lors du passage d'une grande infrastructure (autoroute, TGV...).

PLANCHE 3

PRESSIONS AZOTÉES ET PHOSPHATÉES - 1993

RÉGIONS	AZOTE DE SYNTHÈSE (engrais)	AZOTE ORGANIQUE (effluents d'élevage)	TOTAL	PHOSPHATE DE SYNTHÈSE (engrais)	PHOSPHATE ORGANIQUE (effluents d'élevage)	TOTAL
	Kg/ha			Kg/ha		
ALSACE	107	44	151	56	28	84
AQUITAINE	109	44	153	69	28	97
AUVERGNE	32	57	88	20	30	49
BASSE-NORMANDIE	59	69	128	25	36	61
BOURGOGNE	58	33	91	27	17	45
BRETAGNE	90	160	250	35	125	160
CENTRE	108	20	128	45	13	58
CHAMPAGNE-ARDENNE	126	23	148	59	12	71
CORSE	24	98	122	6	54	60
FRANCHE-COMTÉ	46	48	94	28	24	53
HAUTE-NORMANDIE	83	50	132	51	28	78
ÎLE-DE-FRANCE	139	7	145	61	5	66
LANGUEDOC-ROUSSILLON	50	20	70	46	11	58
LIMOUSIN	20	66	86	18	35	53
LORRAINE	103	44	148	41	23	64
MIDI-PYRÉNÉES	64	45	109	38	27	64
NORD-PAS-DE-CALAIS	106	55	161	42	33	74
PAYS DE LA LOIRE	73	76	150	28	48	76
PICARDIE	134	27	161	52	16	68
POITOU-CHARENTES	100	39	139	50	25	76
PROVENCE-ALPES-CÔTE D'AZUR	48	27	75	37	17	54
RHÔNE-ALPES	55	62	118	31	44	75
FRANCE MÉTROPOLITAINE	**82**	**52**	**134**	**40**	**33**	**73**

Source : ministère de l'Agriculture et de la Pêche/SCEES (enquête sur la structure des exploitations agricoles).

Il s'agit de quantités annuelles par hectare de surface fertilisable, calculées avec les coefficients du CORPEN et les données du SNIE pour les engrais de synthèse.

Surface fertilisable : c'est l'ensemble de la sole agricole, à l'exception des jachères, des parcours et des pacages.

PLANCHE 4

AGRICULTURE BIOLOGIQUE - 1994 (1)

RÉGIONS	CÉRÉALES ET GRANDES CULTURES	LÉGUMES ET PLANTES AROMATIQUES	CULTURES PERMANENTES	SURFACES CONSACRÉES À L'ÉLEVAGE	TOTAL AGRICULTURE BIOLOGIQUE	‰ SAU RÉGIONALE
	ha					
ALSACE	372	106	194	1 274	1 946	1.49
AQUITAINE	1 283	247	1 300	1 807	4 636	0.26
AUVERGNE	617	129	8	1 315	2 069	0.13
BASSE-NORMANDIE	536	177	70	2 005	2 766	0.19
BOURGOGNE	1 605	93	173	2 169	4 040	0.21
BRETAGNE	573	389	42	1 997	3 001	0.15
CENTRE	1 004	200	153	1 752	3 197	0.12
CHAMPAGNE-ARDENNE	586	44	142	522	1 206	0.07
CORSE	0	4	234	11	244	0.10
FRANCHE-COMTÉ	364	16	28	4 518	4 926	0.61
HAUTE-NORMANDIE	188	46	10	199	433	0.05
ÎLE-DE-FRANCE	40	50	25	80	125	0.02
LANGUEDOC-ROUSSILLON	516	292	1 715	2 893	5 416	0.53
LIMOUSIN	432	41	4	1 363	1 840	0.19
LORRAINE	439	9	16	1 609	2 073	0.16
MIDI-PYRÉNÉES	2 296	384	230	3 747	6 657	0.25
NORD-PAS-DE-CALAIS	120	69	32	282	503	0.05
PAYS DE LA LOIRE	1 692	316	165	4 074	6 247	0.25
PICARDIE	736	52	9	406	1 203	0.08
POITOU-CHARENTES	2 869	163	174	2 543	5 749	0.30
PROVENCE-ALPES-CÔTE D'AZUR	1 136	230	1 007	1 278	3 741	0.42
RHÔNE-ALPES	909	296	756	2 896	4 858	0.25
FRANCE MÉTROPOLITAINE	**18 313**	**3 353**	**6 487**	**38 740**	**66 876**	**0,21**

Source : organismes de certification agréés (Bio Contact, Ecocert, Qualité France, Socotec).

(1) Sont regroupées en quatre catégories plus de cent productions biologiques répertoriées par les organismes de certification. Ne sont prises en compte que les exploitations disposant du label « agriculture biologique » fin 1993. Sont donc exclues les exploitations en première ou deuxième année de reconversion à l'agriculture biologique (20 873 ha).

L'agriculture biologique propose un mode de production des denrées alimentaires exempt de produits chimiques de synthèse.

L'agriculture biologique fait l'objet d'une réglementation communautaire pour les produits agricoles végétaux transformés ou non. Les produits animaux sont régis par une réglementation nationale (loi 80-502 du 4 juillet 1980 et décret 81-227 du 10 mars 1981).

ÉNERGIE

De 1982 à 1992, une production régionale d'énergie profondément modifiée

En dix ans, le paysage national et régional de la production d'énergie a profondément évolué (*planche 1*). Les effets sur l'environnement ont de ce fait été fortement modifiés. On peut les résumer très brièvement par le constat suivant : une réduction des pollutions classiques, d'un côté, une augmentation des risques et des productions de déchets nucléaires, de l'autre.

En dix ans, la production d'énergie primaire (qui exclut l'électricité d'origine thermique classique) a augmenté de 68 %, grâce essentiellement à la croissance très élevée de la production d'électricité d'origine nucléaire (+ 222 %). En contrepartie, la baisse a été forte dans le gaz naturel (– 64 %) et les combustibles solides (essentiellement le charbon, – 45 %).

Ces tendances nationales recouvrent des évolutions régionales bien plus contrastées encore, puisque les localisations de ces diverses productions ne répondent pas aux mêmes exigences : existence de mines ou de gisements, d'un côté, proximité des centres de consommation et accès aux sources de refroidissement, d'un autre (centrales nucléaires). Les conséquences pour l'environnement (pollution classique de l'air ou de l'eau, déchets, risques nucléaires...) sont dans les régions à l'image de cette diversité (voir les sections sur l'air, les déchets, la radioactivité).

Trois régions concentrent 58 % de la production française d'énergie nucléaire

La production d'énergie nucléaire, qui était déjà présente dans les régions Alsace, Aquitaine, Centre, Nord-Pas-de-Calais et surtout Rhône-Alpes en 1982, s'y est développée fortement (sauf en Alsace). Elle concerne aujourd'hui aussi les régions Basse-Normandie, Champagne-Ardenne, Midi-Pyrénées, Lorraine et surtout Haute-Normandie (*planche 1*). Trois régions concentrent à elles seules 58 % de la production française : Rhône-Alpes, Haute-Normandie et Centre.

La production du charbon reste localisée essentiellement en Lorraine et, dans une moindre mesure, en Provence-Alpes-Côte d'Azur, mais elle a disparu du Nord-Pas-de-Calais. La production de pétrole concerne essentiellement l'Île-de-France, l'Aquitaine et la région Champagne-Ardenne et celle de gaz naturel l'Aquitaine.

L'électricité d'origine thermique classique (fioul et charbon) est présente dans la totalité des régions puisqu'elle est produite notamment par les industriels pour leurs besoins propres ; mais les productions les plus importantes concernent les grandes centrales électriques en Lorraine, Île-de-France, Haute-Normandie et Pays de la Loire.

Les énergies renouvelables dans un nombre limité de régions

La production hydraulique a été très stable dans son volume et sa localisation, essentiellement dans les massifs montagneux (barrages) ou sur les grands fleuves (usines électriques au fil de l'eau), et donc en Rhône-Alpes, Provence-Alpes-Côte d'Azur, Midi-Pyrénées et Alsace (*planche 1*).

L'énergie d'origine géothermique ou éolienne, qui reste marginale dans le bilan global énergétique français, est surtout présente en région Île-de-France (géothermie).

L'électricité est devenue le mode d'énergie le plus utilisé en France

La consommation apparente d'énergie finale a progressé en France de 22 % entre 1982 et 1992 (*planche 2*). La progression de la consommation finale d'énergie s'est confirmée pour toutes les régions, à l'exception de la Lorraine, qui a reculé de 13 %. La part relative de chaque région est restée stable. La contribution des quatres sources majeures d'énergie dans la consommation a suivi l'évolution des modes de production avec une baisse de 31 % pour les combustibles minéraux solides (essentiellement charbon) et une hausse de 54 % pour la consommation électrique.

Désormais, l'électricité, bien que du même ordre de grandeur que la consommation pétrolière, est devenue la forme d'énergie la plus utilisée en France. Ces deux sources représentent 80 % de la consommation nationale. Malgré la forte baisse de la production nationale, le gaz naturel qui, après l'énergie hydraulique, est une des énergies les moins polluantes, représentait, en 1992, 15 % de la consommation avec une progression de 22 % au cours des dix années.

Le secteur des transports a connu une forte augmentation de la consommation d'énergie (+44 %). Il représente plus du quart de la consommation nationale et dépasse désormais le secteur industriel (non compris la sidérurgie). Le secteur résidentiel et tertiaire reste avec 43 % le premier consommateur d'énergie. Il a enregistré une croissance de près de 29 %. La consommation du secteur industriel a globalement diminué. Il représente moins du tiers de la consommation nationale.

La consommation d'énergie reflète les structures d'activités et la taille des régions

Avec plus de 16 % de la consommation française, la région Île-de-France reste en tête des régions, notamment dans les secteurs résidentiel, tertiaire et des transports (*planche 3*).

Malgré une baisse sensible de la consommation de son industrie, la région Rhône-Alpes reste la première du classement, suivie par la région Nord-Pas-de-Calais qui, elle, enregistre une faible progression. La consommation de ces deux régions dans ce secteur représente le quart de la consommation totale du secteur industriel. Seules quelques régions ont enregistré des baisses de consommation. Midi-Pyrénées régresse de 24 % en dix ans.

La consommation d'énergie de la sidérurgie a reculé de 31 % entre 1982 et 1992. La Lorraine enregistre une chute de 50 %. Toutes les régions ont été affectées à l'exception de Nord-Pas-de-Calais et de Provence-Alpes-Côte d'Azur, dont la consommation a progressé. Ces trois régions représentent 87 % de la consommation énergétique de la sidérurgie française.

L'agriculture, le bâtiment et le génie civil ne représentent que 2,5 % de la consommation finale. La Bretagne a cédé sa place de première région consommatrice en 1982 dans ces secteurs (9 %) à la région des Pays de la Loire en 1992, qui atteint une part de 10 % de la consommation nationale.

PLANCHE 1

PRODUCTION D'ÉNERGIE PRIMAIRE PAR SOURCE (1982-1992)

RÉGIONS	CMS Ktep		PÉTROLE Ktep		GAZ NATUREL Ktep		ÉLECTRICITÉ Ktep		GÉOTHERMIE Ktep		TOTAL ÉNERGIE PRIMAIRE Ktep	
	1982	1992	1982	1992	1982	1992	1982	1992	1982	1992	1982	1992
ALSACE	-	-	1	10	-	-	3 816	3 311	-	-	3 818	3 321
AQUITAINE	906	73	1 269	985	5 374	2 820	2 142	5 365	2	20	9 693	9 263
AUVERGNE	196	98	-	-	-	-	360	447	-	-	555	545
BASSE-NORMANDIE	-	-	-	-	-	-	17	3 655	-	-	17	3 656
BOURGOGNE	738	205	-	-	-	-	20	23	-	-	758	229
BRETAGNE	-	-	-	-	-	-	233	136	-	-	233	136
CENTRE	-	-	119	87	-	-	5 699	16 784	-	-	5 818	16 871
CHAMPAGNE-ARDENNE	-	-	71	493	-	162	98	3 722	-	-	170	4 376
CORSE	-	-	-	-	-	-	60	86	-	-	60	86
FRANCHE-COMTÉ	-	-	-	-	0	-	214	196	-	-	214	196
HAUTE-NORMANDIE	-	-	-	-	-	-	2	9 107	8	145	2	9 108
ÎLE-DE-FRANCE	-	-	90	1 275	-	6	0	8	-	-	98	1 434
LANGUEDOC-ROUSSILLON	279	211	-	-	-	-	666	573	-	-	945	785
LIMOUSIN	-	-	-	-	-	-	541	506	-	-	541	506
LORRAINE	5 848	4 665	2	-	1 667	-	39	7 270	-	-	7 556	11 935
MIDI-PYRÉNÉES	523	220	94	15	77	12	2 125	3 987	-	-	2 820	4 234
NORD-PAS-DE-CALAIS	1 853	-	-	-	1 252	-	3 099	7 663	-	-	6 205	7 663
PAYS DE LA LOIRE	-	-	-	-	-	-	4	5	-	-	4	5
PICARDIE	-	-	0	-	-	-	3	3	3	-	6	3
POITOU-CHARENTES	-	-	-	-	-	-	27	28	0	-	27	28
PROV.-ALPES-CÔTE D'AZUR	862	841	-	-	-	-	2 642	2 773	-	-	3 504	3 613
RHÔNE-ALPES	312	67	-	-	-	-	16 162	21 827	-	-	16 474	21 894
FRANCE MÉTROPOLITAINE	**11 517**	**6 380**	**1 646**	**2 865**	**8 371**	**3 000**	**37 971**	**87 475**	**15**	**165**	**59 519**	**99 885**
VARIATION DE 1982 A 1992	- 45 %		74 %		- 64 %		130 %		1 018 %		68 %	

Source : IFEN d'après ministère de l'Industrie, de la Poste et des Télécommunications - D.G.E.M.P - Observatoire de l'énergie.

CMS : combustibles minéraux solides (houille, lignite, coke, agglomérés et briquettes de lignite).

L'électricité correspond à la production d'origine nucléaire, hydraulique et éolienne.

Production d'énergie primaire : production avant transformation, donc non compris l'électricité d'origine thermique non nucléaire.

Ce tableau ne prend pas en compte la production d'énergie renouvelable produite par la biomasse, et plus particulièrement celle issue du bois, car ces données ne sont pas disponibles au niveau régional. Cependant, la production globale primaire à partir du bois est de l'ordre de 10 500 ktep dont près de 90 % sont utilisés directement pour le chauffage de l'habitat, le reste par l'industrie (valorisation des déchets de bois).

PLANCHE 1 (suite)

PRODUCTION D'ÉLECTRICITÉ PAR SOURCE (1982-1992)

RÉGIONS	THERMIQUE Ktep		NUCLÉAIRE Ktep		HYDRAULIQUE Ktep		ÉOLIENNE Ktep	
	1982	1992	1982	1992	1982	1992	1982	1992
ALSACE	245	106	1 753	1 563	2 063	1 748	-	-
AQUITAINE	1 548	250	1 730	4 965	412	400	-	-
AUVERGNE	13	6	-	-	360	447	-	-
BASSE-NORMANDIE	28	16	-	3 647	17	8	-	-
BOURGOGNE	426	95	-	-	20	23	-	-
BRETAGNE	22	3	82	-	151	136	-	-
CENTRE	11	13	5 660	16 748	39	36	-	-
CHAMPAGNE-ARDENNE	493	31	-	3 572	98	150	-	-
CORSE	73	141	-	-	60	86	-	-
FRANCHE-COMTÉ	77	66	-	-	214	196	-	-
HAUTE-NORMANDIE	1 655	1 309	-	9 092	2	15	-	-
ÎLE-DE-FRANCE	4 522	1 833	-	-	0	8	-	-
LANGUEDOC-ROUSSILLON	322	149	37	-	629	573	-	0,1
LIMOUSIN	16	15	-	-	541	506	-	-
LORRAINE	3 535	2 550	-	7 217	39	53	-	-
MIDI-PYRÉNÉES	390	216	-	1 560	2 125	2 427	-	-
NORD-PAS-DE-CALAIS	3 672	1 088	3 099	7 663	0	0	-	0,1
PAYS DE LA LOIRE	1 394	1 528	-	-	4	5	-	-
PICARDIE	929	67	-	-	3	3	-	-
POITOU-CHARENTES	7	6	-	-	27	28	-	-
PROVENCE-ALPES-CÔTE D'AZUR	1 000	887	-	-	2 642	2 773	-	-
RHÔNE-ALPES	804	308	9 844	15 415	6 318	6 412	-	-
FRANCE MÉTROPOLITAINE	**21 183**	**10 682**	**22 206**	**71 442**	**15 765**	**16 033**	**-**	**0,2**
VARIATION DE 1982 À 1992	-50 %		222 %		2 %		///	

Source : IFEN d'après ministère de l'Industrie, de la Poste et des Télécommunications - DGEMP - Observatoire de l'énergie.

PLANCHE 2

CONSOMMATION FINALE PAR TYPE D'ÉNERGIE (1982-1992)

RÉGIONS	CMS Ktep		PRODUITS PÉTROLIERS Ktep		GAZ NATUREL Ktep		ÉLECTRICITÉ Ktep		TOTAL Ktep	
	1982	1992	1982	1992	1982	1992	1982	1992	1982	1992
ALSACE	203	74	2 297	2 196	967	1 328	1 548	2 584	5 015	6 182
AQUITAINE	61	68	3 165	3 647	1 306	1 358	2 237	3 257	6 769	8 330
AUVERGNE	117	72	1 386	1 276	405	560	946	1 447	2 854	3 355
BASSE-NORMANDIE	346	186	1 742	1 789	237	417	944	1 610	3 269	4 002
BOURGOGNE	154	79	1 963	2 154	513	758	1 318	1 986	3 948	4 977
BRETAGNE	44	13	3 088	3 820	368	720	1 645	2 924	5 145	7 477
CENTRE	221	112	2 719	3 173	647	986	1 720	2 878	5 307	7 149
CHAMPAGNE-ARDENNE	285	164	1 764	1 768	692	938	1 199	1 853	3 940	4 723
CORSE	0	0	209	317	23	21	104	208	336	546
FRANCHE-COMTÉ	126	114	1 112	1 135	420	447	1 087	1 548	2 745	3 244
HAUTE-NORMANDIE	172	145	2 790	2 900	1 366	1 623	1 751	2 907	6 079	7 575
ÎLE-DE-FRANCE	629	487	12 062	12 035	4 425	5 219	7 557	11 912	24 673	29 653
LANGUEDOC-ROUSSILLON	194	113	2 298	2 602	328	494	1 451	2 347	4 271	5 556
LIMOUSIN	31	12	748	728	203	267	475	746	1 457	1 753
LORRAINE	3 693	1 677	2 507	2 445	1 714	1 766	2 975	3 627	10 889	9 515
MIDI-PYRÉNÉES	210	82	2 073	2 524	1 416	1 152	2 278	3 011	5 977	6 769
NORD-PAS-DE-CALAIS	2 479	2 181	4 292	4 393	2 892	3 109	4 025	6 257	13 688	15 940
PAYS DE LA LOIRE	153	60	3 380	3 740	651	1 038	1 961	3 337	6 145	8 175
PICARDIE	189	181	2 404	2 175	849	1 315	1 606	2 437	5 048	6 108
POITOU-CHARENTES	121	66	1 968	2 320	334	483	1 023	1 737	3 446	4 606
PROVENCE-ALPES-CÔTE D'AZUR	1 106	1 390	4 615	6 413	1 435	1 551	3 921	6 063	11 077	15 417
RHÔNE-ALPES	570	340	6 820	7 798	1 841	2 478	5 982	8 722	15 213	19 338
FRANCE MÉTROPOLITAINE	**11 104**	**7 616**	**65 402**	**71 348**	**23 032**	**28 028**	**47 753**	**73 398**	**147 291**	**180 390**
VARIATION DE 1982 À 1992	- 31 %		9 %		22 %		54 %		22 %	

Source : CEREN.

CMS : combustibles minéraux solides. Ils regroupent la houille, le coke, la lignite, les agglomérés et briquettes de lignite.

Produits pétroliers : ils regroupent essentiellement le fioul lourd, le fioul domestique et le gaz de pétrole liquéfié.

PLANCHE 3

CONSOMMATION D'ÉNERGIE FINALE PAR SECTEUR D'ACTIVITÉ (1982-1992)

RÉGIONS	INDUSTRIE (HORS SIDÉRURGIE) Ktep		SIDÉRURGIE Ktep		RÉSIDENTIEL TERTIAIRE Ktep		TRANSPORTS Ktep		AUTRES Ktep		TOTAL Ktep	
	1982	1992	1982	1992	1982	1992	1982	1992	1982	1992	1982	1992
ALSACE	2 020	2 387	65	24	2 000	2 445	875	1 223	55	103	5 015	6 182
AQUITAINE	2 083	1 785	91	-	2 562	3 695	1 810	2 518	222	332	6 768	8 330
AUVERGNE	687	876	94	44	1 288	1 541	675	801	110	93	2 854	3 355
BASSE-NORMANDIE	560	799	458	252	1 342	1 816	800	1 031	109	103	3 269	4 001
BOURGOGNE	676	982	230	110	1 707	2 182	1 219	1 577	116	126	3 948	4 977
BRETAGNE	824	1 174	93	2	2 355	3 570	1 621	2 341	254	389	5 147	7 476
CENTRE	1 059	1 434	77	-	2 567	3 446	1 408	1 999	196	270	5 307	7 149
CHAMPAGNE-ARDENNE	1 419	1 785	78	19	1 522	1 716	805	1 049	116	154	3 940	4 723
CORSE	10	15	4	-	170	273	147	248	5	10	336	546
FRANCHE-COMTÉ	1 102	1 225	33	2	1 023	1 293	534	686	53	37	2 745	3 243
HAUTE-NORMANDIE	2 777	3 094	56	3	2 187	2 343	987	1 878	73	258	6 080	7 576
ÎLE-DE-FRANCE	3 542	3 113	371	200	13 985	16 608	6 714	9 416	61	317	24 673	29 654
LANGUEDOC-ROUSSILLON	832	782	255	59	1 599	2 599	1 459	1 941	128	175	4 273	5 556
LIMOUSIN	343	400	23	1	634	855	389	451	68	47	1 457	1 754
LORRAINE	2 460	2 671	4 463	2 223	2 777	3 079	1 104	1 397	86	145	10 890	9 515
MIDI-PYRÉNÉES	2 381	1 820	177	2	1 964	2 993	1 203	1 672	251	284	5 976	6 771
NORD-PAS-DE-CALAIS	4 708	5 287	2 571	2 790	4 501	4 842	1 812	2 716	95	305	13 687	15 940
PAYS DE LA LOIRE	1 399	1 569	131	51	2 778	3 748	1 627	2 340	210	468	6 145	8 176
PICARDIE	2 038	2 448	162	116	1 845	2 254	900	1 228	102	62	5 047	6 108
POITOU-CHARENTES	729	930	47	-	1 462	2 078	1 062	1 418	145	180	3 445	4 606
PROV.-ALPES-CÔTE D'AZUR	2 565	2 553	1 664	1 834	4 055	5 724	2 686	4 872	107	435	11 077	15 418
RHÔNE-ALPES	5 560	5 728	344	154	5 900	8 475	3 222	4 687	188	293	15 214	19 337
FRANCE MÉTROPOLITAINE	**39 774**	**42 857**	**11 487**	**7 886**	**60 223**	**77 575**	**33 059**	**47 489**	**2 750**	**4 586**	**147 293**	**180 393**
VARIATION DE 1982 A 1992	8 %		- 31 %		29 %		44 %		67 %		22 %	

Source : CEREN.

Les données ne prennent en compte ni les consommations de la branche énergie, ni celles à des fins non énergétiques.
L'intégration de l'ensemble de ces corrections conduirait pour 1982 à une consommation totale d'énergie primaire de 188 200 ktep et pour 1992 à 225 100 ktep.

TRANSPORTS

Les transports sont indispensables aux activités économiques, à l'aménagement du territoire et au développement. Mais ils sont, aujourd'hui aussi, une source majeure de pollutions et de nuisances pour l'environnement et la santé humaine : émissions de gaz toxiques, bruit, impacts paysagers, atteintes aux écosystèmes, etc.

Les régions françaises ne sont pas soumises de façon égale à ces pressions. Leur intensité varie très clairement avec le niveau d'activité économique et l'importance de population qui eux-mêmes conditionnent la nature et la densité des réseaux.

L'essor de la voiture particulière

Les régions Île-de-France, Nord-Pas-de-Calais et Rhône-Alpes ont précisément la densité – le maillage (en km/km^2) – d'autoroutes et de routes la plus forte (*planche 1*). L'Île-de-France, avec 17 km/100 km^2, est dotée ainsi d'un maillage routier trois fois plus fort que la moyenne nationale (6,6 km/100 km^2). Elle est suivie par le Nord-Pas-de-Calais, qui possède un maillage deux fois plus élevé que la moyenne. À l'opposé, Midi-Pyrénées, Poitou-Charentes, Auvergne, Aquitaine, Bretagne sont moins affectés, avec des densités au-dessous de la moyenne.

L'évolution de la circulation des véhicules par zone d'étude et d'aménagement du territoire (ZEAT), regroupement de régions défini par la DATAR, permet de mesurer l'intensité du trafic routier entre 1986 et 1994 (*planche 1*). La croissance modérée de la circulation automobile en Île-de-France et Nord-Pas-de-Calais s'explique par un équipement en transports en commun en constant progrès. Le Sud-Ouest connaît une croissance largement supérieure à la moyenne nationale, qui est de 36 %. Pour cette zone, il s'agit d'une croissance correspondant à la construction d'autoroutes et à l'amélioration de l'infrastructure routière.

Ces statistiques en évolution consacrent l'essor de la voiture particulière dans les relations domicile-travail et, dans une moindre mesure, dans les transports interurbains.

La fréquentation des transports ferroviaires (*planche 2*) est restée stable en Poitou-Charentes (+ 0,9 %) et a diminué en Haute-Normandie (– 14,2 %) et en Limousin (– 5,9 %). Les plus fortes progressions du rail s'observent en Midi-Pyrénées (+ 43,7 %) et dans une moindre mesure en Alsace (+ 12,3 %) et en Lorraine (+ 10,8 %).

L'augmentation moyenne pour la France entière (+ 4,8 %), relativement forte entre 1989 et 1992, correspond au conventionnement avec les régions et aux offres nouvelles qui en résultent.

Les transports en commun routiers (*planche 2*) exprimés en voyageurs-kilomètre, progressent de façon spectaculaire en Bourgogne (+ 133 %) et en Franche-Comté (+ 60 %) et à un degré moindre en Poitou-Charentes (+ 23 %) et en Auvergne (+ 22 %). Ils régressent en Limousin (– 33 %), dans le Centre (– 3 %) et le Nord-Pas-de-Calais (– 2 %).

Un trafic SNCF en baisse

Le trafic de marchandises intra et interrégional par la route représente plus de dix fois le tonnage transporté par le chemin de fer. Entre 1989 et 1992, le trafic assuré par le rail diminue de 7,1 % en moyenne nationale, celui assuré par la route diminuant de 8 % (*planche 3*). La conjoncture économique difficile de cette période explique des baisses très sensibles du trafic ferroviaire (Lorraine, Picardie par exemple). En Bretagne, la fermeture de lignes est responsable de la baisse de trafic. Quelques régions, minoritaires, voient le trafic par le rail augmenter : Basse-Normandie, Rhône-Alpes et Bourgogne. Mais, d'une façon générale, le ratio rail-route montre que la part du fer ne reste significative que dans trois régions : la Lorraine avec 25 % du trafic, le Nord-Pas-de-Calais et Provence-Alpes-Côte d'Azur avec 15 % environ (moyenne nationale 8,9 %).

La Bourgogne, par sa localisation géographique, tient une place particulière dans le système de transport national, puisqu'elle compte deux fois plus d'autoroutes et de voies ferrées par habitant que la moyenne française.

Les points noirs dus au bruit routier se retrouvent majoritairement en Île-de-France (199 points noirs), en Rhône-Alpes et Provence-Alpes-Côte d'Azur (106). Parmi les régions les moins touchées figurent la Corse (0), l'Alsace (10), la Lorraine (16), ces deux dernières ayant pourtant une densité de réseau routier supérieure à la moyenne nationale (*planche 2*).

PLANCHE 1

TRANSPORTS ROUTIERS

RÉGIONS	DENSITÉ DU RÉSEAU AUTOROUTIER		DENSITÉ ROUTES NATIONALES ET AUTOROUTES	BRUIT POINTS NOIRS ROUTES
	1993	Variation 1982/1993	1993	1991
	Km pour 100 km^2	%	Km pour 100 km^2	Nombre
ALSACE	2,6	13	9,2	10
AQUITAINE	1,2	20	4,7	96
AUVERGNE	1,1	(1)	5,0	29
BASSE-NORMANDIE	0,3	2	5,4	29
BOURGOGNE	1,6	35	5,8	55
BRETAGNE	0	0	4,7	36
CENTRE	1,3	53	5,8	78
CHAMPAGNE-ARDENNE	1,6	220	6,3	48
CORSE	0	0	6,6	0
FRANCHE-COMTÉ	0,9	0	6,0	45
HAUTE-NORMANDIE	1,5	24	8,2	57
ÎLE-DE-FRANCE	4,3	20	17,1	199
LANGUEDOC-ROUSSILLON	1,5	12	6,7	52
LIMOUSIN	0,6	(1)	5,0	28
LORRAINE	1,9	26	8,0	16
MIDI-PYRÉNÉES	0,5	58	4,2	69
NORD-PAS-DE-CALAIS	3,8	13	12,6	63
PAYS DE LA LOIRE	1,1	58	5,9	51
PICARDIE	1,3	70	7,6	92
POITOU-CHARENTES	0,9	2	5,3	80
PROVENCE-ALPES-CÔTE D'AZUR	2,2	27	8,2	106
RHÔNE-ALPES	2,4	50	8,7	175
FRANCE MÉTROPOLITAINE	**1,4**	**40**	**6,6**	**1 414**

Source : ministère des Transports/SETRA, Observatoire national interministériel de sécurité routière, rapport Serrou.

(1) Résultat non calculé car valeur nulle en 1982.

Circulation des véhicules appartenant aux ménages de la région (milliards de véhicules-kilomètre)

ZEAT (1)	1986	1994	1994/1986 (%)
ÎLE-DE-FRANCE	42	47,1	+ 12
NORD-PAS-DE-CALAIS	18	20,6	+ 14
EST (Lorraine, Alsace, Franche-Comté)	23,3	30,8	+ 32
BASSIN PARISIEN EST (Picardie, Champagne-Ardenne, Bourgogne)	20,3	30,1	+ 48
BASSIN PARISIEN OUEST (Haute-Normandie, Basse-Normandie, Centre)	23,8	33,8	+ 42
OUEST (Pays de la loire, Bretagne, Poitou-Charentes)	35	50,2	+ 42
SUD-OUEST (Aquitaine, Midi-Pyrénées, Limousin)	27,3	43,5	+ 59
SUD-EST (Rhône-Alpes, Auvergne)	30,3	42,2	+ 39
MÉDITERRANÉE (Languedoc-Roussillon, Provence-Alpes-Côte d'Azur, Corse)	29	41,1	+ 42
FRANCE	**249,3**	**339,3**	**+ 36**

Source : INSEE-INRETS.

(1) Zone d'étude et aménagement du territoire.

PLANCHE 2

TRANSPORTS EN COMMUN

RÉGIONS	AUTOBUS ET AUTOCARS				TRANSPORTS FERROVIAIRES RÉGIONAUX		BRUIT POINTS NOIRS RAIL
	1992	Variation 1989/1992	1992	Variation 1989/1992	1992	Variation 1989/1992	1991
	Millions de véhicules-kilomètres	%	Milliards de voyageurs-kilomètres	%	Millions de voyageurs-kilomètres	%	Nombre
ALSACE	59,1	0,5	2,2	0	335,9	12,3	2
AQUITAINE	107,9	21,8	3,4	9,7	297,1	7,0	23
AUVERGNE	35,0	- 7,9	1,1	22,2	150,3	3,0	0
BASSE-NORMANDIE	50,9	25,6	1,6	6,6	50,0	8,5	0
BOURGOGNE	57,3	18,1	2,1	133,3	172,5	5,0	25
BRETAGNE	101,6	24,2	3,5	16,7	184,4	2,6	0
CENTRE	86,2	2,2	3	- 3,2	340	- 0,08	4
CHAMPAGNE-ARDENNE	39,3	24,7	1,4	7,7	106,0	1,1	3
FRANCHE-COMTÉ	46,7	69,9	1,6	60	142,2	2,3	1
HAUTE-NORMANDIE	60,2	- 5,9	2,0	- 9,0	138,1	- 14,2	0
ÎLE-DE-FRANCE	204,7	6,2	6,0	1,7	19 600 (1)	5,4	105
LANGUEDOC-ROUSSILLON	68,9	8,7	2,0	0	244,3	9,2	8
LIMOUSIN	24,5	0,4	0,6	- 33,3	83,1	- 5,9	0
LORRAINE	84,3	15,3	2,6	13,0	370,2	10,8	2
MIDI-PYRÉNÉES	79,8	15,9	2,3	- 8	463,6	43,7	4
NORD-PAS-DE-CALAIS	112,5	- 6,5	4,0	- 2,4	691,1	3,6	38
PAYS DE LA LOIRE	109,8	- 2,2	3,6	0	255,8	8,3	2
PICARDIE	47,6	1,0	1,9	18,7	374,5	3,4	2
POITOU-CHARENTES	52,7	6,9	2,1	23,5	75,3	0,9	8
PROVENCE-ALPES-CÔTE D'AZUR + CORSE	146,3	24,4	4,3	10,3	375,7	- 3,5	10
RHÔNE-ALPES	205,8	20,7	6,5	16,07	752,3	5,3	11

Source : Observatoire économique et statistique des transports, SNCF, rapport Serrou.

(1) Trafics SNCF en banlieue et RATP.

PLANCHE 3

TRAFIC DE MARCHANDISES INTRA ET INTERRÉGIONAL (1989-1992)

RÉGIONS	RAIL		ROUTE		RATIO RAIL/ROUTE
	1992	Variation 1989/1992	1992	Variation 1989/1992	
	Millions de tonnes	%	Millions de tonnes	%	%
ALSACE	4,98	- 16,3	61,96	- 3,2	8
AQUITAINE	5,72	- 6,4	79,09	- 6,8	7,2
AUVERGNE	2,76	- 23,5	40,86	- 0,3	6,7
BASSE-NORMANDIE	1,48	8,8	43,09	1,6	3,4
BOURGOGNE	4,32	8,8	59	- 13,3	7,3
BRETAGNE	2,36	- 21,1	97,52	- 8,5	2,4
CENTRE	5,63	- 9	84,86	- 10,1	6,6
CHAMPAGNE-ARDENNE	5,32	- 13,6	63,17	- 16,1	8,4
CORSE	0,03	1	2,32	20,2	0,1
FRANCHE-COMTÉ	1,65	- 16,2	31,48	1	5,2
HAUTE-NORMANDIE	8,34	5,2	65,49	3,1	7,8
ÎLE-DE-FRANCE	16,1	- 1,3	178,8	- 5,9	9
LANGUEDOC-ROUSSILLON	3,62	- 4,7	57,62	- 18	6,2
LIMOUSIN	0,81	- 17,3	18,24	- 7,6	4,4
LORRAINE	19	- 22,8	76,29	- 3,8	2,5
MIDI-PYRÉNÉES	5,61	- 0,8	75,16	4,8	7,4
NORD-PAS-DE-CALAIS	15,14	- 9,1	98,3	1	15,6
PAYS DE LA LOIRE	4,06	- 7,7	105,3	- 6,7	4
PICARDIE	5,74	- 23,3	66,37	- 13,6	8,6
POITOU-CHARENTES	4,18	- 0,5	56,36	- 7,8	7,4
PROVENCE-ALPES-CÔTE D'AZUR	13,42	4	88,44	- 17,4	15,1
RHÔNE-ALPES	11,25	10,7	140,72	- 17,5	8
FRANCE MÉTROPOLITAINE	**142,5**	**- 7,1**	**1 592,16**	**- 8**	**8,9**

Source : Observatoire économique et statistique des transports.

PLANCHE 4

DÉPLACEMENTS DOMICILE-TRAVAIL (1982-1990)

RÉGIONS	NON-MIGRANTS ALTERNANTS (1)		MIGRANTS ALTERNANTS (1) DISTANCE MOYENNE (2)		DISTANCE MOYENNE TOUS ACTIFS (1)(2)(3)		INDICATEUR TOUS ACTIFS (4) (5)	
	1990		1990		1990		1990	
	%	D 82/90	Km	D 82/90	Km	D 82/90	Km/km2	D 82/90
ALSACE	40,3	- 7,6	11,6	0,63	8,07	1,01	665	116
AQUITAINE	48,6	- 7,2	12,46	0,53	7,64	0,94	194	29
AUVERGNE	54,1	- 8,7	12,05	0,88	6,85	1,13	132	16
BASSE-NORMANDIE	49,1	- 8,9	12,65	0,74	7,27	1,25	221	36
BOURGOGNE	52,9	- 8,1	14,01	1,14	7,82	1,35	151	24
BRETAGNE	54,6	- 10,0	14,18	0,93	7,86	1,46	298	55
CENTRE	48,6	- 8,8	16,07	1,23	9,47	1,68	228	45
CHAMPAGNE-ARDENNE	56,4	- 6,9	13,66	1,25	7,32	1,22	149	23
FRANCHE-COMTÉ	48,6	- 8,8	11,67	0,84	7,11	1,19	188	33
HAUTE-NORMANDIE	42,9	- 6,3	15,00	1,67	9,44	1,65	515	96
ÎLE-DE-FRANCE	37,5	- 1,8	12,26	0,94	8,77	0,70	6 557	458
LANGUEDOC-ROUSSILLON	60,5	- 7,2	14,10	0,07	7,51	0,78	196	36
LIMOUSIN	62,6	- 9,5	13,45	0,31	6,98	1,08	112	11
LORRAINE	41,6	- 5,4	11,78	0,92	7,74	0,99	274	27
MIDI-PYRÉNÉES	57,1	- 7,9	14,59	0,10	8,16	0,96	166	27
NORD-PAS-DE-CALAIS	38,8	- 5,4	10,47	0,98	7,08	1,00	743	83
PAYS DE LA LOIRE	55,1	- 8,0	13,34	0,85	7,61	1,13	277	40
PICARDIE	45,5	- 7,3	18,86	2,51	11,25	2,40	402	96
POITOU-CHARENTES	53,6	- 7,9	13,03	0,41	7,40	0,97	170	23
PROVENCE-ALPES-CÔTE D'AZUR	63,9	- 6,3	14,43	0,22	8,18	0,60	396	53
RHÔNE-ALPES	45,0	- 8,2	11,18	0,77	7,21	1,07	361	72
ENSEMBLE MÉTROPOLE (CORSE N.C.)	**47,6**	**- 6,3**	**12,90**	**0,94**	**8,09**	**1,07**	**333**	**52**

Source : IFEN d'après INSEE (recensements de la population de 1982 et de 1990).

(1) Non-migrants alternants : personnes résidant et travaillant dans la même commune.

(2) Sauf actifs travaillant à plus de 150 kilomètres de leur domicile.

(3) Distances à vol d'oiseau entre les chefs-lieux des communes - distances estimées pour les frontaliers.

(4) Distances estimées pour les non-migrants alternants : demi-racine carrée de la superficie de la commune.

(5) Distance totale parcourue par l'ensemble des actifs divisée par la superficie de la région.

TOURISME

Le tourisme contribue pour une part importante à l'activité des régions de l'Ouest (Bretagne, Basse-Normandie et Aquitaine principalement), du Midi méditerranéen, mais aussi des régions intérieures de Rhône-Alpes et d'Auvergne. Il aide au maintien du peuplement dans des zones menacées par la régression des emplois de l'agriculture ou de la pêche, à l'entretien de sites et de paysages.

Le tourisme fait aussi peser sur le littoral et la montagne une pression excessive sur les paysages, par une densification des constructions et des équipements touristiques et un urbanisme pas toujours réussi. Il impose des équipements surdimensionnés pour les adductions d'eau potable (c'est en été, quand la ressource est la plus rare, qu'il faut répondre à une demande multipliée), pour la collecte et le traitement des eaux usées et des déchets.

Les régions touristiques

Les communes littorales représentent moins de 4 % de la surface du territoire métropolitain et moins de 10 % de la population, mais offrent près de 40 % des capacités d'accueil touristique. Provence-Alpes-Côte d'Azur, Languedoc-Roussillon et Corse possèdent 45 % de cette capacité littorale, la Bretagne et les Pays de la Loire plus de 25 %.

La montagne (hors les villes) est le deuxième ensemble touristique national avec 28 % des capacités d'accueil, sur une part équivalente du territoire. Ce tourisme est très majoritairement alpin : Rhône-Alpes, sur moins de 20 % du territoire montagnard, accueille plus de 40 % de la capacité et plus de 60 % avec Provence-Alpes-Côte d'Azur. La pression est donc très inégalement répartie et, dans certaines zones des Alpes, très forte.

La campagne n'offre que 23 % des capacités d'accueil sur plus de 60 % du territoire. Cette capacité est assez bien répartie sur tout le territoire. Pays de la Loire, Bretagne, Centre et Aquitaine sont les régions les plus concernées (entre 7 % et 10 % du total). C'est ce type de tourisme qui est le plus supportable, voire bénéfique, pour l'environnement.

Les villes (hors littoral) offrent 11 % à 12 % des capacités d'accueil, principalement hôtelières. Le tourisme urbain est pour une large part un « tourisme d'affaires ».

Sept régions représentent 60 % de l'offre touristique française : Provence-Alpes-Côte d'Azur, Rhône-Alpes, Languedoc-Roussillon, Bretagne, Aquitaine et Pays de la Loire (*planche 1*).

La pression touristique

Trois régions littorales (Bretagne, Languedoc-Roussillon, Provence-Alpes-Côte d'Azur) et une montagnarde (Rhône-Alpes) concentrent la moitié de la capacité touristique en nombre de lits. Rapportée à la population, la pression touristique distingue surtout les régions du pourtour méditerranéen. Le Languedoc-Roussillon compte plus d'un lit de tourisme par habitant. À l'inverse, en Nord-Pas-de-Calais, on trouve un lit touristique pour dix habitants. Malgré la fréquentation des grands monuments parisiens, l'Île-de-France est à la traîne, avec 0,08 lit de tourisme pour un habitant. La Corse est un cas atypique. La population y est faible, mais le tourisme fort. On y compte deux lits touristiques par habitant.

Le camping arrive en tête des types d'hébergement en Languedoc-Roussillon, première région française avec plus de 16 millions de nuitées, devant Provence-Alpes-Côte d'Azur (13 millions), Aquitaine et Rhône-Alpes (près de 12 millions).

L'Île-de-France arrive largement en tête pour l'hôtellerie homologuée avec plus de 42 millions de nuitées, loin devant Rhône-Alpes (17,6 millions de nuitées).

L'inventaire communal réalisé en 1988 a recensé les difficultés rencontrées par les communes en période de pointe. Les communes littorales rencontraient le plus de difficultés dans l'ordre pour l'encombrement routier, l'approvisionnement en eau potable, l'évacuation des eaux usées et le ramassage des ordures ménagères. En montagne, les maires se plaignent de l'encombrement routier et de l'approvisionnement en eau potable.

La pression touristique est donc maximale en Corse, très forte en Provence-Alpes-Côte d'Azur, Languedoc-Roussillon et Rhône-Alpes, puis Bretagne, Aquitaine et Poitou-Charentes. Toutes les autres régions subissent des pressions modérées ou faibles (*planche 2*).

PLANCHE 1

FRÉQUENTATION TOURISTIQUE

RÉGIONS	HÔTELLERIE HOMOLOGUÉE			CAMPINGS (1)			TOTAL		
	1984	1994	Variation 1984/94	1984	1994	Variation 1984/94	Total 1984	Total 1994	Variation 1984/94
	Milliers de nuitées		%	Milliers de nuitées		%	Milliers de nuitées		%
ALSACE	4 067	4 791	17,8	1 409	1 085	- 22,9	5 476	5 876	7,3
AQUITAINE	4 724	7 179	51,9	11 949	12 623	5,7	16 673	19 802	18,8
AUVERGNE	4 248	3 444	- 18,9	2 482	2 296	- 7,5	6 730	5 740	- 14,8
BASSE-NORMANDIE	2 455	3 738	52,3	3 988	3 335	- 16,4	6 443	7 073	9,8
BOURGOGNE	3 487	4 224	21,1	1 714	1 591	-7,2	5 201	5 815	11,9
BRETAGNE	5 425	5 866	8,1	11 691	9 404	- 19,6	17 116	15 270	- 10,8
CENTRE	3 466	4 290	22,6	2 950	1 805	- 38,8	6 416	6 095	-5,0
CHAMPAGNE-ARDENNE	...	542	///	876	922	5,3	...	1 464	///
CORSE	1 608	1 479	- 8,0	1 388	2 807	102,2	2 996	4 286	43,0
FRANCHE-COMTÉ	1 338	1 744	30,3	1 193	1 583	32,7	2 531	3 327	31,4
HAUTE-NORMANDIE	2 019	2 000	- 0,9	1 107	740	- 33,2	3 126	2 740	- 12,3
ÎLE-DE-FRANCE	27 423	42 656	55,5	...	954	///	...	43 610	///
LANGUEDOC-ROUSSILLON	5 390	5 937	10,1	14 333	16 404	14,4	19 723	22 341	13,3
LIMOUSIN	889	976	9,8	1 445	1 264	- 12,5	2 334	2 240	- 4,0
LORRAINE	3 075	2 742	- 12,1	1 681	1 345	- 19,9	4 756	4 087	- 16,4
MIDI-PYRÉNÉES	6 783	9 900	45,9	4 273	4 349	1,8	11 056	14 249	28,9
NORD-PAS-DE-CALAIS	2 493	3 894	56,2	4 059	1 155	- 71,5	6 552	5 049	- 22,9
PAYS DE LA LOIRE	...	3 981	///	10 413	11 910	14,4	...	15 891	///
PICARDIE	1 221	1 315	7,7	1 864	952	- 48,9	3 085	2 267	- 26,5
POITOU-CHARENTES	2 411	3 986	65,3	6 462	7 057	9,2	8 873	11 043	24,4
PROVENCE-ALPES-CÔTE D'AZUR	17 875	17 649	- 1,3	13 671	13 650	-0,2	31 546	31 299	- 0,8
RHÔNE-ALPES	17 719	14 310	- 19,2	11 293	7 748	- 31,4	29 012	22 058	- 23,9

Source : ministère du Tourisme/Direction du tourisme, directions régionales de l'INSEE, partenaires régionaux.

(1) De mai à septembre.

PLANCHE 2

PRESSION TOURISTIQUE

RÉGIONS	CAPACITÉ TOURISTIQUE	PRESSION TOURISTIQUE RELATIVE	DENSITÉ Touristique	DENSITÉ Résidents permanents
	1988	1988	1988	1990
	Milliers de lits	Capacité touristique/ population	Hab/km^2	
ALSACE	198	0,12	24	196
AQUITAINE	1 426	0,52	34	68
AUVERGNE	740	0,56	28	51
BASSE-NORMANDIE	777	0,56	44	79
BOURGOGNE	527	0,33	17	51
BRETAGNE	1 566	0,56	57	103
CENTRE	647	0,28	16	61
CHAMPAGNE-ARDENNE	192	0,14	7	53
CORSE	523	2,11	60	29
FRANCHE-COMTÉ	290	0,26	18	68
HAUTE-NORMANDIE	285	0,17	23	141
ÎLE-DE-FRANCE	830	0,08	70	887
LANGUEDOC-ROUSSILLON	2 390	1,16	88	77
LIMOUSIN	340	0,47	20	43
LORRAINE	299	0,13	13	98
MIDI-PYRÉNÉES	1 065	0,44	23	54
NORD-PAS-DE-CALAIS	433	0,11	35	319
PAYS DE LA LOIRE	1 412	0,47	44	95
PICARDIE	414	0,23	22	93
POITOU-CHARENTES	747	0,47	29	62
PROVENCE-ALPES-CÔTE D'AZUR	3 009	0,72	95	136
RHÔNE-ALPES	2 665	0,51	61	122
FRANCE MÉTROPOLITAINE	**20 773**	**0,37**	**38**	**104**

Source : INSEE (recensement de la population 1990) et SCEES (inventaire communal de 1988).

L'inventaire communal recense l'ensemble des modes d'hébergement, et notamment : hôtellerie, chambres d'hôtes, résidences de tourisme, villages de vacances, gîtes ruraux, hébergement de plein air, auberges de jeunesse, résidences secondaires…

SOCIÉTÉ

Opinion publique régionale et environnement

Depuis 1992, l'Observatoire interrégional des politiques (OIP) a mis en place un Observatoire de suivi de l'environnement et de l'écologie. L'OIP a ainsi ajouté une série de questions centrées sur les enjeux environnementaux au dispositif d'observation et d'analyse de l'opinion effectué chaque année pour les conseils régionaux. L'enquête de 1994, réalisée avec la participation de l'IFEN, utilise une échelle de proximité bien adaptée à la perception des problèmes concrets d'environnement. Le niveau de préoccupation environnementale a été mesuré dans chaque région[1], en le mettant en relation avec les paramètres suivants : sexe, niveau d'études, revenu du foyer, profession de l'individu, positionnement sur l'échelle gauche/droite, attitude à l'égard du progrès technique.

L'état des lieux de l'environnement

L'évolution de l'environnement proche est perçue positivement par près de la moitié des Français – un quart seulement exprime le sentiment d'une détérioration.

Plus que les autres facteurs, l'âge induit de fortes différences de perception de l'environnement régional. Parmi les personnes âgées entre 50 et 64 ans, les réponses positives sont les plus nombreuses (l'environnement s'est amélioré : 53 %), contre seulement 37 % parmi les 18-24 ans. Une perception positive de l'évolution du progrès technique (« le progrès technique a apporté plus de bien que de mal ») induit une attitude plus confiante dans l'évolution de l'environnement régional (*planche 3*).

Dans quelle mesure la dimension régionale proprement dite, c'est-à-dire la relation à un environnement concret immédiat, joue-t-elle un rôle dans la différence des appréciations sur l'état de l'environnement ? Il est difficile d'accorder aux variations entre les régions une explication unique. Les recherches entreprises sur la sensibilité environnementale des Français (enquête INED – ministère de l'Environnement, Nicole Eizner) auraient plutôt tendance à montrer que l'environnement est un enjeu national, voire international, dont les incidences sur la vie quotidienne filtrent à travers le traitement

1. Sauf Auvergne, Champagne-Ardenne et Corse.

médiatique ou politique des problèmes. La région Franche-Comté comprend la plus forte proportion de personnes considérant que l'environnement régional s'est amélioré (64 % contre 47 % en moyenne). Deux autres régions se situent également nettement au-dessus de la moyenne : Pays de la Loire et Nord-Pas-de-Calais. En revanche, en Île-de-France, dans le Limousin et surtout en Provence-Alpes-Côte d'Azur, la perception de l'état de l'environnement est plutôt négative. En région Provence-Alpes-Côte d'Azur, une même proportion d'habitants considère que l'environnement s'est amélioré (34 %, – 13 points par rapport à la moyenne), et détérioré (39 %, + 15 points par rapport à la moyenne des régions). Il est impossible, en l'état actuel des connaissances, de relier très précisément ces appréciations à des problèmes concrets d'environnement. Cependant, les appréciations plutôt pessimistes se situent dans des régions où l'urbanisation et ses effets sur la vie quotidienne peuvent influencer les sentiments sur l'environnement immédiat.

L'appréciation des nuisances pour l'environnement proche

Les équipements industriels et de transport sont tous perçus comme une nuisance potentielle pour les habitants qui habitent à proximité. Les centrales nucléaires sont considérées comme les plus gênantes par 32 % des personnes, suivies de très près par les décharges ménagères et industrielles (28 %) et par les aéroports (22 %). Si on ajoute le deuxième choix au premier, la hiérarchie des nuisances ne change pas. Les mêmes équipements se trouvent dans les trois premiers rangs. Les autoroutes, les lignes TGV et les lignes de haute tension sont relativement mieux acceptées (respectivement 10 %, 4 % et 3 % les trouvent très gênantes).

L'appréciation des nuisances diffère selon le sexe. Les hommes ont tendance à mettre à égalité les nuisances dues à un aéroport et à une centrale nucléaire (25 % et 26 %), alors que les femmes redoutent beaucoup plus la présence d'une centrale nucléaire (37 %) que celle d'un aéroport (19 %). Ces différences de perception du risque nucléaire concernent également d'autres catégories de la population : les plus jeunes, les moins éduqués, les groupes protestataires jugent plus gênant de vivre à proximité d'une centrale nucléaire (*planche 4*).

Il n'apparaît pas que la proximité réelle d'installations telles que les centrales nucléaires entraîne un jugement négatif à leur égard. Ainsi, dans les régions où l'on note une forte présence de ces installations, telle la région Centre, ceux qui la considèrent gênante sont plutôt moins nombreux (25 % contre 32 % en moyenne).

Dans l'ensemble, les différences régionales dans la perception des nuisances sont assez peu marquées. On peut noter un refus plus grand des autoroutes en Alsace, de même que la présence d'un aéroport apparaît plus gênante aux habitants de l'Île-de-France. Mais l'échelle régionale ne donne peut-être pas une image exacte des sentiments de risques liés à la proximité d'un grand équipement. La sensibilité du public varie en effet beaucoup suivant l'actualité, la tonalité des médias locaux, le travail des associations locales de défense de l'environnement.

Associations de défense de l'environnement

Chaque année, environ 3 % de Français déclarent adhérer à une association de défense de l'environnement. La proportion des adhésions n'a pas beaucoup varié depuis quinze ans – et pourtant, chaque année, entre 1 500 et 2 000 associations de défense de l'environnement et de la nature voient le jour en France. La faible durée de vie d'un grand nombre de ces associations (trois à cinq ans en moyenne) explique ce décalage, selon une étude réalisée par le CREDOC en 1995 à la demande du service de la recherche du ministère de l'Environnement.

Cette étude tente de rendre compte de la structuration régionale du réseau associatif de défense de l'environnement, à partir de 1 433 associations agréées, dont 83 au niveau national.

PLANCHE 2

CHASSEURS ET PÊCHEURS

RÉGIONS	NOMBRE D'ADHÉRENTS AUX FÉDÉRATIONS DE CHASSEURS		NOMBRE D'ADHÉRENTS AUX ASSOCIATIONS DE PÊCHE
	Campagne de chasse 1984	Campagne de chasse 1993-1994	1993
ALSACE	11 553	10 727	65 861
AQUITAINE	217 587	181 964	126 546
AUVERGNE	66 819	54 045	93 054
BASSE-NORMANDIE	70 345	59 382	41 866
BOURGOGNE	69 168	55 997	...
BRETAGNE	84 857	69 344	62 611
CENTRE	158 839	130 851	136 362
CHAMPAGNE-ARDENNE	53 067	45 795	93 793
CORSE	19 487	17 054	6 527
FRANCHE-COMTÉ	37 452	31 462	68 214
HAUTE-NORMANDIE	52 289	42 955	29 302
ÎLE-DE-FRANCE	76 270	67 651	92 791
LANGUEDOC-ROUSSILLON	110 764	90 115	79 947
LIMOUSIN	47 086	36 731	57 245
LORRAINE	34 586	30 206	96 637
MIDI-PYRÉNÉES	144 158	114 902	174 151
NORD-PAS-DE-CALAIS	76 934	73 117	90 333
PAYS DE LA LOIRE	108 381	96 769	173 379
PICARDIE	77 438	68 340	80 720
POITOU-CHARENTES	115 610	93 019	96 315
PROVENCE-ALPES-CÔTE D'AZUR	137 186	107 804	...
RHÔNE-ALPES	152 217	121 451	...
FRANCE MÉTROPOLITAINE	**1 922 093**	**1 599 681**	**...**

Source : Office national de la chasse, associations départementales de pêche.

PLANCHE 3

PERCEPTION DE L'ÉTAT DE L'ENVIRONNEMENT

DIRIEZ-VOUS QUE CES DERNIÈRES ANNÉES, DANS VOTRE RÉGION, L'ENVIRONNEMENT S'EST PLUTÔT AMÉLIORÉ, PLUTÔT DÉTÉRIORÉ OU EST RESTÉ SANS CHANGEMENT ?					
RÉGIONS	Nombre de personnes interrogées	L'environnement s'est...			
		amélioré	détérioré	n'a pas changé	non précisé
		%			
ALSACE	703	47	24	26	3
AQUITAINE	718	43	21	33	3
BASSE-NORMANDIE	712	51	22	25	2
BOURGOGNE	706	43	20	33	4
BRETAGNE	702	51	22	26	1
CENTRE	713	44	19	34	3
FRANCHE-COMTÉ	704	64	12	23	1
HAUTE-NORMANDIE	700	50	2	26	2
ÎLE-DE-FRANCE	704	40	31	26	3
LANGUEDOC-ROUSSILLON	710	45	23	29	3
LIMOUSIN	707	40	25	32	3
LORRAINE	700	50	23	25	2
MIDI-PYRÉNÉES	709	48	20	30	2
NORD-PAS-DE-CALAIS	704	57	20	22	1
PAYS DE LA LOIRE	709	58	16	24	2
PICARDIE	709	49	22	27	2
POITOU-CHARENTES	716	42	22	33	3
PROVENCE-ALPES-CÔTE D'AZUR	703	34	39	24	3
RHÔNE-ALPES	700	50	22	26	2
FRANCE MÉTROPOLITAINE	**13 807**	**47**	**24**	**27**	**2**

Source : OIP, IFEN 1994.

La domination de l'Île-de-France en matière de recherche-développement en environnement reste totale, tant pour le nombre des laboratoires que pour les budgets : 114 laboratoires sur 495 sont localisés en région parisienne, pour un volume de dépenses en 1994 de 474 millions de francs sur les 1 834 millions de francs dépensés en France (*planche 1*). De 1979 à 1993, 225 des 489 brevets déposés en matière d'environnement l'ont été en région Île-de-France. Cette région est suivie, mais de très loin, par la région Rhône-Alpes.

PLANCHE 1

RECHERCHE - DÉVELOPPEMENT

RÉGIONS	LABORATOIRES 1994		BREVETS DÉPOSÉS - cumul 1979/1993						
	Nombre	Budget MF	Traitement de l'eau		Épuration chimique des gaz		Élimination déchets solides		TOTAL
			CIB 1	CIB 2	CIB 1	CIB 2	CIB 1	CIB 2	
			Nombre						
ALSACE	20	53,6	4	3	1	0	0	1	9
AQUITAINE	18	75,5	12	6	6	3	0	0	27
AUVERGNE	6	12,2	0	0	0	0	1	0	1
BASSE-NORMANDIE	9	16,0	1	3	0	0	0	0	4
BOURGOGNE	13	15,7	0	0	0	1	0	1	2
BRETAGNE	15	46,5	7	5	0	0	1	0	13
CENTRE	15	53,4	3	2	3	1	0	0	9
CHAMPAGNE-ARDENNE	10	18,8	0	2	0	0	0	1	3
CORSE	1	0,5	0	0	0	0	0	0	0
FRANCHE-COMTÉ	6	53,4	0	1	0	1	0	0	2
HAUTE-NORMANDIE	11	90,3	3	1	2	3	0	0	9
ÎLE-DE-FRANCE	114	474,4	67	75	40	34	6	3	225
LANGUEDOC-ROUSSILLON	28	110,3	12	8	1	2	0	1	24
LIMOUSIN	9	16,0	1	3	0	0	0	0	4
LORRAINE	32	185,6	6	5	2	4	0	1	18
MIDI-PYRÉNÉES	33	106,0	9	8	1	3	0	0	21
NORD-PAS-DE-CALAIS	21	67,9	8	6	0	0	0	1	15
PAYS DE LA LOIRE	13	29,5	5	7	0	1	1	0	14
PICARDIE	13	61,5	2	5	2	2	0	0	11
POITOU-CHARENTES	14	27,7	1	1	2	0	0	0	4
PROVENCE-ALPES-CÔTE D'AZUR	21	35,8	8	5	2	4	1	1	21
RHÔNE-ALPES	73	284,5	17	21	7	5	1	2	53
FRANCE MÉTROPOLITAINE	**495**	**1 834,8**	**166**	**167**	**67**	**64**	**11**	**12**	**489**

Source : RDI d'après OST, INPI.

CIB 1 : code principal (sur lequel porte le brevet).

CIB 2 : code annexe (fonctions ou utilisations possibles de l'invention).

PLANCHE 2

INVESTISSEMENTS INDUSTRIELS ANTIPOLLUTION - 1992

RÉGIONS	AIR		EAU		DÉCHETS		BRUIT		TOTAL	
	Millions de F	Nombre	Millions de F	Nombre	Millions de F	Nombre	Millions de F	Nombre	Millions de F	Nombre
ALSACE	68,9	54	128,9	76	18,6	40	10,9	31	227,3	107
AQUITAINE	21,5	24	78,9	55	12,5	26	7,4	26	120,4	82
AUVERGNE	52,2	15	15,3	24	13,5	16	1,8	13	82,9	40
BASSE-NORMANDIE	26,8	22	67,5	41	13,3	22	3,4	13	110,9	61
BOURGOGNE	27,8	27	38,5	46	38,1	31	1,9	14	106,4	78
BRETAGNE	15,9	22	45,5	58	17	42	2,6	13	81	94
CENTRE	18,2	47	34,9	69	18,1	43	5,6	30	76,8	118
CHAMPAGNE-ARDENNE	15,4	26	40,9	33	5,6	14	3,6	13	65,5	64
CORSE	S	1	S	2	S	1	S	0	2,3	...
FRANCHE-COMTÉ	28,7	20	24	29	23,3	17	2,7	13	78,8	51
HAUTE-NORMANDIE	210	49	239,9	65	89,7	40	11,9	25	551,5	110
ÎLE-DE-FRANCE	72,9	70	144,6	107	17,9	46	33,8	48	269,2	180
LANGUEDOC-ROUSSILLON	7	19	107	21	8	14	7,5	8	129,4	38
LIMOUSIN	R	5	R	16	R	7	R	7	15,2	...
LORRAINE	74,9	47	114,1	52	45,2	37	10,3	30	244,5	100
MIDI-PYRÉNÉES	33,9	22	84,2	45	23,4	18	2,3	14	143,8	67
NORD-PAS-DE-CALAIS	173,8	69	165,3	96	49,8	50	19	39	407,9	151
PAYS DE LA LOIRE	25,8	30	39,5	59	31,9	38	3,5	14	100,8	106
PICARDIE	39,5	52	126,8	77	20,3	37	10,9	35	197,4	127
POITOU-CHARENTES	8,6	24	28	34	20,1	22	3	16	59,7	65
PROVENCE-ALPES-CÔTE D'AZUR	81	38	62,1	51	24,1	36	15,2	34	181,1	79
RHÔNE-ALPES	180,2	98	272,3	125	36,9	65	19,1	44	508,5	232
FRANCE MÉTROPOLITAINE	**1188,4**	**781**	**1865,2**	**1179**	**530,6**	**661**	**178,2**	**480**	**3761,2**	**1975**

Source : ministère de l'Industrie/SESSI, ministère de l'Agriculture/SCEES (enquête sur les investissements protégeant l'environnement).

R : réserve
S : secret

On distingue trois catégories d'investissements protégeant l'environnement :

- les investissements de prévention des risques ;
- les investissements de changement de procédé ;
- les investissement spécifiques.

Le tableau ci-dessus ne concerne que les investissements spécifiques, qui représentent près des trois quarts des investissements de l'industrie pour la protection de l'environnement. Ceux-ci visent à réduire les pollutions liées au processus normal de fabrication, par l'acquisition d'équipements de recyclage des substances polluantes ou de matériels intervenant en fin de cycle de production (filtres, dépoussiéreurs, stations d'épuration...).

Les tableaux présentés ci-après détaillent les mesures environnementales, mais l'absence d'une classification homogène entre les régions interdit d'analyser très finement les allocations budgétaires de chaque région.

Objectif 1 : ajustements structurels des régions en retard de développement (FEDER, FSE, FEOGA)

L'objectif 1 (restructuration des zones économiquement retardées) concerne le Nord-Pas-de-Calais, la Corse, la Réunion, la Guadeloupe, la Martinique et la Guyane (*planche 1*). Dans ce cadre, les financements environnementaux se rapportent avant tout à des aspects techniques : dépollution des eaux, traitement des déchets. La mise en valeur du patrimoine naturel et les parcs régionaux n'apparaissent que de façon marginale.

C'est le département de la Réunion, avec des financements environnementaux représentant jusqu'à 20 % des sommes totales allouées par l'Union européenne, qui est en quelque sorte le « leader » écologique de l'objectif 1 . La Corse, la Guadeloupe et la Martinique obtiennent entre 12 % et 15 % du budget alors que les fonds destinés à l'environnement en Guyane ne représentent que 6 % des sommes totales. Cela peut s'expliquer par la diversité écologique originelle et le peu de pressions qui s'exercent sur ce département d'outre-mer.

Les financements dans les domaines traditionnels de l'eau et des déchets sont prépondérants. Les aides dans les domaines des économies d'énergie, des énergies renouvelables ou de la formation à l'environnement sont moins fréquentes.

Objectif 2 : reconversion des régions en déclin industriel (FEDER, FSE)

L'objectif 2 aide les zones dites « en déclin industriel » pour leur reconversion économique. L'action est centrée sur l'emploi et sur l'implantation d'entreprises dans un cadre attractif. Toutes les régions françaises sont concernées à l'exception de la Corse, de l'Île-de-France, du Limousin et des DOM (*planche 2*). L'environnement constitue une part appréciable des financements, notamment ceux qui portent sur la réhabilitation des sites industriels, et d'une façon générale sur ce qui contribue à la « requalification » de l'environnement. Trois régions, Poitou-Charentes avec 24 % des financements européens consacrés à l'environnement (FEDER et FSE), l'Aquitaine avec 21 % et la Picardie avec 17 %, se détachent légèrement de l'Auvergne et du Nord-Pas-de-Calais (14,2 % et 13,3 %), de l'Alsace (13 %), etc.

Deux régions se démarquent nettement pour le coût total environnement : le Nord-Pas-de-Calais avec 135,5 millions d'ECU et l'Aquitaine avec plus de 100 millions d'ECU.

Si l'Aquitaine met surtout l'accent sur la création d'activités de protection de l'environnement et sur la compétitivité des entreprises, Poitou-Charentes et Picardie affectent prioritairement les financements à la réhabilitation des sites industriels et au traitement des déchets.

La Bourgogne et la Franche-Comté n'ont pas identifié d'axes environnement, tandis que la Provence-Alpes-Côte d'Azur, Champagne-Ardenne, le Centre et la Haute-Normandie n'affectent respectivement que 2,6 %, 4,4 %, 5,2 % et 6,9 % des financements européens à des fins environnementales.

Objectifs 5B : développement et adaptation structurelle des zones rurales fragiles (FEOGA, FEDER, FSE)

Parmi les trois objectifs où figure l'environnement, l'objectif 5B est celui qui concerne le plus de régions françaises puisque seuls la Picardie, le Nord-Pas-de-Calais, la Corse et l'Île-de-France ne sont pas éligibles (*planche 3*).

Il faut noter là encore une très grande hétérogénéité des mesures de type environnemental entre les régions et l'imprécision d'appellation comme la « préservation ou l'amélioration du cadre de vie ou de la qualité de vie » par exemple. Le thème majoritairement abordé se rapporte à la protection des espaces naturels (Pays de la Loire, Poitou-Charentes, Provence-Alpes-Côte d'Azur, Basse-Normandie, Languedoc-Roussillon), alors que l'Auvergne considère environnement et tourisme dans le même axe prioritaire et que le Limousin se focalise sur l'assainissement rural et le traitement des déchets.

La part environnementale totale rapportée au budget objectif 5B total est élevée dans quatre régions : le Centre, l'Auvergne, la Champagne-Ardenne et Rhône-Alpes (entre 20 % et 16 %) tandis que cette proportion est singulièrement plus faible pour la Basse-Normandie, la Lorraine, les Pays de la Loire et l'Alsace (entre 2 % et 4 %).

Certaines régions, comme l'Auvergne avec 42 % du financement communautaire suivie par le Centre (21,4 %), la Bourgogne et Rhône-Alpes (17,5 %), obtiennent des financements européens à des fins environnementales appréciables.

PLANCHE 1

FINANCEMENT DES MESURES ENVIRONNEMENT PAR LES FONDS STRUCTURELS (1994-1999)
Objectif 1 : ajustement structurel des régions en retard de développement

RÉGION	PART COMMUNAUTÉ	PART NATIONALE(1)	COÛT TOTAL
	en ECU		
CORSE : assainissement des eaux usées/traitement des déchets, mise en valeur du parc naturel et bâti **TOTAL GÉNÉRAL (2)**	30 700 000 (12,3 %) **249 875 000**	57 265 000 (13,3 %) **429 511 000**	87 965 00(12,9 %) **679 386 000**
GUADELOUPE : usine de traitement des déchets, améliorer la gestion de l'eau, lutter contre les pollutions **TOTAL GÉNÉRAL**	22 800 000 (6,6 %) **344 840 000**	50 700 000 (15,9 %) **449 359 000**	73 500 000 (9,2 %) **794 199 000**
GUYANE : protection et amélioration de l'environnement **TOTAL GÉNÉRAL**	9 700 000 (5,8 %) **164 908 000**	9 700 000 (6,9 %) **139 478 000**	19 400 000 (6,3 %) **304 386 000**
MARTINIQUE : protection crues, collecte et traitement des eaux usées, élimination et traitement des déchets **TOTAL GÉNÉRAL**	50 490 000 (15,3 %) **329 840 000**	29 121 000 (13 %) **292 708 000**	79 611 000(12,8 %) **622 548 000**
NORD-PAS-DE-CALAIS : technologies environnement, parcs régionaux et maîtrise de l'eau, dépollution industrielle, aide à la formation dans le domaine de l'environnement, recherches environnement **TOTAL GÉNÉRAL**	27 160 000 (6,2 %) **440 000 000**	50 450 000 (5,6 %) **899 550 000**	77 610 000 (5,8 %) **1 339 550 000**
RÉUNION : gestion des ressources en eau, gestion des déchets et maîtrise de l'énergie, assainissement et traitement des eaux **TOTAL GÉNÉRAL**	130 500 000 (19,8 %) **659 700 000**	1 15 198 000 (19 %) **607 485 000**	245 698 000(19,4 %) **1 267 185 000**

Source : IFEN, d'après DOCUP (1994-1999).

Nota : le libellé ne permet pas toujours une identification précise des axes environnementaux.
(1) Financements publics et privés.
(2) Total général = montant total des dépenses bénéficiant d'un financement au titre des fonds structurels.

Alsace

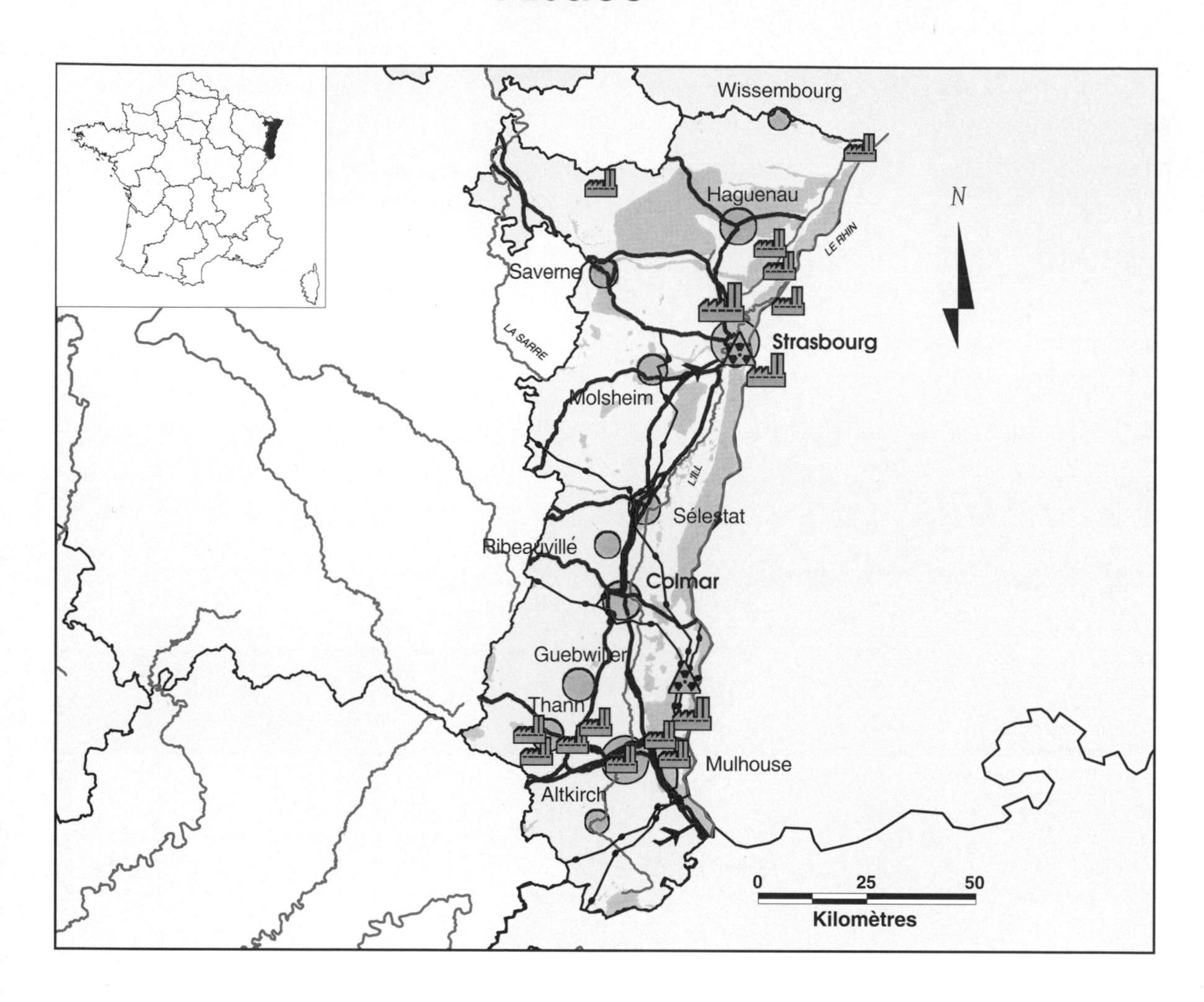

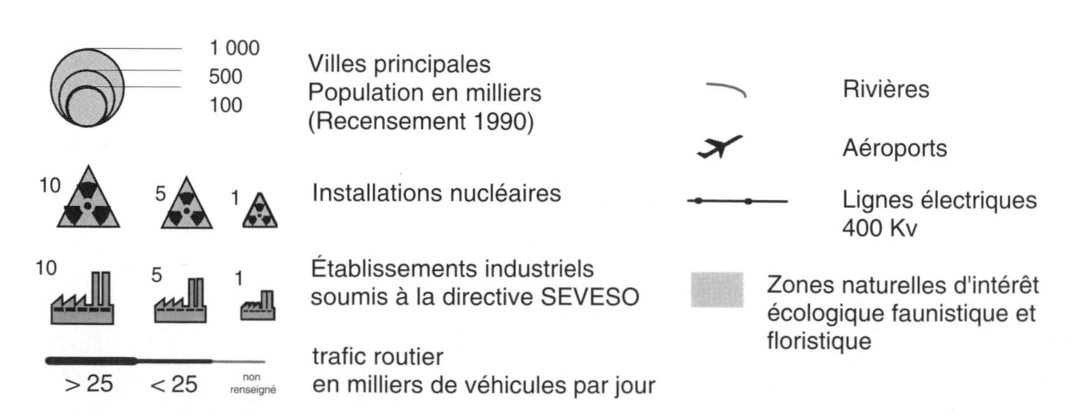

sources : MELTT/SETRA ; EDF Production Transport 1996 ; INSEE ; IFEN ; ministère de l'Environnement ; ministère de l'Industrie ; Muséum national d'histoire naturelle.

LES PRINCIPAUX INDICATEURS ENVIRONNEMENTAUX

INDICATEURS	VALEUR RÉGIONALE	VALEUR NATIONALE	UNITÉ	ANNÉE
TERRITOIRE				
• Types d'occupation des sols :				
- naturelle	42,3	38,2	%	1994
- agricole	47,8	54,4	%	1994
- artificielle	9,9	7,4	%	1994
• Pression urbaine	145,2	77	hab. urbain/km^2	1990
• Taux de boisement	37,7	26,3	%	Dernier inventaire
MILIEUX NATURELS FAUNE FLORE				
• ZNIEFF 1	3	8	% sup. régionale	1996
• ZNIEFF 2	18,7	21,1	% sup. régionale	1996
• Réserves naturelles	2 460*	132 045	ha	1995
• Zones de protection spéciale (directive Oiseaux)	/	707 000	ha	1995
EAU				
• Qualité physico-chimique des eaux superficielles (rivières). Observations classées en catégories très bonne et bonne :				
- matières organiques et oxydables	65	56	%	1993
- phosphore	22	60	%	1993
- nitrates	100	83	%	1993
• Qualité des eaux de baignade en eau douce :				
- points de surveillance conformes aux normes de la directive européenne	94,4	87,3	%	1993
ATMOSPHÈRE, AIR				
• Part de la région ALSACE dans la contribution française :				
- à l'accroissement de l'effet de serre	5,2	100	%	1990
- à la formation des pluies acides	2,2	100	%	1990
DÉCHETS MÉNAGERS ET ASSIMILÉS				
• Taux de valorisation énergétique et organique	74,1	29,9	%	1993
• Taux de mise en décharge	25,9	60,9	%	1993
ÉNERGIE				
• Production d'énergie primaire	3 321 dont 47 % d'origine nucléaire	99 885	Ktep	1992
• Nombre de réacteurs de production d'électricité	2	59	Nbre	1994
RISQUES TECHNOLOGIQUES				
• Nombre d'installations Seveso	19	346	Nbre	1994
• Autres installations potentiellement dangereuses	7	691	Nbre	1994
TRANSPORTS TERRESTRES				
• Densité des routes nationales (routes et autoroutes)	9,2	6,6	km pour 100 km^2	1993
• Parcours journalier moyen sur les routes nationales	6,7	6,1	100 millions de véhicules/km	1992
• Distance moyenne domicile/travail	8	8,1	km	1990
• Points noirs dus au bruit :				
- route	10	1 414	Nbre	1991
- rail	2	248	Nbre	1991
SOCIÉTÉ				
• Associations agréées de protection de l'environnement	22	1434	Nbre	1991

* Dont une réserve repartie sur les régions Alsace et Lorraine.

nanes voisines que de celle des autres régions françaises.

Une telle densité reste toutefois inférieure à celle des espaces frontaliers voisins, en particulier des cantons suisses qui dépassent 300 habitants au kilomètre carré. Les zones rurales sont elles aussi comparativement assez densément peuplées, avec 80 habitants au kilomètre carré, soit plus du double de la densité rurale française.

■ *Un «semis» urbain dense*

Trois Alsaciens sur quatre vivent dans des communes urbaines. Mais l'originalité régionale apparaît moins dans le taux d'urbanisation, voisin du taux national, que dans la densité du semis urbain. L'armature urbaine ancienne concentrée dans la plaine rhénane rassemble l'essentiel de la population autour de trois pôles. Strasbourg, Mulhouse et Colmar concentrent 650 000 habitants, soit plus des deux cinquièmes de la population régionale. Près d'un quart réside dans la seule ville de Strasbourg. L'espace alsacien est donc organisé en un réseau polycentrique, caractéristique du fossé rhénan. La périphérie de la région est moins peuplée.

La croissance démographique favorise actuellement petites villes et campagnes, les moyennes et grandes agglomérations enregistrant une évolution modérée voire stagnante. La dynamique de desserrement des centres au profit de la périphérie n'est pas spécifique aux agglomérations de la région, mais s'observe un peu partout en France.

■ *Déprise agricole et intensification céréalière*

Aujourd'hui, entre 600 et 1 000 hectares de milieux naturels ou agricoles sont consommés chaque année par l'urbanisation ou les activités. La périurbanisation diffuse et l'extension des activités et de l'habitat dans la périphérie des villes et le long des voies de communication en sont les principales causes, multipliant dans la région les interfaces entre la ville et la campagne.

Ces transformations ont conduit à de profondes modifications au sein de l'espace agricole. La pression foncière est particulièrement forte dans la plaine, dans certaines zones telles que le Sungdau ou l'Outre-forêt et surtout dans le vignoble, alors que les friches se développent dans le massif vosgien.

L'agriculture représente moins de 3 % de l'emploi régional soit près de deux fois moins que la moyenne nationale. La SAU couvre 40 % de la superficie de la région (55 % pour la France entière) : le poids des forêts et de l'urbanisation est plus important en Alsace. La petite taille des exploitations est une caractéristique alsacienne : 45 % des exploitations ont moins de 5 hectares, contre 28 % pour l'ensemble de la France.

Dans les Vosges, la forêt progresse par suite de déprise agricole et l'élevage se cantonne dans le fond des vallées, où la fabrication de fromage reste traditionnelle (munster, géromé). La région du vignoble s'étend dans les collines sous-vosgiennes. Dans la plaine, les rieds et la Hardt, malgré le remembrement et la poursuite de l'exode rural, les exploitations restent petites et morcelées. Le maïs est largement majoritaire dans la Hardt ; ailleurs, les céréales (blé, maïs irrigué, orge de brasserie) sont associées aux cultures industrielles (houblon, tabac, betteraves sucrières) et à des polyélevages (bovins, porcins, volailles).

Les céréales s'étendent sur la moitié de la SAU alsacienne en 1993 : elles n'en couvraient que 35 % en 1970. Les superficies irriguées, aujourd'hui 16 % de la SAU, ont augmenté de 61 % de 1988 à 1993. La jachère a refait son apparition dans le paysage régional après la mise en place de la réforme de la PAC en 1993. En 1994, ce sont 30 000 hectares qui ont été gelés en Alsace. Cela se traduit par une augmentation des superficies en colza industriel qui sont passées de 12 hectares à 3 000 hectares.

Les conséquences pour l'environnement de ces activités agricoles en sont évidemment modifiées, notamment en ce qui concerne les pollutions, les prélèvements d'eau ou les paysages.

Le plus grand réservoir d'eau potable d'Europe menacé par une pollution d'origine multiple

Dans l'immense « gouttière » du fossé rhénan de Bâle à Mayence, l'eau s'est accumulée dans des alluvions (sables, graviers, galets) qui reposent sur un soubassement imperméable. Elle y circule très lentement et elle forme une puissante nappe souterraine, la plus importante d'Europe. Sous la plaine d'Alsace, cette nappe couvre environ 2 800 km^2 sur une longueur de 160 kilomètres de Bâle à Lauterbourg, sur une largeur de quelques kilomètres aux limites sud et nord et de 20 à 30 kilomètres dans sa partie centrale. D'un volume évalué à 50 milliards de mètres cubes, elle fournit près des quatre cinquièmes de l'eau potable de la région.

Une nappe vulnérable

Cette nappe phréatique est fragile du fait notamment de la faible profondeur de son toit qui varie d'une dizaine de mètres dans la Hardt du Haut-Rhin à l'affleurement dans les forêts au nord de Strasbourg, des échanges entre les cours d'eau et la nappe et de la très faible vitesse d'écoulement des eaux dans la nappe. Une pollution ne pourra être détectée que de longues années plus tard à son arrivée au seuil d'un puits de captage et après qu'elle a contaminé une zone parfois étendue.

Étroitement liée au Rhin, la nappe phréatique est très dépendante de la qualité du fleuve et des cours d'eau adjacents et de leur pollution. Si, dans la majeure partie de la nappe, la qualité actuelle de l'eau est encore compatible avec l'usage de l'eau potable, on constate presque partout une dégradation due aux activités humaines.

Nitrates, chlorures et solvants chlorés

Les teneurs en nitrates se sont fortement accrues. S'élevant à 27 mg/l en moyenne en 1991-1992, elles atteignent, dans certains secteurs en bordure ouest de la plaine, des valeurs de 50 mg/l. Cela est en grande partie le fait des excédents d'épandage d'engrais minéraux ou d'effluents d'animaux, de l'accroissement du pourcentage de sols nus en hiver et du retournement et de la mise en culture de surfaces enherbées. Certaines communes ont été contraintes de changer de puits de captage car l'eau était devenue impropre à la consommation.

Les teneurs en chlorures, liées à la pollution par les terrils ou les rejets des Mines de Potasse d'Alsace, sont très élevées dans le bassin potassique ainsi que le long de deux langues de pollution qui se propagent à l'aval. Le long du Rhin, une contamination des eaux due aux infiltrations du fleuve, lui-même chargé à l'aval des rejets des MDPA, a été observée. Cette contamination est en diminution, du moins dans la partie la moins profonde de la nappe, du fait des actions de dépollution engagées depuis 1976 par l'industriel.

Dans certaines zones bien localisées, la présence des micropolluants liée à l'activité industrielle et artisanale (hydrocarbures, métaux lourds, solvants organochlorés, etc.) et à l'activité agricole et de jardinage (pesticides) a été constatée. Leurs effets apparaissent avec une fréquence et une intensité croissantes dans des captages d'alimentation en eau potable. Les solvants par exemple, bien que volatils, sont plus lourds que l'eau et atteignent facilement les nappes phréatiques lorsqu'ils sont déversés sur le sol.

L'impact de l'exploitation du gravier

Les zones d'exploitation des gravières sont nombreuses le long du cours de Rhin. Elles mettent à nu la nappe et la rendent directement accessible aux contaminations, notamment après leur fermeture, d'autant que certaines ont été utilisées comme décharges autorisées ou sauvages.

La disparition des zones inondables

La qualité de la nappe souterraine est fortement liée à la protection et à l'extension des zones inondables nécessaires à sa recharge. Les

rhénan et les vallées vosgiennes. La forte présence de lignes électriques aériennes a un impact visuel non négligeable sur les paysages.

■ *Déchets industriels*

En 1990, la quantité de déchets industriels répertoriés générés en Alsace s'élève à 296 000 tonnes parmi lesquels un tiers considéré comme très toxique est envoyé dans les centres de traitement spécifiques. Environ 60 % de ces derniers sont éliminés ou valorisés dans des centres de traitement alsaciens, le reste étant expédié en dehors de la région. L'Alsace ne dispose pas de moyens propres pour traiter les déchets chlorés, les huiles minérales et les déchets nécessitant un enfouissement technique ou un stockage profond.

Région frontalière, l'Alsace a importé, en 1993, 33 775 tonnes de déchets spéciaux en provenance des pays voisins.

Une bonne valorisation des déchets ménagers

En 1993, les déchets ménagers sont valorisés à 74 %. L'Alsace a le taux de mise en décharge le plus faible des régions françaises et le meilleur taux de valorisation énergétique. Elle pourra, de ce fait, plus facilement que la plupart des autres régions françaises, respecter les objectifs de la loi de 1992, qui n'autorise la mise en décharge que des déchets ultimes. Enfin, elle est la seule région où 100 % des habitants bénéficient d'une collecte sélective du verre.

AQUITAINE

Un espace vaste et des milieux naturels diversifiés

L'Aquitaine s'étire le long du littoral atlantique sur près de 300 kilomètres, comportant le plus long cordon dunaire d'Europe. Du nord au sud, les paysages se succèdent avec une grande variété : bas plateaux calcaires du Périgord et de l'Agenais traversés par les larges vallées de la Dordogne, de l'Isle et de la Vézère, grande forêt des Landes en bordure d'une côte rectiligne de la Gironde à l'Adour, collines de molasse de la Gascogne, coteaux du Pays basque et du Béarn et montagne pyrénéenne à l'extrême sud-ouest. Troisième région française par sa superficie, l'Aquitaine dispose d'espaces forestiers, agricoles et aquatiques très étendus.

En termes d'inventaire, 602 zones naturelles d'intérêt écologique, faunistique et floristique ont été décrites, dont 390 dans les départements littoraux. Quatorze lacs, des étangs et plusieurs dizaines de marais forment une large chaîne parallèle au rivage située à moins de 5 kilomètres de l'océan. L'estuaire de la Gironde, le plus vaste d'Europe, constitue une véritable mer intérieure, essentielle en tant que zone de frayères et de migration des poissons. Le bassin d'Arcachon est une étape privilégiée des migrations aviaires. Entre les estuaires de l'Adour et de la Bidassoa s'étendent les falaises de la côte basque. Les zones humides qui subsistent au long des vallées de la Nive, de la Nivelle et de l'Adour, ainsi que les lacs de Mouriscot et de Marion demeurent des espaces naturels originaux notamment pour leur flore très spécifique. Du rivage de l'Atlantique jusqu'au pic du Midi d'Ossau, l'extrémité occidentale de la chaîne des pyrénées recèle quelques-uns des paysages et des milieux parmi les plus rares et les plus originaux des montagnes européennes (canyons du Pays basque, massif calcaire du pic d'Anie, crique de Lescun, vallées d'Aspe, d'Ossau, du Soussouéou, etc.).

■ *Une faune et une flore riches mais menacées*

La région abrite plus de 60 % du nombre total des espèces de vertébrés supérieurs connues en France. La moitié de ces espèces est menacée. Le parc national des Pyrénées, qui s'étend pour partie dans la région Aquitaine, est l'habitat d'espèces remarquables de la faune sauvage : ours, lynx, grands rapaces, desman. Les fleuves et leurs affluents abritent des populations de poissons migrateurs parmi lesquelles l'esturgeon et le saumon (*voir encadré*). La région est également riche en oiseaux nicheurs et migrateurs. Enfin, elle compte près de 11 % des plantes endémiques menacées en France.

LE RETOUR DE L'ESTURGEON DANS LA GIRONDE

Ce sont les derniers esturgeons d'Europe. Irréductibles, ils sont entre 500 et 2 000, selon les estimations du CEMAGREF, à fréquenter encore les eaux de la Garonne jusqu'à Golfech et de la Dordogne jusqu'à Bergerac. Au début du siècle, les pêcheurs capturaient *Acipenser sturio* (son nom scientifique) dans toutes les rivières d'Europe, entre Baltique et Méditerranée. L'esturgeon frayait jusque dans la Saône, l'Yonne, et loin en amont de la Loire. Aujourd'hui, sa présence n'est plus signalée de façon certaine que dans le bassin Gironde-Garonne-Dordogne. En France, sa pêche est interdite depuis 1982, mais en treize ans rien n'indique encore une remontée de la population. L'espèce est menacée d'extinction compte tenu de la rareté des géniteurs sauvages et de la faiblesse générale de la population dans le milieu naturel.

UN POISSON AU CYCLE BIOLOGIQUE LONG ET COMPLEXE

L'espèce vit un double drame. Elle met du temps à devenir mature et elle est bonne à manger. À l'instar du saumon, l'esturgeon grossit en mer, mais naît en rivière. Ses migrations sont de grande ampleur et peuvent aller jusqu'au cercle polaire. La reproduction a lieu au printemps sur fond de gravier, dans le lit profond des rivières. Après sept jours d'incubation, les alevins vivent quatre mois en eau douce avant de dévaler progressivement vers l'estuaire. L'adaptation à des eaux de plus en plus salées dure de deux à quatre ans et oblige les jeunes à vivre dans l'estuaire. La maturité sexuelle intervient à dix ans pour les mâles, quatorze ans pour les femelles qui ne remontent pondre que tous les deux ans. Les difficultés de reproduction sont compensées par le fait qu'une femelle peut porter jusqu'à cinq kilos d'œufs minuscules. Son espérance de vie peut atteindre cent ans.

UNE RESTAURATION DIFFICILE

Ce XXe siècle n'aura été que la longue histoire d'un déclin. Que les juvéniles vivent aussi longtemps près des côtes rend l'espèce plus sensible à la surpêche et à la destruction des frayères qu'à la pollution. L'animal a toujours été très recherché principalement pour la finesse de sa chair. Ce n'est en effet qu'au début du XXe siècle qu'on s'est intéressé à ses œufs. La régression de l'espèce est perçue dès 1939. En 1954, certains pêcheurs girondins estiment que le volume de capture a diminué des trois quarts en vingt-cinq ans. Mais il faudra encore attendre vingt-cinq ans avant que les hommes n'entreprennent un programme de sauvegarde et de restauration de l'espèce.

Un arrêté ministériel du 13 mars 1980 interdit la pêche à l'esturgeon dans la Dordogne et la Garonne. Le 14 avril 1981, un autre arrêté interdit la pêche dans la partie salée de la Gironde. L'espèce est protégée sur tout le territoire français depuis le 25 janvier 1982. Entre 1985 et 1991, pas moins de six arrêtés préfectoraux interdisent l'extraction de matériaux dans le lit de la Dordogne et la Garonne, sur les lieux de frayère du poisson.

Au début des années 80, le CEMAGREF lance un programme de restauration du *sturio* dans l'estuaire de la Gironde. Outre la constitution d'un stock de géniteurs, ce programme comporte des actions de restauration des frayères et des campagnes d'information et de sensibilisation sur la protection de l'espèce. Le CEMAGREF étudie les mœurs de l'esturgeon, marque les spécimens sauvages, et surtout expérimente des techniques de reproduction artificielle sur des géniteurs capturés accidentellement. C'est ainsi que, entre 1981 et 1990, trente-cinq géniteurs ont été récupérés. Mais la tâche est délicate car, contrairement à d'autres espèces d'esturgeon strictement dulçaquicoles pouvant être élevées dans des bassins, le *sturio* est un poisson migrateur plus difficile à maintenir en captivité. Ces travaux se poursuivent actuellement dans le cadre d'un programme européen Life associant EPIDOR, le CEMAGREF, le ministère de l'Environnement et l'Union européenne. Après des années de tentatives infructueuses, les chercheurs ont réussi en 1994 l'acclimatation en bassin d'esturgeons sauvages, une reproduction artificielle et l'obtention de larves et d'alevins qui ont permis les premiers alevinages du milieu naturel. Ce succès permet d'envisager à terme le repeuplement du bassin versant avec des alevins sauvages. *Acipenser sturio* est loin d'être encore un animal d'élevage, comme l'est devenu le saumon.

Ce patrimoine subit les pressions urbaines et touristiques d'autant plus marquées que les sites sont parfois uniques et de plus en plus convoités : vallées, littoral et plus ponctuellement montagne. Si la moitié du territoire régional est occupée par des espaces naturels, ceux-ci ont connu de 1982 à 1990 la plus forte (1,2 %) des diminutions observées dans les régions. Cette évolution est due notamment à une croissance de 13,5 % des territoires artificiels.

■ *Une des plus grandes forêts d'Europe, intensément exploitée*

Première région forestière française en superficie (12 % de l'espace forestier national) et en taux de boisement (42 % contre 28 % pour l'ensemble de la France), l'Aquitaine est au premier rang pour les superficies en pin maritimes. Naturelle en montagne, profondément transformée par l'homme dans le nord-est de la région, la forêt a été créée par l'homme, à la fin du XVIIIe siècle et au XIXe siècle dans les Landes. Plus de 60 % des boisements aquitains sont constitués de pins maritimes. L'Aquitaine est au cinquième rang pour les superficies en feuillus.

La forêt landaise, reconstituée après les incendies dévastateurs de l'après-guerre, est une forêt « artificielle » et monospécifique. Elle fait l'objet d'une exploitation intensive en relation directe avec les débouchés industriels. L'exploitation du bois en Aquitaine représente environ un cinquième de la production nationale, avec un volume de récolte annuelle de 8,4 millions de mètres cubes en 1994. La quasi-totalité de cette forêt (92 %) appartient à des propriétaires privés. Du fait de la sélection génétique et de l'utilisation de plus en plus fréquente d'engrais, elle est plus productive que la moyenne de la forêt française. Elle joue un rôle de protection contre l'érosion du littoral, en contribuant à la stabilisation du cordon dunaire. Son caractère monospécifique la rend sensible aux attaques sanitaires ainsi qu'aux conditions climatiques.

L'éventail des risques naturels

L'espace aquitain est soumis aux aléas climatiques – sécheresse, inondations, orages violents voire tornades –, aux risques d'érosion, notamment sur le littoral, sur le bassin d'Arcachon et dans le secteur basque, et au risque sismique dans les Pyrénées.

■ *Crues et inondations*

En 1993 et 1994, l'Aquitaine est la deuxième région après Rhône-Alpes pour le nombre de communes (637) reconnues sinistrées au titre des inondations. Le régime de nombre de cours d'eau est très irrégulier avec de fortes crues dues au climat océanique (précipitations en hiver et au début du printemps) et un étiage de fin d'été particulièrement marqué, lié à l'origine montagnarde des cours d'eau.

■ *Le risque sismique*

Trois zones de sismicité sont présentes dans les Pyrénées-Atlantiques, essentiellement près de la chaîne pyrénéenne au sud-est de Pau. La plus grande densité de tremblements de terre se situe en Bigorre, qui a connu en particulier deux séismes d'intensité maximale. Le séisme d'Arette, survenu en août 1967, est le plus important enregistré en France ces trente dernières années.

■ *Les incendies de forêt*

Avec le plus grand massif forestier européen de résineux, le risque d'incendie est une menace omniprésente en Aquitaine. La surveillance permanente est prioritaire pour la forêt landaise, où les incendies peuvent provoquer d'importants dégâts. Sur la période 1980-1993, l'Aquitaine est la quatrième région française pour la surface annuelle moyenne des feux, loin cependant derrière la Corse, la région Provence-Alpes-Côte d'Azur et le Languedoc-Roussillon. Les feux dans la région ont représenté 8 % des superficies brûlées en 1993 en France.

L'occupation du territoire

■ *Une urbanisation modeste polarisée sur Bordeaux, la côte basque et Pau*

Troisième région de France par la superficie et sixième par la population, l'Aquitaine bénéficie d'un capital espace particulièrement significatif qui résulte d'une faible densité générale (68 hab./km²). Elle est l'une des rares régions ayant connu des arrivées de population entre 1982 et 1990. La zone côtière et les grandes agglomérations bénéficient des gains de population dus à 90 % au solde migratoire.

La région se caractérise par un faible taux d'urbanisation (65,6 % en 1990) avec un grand nombre de petites villes. Près de 40 % de la

TERRITOIRE	Cinq départements :	Dordogne, Gironde, Landes, Lot-et-Garonne, Pyrénées-Atlantiques
	Superficie totale :	41 308,4 km² (7,6 % sup. française)
	Superficie communes urbaines :	6 989,7 km² (16,9 % sup. régionale)
	Densité 1994 :	69 hab./km²
POPULATION	Population totale 1990 :	2 795 830 (4,9 % de la pop. française), estimation 1994 : 2 849 459
	Population urbaine 1990 :	1 831 023 (65,5 % pop. régionale)
	Quatre principales agglomérations :	Bordeaux, Bayonne, Pau, Agen (38,4 % de la pop. régionale)
	Pyramide des âges 1994 :	– 25 ans : 31,1 % + 60 ans : 23,4 %
COMPTES ÉCONOMIQUES	Produit intérieur brut (PIB)1992 :	305 793 millions F (4,4 % PIB français)
	PIB/hab. 1992 :	107 891 F
EMPLOI	Emploi total 1992 :	1 047 536 (4,8 % emploi total français)
	Agriculture :	9,7 % emploi total régional
	Industrie :	16,7 % / /
	Bâtiment, génie civil et agric. :	7 % / /
	Commerce, transport et télécom. :	12,3 % / /
	Autres services :	54,3 % / /
	Taux de chômage 1994 :	13,2 % (162 083 chômeurs)
LOGEMENT	Résidences principales 1990 :	1 073 369
	dont logements collectifs :	26 %
	Résidences secondaires 1990 (1) :	165 056
AGRICULTURE	SAU 1993 :	1 504 milliers d'ha (5,3 % SAU nationale)
	dont terres labourables :	62 %
	Nbre d'exploitations 1993 :	64 378
	Superficie moyenne 1993 :	23,3 ha
INDUSTRIE	Nbre d'établissements 1995 :	15 832, dont – 10 sal. : 13 380, + 500 sal. : 26
	Principaux secteurs industriels (effectifs salariés 1993) :	IAA, bois et papier, construction navale aéronautique et ferroviaire, chimie-caoutchouc-plastiques

Sources : INSEE, SCEES.

(1) Les résidences secondaires comprennent également les logements occasionnels.

NB : les pourcentages sont calculés par rapport à la France métropolitaine.

population urbaine est concentrée dans l'agglomération de Bordeaux, qui compte près de 700 000 habitants. Parmi les autres agglomérations, seules celles de Bayonne-Anglet-Biarritz et de Pau dépassent 100 000 habitants.

La région est touchée par la déprise démographique et agricole dans certaines zones rurales des Pyrénées, de la Dordogne et du Lot-et-Garonne. Avec moins de 15 habitants au kilomètre carré, le cœur des Landes, les plateaux du Périgord et la haute montagne pyrénéenne sont parmi les zones les plus dépeuplées.

■ *Urbanisation du littoral et essor du tourisme « vert » à l'intérieur*

L'occupation humaine de la façade littorale est très contrastée. 70 % de la population littorale est concentrée sur le bassin d'Arcachon, la côte sud-landaise et la côte basque, où la pression foncière se renforce depuis dix ans. Par ailleurs, les phénomènes de mitage se développent sur les rivages des grands lacs.

La pression touristique est une préoccupation majeure pour ce territoire. L'Aquitaine est au cinquième rang national des régions touristiques, avec 6,9 % de la capacité totale d'accueil du pays en 1990. Le tourisme de masse a entraîné sur tout le littoral, dans les années de l'entre-deux guerres et au-delà, l'extension des lotissements en zone forestière. L'emprise des terrains de camping et des villages de vacances est également importante.

Le succès de l'industrie touristique dans le Sud-Ouest a un impact très fort en matière d'urbanisation du littoral. Malgré une maîtrise globale de l'urbanisation assurée en son temps par la Mission d'aménagement de la côte aquitaine, un certain nombre d'opérations, fortement contestées notamment pour leur impact paysager, ont néanmoins vu le jour (opérations immobilières, golfs...). La structuration traditionnellement lâche de l'habitat sur certaines portions de cette zone génère aussi une urbanisation aux contours mal définis.

Le tourisme « vert » se développe dans l'arrière-pays aquitain. Y contribuent notamment le parc naturel régional des Landes de Gascogne, qui s'étend sur 290 000 hectares ainsi que les lacs en arrière de la zone dunaire. La région compte 8 % des gîtes ruraux et des chambres d'hôtes de France. Ce tourisme de l'intérieur pose des problèmes lorsqu'il est concentré, en particulier dans les Pyrénées. Ses impacts écologiques en montagne, joints à ceux des autres activités, concernent notamment la fragmentation de la forêt (ouverture de routes, développement de stations de ski et de leurs équipements...) qui peut s'accompagner d'une diminution de la faune sauvage.

Diversité de l'agriculture et environnement

L'Aquitaine est fortement rurale – un tiers des habitants vit dans une commune rurale – et agricole. L'agriculture occupe 9,7 % des actifs en 1992. La région se caractérise par une grande diversité de paysages ruraux et de productions agricoles.

Bien que la superficie du vignoble ait reculé sous la poussée urbaine, il couvre encore quelque 100 000 hectares et fournit la première production mondiale de vin AOC avec des noms prestigieux tels que Médoc, Graves, Saint-Émilion, etc. Les cultures céréalières occupent environ un tiers de la surface agricole utilisée. Avec le développement de l'irrigation et l'arrosage des cultures, la production de maïs s'est accrue, les cultures industrielles comme le tabac (un tiers de la production française) et le tournesol sont en expansion, de même que celles des fruits et légumes.

■ *Le développement des cultures intensives et l'irrigation*

Dans les vallées, l'apport d'eau par irrigation a entraîné le développement des cultures intensives, en particulier de fruits, de légumes et de plantes destinées à l'engraissement des bovins. L'Aquitaine est le premier producteur français de maïs-grain (un quart de la production nationale et 11 % de la production européenne). Avec 16 % de sa SAU irriguée, la région a la deuxième superficie irriguée de France, derrière Midi-Pyrénées.

De fait, en termes quantitatifs, l'accroissement des besoins en eau durant la période d'étiage (juillet-octobre) constitue le problème numéro un dans le bassin Adour-Garonne. Les sécheresses successives des dernières années ont montré la pression très élevée qui s'exerce sur la ressource et l'importance de sa gestion collective. La situation présente pose la question des limites du développement de l'irrigation et de la durabilité du type d'agriculture qui lui est lié.

Les départements du Sud-Ouest ont ainsi été touchés par le développement de la culture et de l'irrigation du maïs qui s'est aussi accompagnée d'une utilisation de plus en plus importante d'engrais azotés. Avec 109 kilogrammes d'engrais azotés par hectare en 1989, l'Aquitaine figure parmi les régions les plus utilisatrices, derrière les zones de grande culture du Bassin parisien.

■ *Déprise et friches rurales*

L'abandon des terres touche la montagne et peu à peu l'ensemble des autres paysages agricoles. Au Pays basque, en Béarn, les hautes vallées voient leur population agricole diminuer et les paysages humanisés cèdent de plus en plus la place aux friches. La simplification des systèmes de production et l'abandon de certaines terres qui l'accompagne provoquent une mutation des paysages : les surfaces boisées gagnent vers le bas, les landes subalpines, pseudo-alpines et montagnardes se généralisent, des zones d'érosion localisées mais très actives s'installent.

Dégradation des eaux douces superficielles

■ *Qualité des eaux et sources de pollution*

La région se situe à l'aval de quatre bassins hydrographiques importants : le Lot, la Dordogne, la Garonne amont et l'Adour. La qualité des principaux fleuves et rivières d'Aquitaine est donc étroitement liée aux apports des zones situées dans d'autres régions.

Entre 1981 et 1991, la qualité des eaux superficielles s'est dégradée, suite notamment à une aggravation de la pollution par les matières azotées et phosphatées, ainsi que par certains métaux (cadmium, mercure et plomb), issus des ateliers de traitement de surface et des phénols utilisés pour le traitement du bois.

Les activités agricoles, les activités industrielles et les agglomérations jouent toutes les trois dans cette région un rôle important pour l'état des cours d'eau.

Le lessivage des sols de culture intensive produit des pertes importantes en azote, potasse, acide phosphorique et produits phytosanitaires qui se retrouvent dans les eaux superficielles et dans les eaux souterraines. Du fait de la restructuration foncière, les haies arasées ne jouent plus leur rôle de retenue des eaux de rejet provenant de l'agriculture. Une partie des nitrates présents dans les eaux de surface est due aux effluents d'élevage, à la surfertilisation, mais aussi aux piscicultures intensives. Cela perturbe l'équilibre biologique des rivières et des lacs en provoquant leur eutrophisation. La plupart des lacs et étangs littoraux sont ainsi atteints ou en voie d'eutrophisation.

Les collectivités rejettent encore de grandes quantités d'effluents et de nombreux points noirs d'origine industrielle subsistent. En 1993, le taux de dépollution des agglomérations de plus de 10 000 habitants de la région était de 35 % pour un taux de collecte de 54 %, chiffres très inférieurs à la moyenne nationale.

L'industrie pour sa part a vu, entre 1981 et 1991, ses rejets en matières oxydables baisser de seulement 5 % et ses rejets toxiques augmenter de 5 %, alors que les réductions observées en moyenne en France ont été respectivement de 22 % et de 39 %.

■ *Les polluants industriels de la chimie et de l'industrie du papier*

L'Aquitaine compte des pôles de pollution industrielle importants, principalement dans l'agglomération bordelaise et le bassin de Lacq et quelques points noirs disséminés dans le tissu régional. 80 % de la pollution toxique industrielle des eaux et 70 % de la pollution « classique » (matières oxydables, matières azotées et matières phosphorées) proviennent d'une cinquantaine d'entreprises.

Les industries de pâte à papier, situées pour partie dans les Landes, et la chimie sont les principales sources de pollution. À ces activités, il convient d'ajouter l'industrie des métaux pour les rejets toxiques, l'agroalimentaire pour la pollution organique et les industries extractives pour la pollution solide. Le réseau hydrographique Lot-Garonne-Gironde est contaminé par de grandes quantités de cadmium déversées par une mine de zinc du Massif central.

■ *Qualité des eaux de baignade : les points noirs des Pyrénées-Atlantiques*

Les eaux de baignade du littoral aquitain sont généralement de bonne qualité. En 1994, 90,3 % des points de mesure sont conformes aux exigences de la directive européenne. Les zones de baignade non conformes se situent dans les Pyrénées-Atlantiques. La présence d'anciennes mines de montagne, les nombreux élevages ovins, les rejets des collectivités locales souvent mal assainis sont responsables d'une forte pollution en nitrates, bactéries et métaux lourds dans les cours d'eau. Par ailleurs, les fortes pluies sur cette zone et l'absence d'équipements adaptés au traitement des eaux pluviales renforcent cette pollution. De même, les pollutions transfrontalières et l'arrivée de macro-déchets espagnols peuvent jouer un rôle dans la qualité des plages du Pays basque.

■ *Qualité des milieux aquatiques et activités économiques*

La qualité des eaux est un enjeu important pour l'activité touristique mais aussi pour le maintien et le développement de l'activité halieutique et aquacole, pour laquelle la région se distingue tant par la diversité que par la qualité de ses productions. C'est tout particulièrement le cas du bassin conchylicole d'Arcachon, premier naisseur français.

L'Aquitaine est par ailleurs une région où subsiste encore une pêche estuarienne aux migrateurs importante. Elle est l'une des principales régions piscicoles et aquacoles où se développent de nouvelles filières d'élevages (turbot, esturgeon sibérien). Mais les atteintes portées par endroits aux milieux – disparition de frayères, extraction de granulats, problèmes de franchissement des ouvrages, augmentation des besoins en eau en période d'étiage, surpêche et captures accidentelles de poissons migrateurs – compromettent la pérennisation de certaines de ces activités.

La diversité des ressources d'énergie

La région se caractérise par la diversité des sources d'énergie primaire, même si celle-ci tend à se réduire avec la décroissance de l'extraction de combustibles fossiles. En 1992, la production d'énergie primaire représente 9 % de la production nationale. Elle est pour plus de la moitié d'origine électrique, principalement du fait de la centrale nucléaire du Blayais implantée à Braud-et-Saint-Louis. Cette centrale comprend quatre réacteurs à eau pressurisée de 900 MW. La production d'électricité est aussi d'origine thermique (centrales d'Arjuzanx, Tartas, Facture, Lacq...) et hydroélectrique avec les barrages des Pyrénées et du Massif central.

La région fournit par ailleurs, avec le gisement de Lacq, la quasi-totalité (96,5 %) du gaz naturel extrait en France, mais sa production a chuté de 60 % de 1978 à 1991. La production de pétrole représente 65 % de la production française mais les sites s'épuisent progressivement. Suite à la fermeture du site d'extraction de lignite d'Arjuzanx, la production des combustibles minéraux solides a été très réduite. La mine de lignite fait aujourd'hui l'objet d'un réaménagement écologique jouant un rôle de zone d'étape, d'hivernage et de reproduction pour de nombreuses espèces migratrices du littoral.

Quant aux énergies renouvelables hors hydroélectricité, la géothermie reste peu exploitée en Aquitaine alors qu'elle bénéficie de nombreux atouts. De leur côté, le bois et la biomasse, bien qu'en augmentation de 43 % de 1989 à 1992, ne représentent que 8 % du total.

Risques industriels

En 1994, vingt-quatre installations industrielles relèvent de la directive Seveso. Ces installations concernent des centres emplisseurs de gaz de pétrole liquéfié, des centres de stockage de chlore ou d'ammoniac, des dépôts de liquides inflammables, des installations pyrotechniques, des silos à grain et le complexe de Lacq (gaz naturel, gaz sulfurés). Plusieurs d'entre elles sont concentrées dans l'estuaire de la Gironde, sur la rive droite duquel est implantée la centrale nucléaire du Blayais.

Onze autres installations industrielles sont classées comme potentiellement dangereuses. 3 221 installations classées sont soumises à autorisation en Aquitaine.

AUVERGNE

La richesse des milieux naturels

Des hautes terres du Cézallier aux futaies de la forêt de Tronçais, des vallées en auge du Cantal aux rochers du Puy-en-Velay, des forêts du Livradois au lac de cratère du Pavin, l'Auvergne présente une multitude de paysages. Par la forme et la disposition de son relief, la région voit coexister des vallées parmi les plus sèches de France, près d'Issoire notamment, et des versants montagneux exposés à l'ouest parmi les plus arrosés, tels que les massifs du Cantal et du Sancy. Montagne d'un côté, plaines et vallées de l'autre se partagent le territoire régional, puisque plus de la moitié des communes de la région sont classées en zone de montagne.

La richesse écologique est importante. 397 zones naturelles d'intérêt écologique particulier (les ZNIEFF) ont été recensées. Chaînes volcaniques, gorges de la Truyère, collines de la Comté, sommets du Cantal, granites de la Margeride et du Forez, étangs du Bourbonnais, du Val d'Allier et forêts de Tronçais sont autant de sites accueillant des espèces et des milieux parfois fort rares. Les nombreuses vallées sauvages et accidentées entaillant des plateaux couverts de pâturages, le lit majeur de l'Allier et ses populations d'oiseaux sont tout aussi remarquables.

Certaines de ces zones comportent des richesses d'un intérêt national, comme les vallées de Chaudefour et de la Fontaine-Salée, le Mézenc, les méandres de l'Allier, l'ensemble lac-tourbière de Chambedaze... ou encore comme bon nombre de tourbières ou de zones humides. D'autres, comme la vallée de Sault, constituent de vastes espaces tranquilles, refuges pour la faune. Quelques-unes sont des stations isolées de plantes remarquables.

Des forêts diversifiées largement exploitées

Les forêts recouvrent 27 % du territoire régional, taux de boisement identique à celui de la France. Toutefois, ce taux varie fortement d'un département à l'autre, allant de moins de 17 % dans l'Allier à près de 34 % en Haute-Loire. Pour l'ensemble de la région, la répartition entre feuillus et résineux est respectivement de 11 % et 15 %. Mais les résineux sont largement dominants en Haute-Loire (82 %), alors que les feuillus prédominent dans l'Allier (82 %) et le Cantal (68 %). Dans la région, 69 % des peuplements forestiers sont des futaies. Un peu plus de 90 000 hectares de forêts sont soumis au régime forestier et sont gérés par l'Office national des forêts.

Auvergne

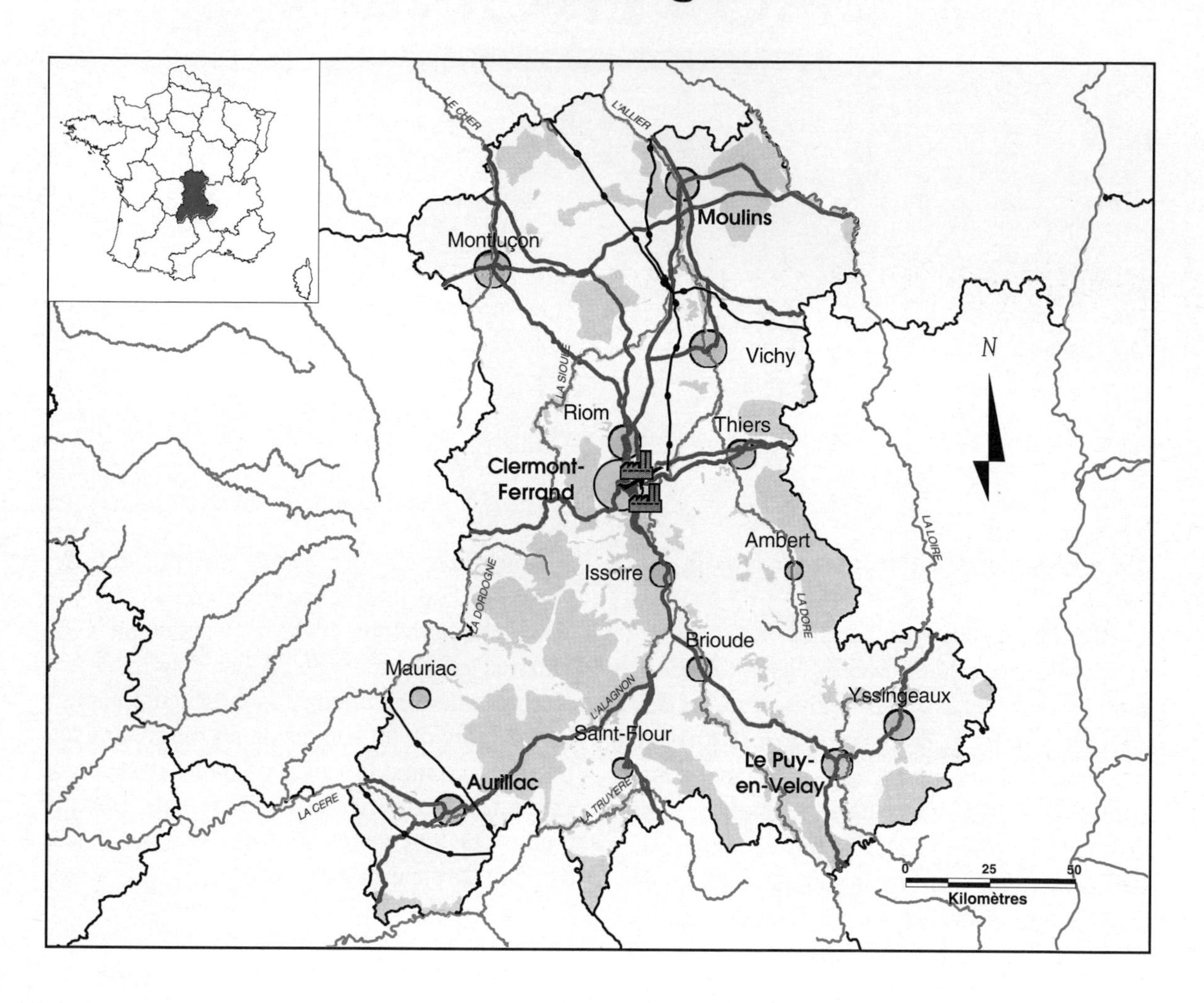

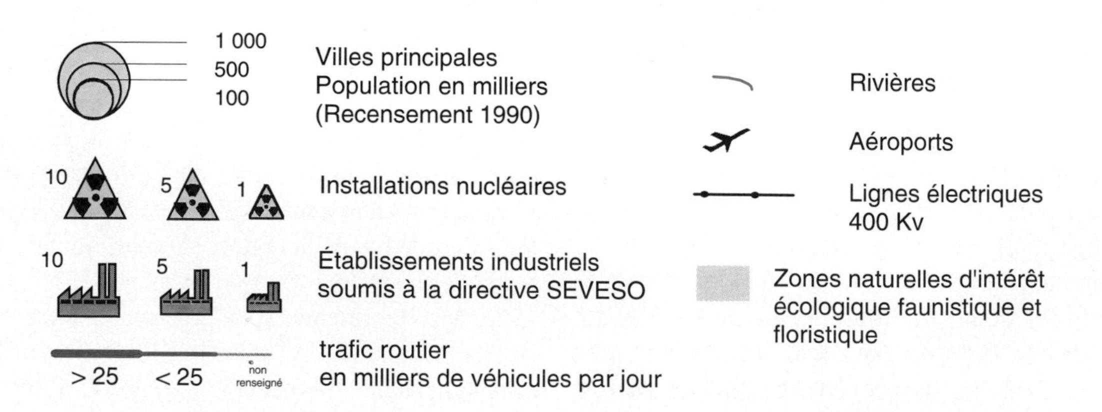

sources : MELTT/SETRA ; EDF Production Transport 1996 ; INSEE ; IFEN ; ministère de l'Environnement ; ministère de l'Industrie ; Muséum national d'histoire naturelle.

LES PRINCIPAUX INDICATEURS ENVIRONNEMENTAUX

INDICATEURS	VALEUR RÉGIONALE	VALEUR NATIONALE	UNITÉ	ANNÉE
TERRITOIRE				
• Types d'occupation des sols :				
- naturelle	36,2	38,2	%	1994
- agricole	58,4	54,4	%	1994
- artificielle	5,3	7,4	%	1994
• Pression urbaine	29,8	77	hab. urbain/km²	1990
• Taux de boisement	26,9	26,3	%	Dernier inventaire
MILIEUX NATURELS FAUNE FLORE				
• ZNIEFF 1	8,4	8	% sup. régionale	1996
• ZNIEFF 2	23,7	21,1	% sup. régionale	1996
• Réserves naturelles	2 310	132 045	ha	1995
• Zones de protection spéciale (directive Oiseaux)	2 800	707 000	ha	1995
EAU				
• Qualité physico-chimique des eaux superficielles (rivières) Observations classées en catégories très bonne et bonne :				
- matières organiques et oxydables	57	56	%	1993
- phosphore	92	60	%	1993
- nitrates	100	83	%	1993
• Qualité des eaux de baignade en eau douce :				
- points de surveillance conformes aux normes de la directive européenne	80,6	87,3	%	1993
ATMOSPHÈRE, AIR				
• Part de la région AUVERGNE dans la contribution française :				
- à l'accroissement de l'effet de serre	2,7	100	%	1990
- à la formation des pluies acides	2,7	100	%	1990
DÉCHETS MÉNAGERS ET ASSIMILÉS				
• Taux de valorisation énergétique et organique	8,6	29,9	%	1993
• Taux de mise en décharge	90	60,9	%	1993
ÉNERGIE				
• Production d'énergie primaire	545	99 885	Ktep	1992
• Nombre de réacteurs de production d'électricité	/	59	Nbre	1994
RISQUES TECHNOLOGIQUES				
• Nombre d'installations Seveso	2	346	Nbre	1994
• Autres installations potentiellement dangereuses	20	691	Nbre	1994
TRANSPORTS TERRESTRES				
• Densité des routes nationales (routes et autoroutes)	5	6,6	km pour 100 km²	1993
• Parcours journalier moyen sur les routes nationales	5,9	8,1	100 millions de véhicules/km	1992
• Distance moyenne domicile/travail	6,9	8,1	km	1990
• Points noirs dus au bruit :				
- route	29	1 414	Nbre	1991
- rail	0	248	Nbre	1991
SOCIÉTÉ				
• Associations agréées de protection de l'environnement	26	1 434	Nbre	1991

La forêt privée représente néanmoins plus des trois quarts de la forêt régionale. Elle est très morcelée, appartenant à quelques 240 000 propriétaires.

La forêt est très largement exploitée en Auvergne, puisque la récolte en 1990 s'est élevée à 1 369 000 m³ de bois d'œuvre. Cela place la région, avec 2,1 m³ de bois d'œuvre produit par hectare, au troisième rang national. Plus de 300 scieries contribuent à la première transformation du bois et à la valorisation de cette ressource régionale. La production des scieries a atteint, en 1990, 747 000 m³, soit 1,1 m³ de sciage par hectare boisé, ce qui place la région au cinquième rang national après l'Alsace, la Lorraine, la Franche-Comté et l'Aquitaine.

TERRITOIRE	Quatre départements :	Allier, Cantal, Haute-Loire, Puy-de-Dôme
	Superficie totale :	26 012,8 km² (4,7 % sup. française)
	Superficie communes urbaines :	2 458,9 km² (9,4 % sup. régionale)
	Densité 1994 :	51 hab./km²
POPULATION	Population totale 1990 :	1 321 214 (2,3 % de la pop. française), estimation 1994 : 1 316 753
	Population urbaine 1990 :	774 080 (58,6 % pop. régionale)
	Quatre principales agglomérations :	Clermont-Ferrand, Montluçon, Vichy, Le Puy-en-Velay (32 % de la pop. régionale)
	Pyramide des âges 1994 :	– 25 ans : 30,8 % + 60 ans : 23,7 %
COMPTES ÉCONOMIQUES	Produit intérieur brut (PIB)1992 :	130 397 millions F (1,9 % PIB français)
	PIB/hab. 1992 :	98 974 F
EMPLOI	Emploi total 1992 :	483 844 (2,2 % emploi total français)
	Agriculture :	9,6 % emploi total régional
	Industrie :	22,9 % / /
	Bâtiment, génie civil et agric. :	6,5 % / /
	Commerce, transport et télécom. :	10,5 % / /
	Autres services :	50,5 % / /
	Taux de chômage 1994 :	11,2 % (62 749 chômeurs)
LOGEMENT	Résidences principales 1990 :	515 563
	dont logements collectifs :	30,5 %
	Résidences secondaires 1990 (1) :	101 059
AGRICULTURE	SAU 1993 :	1 531 milliers d'ha (5,4 % SAU nationale)
	dont terres labourables :	33 %
	Nbre d'exploitations 1993 :	35 941
	Superficie moyenne 1993 :	42,6 ha
INDUSTRIE	Nbre d'établissements 1995 :	7 740, dont – 10 sal. : 6 345, + 500 sal. : 18
	Principaux secteurs industriels (effectifs salariés 1993) :	chimie-caoutchouc-plastiques, travail des métaux, IAA, bois et papier

Sources : INSEE, SCEES.

(1) Les résidences secondaires comprennent également les logements occasionnels.

NB : les pourcentages sont calculés par rapport à la France métropolitaine.

Un nombre limité de pôles urbains dans une région peu densément peuplée

Région de taille moyenne, montagneuse, l'Auvergne figure parmi les régions françaises les moins peuplées avec la Franche-Comté, le Limousin et la Corse. Avec 1 321 200 habitants en 1990, elle compte à peu près les mêmes effectifs qu'en 1806, alors que la population française a presque doublé dans l'intervalle.

La densité de population est inférieure de moitié à la densité française et figure parmi les plus faibles au niveau européen. La population est très inégalement répartie sur le territoire régional. Elle se concentre en effet dans les plaines, le long des cours d'eau et dans les bassins où se trouvent les principaux centres urbains. L'Auvergne est aussi caractérisée par une part importante de petits villages puisque 28 % de la population vivent dans des communes de moins de 1 000 habitants (17 % en France). À l'inverse, 30 % seulement des Auvergnats vivent dans les villes de plus de 10 000 habitants, contre 50 % pour la moyenne française.

Les limagnes de Clermont-Ferrand et d'Issoire, la vallée de l'Allier, de Brioude jusqu'à Vichy et Moulins, les bassins de Montluçon, du Puy-en-Velay et d'Aurillac forment les seules zones de fort peuplement de la région. À l'opposé, les massifs (monts du Cantal, Aubrac, Cézallier, Margeride, Livradois) ainsi que quelques zones rurales de l'Allier ont une densité souvent proche de 15 habitants au kilomètre carré.

■ *Une périurbanisation et des déplacements en augmentation*

Depuis un siècle, le monde urbain auvergnat n'a cessé de prendre de l'importance, concentration qui se renforce avec le développement relativement récent des grandes infrastructures (autoroute Paris-Clermont-Ferrand-vallée du Rhône d'un côté et Clermont-Ferrand-sud du Massif central et Méditerranée de l'autre). Aujourd'hui, 59 % des Auvergnats vivent en ville contre 26 % un siècle auparavant. Depuis 1982, les villes perdent néanmoins de la population au profit de leur banlieue. En vingt ans, cette dernière s'est considérablement étendue sur le monde rural. De leur côté, les cantons ruraux isolés n'ont pu enrayer la baisse de population.

L'automobile entraînant une plus grande dispersion du tissu urbain, la concentration des emplois s'accompagne du phénomène de périurbanisation, voire de rurbanisation, c'est-à-dire d'un déplacement de l'habitat du centre vers la périphérie et plus loin dans les zones rurales environnantes. Les personnes qui habitent dans ces espaces périphériques viennent travailler chaque jour en ville. Ainsi, par exemple, la commune de Clermont-Ferrand accueille journellement plus de 53 000 « banlieusards », soit l'équivalent d'une ville comme Montluçon.

L'arbitrage entre l'utilisation du véhicule personnel et l'usage des transports en commun se fait de plus en plus au détriment de ce dernier ; de fait, le trafic voyageurs de la SNCF a subi un net recul. L'amélioration du réseau routier n'est pas étrangère à ce phénomène. Les comptages de circulation routière attestent d'une forte augmentation du trafic interne à la région.

■ *Les citadins dans les campagnes et les transformations du monde rural*

Certaines zones rurales parviennent à maintenir leur niveau de population, voire à en gagner. Mais c'est en général du fait de la proximité d'un centre urbain. De moins en moins agricole, le monde rural s'est donc profondément modifié. Entre la campagne traditionnelle et agricole et la ville se trouvent des territoires intermédiaires. Dans ces zones, la population travaille le plus souvent dans une ville proche et occupe un habitat nettement distinct de celui des agriculteurs.

Dans ces territoires, le village traditionnel auvergnat a donc beaucoup évolué. La multiplication des constructions neuves réalisées, depuis maintenant assez longtemps, sans souci d'assainissement ou ne disposant pas toujours de voiries adaptées, occasionne aujourd'hui de nouvelles charges financières aux communes pour leur connexion aux différents réseaux.

Par ailleurs, si les citadins ont dans certaines zones remplacé les ruraux et s'ils maintiennent en état le patrimoine bâti, il n'en est pas de même pour la gestion des terres et des paysages. Dans les communes proprement rurales, d'ici dix ans, le nombre d'exploitants aura diminué dans des proportions très importantes. 450 000 hectares de terres en Auvergne vont être libérés. Se poseront des problèmes de gestion des friches, d'exploitation des forêts et de maintien de la vie dans les villages.

Toutes ces évolutions ont des conséquences sur les ressources des communes touchées et modifient leur marge de manœuvre en matière de protection de l'environnement. Ainsi, une question majeure demeure la disponibilité de ressources communales face à des besoins sans cesse croissants en matière d'égouts, de stations d'épuration, de ramassage et de traitement des ordures ménagères, d'aménagement des chemins et des routes.

Prépondérance de l'élevage et développement de l'agriculture intensive

L'agriculture auvergnate mobilise près de 61 % du territoire régional. Ce taux d'occupation est supérieur à celui observé pour la France entière (55 %). Plus de 80 % du territoire agricole de l'Auvergne sont destinés à l'élevage. Trois agriculteurs sur quatre élèvent des bovins.

La répartition entre la superficie toujours en herbe (STH) et les terres arables montre une forte prépondérance de la première, qui occupe plus des deux tiers de la superficie agricole utilisée (SAU), à l'inverse de la situation nationale où la part de la STH dans la SAU ne représente que 37 %. Les grandes cultures n'occupent que 271 000 hectares, soit 16,6 % de la superficie agricole utilisée totale. Sur la dernière décennie, la superficie agricole utilisée dans la région a cédé du terrain (– 2,4 %), mais ce repli est moins fort que celui observé sur l'ensemble du territoire national (– 4 %). Les terres arables ont cédé 2,9 % et les surfaces en herbe 1,9 %.

L'agriculture auvergnate reste ainsi centrée fortement sur l'élevage bovin, dont les produits constituent les deux tiers du chiffre d'affaires de la « ferme » auvergnate. L'Auvergne détient 7 % du troupeau bovin national et se place au quatrième rang des régions françaises. Le repli du troupeau laitier, dû aux quotas et à la modernisation des élevages, a été compensé par la croissance du troupeau allaitant. L'effectif de vaches s'établit en 1993 à 732 000 têtes, réparties entre 299 000 laitières et 433 000 nourrices. Les conséquences pour l'environnement de l'élevage pratiqué de façon non intensive sont limitées, mais ne sont pas insignifiantes. De fait, les émissions régionales de méthane, gaz contribuant à l'effet de serre, représentent 4,4 % des émissions françaises et sont dues à 77 % à l'agriculture.

La concentration et l'intensification de l'agriculture est à l'œuvre en Auvergne comme dans les autres régions françaises. Aujourd'hui, 36 000 exploitations mettent en valeur un peu plus de 1,5 million d'hectares. Mais le nombre d'exploitations a été divisé par deux depuis 1970 et la taille moyenne de l'exploitation auvergnate ne cesse de s'accroître pour atteindre 43 hectares en 1993, contre 35 hectares sur le plan national. De plus, le marché incite actuellement à la concentration des exploitations agricoles sur des systèmes de culture intensive. Cette évolution pose des problèmes de concentration en nitrates et en phosphore dans les plaines, zones favorables au développement de la grande culture, et nuit également à la qualité des paysages (disparition des haies, des bosquets...).

Un tourisme qui dépend de la qualité de l'environnement

Avec ses dix stations thermales, fondées sur la qualité des eaux de source, l'Auvergne accueille chaque année 100 000 curistes et se place en deuxième position des régions thermales, à égalité avec Midi-Pyrénées et derrière Rhône-Alpes (112 000). La région abrite quelques-unes des plus grandes stations de France comme Royat, La Bourboule, Châtelguyon, le Mont-Dore ou Vichy, qui a été longtemps la plus fréquentée des villes thermales du pays. À elles seules, ces dix stations accueillent 40 % des nuitées de l'hôtellerie classée régionale pendant la saison estivale et thermale.

En dehors de ces lieux concentrant une bonne partie de l'activité touristique, la préservation de la qualité et de la diversité des paysages, des richesses de la faune et de la flore et de la qualité des eaux des rivières sont les garants de la durabilité du tourisme, composante importante de l'économie régionale. La capacité d'accueil de l'Auvergne en hébergement touristique, en dehors des résidences secondaires et des résidences principales, qui s'élevait en 1988 à 280 000 personnes – soit l'équivalent de un cinquième de sa population – en témoigne. L'existence de deux parcs naturels régionaux en Auvergne, le parc des Volcans et le parc Livradois-Forez, montre aussi à la fois cette richesse et son rôle économique.

Les richesses de l'eau à surveiller

La région possède un réseau hydrographique extrêmement dense constitué des parties supérieures de cinq des grands cours d'eau français : l'Allier, la Loire, le Cher, la Dordogne et le Lot.

À côté de son rôle de ressource pour les régions en aval, de sa fonction essentielle d'alimentation des populations et du cheptel, et de son importance pour la faune et la flore, l'eau a été en Auvergne, depuis des temps reculés, le vecteur de plusieurs activités spécifiques à la région : coutellerie, papeterie, pêche, hydroélectricité, thermalisme, loisirs liés au tourisme.

Compte tenu de la faible densité de population et d'une activité industrielle limitée, les cours d'eau de la région ne sont pas soumis à de fortes pressions de pollution ou de prélèvement. Cependant, l'agriculture intensive et les activités industrielles, bien que relativement peu développées, ne sont pas absentes ; de plus, elles se concentrent pour l'essentiel dans les grandes vallées – Allier, Loire, Dore, Cher – ou dans quelques villes – Clermont-Ferrand, Montluçon, Issoire. Leurs impacts sur la qualité des eaux sont donc eux aussi relativement concentrés. Sur le reste de la région, l'occupation du territoire est très extensive et la qualité des eaux est bonne.

De leur côté, les agglomérations sont aussi émettrices de polluants. Le taux de dépollution des collectivités locales (pour les agglomérations de plus de 10 000 habitants qui produisent 982 000 équivalents habitants de pollution oxydable) est de 50 %, ce qui place la région légèrement au-dessus de la moyenne nationale.

■ *Qualité bactériologique de l'eau : 10 % non conformes*

Dans la région, 90 % de la population consomment une eau de qualité bactériologique satisfaisante ou acceptable. La répartition géographique de la population alimentée par une eau de mauvaise qualité est très inégale. Si elle n'est que de 3 % dans l'Allier et 9 % dans le Puy-de-Dôme, elle est, en revanche, de 16 % dans la Haute-Loire et de 30 % dans le Cantal.

Cette répartition géographique, assez stable au cours des trois dernières années, semble être directement liée au nombre de captages et de réseaux ainsi qu'à l'absence des périmètres de protection réglementaires et de structures techniques suffisantes pour assurer l'exploitation et l'entretien des installations. Dans le bilan réalisé pour la période 1989-1991 sur le bassin Loire-

LES SOURCES FRAGILES DE LA CHAÎNE DES PUYS

La chaîne des Puys constitue la plus septentrionale et la plus récente des grandes unités volcaniques du Massif central. La plupart des volcans de type stromboliens, c'est-à-dire formés de cônes de scories, atteignent en général entre 100 et 200 mètres de hauteur. Ils forment un énorme réservoir poreux qui stocke l'eau et régularise la circulation aquifère. Le débit est estimé à 3 300 litres par seconde d'une eau de très grande pureté en raison de la lenteur des écoulements au sein des scories et des cendres qui jouent un rôle de filtre (on a pu mesurer des temps de transit verticaux qui dépassent l'année pour 100 mètres de scories et de cendres). Ce rôle régulateur des volcans entraîne un décalage important par rapport à l'étiage estival. En conséquence, l'été, les pompages dans les eaux souterraines viennent compléter les prélèvements effectués en rivière (ressources les plus sensibles aux effets de la sécheresse).

DES PRÉLÈVEMENTS EN DÉVELOPPEMENT CONSTANT

En raison de la proximité des centres urbains et des activités du Val d'Allier, ces ressources régulières et de qualité sont déjà largement exploitées. 25 millions de mètres cubes par an sont prélevés pour l'alimentation en eau potable de 65 000 habitants. La Société des Eaux de Volvic utilise 1 à 1,2 million de mètres cubes pour l'embouteillage. De plus, des besoins nouveaux se manifestent : la consommation en eau potable des collectivités continue d'augmenter et d'autres sociétés d'embouteillage envisagent de s'installer dans cette zone. Il faudra donc définir des priorités car les ressources encore disponibles ne pourront pas être mobilisées en totalité. En effet, les aquifères souterrains alimentent les ruisseaux issus de la chaîne volcanique. Ils jouent donc un rôle important pour les usages locaux (maraîchage) et permettent de maintenir un équilibre biologique dans ces cours d'eau.

UN SYSTÈME VULNÉRABLE

Les sommets des volcans, zones non habitées et aux fortes pentes couvertes de forêts et de prairies où domine l'élevage extensif d'ovins, sont naturellement bien protégés contre les pollutions diffuses. Il convient cependant de les préserver contre l'extension de carrières de scories. Par contre, les coulées issues des volcans constituent des axes d'écoulement souterrain particulièrement vulnérables car très fracturés. Elles se sont épanchées sur le plateau où les constructions, les cultures, les infrastructures routières et les voies ferrées représentent de réelles menaces de pollution.

C'est pour assurer la protection de ces aquifères qu'est envisagée la réalisation d'un SAGE d'un type particulier, puisqu'il concerne exclusivement les eaux souterraines. Il permettrait de contrôler l'occupation de l'espace et s'attacherait à répartir les ressources en eau encore disponibles entre l'adduction d'eau potable et l'embouteillage en tenant compte du nécessaire équilibre des cours d'eau qui en sont issus.

Bretagne, l'Auvergne à elle seule (dont seulement un tiers du Cantal fait partie du bassin) représente 60 % de la population desservie par une eau de mauvaise qualité bactériologique.

■ *Une augmentation des populations touchées par les nitrates*

La qualité de l'eau d'alimentation distribuée en Auvergne reste dans l'ensemble bonne en regard des pollutions en nitrates, puisque près de 95 % de la population sont desservis par une eau dont la teneur moyenne en NO_3 est inférieure à 25 mg/l, le niveau guide de la directive européenne. Cependant, même si elle demeure numériquement peu importante – elle représente 6 400 habitants –, la population qui consomme une eau dont la teneur en nitrates dépasse cette valeur s'est accrue de près de 90 % en trois ans.

Cette évolution, qui n'affecte pratiquement pas les eaux captées en zone de montagne, est en revanche tout à fait notable pour les eaux provenant des nappes de plaines et plus particulièrement pour celles de la Sologne bourbonnaise et du Val d'Allier, autour des villes de Moulins et Vichy.

■ *Des rivières de moins en moins naturelles*

L'Allier et la Loire sont parmi les dernières rivières « sauvages » de France. Avec un débit annuel de quelque onze milliards de mètres cubes pour les cinq principaux fleuves, l'Auvergne est un château d'eau au cœur de la France. Bien que l'eau soit généreuse en Auvergne, elle ne fait que transiter. Les fortes pentes, l'imperméabilité du socle empêchent le stockage effectif de l'eau dans la région et peuvent produire des crues catastrophiques. La plus récente eut lieu le 20 septembre 1980, avec 2 000 m^3/s au niveau du Puy. Par ailleurs, l'absence de fonte des neiges en été peut également être à l'origine d'étiages sévères en cas de sécheresse. Le débit de la Loire au Puy peut atteindre seulement quelques centaines de litres par seconde. Face à cette situation complexe, jusqu'à présent le premier réflexe a été de réguler artificiellement les cours d'eau au moyen de barrages. Mais ces ouvrages ne sont pas sans conséquences sur l'environnement et l'équilibre des milieux naturels. C'est ainsi que, dans le cadre du plan décennal « Loire grandeur nature », une importante opération de protection des populations contre les crues a été retenue, notamment dans la région très exposée de Brives-Charensac dans la Haute-Loire, en remplacement du projet de barrage de Serre de la Farre. 300 millions de francs sont prévus pour déménager des usines, réhabiliter le lit du fleuve et aménager les berges. L'ouvrage écrêteur de crue du Veurdre dans l'Allier est, quant à lui, gelé jusqu'à fin 1998. Afin de rétablir la libre circulation du saumon atlantique, une souche en danger faute de pouvoir remonter la Loire ou l'Allier difficilement franchissables, une passe à poissons vient d'être aménagée au pont-barrage de Vichy et l'effacement du barrage EDF de Saint-Étienne-du-Vigan sur l'Allier est prévu pour 1997. Les quatre départements de la région accueillent cependant trente centrales hydroélectriques conduisant le saumon à fournir des efforts supplémentaires pour atteindre les zones de frayère du haut Allier. Cette difficulté de survie de l'espèce des salmonidés est accentuée par le développement des sports d'eau vive, tels que le rafting et le canoë-kayak.

Fréquentes aux abords des ruisseaux et des rivières, les zones humides disparaissent du fait du drainage, de la rectification des cours d'eau au cours des remembrements, de l'aménagement des rivières (disparition des méandres). Le drainage a pour effet de récupérer de nouvelles terres pour l'agriculture et supprime de vastes espaces où se réfugiaient les animaux sauvages. Il a, en outre, abaissé le niveau des nappes phréatiques dans de nombreux endroits, ce qui oblige les agriculteurs à pomper plus d'eau dans les rivières pour arroser les cultures.

Des déchets assez mal traités

■ *90 % des déchets ménagers encore en décharge*

L'élimination des déchets passe essentiellement par la décharge contrôlée (90,3 %), qui sera dans peu d'années un mode de traitement et d'élimination interdit. Par ailleurs existent de nombreuses décharges sauvages qui constituent une forte menace pour l'environnement. L'Auvergne est une des dernières régions françaises où la plupart des grandes agglomérations n'ont pas d'usine de traitement des ordures ménagères.

■ *Une capacité insuffisante pour le traitement des déchets industriels*

L'inventaire des déchets industriels effectué en Auvergne indique que les industries auvergnates produisent globalement 140 000 tonnes de déchets par an (1989). Sur ces 140 000 tonnes, 116 500 sont des déchets banals et 23 000 sont constituées de déchets spéciaux ou toxiques. La quantité de déchets devant être éliminée en décharge de classe 1 s'élève à environ 10 600 tonnes. Celle des déchets devant être éliminée en centre spécialisé (liquides toxiques) atteint 12 500 tonnes.

L'équipement d'accueil et de traitement de ces déchets est très largement insuffisant en Auvergne, qui ne possède aucun site de classe 1. Une part importante des déchets est actuellement éliminée sur place dans de mauvaises conditions ou à l'extérieur de la région avec des coûts importants. Environ 20 % des déchets de classe 1 sont orientés vers des décharges privées ou internes aux entreprises. Une partie de ces déchets est donc stockée en « arrière-cour » des usines en sites privés. Les contrôles sont donc plus difficiles à mettre en œuvre et peu d'études concernant l'étanchéité de ces sites et leurs caractéristiques hydrogéologiques ont été réalisées.

BASSE-NORMANDIE

Les richesses du bocage et du littoral

Bocages et forêts, vallées et rivières, marais et estuaires, dunes et falaises, autant de milieux dont la juxtaposition forme en Basse-Normandie une mosaïque de paysages. À cela s'ajoutent des entités paysagères particulières telle la baie du Mont-Saint-Michel reconnue comme réserve de la biosphère par la communauté internationale, les havres et les massifs dunaires de la côte ouest, l'estuaire de l'Orne, les marais de l'isthme du Cotentin et du Bessin, les grands massifs forestiers de l'Orne ou certaines vallées (Orne, Touques, Souleuvre, Vire, Rouvre...), la Hague ou encore la pointe et le val de Saire. L'archipel des îles Chausey, « paradis » des oiseaux de mer, le havre de Regnéville où hivernent en provenance du Canada près de trois cents bernaches à ventre pâle, le massif forestier d'Écouves, célèbre pour ses populations de cerfs, chevreuil, sangliers, sont quelques exemples des richesses naturelles normandes.

Près de 500 zones naturelles d'intérêt écologique, faunistique et floristique (les ZNIEFF) étaient identifiées dans la région en 1994.

La Basse-Normandie a un des taux de boisement parmi les plus faibles des régions françaises (8,6 %). Il existe toutefois une importante « forêt linéaire » de près de 90 000 hectares, formée de haies et d'arbres d'alignement, dont les origines et le maintien tiennent à la structure bocagère d'une grande partie du territoire rural. Créé en 1975, le parc naturel régional Normandie-Maine est représentatif d'un milieu naturel à prédominance de bocage et d'espaces boisés (massifs d'Écouves, Andaines, Perseigne, Sillé ...).

Sur 471 kilomètres de rivages maritimes, la variété des formes du littoral est une des caractéristiques de la Basse-Normandie.

Après la vaste étendue de sables et de vases de la baie du Mont-Saint-Michel limitée au nord-est par les falaises de Granville, les plages sableuses se développent sur la façade orientale du département de la Manche, avant de céder la place aux falaises déchiquetées du Nord-Cotentin

Au-delà du cap de Barfleur, le littoral de l'Est-Cotentin avec ses étendues plates et marécageuses aux maigres cordons dunaires borde l'ouest de la baie de Seine. La baie des Veys et l'estuaire de la Seine encadrent, sur les côtes du Calvados, une succession de falaises calcaires, de plages sableuses, d'estuaires dont celui de l'Orne, puis de nouveau des falaises.

Basse-Normandie

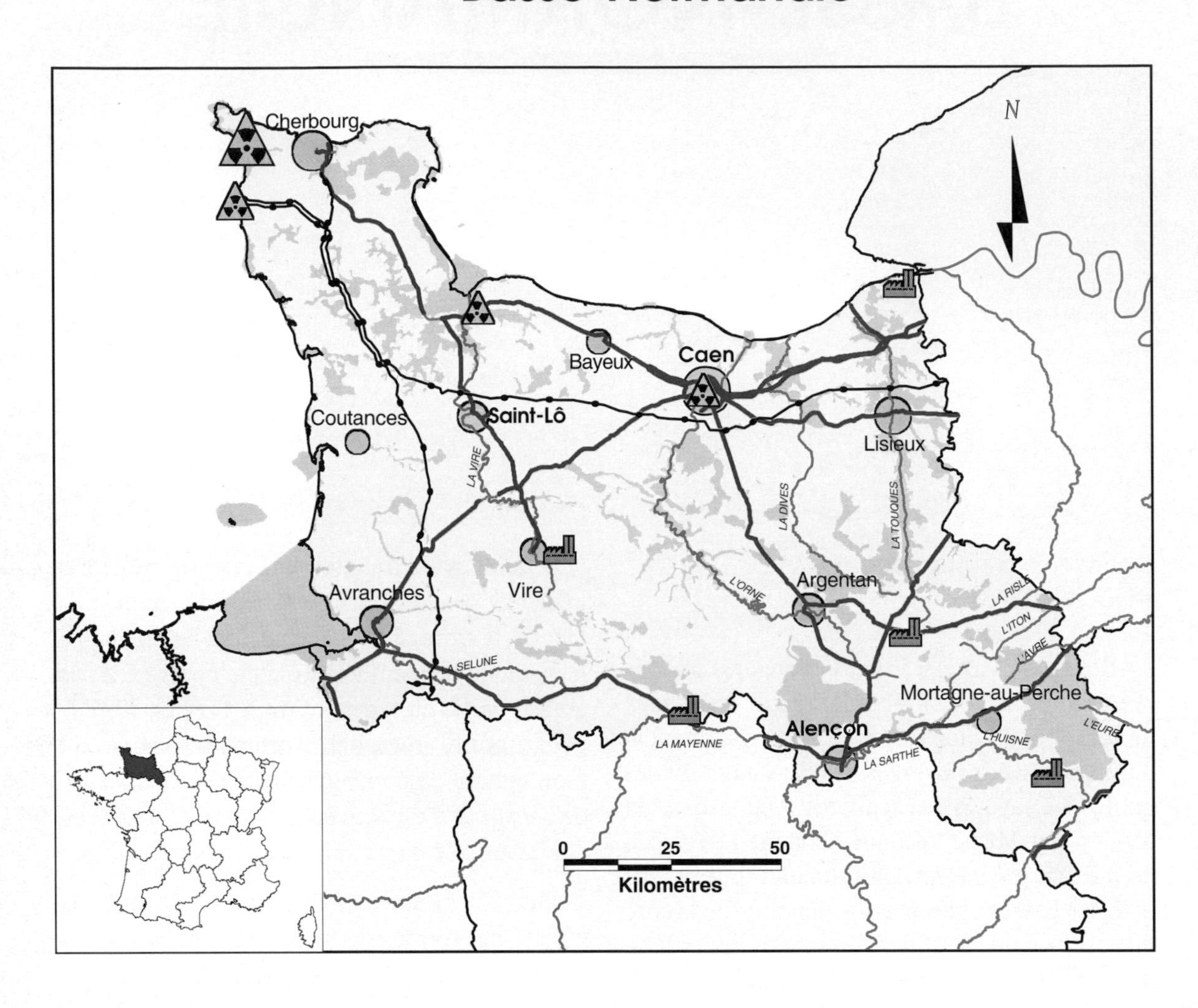

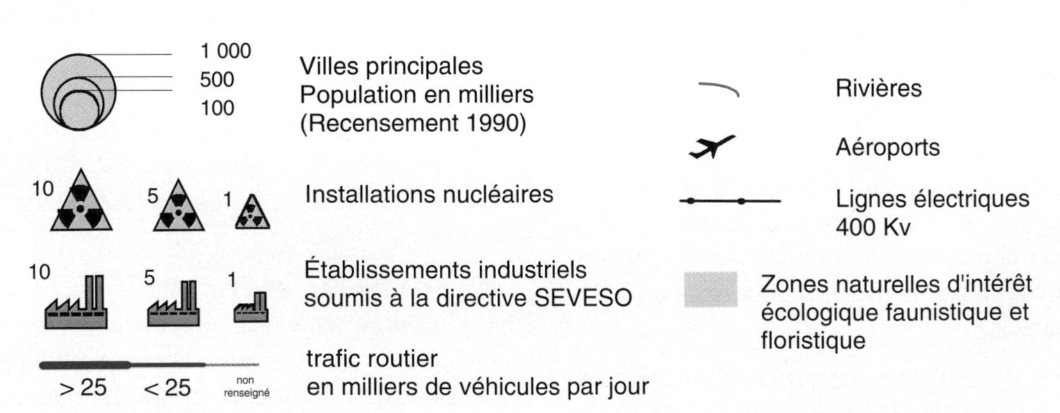

sources : MELTT/SETRA ; EDF Production Transport 1996 ; INSEE ; IFEN ; ministère de l'Environnement ; ministère de l'Industrie ; Muséum national d'histoire naturelle.

LES PRINCIPAUX INDICATEURS ENVIRONNEMENTAUX

INDICATEURS	VALEUR RÉGIONALE	VALEUR NATIONALE	UNITÉ	ANNÉE
TERRITOIRE				
• Types d'occupation des sols :				
- naturelle	10,9	38,2	%	1994
- agricole	81,8	54,4	%	1994
- artificielle	7,3	7,4	%	1994
• Pression urbaine	42	77	hab. urbain/km²	1990
• Taux de boisement	8,6	26,3	%	Dernier inventaire
MILIEUX NATURELS FAUNE FLORE				
• ZNIEFF 1	15,7	8	% sup. régionale	1996
• ZNIEFF 2	20,8	21,1	% sup. régionale	1996
• Réserves naturelles	3 320	132 045	ha	1995
• Zones de protection spéciale (directive Oiseaux)	60 320	707 000	ha	1995
EAU				
• Qualité physico-chimique des eaux superficielles (rivières). Observations classées en catégories très bonne et bonne :				
- matières organiques et oxydables	47	56	%	1993
- phosphore	32	60	%	1993
- nitrates	60	83	%	1993
• Qualité des eaux de baignade en eau douce :				
- points de surveillance conformes aux normes de la directive européenne	60	87,3	%	1993
ATMOSPHÈRE, AIR				
• Part de la région BASSE-NORMANDIE dans la contribution française :				
- à l'accroissement de l'effet de serre	3,1	100	%	1990
- à la formation des pluies acides	3,8	100	%	1990
DÉCHETS MÉNAGERS ET ASSIMILÉS				
• Taux de valorisation énergétique et organique	22,8	29,9	%	1993
• Taux de mise en décharge	67,8	60,9	%	1993
ÉNERGIE				
• Production d'énergie primaire	3 656 dont 99,8 % d'origine nucléaire	99 885	Ktep	1992
• Nombre de réacteurs de production d'électricité	2	59	Nbre	1994
RISQUES TECHNOLOGIQUES				
• Nombre d'installations Seveso	5	346	Nbre	1994
• Autres installations potentiellement dangereuses	24	691	Nbre	1994
TRANSPORTS TERRESTRES				
• Densité des routes nationales (routes et autoroutes)	5,4	6,6	km pour 100 km²	1993
• Parcours journalier moyen sur les routes nationales	8,1	8,1	100 millions de véhicules/km	1992
• Distance moyenne domicile/travail	7,3	8,1	km	1990
• Points noirs dus au bruit :				
- route	29	1 414	Nbre	1991
rail	0	248	Nbre	1991
SOCIÉTÉ				
• Associations agréées de protection de l'environnement	25	1 434	Nbre	1991

Celles très particulières des Vaches-Noires ont un aspect découpé du fait la différence de dureté des roches argileuses et calcaires qui les composent.

Au total, plus de 3 000 hectares ont été acquis par le Conservatoire du littoral et les départements de la Manche et du Calvados afin de protéger ces zones.

Les marais du Cotentin, dans les basses vallées des rivières dont l'embouchure forme la baie des Veys, constituent un haut lieu d'hivernage et de nidification d'oiseaux et détiennent une flore particulièrement riche. Ils sont inscrits comme zone humide d'importance internationale.

Créé en 1991, le parc naturel régional des marais du Cotentin et du Bessin est un représentant important de ces espaces sensibles que sont les zones humides (25 000 hectares) et le bocage (95 000 hectares).

TERRITOIRE	Trois départements :	Calvados, Manche, Orne
	Superficie totale :	17 589,3 km^2 (3,2 % sup. française)
	Superficie communes urbaines :	1 633,8 km^2 (9,3 % sup. régionale)
	Densité 1994 :	80 hab./km^2
POPULATION	Population totale 1990 :	1 391 318 (2,4 % de la pop. française)
		estimation 1994 : 1 410 419
	Population urbaine 1990 :	739 553 (53,1 % pop. régionale)
	Quatre principales agglomérations :	Caen, Cherbourg, Alençon, Lisieux (25,2 % de la pop. régionale)
	Pyramide des âges 1994 :	– 25 ans : 35 %
		+ 60 ans : 20,6 %
COMPTES ÉCONOMIQUES	Produit intérieur brut (PIB) 1992 :	150 110 millions F (2,1 % PIB français)
	PIB/hab. 1992 :	107 086 F
EMPLOI	Emploi total 1992 :	542 541 (2,5 % emploi total français)
	Agriculture :	10,5 % emploi total régional
	Industrie :	21,9 % / /
	Bâtiment, génie civil et agric. :	6,9 % / /
	Commerce, transport et télécom. :	11 % / /
	Autres services :	49,7 % / /
	Taux de chômage 1994 :	11,5 (71 963 chômeurs)
LOGEMENT	Résidences principales 1990 :	518 207
	dont logements collectifs :	25 %
	Résidences secondaires 1990 (1) :	109 446
AGRICULTURE	SAU 1993 :	1 276 milliers d'ha (4,5 % SAU nationale)
	dont terres labourables :	47 %
	Nbre d'exploitations 1993 :	44 669
	Superficie moyenne 1993 :	28,5 ha
INDUSTRIE	Nbre d'établissements 1995 :	6 632, dont – 10 sal. : 5 341, + 500 sal. : 23
	Principaux secteurs industriels (effectifs salariés 1993) :	IAA, équipements ménagers, automobile, travail des métaux

Sources : INSEE, SCEES.

(1) Les résidences secondaires comprennent également les logements occasionnels.
NB : les pourcentages sont calculés par rapport à la France métropolitaine.

Une région assez peu densément peuplée

La Basse-Normandie est assez peu densément peuplée et 47 % de la population vit en milieu rural. Un quart des Bas-Normands résident dans des villes de plus de 30 000 habitants. Avec plus de 100 000 habitants, Caen est la seule grande ville de Basse-Normandie. Son agglomération étend son aire d'influence sur près de 300 000 habitants et n'est « concurrencée » que par l'agglomération cherbourgeoise. Il existe par ailleurs dans la région un réseau de petites villes et de gros bourgs bien répartis sur l'ensemble du territoire régional et très liés au monde rural.

La croissance de ces zones urbaines a cependant des conséquences sur le paysage rural à travers la qualité architecturale des constructions nouvelles. En effet, comme dans nombre d'autres régions françaises, les zones pavillonnaires ont, ces dernières années, fortement grossi autour des bourgs et des villages à la suite du phénomène de rurbanisation. L'abandon de l'architecture et des matériaux traditionnels au profit de constructions de série et de matériaux industriels contribue à une banalisation des paysages de la région.

La réduction du bocage et les pollutions de la grande culture

Région à dominante rurale, la Basse-Normandie a une agriculture orientée essentiellement vers l'élevage bovin-laitier. La tendance à la concentration des exploitations ces vingt-cinq dernières années a conduit à voir disparaître plus d'une exploitation sur trois. L'évolution des cultures et des modes d'élevage a fait décroître rapidement les surfaces en herbe, puisqu'elles sont passées de 79 % à 55 % de la SAU (superficie agricole utilisée) entre 1970 et 1995. Elles représentent 7,5 % de la STH nationale.

■ *Les dégradations des paysages agraires*

L'évolution des pratiques agricoles se traduit en termes d'aménagement de l'espace et de paysages agricoles par trois tendances principales. L'occupation des sols se trouve modifiée par le développement de l'élevage intensif, avec retournement des prairies au profit de cultures fourragères et du maïs, en particulier en Sud-Manche. Les aménagements fonciers se sont accompagnés dans les années 80 de l'abattage des haies et des talus, d'une forte diminution du maillage bocager et d'une rectification exagérée de nombreux petits cours d'eau. Le drainage des fonds de vallée a entraîné la disparition de zones humides qui constituent pourtant des lieux privilégiés de dénitrification naturelle (*voir encadré*). Ces tendances sont en cours d'inversion.

La qualité agronomique des sols présente aussi des signes d'altération. Le taux d'humus évolue à la baisse et s'accompagne de problèmes d'érosion et de battance des sols. L'ensemble de ces modifications altère fortement la qualité paysagère des zones concernées. À l'inverse, depuis une décennie, le phénomène de déprise des terres se développe (pays d'Auge, Val d'Orne, Perche, Bocage).

Enfin, l'aménagement des structures agricoles – champs plus vastes, disparition des haies, sols à nu plus souvent dans l'année...– renforce la pointe de crue.

■ *L'accroissement des pollutions de l'agriculture*

Les pollutions d'origine agricole dans la région sont principalement engendrées par une surfertilisation dans les zones de grande culture (plaine de Caen, pays de Falaise, plaine de Sées-Argentan) et par la non-prise en compte des déjections animales dans les plans de fumure. En effet, la production de lisiers a augmenté de façon très importante avec le développement de l'élevage intensif et la généralisation progressive de la stabulation libre et des aires d'exercice non couvertes. Se pose de manière accrue le problème de la gestion des effluents d'élevage bovin

LE RETOUR DE LA HAIE

Alignement d'arbustes (aubépine, églantier, houx, noisetier...) et de plantes herbacées (ronces...) généralement enrichi d'arbres (chêne, hêtre, érable, orme, saule...), la haie est un milieu créé et entretenu par l'homme. Elle marque souvent une limite, qu'elle soit implantée en bordure de chemin, de ruisseau ou de propriété. Elle constitue un milieu d'une grande richesse botanique et zoologique. C'est un milieu important pour la Basse-Normandie car la région concentre sur 3,2 % du territoire national 4,2 % des surfaces en haies.

Les haies de Basse-Normandie présentent des physionomies extrêmement variées. Elles sont arborées ou buissonnantes, continues ou non. Selon les cas, elles font l'objet de tailles spécifiques, caractérisables sur un plan visuel (telle la taille en têtard, ou les cépées). Cette diversité rend leur observation délicate. Ainsi l'Inventaire forestier national ne note-t-il les haies que si elles présentent une certaine densité d'arbres recensables. La disparition d'une haie à l'Inventaire peut signifier, plutôt que son pur effacement, la marque d'une simple dégradation.

LE RÔLE ET LES USAGES DES HAIES

Dans le paysage de bocage qu'elle façonne, la haie joue un rôle important. Elle régule d'abord le régime des eaux (meilleure infiltration des pluies et meilleure alimentation des nappes). Ce faisant, elle limite l'érosion par ruissellement des sols agricoles et réduit l'impact des crues. Elle atténue la vitesse des vents et par là leur pouvoir desséchant. Elle induit également une augmentation de quelques degrés des températures diurnes et nocturnes.

La haie offre également une ressource non négligeable de bois de feu. Bien que la Basse-Normandie soit l'une des régions les moins boisées de France (taux de boisement de 9 % contre 26 % en moyenne nationale), elle présente un taux d'équipement en chauffage au bois élevé, alimenté pour l'essentiel par les vergers cidricoles ou... les haies ! Au RGP de 1990, 64 000 des 125 000 résidences principales de la région équipées en chauffage autonome utilisent du bois comme combustible (soit 51 % contre 33 % en moyenne nationale). Les données sur la consommation énergétique agricole sont encore plus fortes. Dans l'Orne, 89 % des exploitations agricoles utilisent du bois de feu comme combustible. Celui-ci couvre 67 % de leurs besoins domestiques (enquête énergie SCEES 1994).

Outre le bois-énergie, les haies offrent des ressources en bois d'œuvre. Sur les 41 600 km de haies du département de l'Orne, par exemple, on recense 17 300 km présentant des arbres de haut jet (susceptibles de fournir du bois d'œuvre). Et 17 200 km ont une physionomie déterminée par la récolte de bois de feu (haies avec têtard notamment). La haie donne enfin à la région sa « marque paysagère », qui est assez fortement valorisée sur le plan touristique.

UNE PROFONDE RÉGRESSION

Bien que toujours très présentes dans le paysage rural, les haies ont connu une profonde régression au cours des dernières décennies. Deux phénomènes l'expliquent.

– La restructuration du parcellaire agricole, avec ou sans remembrement, s'est accompagnée de la dégradation ou de la suppression de nombreuses haies. Avec 5 300 km en 1994, les haies dégradées de l'Orne représentent par exemple 14 % du linéaire départemental. Quand elles ont été effectuées sans précaution, ces opérations ont provoqué un appauvrissement du patrimoine naturel et des perturbations des équilibres hydrauliques et microclimatiques.

– La maladie de l'orme, ensuite, est une source également majeure de la dégradation voire de la disparition des haies. Dans les années 1974-1975, l'orme représentait 41 % des feuillus présents dans les haies du Calvados, 57 % des feuillus dans l'Orne et jusqu'à 90 % sur certains secteurs côtiers. Le volume d'orme dans les formations boisées de Basse-Normandie (à l'exception des haies) est passé de 221 737 m^3 en 1974-1975 à 8 078 m^3 en 1987-1988, soit une division par vingt-cinq !

Les deux phénomènes semblent devoir connaître aujourd'hui une inflexion. Les acteurs locaux tentent, davantage que par le passé, de prendre en compte la dimension patrimoniale de la haie. Les opérations foncières sont plus vigilantes sur leur préservation. Par ailleurs, les mesures agri-environnementales permettent d'indemniser les agriculteurs entreprenant des travaux de plantations nouvelles ou de regarni. De son côté, la lutte contre la maladie de l'orme s'est organisée autour de plusieurs axes : travaux de recherche sur la biologie du champignon responsable de la graphiose et sur celle de l'insecte vecteur de la maladie, sélection de souches hybrides résistantes et conservation des ressources génétiques à partir des individus non affectés par l'épidémie.

et à un moindre titre d'élevage porcin et de leurs stockage et épandage.

Ces pratiques contribuent à accroître la pollution des eaux par lessivage des sols, percolation des nitrates et de l'azote en raison du balayage par la pluie des aires non couvertes, mais aussi du fait du débordement ou de la mauvaise étanchéité des fosses de stockage de lisier et de l'épandage inapproprié ou excessif. Ces mêmes causes contribuent pour les eaux de surface à l'apparition de plus en plus fréquente du phénomène d'eutrophisation.

Par ailleurs, l'assèchement des zones humides, toutefois en net ralentissement, participe à ces évolutions négatives. Enfin, l'usage des produits phytosanitaires conduit à une présence croissante de pesticides dans l'eau et à une pollution des ressources pour l'alimentation.

Les multiples problèmes de la ressource en eau

■ *Les nitrates et les pesticides dans l'eau*

Sur l'ensemble de la région, on constate une contamination progressive des ressources en eau souterraine par les nitrates et plus récemment par les pesticides, certains secteurs étant plus sensibles à cause de la nature des terrains aquifères. Les zones les plus touchées sont celles liées à l'agriculture intensive comme les campagnes de Caen, Falaise et Argentan, avec des teneurs en nitrates pour les eaux souterraines brutes dépassant assez souvent 50 mg/l et même parfois 100 mg/l, niveau excluant toute utilisation de l'eau à des fins de potabilisation. La part de la contamination due à l'agriculture est prépondérante (estimée à 80 %).

En 1993, 1,8 % de la population (soit environ 25 000 habitants) reçoit une eau dont la concentration moyenne en nitrates est supérieure à la valeur limite européenne de 50 mg/l. Par ailleurs, 14,6 % de la population reçoit une eau où la concentration se situe entre 40 et 50 mg/l, et 25,2 % entre 25 et 40 mg/l. Au total environ 40 % de la population se voit distribuer une eau avec une teneur en nitrates au-dessus de la valeur guide européenne.

Les pesticides (fongicides, herbicides comme la triazine, insecticides comme le lindane) apparaissent aujourd'hui de façon parfois inquiétante dans les eaux souterraines. Dans le Calvados et l'Orne, plus de 5 % des captages présentent, à certaines périodes de l'année, des concentrations en pesticides supérieures à la norme européenne (taux maximal de 0,1µg/l pour un seul pesticide quel qu'il soit, et de 0,5 µg/l pour la totalité de ceux-ci).

■ *Une qualité assez moyenne des eaux superficielles*

Dans la région, la qualité générale des rivières n'est globalement pas satisfaisante, avec de nombreuses sections de cours d'eau en qualité passable, médiocre, voire « hors classe ». De nouvelles formes de pollution apparaissent : augmentation quasi constante des composés de l'azote et du phosphore sur la Dives et ses affluents de rive gauche, sur la Soulles et l'Orne, dégradation de la qualité des eaux des hauts bassins, en particulier ceux situés à la limite des bassins Seine-Normandie et Loire-Bretagne.

Les résultats sur la période 1989-1993 illustrent cette situation et montrent une dégradation de la qualité des eaux. En 1993, cette qualité est moyenne, mauvaise ou très mauvaise dans 53 % des points de mesure pour les matières organiques et oxydables, 69 % des points de mesure pour le phosphore et 40 % pour les nitrates (catégorie moyenne seulement).

Les concentrations élevées en nutriments (azote, phosphore) dans les eaux et les cours d'eau favorisent en été l'eutrophisation avec la prolifération végétale et algale phytoplanctonique sur la Vire, la vallée de l'Orne et les retenues artificielles.

■ *Un assainissement insuffisant*

Les villes et les principaux bourgs sont équipés de collecteurs et de stations d'épuration, mais beaucoup reste à faire pour assainir hameaux et villages. Le dispositif régional a franchi en 1991 le cap des 360 stations d'épurations dont près de 110 lagunages, équipant de petites communes. L'ensemble dessert plus de 400 communes. Par ailleurs, en 1993, le taux de collecte des eaux usées des agglomérations de plus de 10 000 habitants est, avec 75 %, un des meilleurs des régions françaises. Mais le taux de dépollution, avec 40 %, est inférieur à la moyenne nationale.

De son côté, la pollution industrielle se distingue par le poids très important du secteur agroalimentaire, secteur qui représente par exemple plus de 60 % de la pollution organique industrielle régionale. Si la période de 1981 à 1991 correspond à une forte augmentation des rejets toxiques, on enregistre une réduction globale des rejets de matières oxydables. Depuis 1991, malgré une diminution des rejets organiques et toxiques d'origine industrielle, des problèmes subsistent. Certains établissements sont encore raccordés aux systèmes d'assainissement urbains sans prétraitement suffisamment efficace. La non-conformité des sièges d'exploitation agricole concerne 8 000 à 10 000 exploitations du fait de l'absence ou du sous-dimensionnement des fosses de stockage d'effluents et du rinçage des zones d'exercice. Enfin, les stations d'épuration intègrent difficilement dans leur fonctionnement normal la gestion des eaux de pluie chargées de polluants bactériologiques, d'hydrocarbures, de métaux lourds. Ces pollutions affectent significativement en période estivale la qualité des eaux littorales.

Des eaux marines et littorales sous haute pression

La partie de la Manche bordant les côtes de Basse-Normandie appartient à deux domaines qui présentent des types de problèmes différents.

Dans la partie est de la région, la côte borde la baie de Seine. Celle-ci, relativement fermée, est l'exutoire de nombreuses pollutions industrielles et domestiques, drainées par le fleuve depuis la région parisienne jusqu'aux zones industrielles, situées cependant essentiellement en Haute-Normandie (Rouen-Le Havre). Les apports de l'Orne, en provenance de la zone urbaine et industrialo-portuaire de Caen, ainsi que ceux du littoral très urbanisé du Calvados, notamment dans sa partie orientale, concourent également à la dégradation de la qualité du milieu.

Avec le développement des zones industrielles gagnées sur la mer à l'embouchure de la Seine, le milieu estuarien a été considérablement modifié et appauvri sur le plan biologique ; son pouvoir auto-épurateur s'est amoindri, alors que le fleuve draine un des bassins versants les plus peuplés et les plus industrialisés d'Europe. La forte pollution de l'estuaire a suscité de vives inquiétudes, tant de la part des riverains et des pêcheurs professionnels que de la part de la communauté scientifique et des pouvoirs publics.

Dans la partie ouest de la région, la Manche occidentale au nord et à l'ouest du Cotentin est une mer plus ouverte, mieux brassée : les rejets industriels et urbains, par ailleurs beaucoup moins importants, y ont un impact moindre. Les grands havres, caractéristiques de la morphologie littorale des côtes sableuses de l'Ouest-Cotentin, sont le réceptacle privilégié des pollutions des bassins côtiers, ce qui impose une surveillance sanitaire également attentive des eaux littorales à proximité de leur débouché.

■ *La qualité contrastée des eaux conchylicoles*

La production conchylicole de la Basse-Normandie représente un quart de la production nationale. La région de Saint-Vaast et la baie des Veys, la façade ouest du département de la Manche sont des bassins très importants : la production ostréicole était en 1994 de

35 000 tonnes d'huîtres sur 900 hectares, la production mytilicole de 14 000 tonnes de moules sur 300 kilomètres de bouchots ; les coques sont exploitées dans les baies des Veys, de l'Orne et du Mont-Saint-Michel. La protection et l'amélioration de la qualité des eaux sont donc d'une grande importance, tant sur le plan sanitaire qu'économique.

Cette activité est exposée dans certains secteurs à la mauvaise qualité des eaux littorales, voire temporairement à la présence d'algues toxiques (*Dynophysis*) dont les causes de développement encore hypothétiques associent divers facteurs (température de l'eau, éléments nutritifs, etc.). Le secteur le plus sensible à la prolifération du phytoplancton se situe sur la côte du Calvados entre Courseulles et Honfleur. De nombreux gisements naturels de coquillages peuvent être affectés, entraînant des interdictions temporaires de la pêche, alors que les secteurs d'élevage conchylicole sont épargnés. Les côtes du département de la Manche ne sont pas touchées.

Les localisations favorables des bassins conchylicoles, et les efforts menés en matière d'amélioration du traitement des effluents urbains rejetés déterminent une qualité plutôt bonne des eaux pour l'élevage conchylicole.

■ *L'évolution de la qualité des eaux de baignade*

La Basse-Normandie souffre d'une mauvaise réputation en matière de qualité des eaux de baignade. Jusque récemment nombre de plages avaient des eaux de qualité bactériologique non conforme à la directive UE (45,2 % en 1994). Les difficultés sont nettement plus marquées sur les côtes du Calvados que sur celles du Cotentin, généralement de bonne qualité. Cette situation défavorable s'explique en particulier par une urbanisation littorale relativement dense, un assainissement par trop hétérogène et parfois insuffisant eu égard aux paramètres microbiologiques pris comme critères de classement des eaux de baignade, ainsi que par une morphologie côtière peu favorable à la dispersion des rejets.

Cependant les efforts entrepris par les collectivités ces dernières années, tels que la mise en place d'un assainissement global par zone géographique homogène et le déplacement ou la suppression des rejets, commencent à porter leurs fruits.

Les résultats, qu'il faut examiner sur plusieurs saisons, montrent une tendance à l'amélioration. Ceux de 1995, sans doute favorisés par le déroulement d'une saison estivale sèche, expriment une de bonne qualité (91,2 % de conformité).

Une région aux multiples déchets, avec en particulier des déchets radioactifs

La Basse-Normandie présente une situation assez particulière en France en ce qui concerne les déchets. D'une part, elle est une région très agricole avec d'importants déchets organiques et elle maîtrise assez bien une production limitée de déchets industriels. D'autre part, elle abrite le principal centre mondial de traitement de déchets radioactifs, avec le complexe de La Hague.

La forte production de déchets organiques d'origine agricole est due essentiellement à l'activité d'élevage bovin. Une partie est immédiatement régénérée au champ et participe à la reconstitution de l'humus. Le problème le plus aigu vient des lisiers, dont le tonnage est estimé à 750 000 tonnes par an, et qui engendrent une pollution azotée des nappes. Le traitement ou le stockage actuel de ces déchets organiques provoque de plus en plus gravement des problèmes de qualité des eaux et des sols : accumulation de nitrates dans les eaux souterraines et superficielles, eutrophisation des cours d'eau et des retenues en cas d'épandages excessifs ou mal contrôlés, présence de métaux lourds ou de problèmes bactériologiques pour les boues de certaines stations d'épuration, problèmes bactériologiques, de graisses non nobles ou de cidrasses pour certaines industries agroalimentaires.

La Basse-Normandie a comparativement une faible production de déchets industriels spéciaux (45 000 tonnes selon les donnés les plus récentes) liée à une industrialisation modeste et surtout à l'absence de grandes industries chimiques. Cependant, elle possède un des douze centres français d'enfouissement technique de classe 1 pour traiter les déchets spéciaux de l'industrie.

■ *La principale région française pour les déchets radioactifs*

La Basse-Normandie est la principale région française dans le domaine des déchets radioactifs avec l'établissement de la COGÉMA à La Hague (plus importante unité mondiale de retraitement des combustibles usés en provenance de réacteurs), la centrale électronucléaire de Flamanville, des pôles de construction de sous-marins nucléaires, mais aussi divers laboratoires à production plus faible (GANIL, CHU,...).

De plus, avec le centre ANDRA de la Manche, la région possède un des deux sites français de stockage en surface de déchets radioactifs « à vie courte » de faible et moyenne activité. Après une période d'exploitation de vingt-cinq années, qui s'est achevée en 1994, ce site, d'une capacité de 530 000 m^3, entre dans une nouvelle phase de surveillance, prévue pour une durée de trois cents ans, temps nécessaire pour que le niveau de radioactivité des déchets soit devenu proche de la radioactivité naturelle. Il fait actuellement l'objet de travaux de mise en place d'une couverture complexe constituée de différents matériaux, destinée à protéger les déchets contre les intempéries et les agressions externes. Cependant, selon un rapport très récent établi par une commission scientifique indépendante, cette couverture ne serait pas suffisante et un nouveau dispositif, intrinsèquement stable et étanche, devrait être étudié et mis en place à court terme.

Pour les déchets « à vie longue » et les déchets de haute activité, il n'existe pas, à ce jour en France, d'installation spécifique de stockage. Après conditionnement, notamment par incorporation dans des matrices de verre pour les plus radioactifs, ils sont entreposés temporairement sur leurs lieux de production dans des puits ventilés à l'intérieur de bâtiments spécialement aménagés à l'usine de La Hague et à Marcoule (Languedoc-Roussillon). Ces deux sites concentrent plus de 90 % de la radioactivité nationale contenue dans les déchets répertoriés par l'ANDRA.

La teneur en radioéléments à très haute activité pose le problème de leur stockage à long terme. Leur période radioactive (temps mis par un élément pour perdre la moitié de son activité) variant considérablement d'un élément à l'autre (90 ans pour le samarium 151, 24 400 ans pour le plutonium 239 et même 2 140 000 ans pour le neptunium 237) impose de concevoir les solutions de stockage fiables et durables et d'assurer, par ailleurs, la transmission aux générations futures des archives concernant les sites retenus. Les déchets à vie longue représentent chaque année un volume de 4 000 m^3, dont 200 m^3 de déchets hautement radioactifs.

L'établissement COGÉMA de La Hague, d'une capacité de retraitement du combustible usé de 1 600 tonnes par an, est implanté à l'extrême pointe du Cotentin. Il s'étend sur une superficie de trois cents hectares. Entré en service en 1969, il ne retraite plus, depuis 1987, que les combustibles de réacteurs à eau légère français (environ 1 100 tonnes de combustibles irradiés par an) et étrangers (allemand, japonais, suédois...). Le retraitement consiste à séparer puis à conditionner les différents constituants du combustible usé, soit en vue de leur recyclage pour l'uranium et le plutonium (plus de 230 tonnes de plutonium détenues en France au 31 décembre 1995), soit en vue de leur stockage définitif pour les matériaux sans emploi. Au cours de la décennie 80, plus de 80 % des combustibles retraités dans le monde (soit près de 3 000 tonnes) l'ont été dans cette usine.

Cette usine, comme toutes les grandes installations nucléaires, est à l'origine de rejets radioactifs chroniques dans le milieu naturel. Pour les rejets radioactifs liquides, elle représente d'ailleurs le plus important flux français. Ainsi, l'activité annuelle rejetée en 1995 dans la Manche en tritium est quinze fois supérieure à celle rejetée par les cinquante-quatre réacteurs EDF en exploitation. Pour les rejets gazeux en halogènes et aérosols, ce rapport est d'environ 3 et pour les rejets en gaz rares (essentiellement le krypton 85), le seul rejet de La Hague, également le plus important sur le plan national, est équivalent à plus de cinq cents fois le rejet global des cinquante-quatre réacteurs.

Le mouvement des déchets et des matières radioactives provenant ou partant à destination de l'étranger et à l'intérieur du territoire, soumis à une réglementation stricte, demeure enfin un sujet de préoccupation concernant la sûreté et la sécurité du transport.

BOURGOGNE

Un patrimoine naturel riche, mais en régression

Région carrefour, la Bourgogne se distingue par l'originalité et la richesse de ses milieux naturels, de sa faune et de sa flore qui traduisent les influences climatiques spécifiques, atlantique, méridionale et montagnarde. Elle compte 671 zones naturelles d'intérêt écologique faunistique et floristique, parmi lesquelles les grands ensembles naturels, riches et peu modifiés (les ZNIEFF 2), couvrent plus d'un tiers du territoire régional (34,6 %).

Une demi-douzaine de milieux naturels caractérisent la région : les massifs forestiers, le bocage présent sur la majeure partie de l'espace rural, les plaines alluviales soumises à la dynamique des grands cours d'eau, les étangs dans la Bresse, en Puisaye, dans l'Autunois ou le Bazois, les petites rivières du Morvan, les tourbières et les marais remarquables par leur richesse botanique, les chaumes et les falaises des côtes calcaires. La Bourgogne compte plus de 1 500 plantes différentes, 155 espèces d'oiseaux nicheurs et 135 espèces migratrices, ainsi que 50 espèces de mammifères. En 1971, le parc naturel régional du Morvan a été créé. Il couvre 196 100 hectares sur les quatre départements, 73 communes, et abrite 30 400 habitants.

À l'image d'un gigantesque château d'eau, la Bourgogne se situe au point de partage de trois grands bassins hydrographiques. Ses rivières aboutissent aussi bien à la Manche qu'à l'Atlantique ou à la Méditerranée. L'Arroux et l'Aron appartiennent au bassin de la Loire, l'Yonne va rejoindre la Seine et la Saône est le principal affluent du Rhône.

De manière générale la qualité et la diversité des milieux naturels et des paysages régressent avec une banalisation de la flore et de la faune des vallées, des cours d'eau et des zones humides. Cela est directement lié à l'intensification agricole et à l'accroissement des pressions exercées par l'urbanisation, les grandes infrastructures et les extractions de matériaux.

■ *Les plaines alluviales, les tourbières et les marais menacés par l'intensification des activités*

La Loire, dernier fleuve sauvage d'Europe, la Saône aux prairies inondables alimentées par le Doubs sont parmi les milieux les plus menacés à l'échelle européenne. Si la Saône et l'Yonne sont désormais canalisées, la Loire, l'Allier et le Doubs continuent de jouir de leur dynamique fluviale propre qui modèle les plaines alluviales qu'ils traversent, diversifie les paysages, crée des biotopes remarquables.

Bourgogne

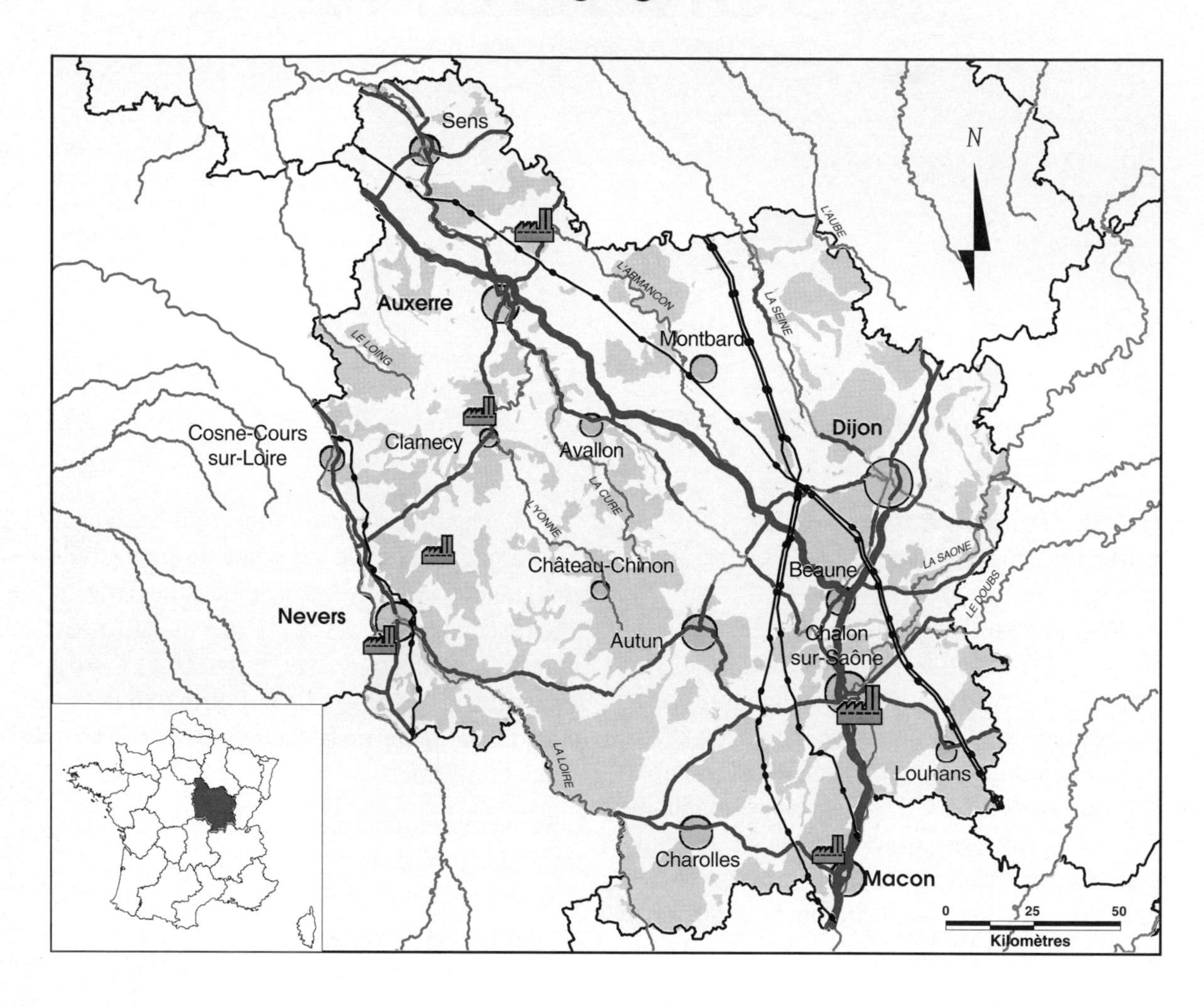

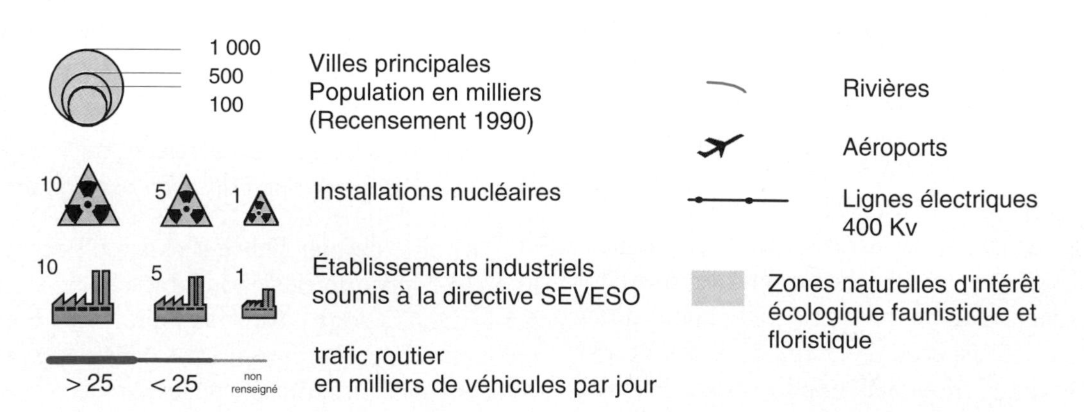

sources : MELTT/SETRA ; EDF Production Transport 1996 ; INSEE ; IFEN ; ministère de l'Environnement ; ministère de l'Industrie ; Muséum national d'histoire naturelle.

LES PRINCIPAUX INDICATEURS ENVIRONNEMENTAUX

INDICATEURS	VALEUR RÉGIONALE	VALEUR NATIONALE	UNITÉ	ANNÉE
TERRITOIRE				
• Types d'occupation des sols :				
- naturelle	33,8	38,2	%	1994
- agricole	61	54,4	%	1994
- artificielle	5,2	7,4	%	1994
• Pression urbaine	29,3	77	hab. urbain/km^2	1990
• Taux de boisement	30,7	26,3	%	Dernier inventaire
MILIEUX NATURELS FAUNE FLORE				
• ZNIEFF 1	4,8	8	% sup. régionale	1996
• ZNIEFF 2	34,6	21,1	% sup. régionale	1996
• Réserves naturelles	140*	132 045	ha	1995
• Zones de protection spéciale (directive Oiseaux)	1 430	707 000	ha	1995
EAU				
• Qualité physico-chimique des eaux superficielles (rivières). Observations classées en catégories très bonne et bonne :				
- matières organiques et oxydables	68	56	%	1993
- phosphore	86	60	%	1993
- nitrates	84	83	%	1993
• Qualité des eaux de baignade en eau douce :				
- points de surveillance conformes aux normes de la directive européenne	84,1	87,3	%	1993
ATMOSPHÈRE, AIR				
• Part de la région BOURGOGNE dans la contribution française :				
- à l'accroissement de l'effet de serre	3,4	100	%	1990
- à la formation des pluies acides	3,1	100	%	1990
DÉCHETS MÉNAGERS ET ASSIMILÉS				
• Taux de valorisation énergétique et organique	46,3	29,9	%	1993
• Taux de mise en décharge	48,6	60,9	%	1993
ÉNERGIE				
• Production d'énergie primaire	229	99 885	Ktep	1992
• Nombre de réacteurs de production d'électricité	/	59	Nbre	1994
RISQUES TECHNOLOGIQUES				
• Nombre d'installations Seveso	9	346	Nbre	1994
• Autres installations potentiellement dangereuses	20	691	Nbre	1994
TRANSPORTS TERRESTRES				
• Densité des routes nationales (routes et autoroutes)	5,8	6,6	km pour 100 km^2	1993
• Parcours journalicr moyen sur les routes nationales	8,3	8,1	100 millions de véhicules/km	1992
• Distance moyenne domicile/travail	7,9	8,1	km	1990
• Points noirs dus au bruit :				
- route	55	1 414	Nbre	1991
- rail	25	248	Nbre	1991
SOCIÉTÉ				
• Associations agréées de protection de l'environnement	56	1 434	Nbre	1991

* La réserve répartie sur la Bourgogne et le Centre (1 900 hectares) n'est pas comprise.

Ces plaines alluviales sont des étapes importantes sur les grandes voies de migration des oiseaux entre l'Europe du Nord et l'Afrique. La Loire et l'Allier constituent, en outre, des axes de migration primordiaux pour les poissons « grands voyageurs » (alose, saumon, anguille). Mais ces plaines sont menacées par l'extraction de granulats, les pollutions dues aux effluents urbains et industriels, les modifications des cours d'eau visant à corriger leur profil et leur tracé, les changements de pratiques agricoles et notamment la mise en culture de l'interdigue, l'arasement des saulaies et le remplacement par les peupleraies, ainsi que le projet du canal à grand gabarit Rhin-Rhône.

Sur les 900 tourbières et marais recensés en France, 75 sont localisés dans le Morvan et le Châtillonnais. Riches d'une flore diverse et rare,

TERRITOIRE	Quatre départements : Superficie totale : Superficie communes urbaines : Densité 1994 :	Côte-d'Or, Nièvre, Saône-et-Loire, Yonne 31 581,9 km^2 (5,8 % sup. française) 2 752,6 km^2 (8,7 % sup. régionale) 51 hab./km^2
POPULATION	Population totale 1990 : Population urbaine 1990 : Quatre principales agglomérations : Pyramide des âges 1994 :	1 609 653 (2,8 % de la pop. française), estimation 1994 : 1 618 641 923 803 (57,4 % pop. régionale) Dijon, Chalon-sur-Saône, Nevers, Montceau-les-Mines (25,7 % pop. régionale) – 25 ans : 32,5 % + 60 ans : 23 %
COMPTES ÉCONOMIQUES	Produit intérieur brut (PIB) 1992 : PIB/hab. 1992 :	170 158 millions F (2,4 % PIB français) 105 438 F
EMPLOI	Emploi total 1992 : Agriculture : Industrie : Bâtiment, génie civil et agric. : Commerce, transport et télécom. : Autres services : Taux de chômage 1994 :	602 717 (2,8 % emploi total français) 7,6 % emploi total régional 23,5 % / / 6,9 % / / 11,6 % / / 50,4 % / / 11,9 % (82 560 chômeurs)
LOGEMENT	Résidences principales 1990 : dont logements collectifs : Résidences secondaires 1990 (1) :	625 042 31 % 93 199
AGRICULTURE	SAU 1993 : dont terres labourables : Nbre d'exploitations 1993 : Superficie moyenne 1993 :	1 762 milliers d'ha (6,2 % SAU nationale) 57 % 29 844 59 ha
INDUSTRIE	Nbre d'établissements 1995 : Principaux secteurs industriels (effectifs salariés 1993) :	8 251, dont – 10 sal. : 6 569, + 500 sal. : 28 travail des métaux, IAA, chimie-caoutchouc-plastiques, équipements mécaniques

Sources : INSEE, SCEES.

(1) Les résidences secondaires comprennent également les logements occasionnels.
NB : les pourcentages sont calculés par rapport à la France métropolitaine.

ces zones humides sont en forte régression par assèchement et enrésinement. Ce sont pourtant de précieux régulateurs des eaux en haut des bassins versants, par le stockage des pluies qui sont redéversées à la saison sèche.

■ *Les bocages et les pelouses calcaires menacés par la déprise rurale*

Les bocages, au même titre que les coteaux viticoles, sont caractéristiques de certains des paysages ruraux bourguignons. Les haies représentent 2,1 % du territoire. Elles ont connu une régression forte, suite aux remembrements, de près de 8 % entre 1982 et 1990. Toutefois, en dehors des grandes cultures près de Dijon, dans le Châtillonnais ou le nord de l'Yonne, les paysages bocagers occupent encore une partie non négligeable de l'espace rural bourguignon. Sur les deux départements les plus bocagers (Nièvre et Saône-et-Loire), 20 000 agriculteurs entretiennent 25 000 kilomètres de haies, soit un peu plus d'un kilomètre par exploitant. D'eux, dépend l'avenir de la qualité de ce type de paysage et des espèces qu'il abrite : grives, chouettes chevêches, rossignols, pies…

Avec la déprise humaine et la disparition des troupeaux, les pelouses sèches des côtes calcaires, anciennes pâtures à chèvres ou à moutons, sont menacées à terme de disparition par un processus naturel d'enfrichement. Les orchidées et les plantes à fleur spécifiques, les insectes et les reptiles qui leur sont inféodés sont progressivement éliminés par le couvert des arbres. Les tentatives de valorisation économique par la plantation de résineux conduisent aussi à la disparition de ces biotopes.

■ *Une grande région forestière qui tend à s'uniformiser*

Au septième rang des régions forestières du pays, la Bourgogne détient 7 % des forêts françaises. Malgré les déboisements depuis le Moyen Âge, la forêt couvre 28 % du territoire régional. Elle abrite des espèces de faune et de flore exceptionnelles dans nos régions, comme l'orchidée sabot-de-Vénus. Les forêts alluviales sont en régression, en particulier dans le Val de Saône et le Val de Loire. 84 % des forêts sont constitués de feuillus, en majorité en taillis sous futaies. Mais, progressivement, ces forêts sont converties en futaies pour la production. En fournissant 12 % de la récolte nationale de chêne, la Bourgogne est la première région productrice de France pour cette essence.

Couvrant 16 % de la surface boisée, les résineux sont d'implantation récente : moins de trente ans pour la plupart. L'enrésinement des forêts est sensible dans les forêt d'Othe et du Morvan. Du fait des modes de gestion qui concourent à uniformiser les peuplements, la tendance est à la banalisation de la flore dans certains secteurs (*voir encadré*).

Une occupation du territoire très contrastée

■ *Une région rurale en voie de « désertification »*

Région très vaste, plus étendue que la Belgique, avec une densité de population moyenne de 51 habitants au kilomètre carré, qui chute à 10 habitants au kilomètre carré sur un tiers de son territoire, la Bourgogne est située à la fois au carrefour des grands courants de circulation européens et sur une des parties les moins peuplées du territoire français.

Avec 42,6 % de la population dans des communes rurales en 1990, la Bourgogne est beaucoup plus rurale que la moyenne française (26 %). Anciennement assez humanisées, les campagnes bourguignonnes sont de plus en plus désertées, par suite d'un long exode rural, notamment en Bourgogne centrale (Morvan, Nivernais central et Avallonais).

■ *Le Val de Saône concentre 40 % de la population*

La proportion de population urbaine est inférieure à la moyenne nationale (57 % contre 74 %). Dijon, capitale régionale de 230 000 habitants,

LE SAPIN CHANGE LE PAYSAGE DU MORVAN

Le paysage du Morvan n'arrête pas de se transformer. Et ses mutations sont parfois porteuses de véritables traumatismes. La forêt s'étend au détriment des champs et prés, les résineux supplantent petit à petit les feuillus et l'exploitation forestière intensive contraint à l'ouverture de chemins forestiers qui balafrent les collines. Le Morvan subit les lois économiques : l'agriculture traditionnelle n'est plus rentable et les résineux produisent plus que les feuillus. Pour limiter les impacts, les pouvoirs publics mettent sur pied des études paysagères et établissent des cahiers de recommandations à l'usage des sylviculteurs.

DÉSAFFECTION POUR LES FEUILLUS

En Morvan, la forêt couvre 124 000 hectares sur une surface totale de 257 500 hectares, soit 48 % du territoire. En dix ans, les arbres ont gagné 2 % sur les prés et champs, soit environ 5 000 hectares. Ce sont principalement les résineux qui ont occupé l'espace. La proportion actuelle est de 60 % pour les feuillus et 40 % pour les résineux alors qu'au début des années 80 les résineux ne représentaient que 28 % des boisements.

Ces plantations de pins Douglas, d'épicéas, de sapins de Vancouver, de mélèzes et de pins sylvestres sont donc jeunes. Les plus anciennes remontent aux années 50. Cette vive affection pour les résineux est purement économique. Les feuillus sont estimés de qualité moyenne dans le Morvan en raison de leur faible taille. Les résineux en revanche s'adaptent mieux au climat local. Leur rendement en bois est de 14,7 m^3 à l'hectare par an contre 4,7 m^3 pour les feuillus.

Le bois du Morvan était traditionnellement exploité pour le chauffage de la région parisienne et l'industrie métallurgique. Cette activité a décru tout le long du XIXe siècle pour s'arrêter totalement au début du XXe. Aujourd'hui, les feuillus servent toujours de bois de chauffage mais seulement pour la clientèle régionale. Les résineux sont, eux, destinés au bois de sciage ou à la pâte à papier, transformations à plus haute valeur ajoutée. On estime le prix du m^3 à 50 francs pour les feuillus, contre près de 300 francs pour les résineux. Voilà pourquoi on produit annuellement 300 000 m^3 de résineux de la forêt morvandelle. Et on prévoit d'en produire 600 000 m^3 par an dans quinze ans, à l'arrivée à maturité des plantations des années 50.

MON BEAU SAPIN ?

Cette exploitation forestière transforme durablement le paysage. Les conversions de taillis de feuillus en futaies de résineux passent par des coupes rases. Les « vides » ainsi créés durent tout au long de la croissance des arbres. Pour rationaliser l'exploitation, les reboisements sont réalisés en peuplement d'arbres du même âge et de la même espèce alignés au cordeau. Le vert profond des résineux tranche avec les couleurs traditionnelles beaucoup plus douces du massif du Morvan. Il est nécessaire de tracer des chemins forestiers pour faire passer les engins de débardage. Ces petites routes ajoutent au désordre esthétique.

Pour atténuer l'impact visuel des reboisements sur le paysage, le contrat plan État-région prend en charge à hauteur de 80 % le coût d'études paysagères. Le cahier de recommandations à l'usage des sylviculteurs met par ailleurs en évidence les grandes unités paysagères du Morvan, les micro-régions remarquables particulièrement sensibles, et propose des méthodes de sylviculture qui ne défigurent pas l'esthétique des sites. Ce cahier porte sur le choix des essences et sur les règles d'exploitation forestière les mieux adaptées à la région. Pour les zones sensibles du Morvan, les projets d'investissement qui ne tiennent pas compte des recommandations paysagères ne bénéficient plus d'aides publiques. L'agriculture morvandelle est par ailleurs soutenue et son action d'entretien du paysage reconnue. Un recul général des champs face à la forêt aurait en effet des conséquences néfastes sur l'équilibre écologique et la spécificité du paysage du Morvan.

Ces actions ont du mal à s'imposer. Les contraintes économiques sont lourdes. Surtout, le message est difficile à faire passer. 85 % de la forêt appartient à des investisseurs privés. Moins de 2 % des propriétaires possèdent la moitié de la surface totale de la forêt. À côté de ces grandes exploitations, bon nombre de lopins forestiers font moins de quatre hectares. Il est difficile dans ces conditions d'imposer une politique paysagère efficace.

est la seule unité urbaine bourguignonne à dépasser le seuil des 100 000 habitants. L'axe de peuplement essentiel court du nord de Dijon au sud de Mâcon, le long de la Saône et de ses affluents, vers 200 mètres d'altitude. C'est le Val de Saône qui, sur une bande d'environ 150 kilomètres de long et 40 kilomètres de large, accueille 600 000 habitants, soit près de 40 % de la population régionale.

Le reste du réseau urbain est constitué de villes petites et moyennes, situées essentiellement à la périphérie du pôle central et en lien avec les fortes attirances exercées par Paris et Lyon. L'Yonne et le nord de la Côte-d'Or subissent ainsi l'attraction de la région Île-de-France.

■ *Une région de passage marquée par un réseau très dense d'infrastructures de transport*

La Bourgogne, dotée d'un réseau conséquent d'infrastructures notamment routières, est un lieu de passage obligé entre la Région parisienne, le nord et l'est de la France, d'une part, et la vallée du Rhône et la Méditerranée, d'autre part ; mais aussi, plus généralement, entre les pays du nord et du sud de l'Europe. La Bourgogne est ainsi au quatrième rang en France pour les superficies touchées par les remembrements au titre des grands ouvrages publics .

La région a un réseau autoroutier très dense, le quatrième de France par sa longueur. L'axe majeur Paris-Beaune-Marseille est l'un des plus fréquentés de France. Lors des grandes migrations estivales, plus de 100 000 véhicules transitent en une seule journée sur l'autoroute entre Beaune et Chalon-sur-Saône et, au total, ce sont 20 millions de véhicules qui empruntent chaque année ce tronçon. Les nuisances sont nombreuses et 55 points noirs pour le bruit routier ont été recensés au début des années 90.

La région dispose du troisième réseau ferré français. Elle a reçu entre 1981 et 1983 la première ligne de TGV, avec deux gares nouvelles, qui met les villes bourguignonnes à 1 h 40 de Paris. Le trafic de marchandises est un des plus denses de France, avec notamment le complexe de Gevrey-Chambertin (deuxième rang national), ce qui concourt à l'existence de 25 points noirs de bruit ferroviaire.

Enfin, le réseau fluvial navigable est l'un des plus longs de France (1 050 kilomètres). Le trafic commercial se concentre sur l'Yonne en aval d'Auxerre et surtout sur la Saône, accessible aux bateaux à moyen et grand gabarit. Le potentiel touristique est quant à lui important par la variété des paysages traversés, le patrimoine bâti et les possibilités de circuit. Le projet de canal à grand gabarit sur 229 kilomètres pour relier la Saône aux réseaux du Rhin et du Danube est toujours à l'ordre du jour, alors que ses impacts écologiques irréversibles et son coût financier très élevé ont été reconnus.

■ *Les nombreux sites d'extraction de matériaux : une pression croissante*

Les carrières occupent un territoire important dans certaines parties des vallées de l'Yonne et de la Tille. La concurrence y est très forte entre les terrains exploités pour les granulats et ceux qui permettent de préserver l'alimentation en eau potable. La dégradation du paysage s'opère notamment dans les carrières au nord de l'Yonne (ce département est le premier fournisseur de la région parisienne) et sur la côte viticole chalonnaise. En revanche, les prélèvements sont interdits dans le lit mineur de la Loire, de la Saône et du Doubs.

Une agriculture de moins en moins diversifiée

La Bourgogne reste fortement marquée par son caractère agricole : cultures céréalières, élevage de bovins pour la viande et vignobles. L'agriculture occupe 60 % du territoire bourguignon (pour 52 % en moyenne nationale). La population agricole a diminué de 28 % entre

1982 et 1990, mais reste mieux représentée en Bourgogne (avec 8 % de la population active) que dans l'ensemble de la France (5 %). La taille des exploitations ne cesse de s'accroître, de 39 hectares en moyenne en 1979 à plus de 50 hectares en 1990, comme en Île-de-France, en région Centre et en Picardie. Elle atteint 100 hectares dans le système céréalier.

Cultures mécanisées et élevage sont les deux pôles autour desquels s'organisent une agriculture de moins en moins diversifiée. Les dix dernières années ont été marquées par des ruptures dans l'orientation des productions. En vingt ans, les deux tiers des prairies du Val de Saône ont été retournés pour développer la culture du maïs. En 1990, les prairies occupent 30 % du territoire régional mais elles sont en régression de 8 % par rapport à 1982. Sur la même période les cultures annuelles couvrent 28,4 % et se sont accrues de plus de 9 %.

Le nombre de vaches laitières a diminué de 40 %. Les montagnes consacrées à l'élevage et à la sylviculture sont en difficulté. Les zones laitières périphériques (Puisaye, vallées au nord-ouest, haut Beaujolais, Bresse) ont subi de fortes restructurations à partir de 1984. La grande aire centrale spécialisée en élevage à viande (Charolais, Morvan, Auxois) a fortement augmenté son cheptel.

Ces activités et notamment les mises en grande culture sont sources de pollutions physico-chimiques dues aux pratiques culturales (nitrates, pesticides) et de dégradation des équilibres écologiques avec les remembrements et le drainage.

Dans les situations de coteaux, la viticulture peut affecter fortement la stabilité structurale des sols et favoriser les phénomènes de coulées boueuses. Outre les dommages qu'elle peut générer, l'érosion entraîne avec elle des résidus de phosphates ou de produits phytosanitaires, qui sont autant de sources de pollution des eaux superficielles.

Une dégradation progressive de la qualité des eaux

■ *Vulnérabilité des ressources en eau potable*

L'eau potable de Bourgogne a une origine essentiellement souterraine. Les aquifères des plateaux calcaires ont des réserves considérables mais les sources au débit important sont peu nombreuses et caractérisées par l'absence de filtration des terrains. Elles ont donc une grande vulnérabilité et une forte sensibilité aux pollutions. Les nappes des vallées alluviales sont bien alimentées mais trop sollicitées, leur exploitation intensive inverse les écoulements et l'alimentation par l'eau de la rivière devient souvent prépondérante. La qualité de ces nappes dépend alors de celle des cours d'eau. Les risques de dégradation sont d'autant plus importants dans les vallées qui ont une dominante urbaine marquée : urbanisation, industrialisation, infrastructures, carrières.

Les pollutions concernent notamment les chlorures et sulfates dans le Val de Saône, les nitrates dans les vallées de l'Yonne et de la Loire, et des éléments toxiques, avec les nappes de Dijon-Sud et de Chalon-sur-Saône polluées en partie et la nappe de Longvic polluée en son entier.

■ *Dégradation des eaux superficielles*

La pollution des cours d'eau, par les rejets domestiques, les effluents industriels et le lessivage des engrais et des produits phytosanitaires, pose de plus en plus de problèmes. Elle perturbe les équilibres naturels et entraîne la disparition d'espèces animales et végétales. Elle est un facteur de risque de contamination des nappes par infiltration. De plus, souvent considérés comme des exutoires pour les déchets de toutes sortes, certains cours d'eau bourguignons souffrent d'un manque d'entretien et de valorisation.

La pollution est liée à l'insuffisance de l'assainissement des collectivités ou des industries.

Toutefois, le taux de dépollution des eaux des agglomérations de plus de 10 000 habitants (50 %) est très légèrement supérieur à la moyenne française. Mais les rejets de polluants dans l'eau des industries ont augmenté pour les toxiques de 23 % en dix ans, de 1981 à 1991, alors qu'ils ont baissé en France de 39 % sur la même période. Du côté des matières oxydables, les industries de la région sont aussi moins performantes que la moyenne française, avec une réduction de seulement 12 % en dix ans pour une tendance nationale de moins 22 %.

■ *Des pollutions d'origine agricole de plus en plus marquées*

La pollution par les nitrates due au lessivage des engrais azotés des cultures intensives et de l'élevage est particulièrement sensible en Côte-d'Or et dans l'Yonne. Plus localisée en Saône-et-Loire et dans la Nièvre, elle est particulièrement préoccupante dans la région du Tournugeois, où la teneur des eaux de captage en nitrates est passée de 5 à 57 milligrammes par litre en cinq ans en raison de la mise en culture intensive des prairics.

Dans la plupart des unités de distribution de la région, l'eau répond aux normes de qualité européenne, toutefois les teneurs en nitrates se sont déjà révélées excessives dans un certain nombre de communes. Dans l'Yonne par exemple, 54 % de la population desservie en 1990 avaient une eau dont la teneur en nitrates était comprise entre 25 et 50 milligrammes par litre et pour 4,2 % cette teneur était supérieure à 50 milligrammes par litre. Pour l'ensemble de la Bourgogne, les chiffres sont respectivement de 20,3 % et 2,2 %.

La pollution par les phosphates résulte essentiellement de l'érosion des terrains viticoles et du débordement des effluents d'élevage, fumiers et lisiers. La pollution par les pesticides touche notamment le Tournugeois et la vallée de la Saône. L'atrazine atteint fréquemment dans les eaux potables des teneurs supérieures à la norme UE (0,1 µg/l).

Pour le phosphore, les activités agricoles ne sont pas la principale source de pollution, l'apport dominant étant dans la région celui des effluents domestiques. En 1993, 12 % des points de mesure sont classés en qualité très mauvaise pour ce polluant. Les tronçons de rivières particulièrement pollués se trouvent le plus souvent à l'aval des agglomérations (Dijon, Le Creusot, Montceau-les-Mines, Toucy...) mais aussi à l'aval de la côte viticole.

■ *Un tiers des eaux de baignade en rivière non conformes*

En 1994, 84 % de la qualité des eaux des baignade dans les rivières et les lacs sont conformes aux normes européennes. Les résultats sont proches de ceux de la moyenne nationale. Cependant, en rivière, 33 % des baignades ne sont pas conformes.

La gestion des déchets

Bon nombre de décharges n'ont pas été suffisamment contrôlées. C'est le cas de Montchanin, de sinistre renommée, qui figure parmi les dix-sept sites pollués recensés en Bourgogne en 1994. Implanté dans une zone d'habitat dense, ce site contaminé par des polluants tels que arsenic, chrome, cuivre, plomb, zinc, hydrocarbures et solvants halogénés est constitué de deux anciennes décharges de déchets industriels et d'ordures ménagères dont la fermeture a été décidée par décret en 1989. Les travaux de réhabilitation ont débuté en 1994.

■ *La moitié des déchets ménagers encore en décharge*

Près de la moitié des ordures ménagères collectées vont en décharge (48,6 %, contre 60,9 % en moyenne nationale) et 44,4 % en incinération avec récupération d'énergie (contre 24,8 % au national). Cependant, la situation varie de manière très forte d'un département à l'autre.

Il existe, en 1996, seize unités d'incinération des ordures ménagères en Bourgogne, traitant les déchets de 37 % de la population bourguignonne. À Sens, par exemple, l'unité d'incinération avec récupération d'énergie et distribution de chaleur permet de chauffer une zone d'habitations de 10 000 personnes. Mais aucune des seize unités de la région n'est actuellement équipée d'installations de traitement des fumées conformes à la réglementation.

■ *Un centre d'enfouissement de classe 1 pour les déchets industriels*

En 1996, les déchets industriels spéciaux représentent 160 850 tonnes. 26 % sont stockés en interne par les entreprises et 29 % vont en décharge de classe 1. 31 % des déchets produits sont éliminés à l'extérieur de la région. Le centre d'enfouissement technique de classe 1 de Pontailler-sur-Saône reçoit ainsi chaque jour plus de 100 tonnes de déchets industriels spéciaux issus de la chimie, du traitement de surface ou de la fonderie, en provenance de Bourgogne et de Rhône-Alpes. Certaines zones d'enfouissement arrivent en fin de vie, il s'agit alors d'en trouver de nouvelles. Enfin, la région va voir prochaînement l'ouverture d'un centre de stockage de déchets ultimes associé à une unité de stabilisation.

Des risques industriels et nucléaires

En 1994, neuf installations industrielles relèvent de la directive communautaire Seveso, relative aux installations classées à haut risque. À celles-ci s'ajoutent les usines pyrotechniques (poudreries et arsenaux) et les entrepôts pétroliers de plus de 10 000 m^3.

Le risque nucléaire est présent en Bourgogne avec le centre de Valduc (50 kilomètres au nord de Dijon) où le CEA développe les armes nucléaires françaises.

BRETAGNE

Des paysages et un patrimoine naturel exceptionnels

En Bretagne, l'Armor ou « pays de la mer » le long des côtes est souvent opposé à l'Argoat ou « pays des bois » à l'intérieur de terres. Avec plus de 840 zones naturelles d'intérêt écologique, faunistique et floristique répertoriées, la région présente une mosaïque extrêmement riche de milieux variés associés à des espaces maritimes, des pays côtiers, des espaces intérieurs aussi différents que les monts d'Arrée ou les Landes de Lanvaux et des bassins sédimentaires tels que celui de Rennes.

■ *La mer et les milieux marins littoraux très riches*

Largement baignée par la mer au long de ses 2 730 kilomètres de littoral, la Bretagne présente une grande diversité de milieux maritimes et littoraux. La baie du Mont-Saint-Michel et le golfe du Morbihan reconnus comme zones humides d'importance internationale, la pointe du Raz, Sables-d'Or-les-Pins, l'Aber-Wrach, Ouessant..., autant de noms associés à une image bien particulière : falaises élevées ou baies envasées, abers, plages sableuses ou cordons de galets, vasières, îles, lagunes, marais salants,... qui contribuent largement à la diversité des paysages et à l'originalité de la flore.

En 1988, l'Unesco a délivré à l'archipel d'Ouessant-Molène le label « Réserve de la biosphère » pour son intérêt scientifique remarquable en terme de diversité biologique. Le principe de la création d'un parc national sur le territoire de la réserve de biosphère de l'Iroise a été approuvé par le Comité interministériel de la mer du 26 octobre 1995. Le Conservatoire du littoral possède 4 000 hectares dont plus de la moitié relève de sites dont la superficie est supérieure à 100 hectares. Le parc naturel régional d'Armorique, les réserves naturelles et les réserves biologiques de la Société pour l'étude et la protection de la nature en Bretagne (SEPNB) complètent ce dispositif.

Sur un tiers du linéaire côtier français, dont 60 % du linéaire d'estuaire et plus de 40 % des vasières et marais littoraux, la région abrite 65 % des effectifs d'oiseaux marins nicheurs de l'hexagone et la totalité des effectifs pour huit espèces. Elle voit chaque année des phoques se reproduire sur ses côtes. La Bretagne constitue également un des derniers refuges de la loutre, du saumon et du castor.

Bretagne

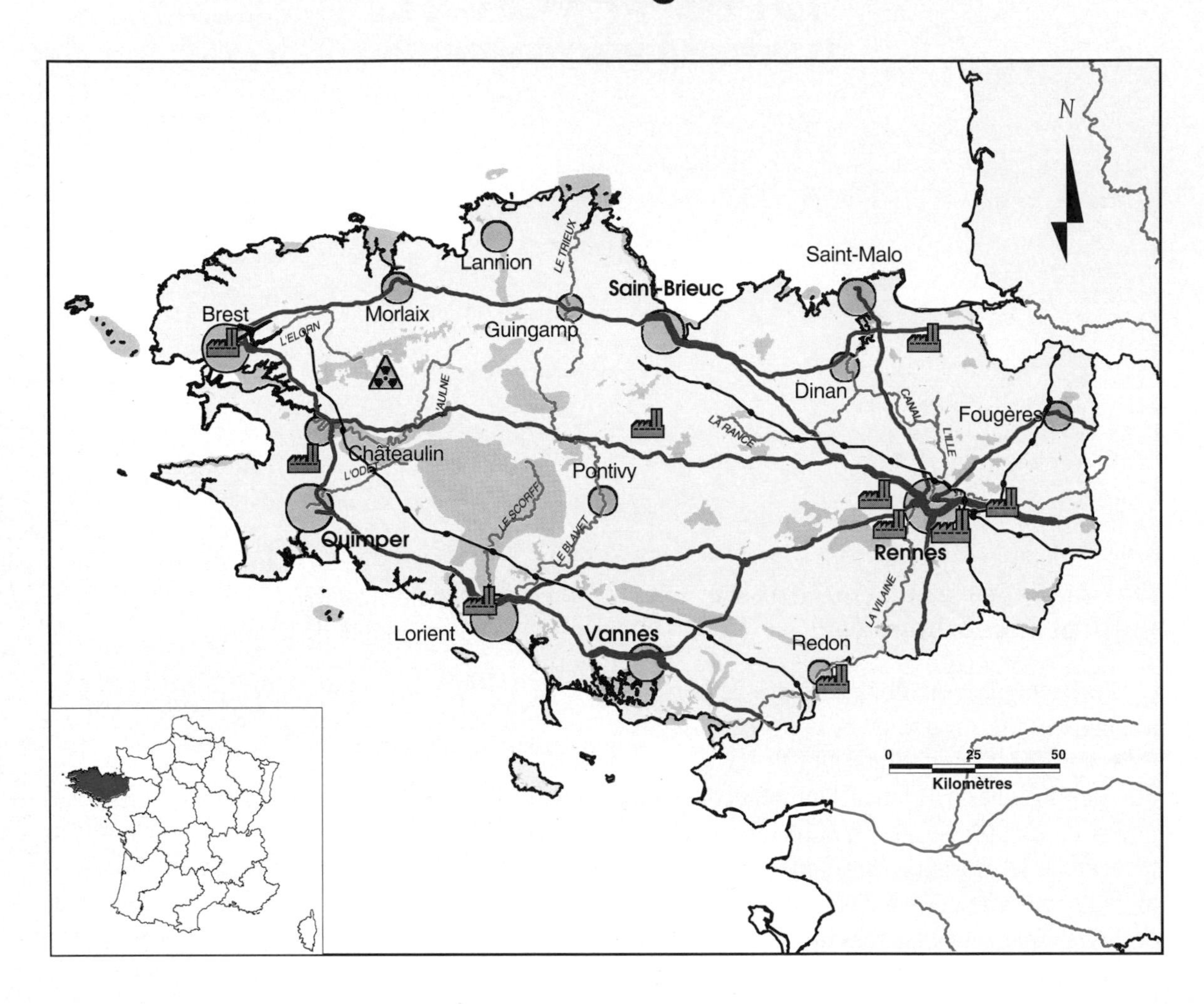

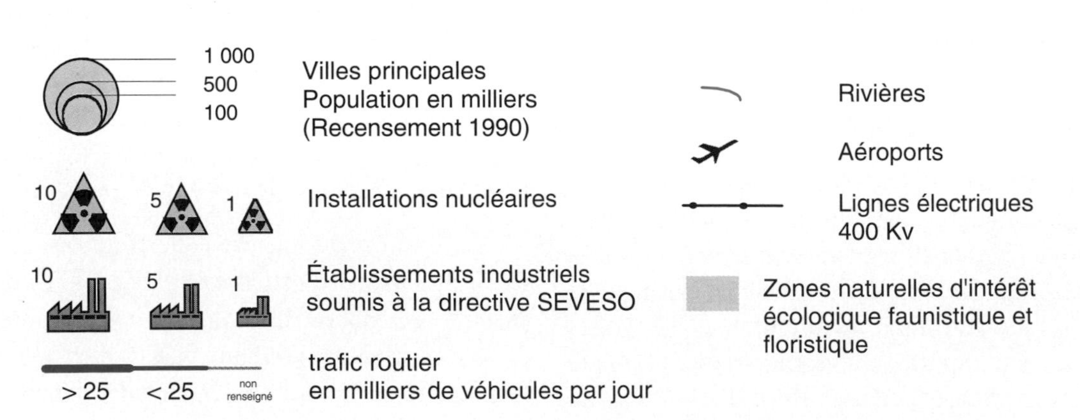

sources : MELTT/SETRA ; EDF Production Transport 1996 ; INSEE ; IFEN ; ministère de l'Environnement ; ministère de l'Industrie ; Muséum national d'histoire naturelle.

LES PRINCIPAUX INDICATEURS ENVIRONNEMENTAUX

INDICATEURS	VALEUR RÉGIONALE	VALEUR NATIONALE	UNITÉ	ANNÉE
TERRITOIRE				
• Types d'occupation des sols :				
- naturelle	19,1	38,2	%	1994
- agricole	71,6	54,4	%	1994
- artificielle	9,3	7,4	%	1994
• Pression urbaine	58,9	77	hab. urbain/km^2	1990
• Taux de boisement	9,9	26,3	%	Dernier inventaire
MILIEUX NATURELS FAUNE FLORE				
• ZNIEFF 1	2,3	8	% sup. régionale	1996
• ZNIEFF 2	15	21,1	% sup régionale	1996
• Réserves naturelles	450	132 045	ha	1995
• Zones de protection spéciale (directive Oiseaux)	61 500	707 000	ha	1995
EAU				
• Qualité physico-chimique des eaux superficielles (rivières). Observations classées en catégories très bonne et bonne :				
- matières organiques et oxydables	47	56	%	1993
- phosphore	66	60	%	1993
- nitrates	18	83	%	1993
• Qualité des eaux de baignade en eau douce :				
- points de surveillance conformes aux normes de la directive européenne	72,7	87,3	%	1993
ATMOSPHÈRE, AIR				
• Part de la région BRETAGNE dans la contribution française :				
- à l'accroissement de l'effet de serre	5,3	100	%	1990
- à la formation des pluies acides	7,5	100	%	1990
DÉCHETS MÉNAGERS ET ASSIMILÉS				
• Taux de valorisation énergétique et organique	48,3	29,9	%	1993
• Taux de mise en décharge	37,6	60,9	%	1993
ÉNERGIE				
• Production d'énergie primaire	136	99 885	Ktep	1992
• Nombre de réacteurs de production d'électricité	/	59	Nbre	1994
RISQUES TECHNOLOGIQUES				
• Nombre d'installations Seveso	11	346	Nbre	1994
• Autres installations potentiellement dangereuses	6	691	Nbre	1994
TRANSPORTS TERRESTRES				
• Densité des routes nationales (routes et autoroutes)	4,7	6,6	km pour 100 km^2	1993
• Parcours journalier moyen sur les routes nationales	7,1	8,1	100 millions de véhicules/km	1992
• Distance moyenne domicile/travail	7,9	8,1	km	1990
• Points noirs dus au bruit :				
- route	36	1 414	Nbre	1991
- rail	0	248	Nbre	1991
SOCIÉTÉ				
• Associations agréées de protection de l'environnement	57	1434	Nbre	1991

■ *Un réseau très dense de rivières*

En Bretagne, l'eau est présente partout. À cause de la faible perméabilité du sous-sol, l'eau de pluie ruisselle et donne naissance à un réseau extrêmement dense de rus, ruisseaux et rivières (6 000 à 7 000 km environ par département). Ces cours d'eau vont très vite rejoindre la mer : on compte en effet une centaine de fleuves côtiers, dont certains ne font que quelques kilomètres. D'un point de vue hydrographique, la Bretagne est indépendante : mis à part quelques affluents de la Vilaine, tous les cours d'eau bretons ont leur source, s'écoulent et se jettent dans la mer dans un des quatre départements de la région.

TERRITOIRE	Quatre départements :	Côtes-d'Armor, Finistère, Ille-et-Vilaine, Morbihan
	Superficie totale :	27 207,9 km^2 (5 % sup. française)
	Superficie communes urbaines :	5 068,7 km^2 (18,6 % sup. régionale)
	Densité 1994 :	104 hab./km^2
POPULATION	Population totale 1990 :	2 795 638 (4,9 % de la pop. française), estimation 1994 : 2 840 237
	Population urbaine 1990 :	1 602 636 (57,3 % pop. régionale)
	Quatre principales agglomérations :	Rennes, Brest, Lorient, Saint-Brieuc (23,1 % de la pop. régionale)
	Pyramide des âges 1994 :	– 25 ans : 33,7 %
		+ 60 ans : 21,9 %
COMPTES ÉCONOMIQUES	Produit intérieur brut (PIB) 1992	280 367 millions F (4 % PIB français)
	PIB/hab. 1992 :	99 306 F
EMPLOI	Emploi total 1992 :	1 033 522 (4,7 % emploi total français)
	Agriculture :	11 % emploi total régional
	Industrie :	18,8 % / /
	Bâtiment, génie civil et agric. :	7 % / /
	Commerce, transport et télécom. :	11,4 % / /
	Autres services :	51,8 % / /
	Taux de chômage 1994 :	11,3 % (134 284 chômeurs)
LOGEMENT	Résidences principales 1990 :	1 061 720
	dont logements collectifs :	23,9 %
	Résidences secondaires 1990 (1) :	184 436
AGRICULTURE	SAU 1993 :	1 766 milliers d'ha (6,3 % SAU nationale)
	dont terres labourables :	84 %
	Nbre d'exploitations 1993 :	68 314
	Superficie moyenne 1993 :	25,8 ha
INDUSTRIE	Nbre d'établissements 1995 :	12 884, dont – 10 sal. : 10 522, + 500 sal. : 32
	Principaux secteurs industriels (effectifs salariés 1993) :	IAA, équipements électriques et électroniques, automobile, construction navale, aéronautique et ferroviaire

Sources : INSEE, SCEES.

(1) Les résidences secondaires comprennent également les logements occasionnels.
NB : les pourcentages sont calculés par rapport à la France métropolitaine.

La Bretagne est ainsi, en quelque sorte, la seule responsable de la qualité de ses ressources en eau.

Cette forte présence de l'eau douce de surface conditionne l'existence d'une grande diversité de milieux : les prairies humides ou inondables, les marais, les bordures de cours d'eau ou d'étangs constituent un vaste ensemble de zones humides. Les étendues d'eau libre stagnante et les cours d'eau à écoulement plus ou moins rapide créent ainsi des écosystèmes de grande richesse : à l'ouest, les rivières à salmonidés prédominent, tandis qu'à l'est ce sont les rivières à cyprinidés.

■ *Des landes et des tourbières en régression*

La lande est l'un des paysages les plus typiques de la région. Onze des quatorze landes d'intérêt national se situent en Bretagne. Les landes d'ajonc et de bruyère couvrent autant d'espaces que les bois, malgré une réduction de 60 % depuis le XIXe siècle. Les landes les plus vastes s'observent dans les monts d'Arrée (15 000 hectares) et sur quelques secteurs littoraux : presqu'île de Crozon, cap Fréhel, cap d'Erquy, île de Groix, Belle-Île... Elles se rencontrent également, mais plus morcelées, au milieu des cultures et des boisements : Landes de Lanvaux, de Paimpont, de Gouarec, du Mené...

Les tourbières, concentrées surtout au centre du Finistère et à l'ouest des Côtes-d'Armor, ont régressé tant en superficie qu'en nombre. Cependant, la Bretagne dispose encore de l'une des plus belles gammes de tourbières acides des plaines atlantiques françaises.

■ *Peu de grands massifs forestiers, mais des bois et des bocages reliques*

La forêt bretonne couvre une surface assez réduite et occupe moins de 10 % du territoire régional, alors que la moyenne nationale est de 25 %. Seuls quelques massifs atteignent une dimension importante : forêts de Paimpont, la mythique Brocéliande, Quénécan, Lanouée, La Guerche, Rennes, Lorge. L'importance relative des bosquets constitue un second trait caractéristique des espaces boisés de la Bretagne. Cette myriade de petits bois associés aux réseaux de haies constitue, malgré les arasements intervenus ces dernières décennies, une trame bocagère qui marque une bonne partie du paysage breton.

Depuis 1960 cependant, des milliers de kilomètres de talus ont été abattus, le plus souvent dans le cadre d'opérations de remembrement, pour permettre l'intensification de l'activité agricole. En trente ans, sur 1,2 million d'hectares, le parcellaire a été remodelé, les chemins ruraux réduits ou supprimés, les haies remplacées par de simples clôtures. Le bocage dense ne subsiste ainsi plus guère que dans l'ouest des Côtes-d'Armor, les monts d'Arrée, le nord-ouest du Morbihan et le nord-est de l'Ille-et-Vilaine. En Bretagne centrale, sur de vastes horizons, haies reliques et tas de souches témoignent seuls de l'existence de l'ancien paysage.

Une occupation du territoire et une urbanisation spécifiques

■ *Un mode d'occupation du territoire encore très « rural »*

L'affleurement de l'eau est en Bretagne à l'origine d'un mode d'occupation du territoire original : avec 43 % de ses habitants répartis entre un millier de bourgs et une centaine de milliers d'écarts (habitations isolées ou « villages ») de deux à trois maisons, la Bretagne reste une des régions les plus rurales de France. C'est l'héritage d'un passé encore récent : en 1954, les deux tiers des Bretons étaient ruraux. C'est aussi le résultat d'une croissance de 10 % de la population rurale depuis 1975. Mais cette croissance s'opère surtout dans les zones d'attraction des villes avec la prolifération des pavillons et lotissements. Le doublement des migrations alternantes en milieu rural depuis 1975 témoigne aussi de la « rurbanisation » de l'espace. Désormais, il ne reste plus que 28 % des communes rurales hors des zones de peuplement industriel et urbain du fait de l'extension des territoires sous l'influence des agglomérations. Leur faible densité expliquent que les communes rurales ne comptent plus que 7,2 % de la population régionale.

La Bretagne intérieure, loin des grandes villes, voit ses habitants la déserter. Des friches sont apparues sur de larges secteurs avec la disparition de nombreuses exploitations agricoles, tandis que l'agriculture et l'élevage intensifs faisaient émerger de nouveaux modes d'occupation de l'espace.

La moitié de la population concentrée sur un réseau d'une vingtaine de villes

Passant de 2 396 000 à 2 795 000 habitants entre 1962 et 1990, la Bretagne a gagné près de 400 000 habitants. La répartition de ce gain de population ne s'est pas faite de façon homogène sur le territoire. La moitié de la population bretonne est concentrée sur une vingtaine de villes qui constituent une armature urbaine relativement équilibrée et forte, par rapport à d'autres régions.

Si la population des villes a doublé en trente ans, la région a encore néanmoins en 1990 une des populations urbaines les plus faibles. Son taux d'urbanisation n'est que de 57,3 % contre 74 % en France. Saint-Malo, Saint-Brieuc, Quimper, Lorient, Brest (de 50 000 à 200 000 habitants) accompagnés de Rennes (250 000 habitants) constituent les principaux pôles urbains.

Le développement de ces villes est aujourd'hui, comme partout en France, surtout périphérique. Ce mouvement d'étalement des zones urbaines a été en Bretagne renforcé par le développement de certains axes de transport. La croissance urbaine a procédé du développement des villes anciennes qui ont vu croître leur banlieue (Rennes, Brest, Lorient, Saint-Brieuc) ou suscité des satellites (autour de Rennes), mais aussi de la transformation de nombreux bourgs et stations balnéaires. Ce dernier processus explique l'abondance des petites villes de moins de 10 000 habitants : 101 des 125 unités urbaines bretonnes appartiennent à ce type de petites agglomérations.

La répartition de la population, l'équilibre entre villes et campagnes, a été ainsi profondément remis en cause avec la généralisation de l'automobile et le phénomène concomitant de rurbanisation. Les communes rurales voisines des principaux centres urbains se développent rapidement, alors que le rural profond se dépeuple.

La zone littorale sous haute pression

L'intégrité du littoral se trouve menacée par une urbanisation permanente importante et une extension régulière des zones d'habitat dispersé, du fait de l'accumulation de résidences secondaires, de ports de plaisance et d'espaces de loisirs. Cette évolution est d'autant plus préoccupante que les grands espaces sont plus rares sur le littoral breton que dans d'autres régions françaises : 70 % du littoral sont ainsi en voie d'urbanisation.

En Bretagne, la moitié de la population régionale vit dans les communes littorales. De plus, la présence des touristes en période estivale nécessite des équipements importants et coûteux : infrastructures routières, réseaux d'eau potable et d'eaux usées, traitement des ordures ménagères. Le littoral est aussi confronté à de multiples risques de pollutions : agricoles, urbaines et maritimes. Le contrôle du développement urbain et de l'activité touristique, en cohérence avec une politique globale d'organisation de l'espace (comme dans les schémas de mise en valeur de la mer), et la réconciliation de besoins divergents sont le plus souvent difficiles à réaliser.

L'afflux de dizaines de milliers de touristes peut aussi mettre en péril les équilibres écologiques des lieux les plus attractifs. Cela nécessite le recours à des programmes de protection forte et à des plans de reconquête (pointe de la

UNE CÔTE SI CONVOITÉE

La baie de Lannion et la Côte de Granit rose vivent plus que jamais de la mer. Aux activités traditionnelles de pêche et d'exploitation des ressources maritimes s'est ajouté le tourisme. Celui-ci est devenu la première source de richesse de la région. Entre Trébeurden et Lannion sont concentrés un quart des lits touristiques du département des Côtes-d'Armor. 70 000 touristes fréquentent la baie, une clientèle généralement fidèle, pour moitié possédant une résidence secondaire, qui a choisi la région de Lannion pour sa beauté et sa qualité de vie. La prépondérance du tourisme et la pression humaine croissante sur le milieu génèrent une série de conflits d'usages qui ont nécessité la mise en place d'une politique globale d'aménagement.

La pêche est source de discordes. Composée d'une quarantaine de bateaux de pêche côtière, la flottille locale doit faire face à la concurrence de la grande pêche mais aussi des plaisanciers qui leur « volent » leurs poissons et surtout des plongeurs sous-marins attirés par la richesse des fonds et souvent accusés de braconnage. Même la pêche à pied voit s'opposer les amateurs de coques et palourdes aux conchyliculteurs. Pourtant, tout le monde a intérêt à une reconquête rapide de la qualité des eaux : l'estuaire de Léguer n'est plus utilisable depuis longtemps à cause des rejets urbains et agricoles et la grève de Saint-Michel est envahie par les algues vertes, créant une mauvaise image pour le tourisme. Cependant, un important programme d'actions est en cours dans toute la Bretagne afin d'endiguer la pollution des eaux littorales par l'azote d'origine agricole et par le phosphore, responsables de l'accroissement anarchique des algues vertes et de l'appauvrissement des eaux en oxygène (phénomène d'eutrophisation).

L'exploitation du milieu marin est devenue une menace pour l'équilibre du milieu. La récolte intensive d'un stock d'algues estimé à 60 000 tonnes a des conséquences biologiques mal connues. Par ailleurs, on a extrait de l'estuaire du Léguer 3,9 millions de tonnes de sable depuis le milieu du XVIIIe siècle. En baie de Lannion, l'extraction d'agrégats marins devrait s'arrêter désormais dans les fonds inférieurs à 16 mètres.

L'urbanisation et les équipements touristiques ont, par le passé, grignoté une grande partie de l'espace côtier, menaçant l'esthétique et l'équilibre de la région. La fuite en avant dans la création de ports de plaisance (2 710 places au total) et de nouveaux mouillages est désormais freinée, à la suite notamment des vives oppositions au projet de port de Trébeurden. Pourtant, la baie de Lannion et la Côte de Granit rose présentent, sur 98 kilomètres de littoral, 67 espaces remarquables dont 11 sites d'intérêt national ou régional, une réserve naturelle (les Sept-Îles) et 27 sites classés. Aménageurs, hommes politiques, professionnels du tourisme conviennent qu'il faut préserver cette richesse qui attire justement les visiteurs. Il s'agit désormais de protéger efficacement les zones du littoral encore libres de toute occupation. Pour concilier des intérêts contradictoires, le « schéma de mise en valeur de la mer » insiste sur une préservation de l'environnement naturel des sites et paysages. S'impose donc l'idée que le patrimoine naturel est « une ressource à préserver, un capital qu'il convient de gérer ». Grâce à l'application de la loi « littoral », les aménageurs doivent réaliser leurs équipements dans les espaces déjà urbanisés ou à distance du littoral. On cherche également à maintenir des espaces agricoles en bordure de mer tout en réduisant l'impact des pratiques culturales sur le milieu. En effet, les qualités de l'eau et du paysage littoral sont des enjeux majeurs pour le tissu économique breton en raison du poids de la conchyliculture, de la pêche professionnelle aux coquillages et du tourisme.

Torche, pointe du Raz). Enfin, du fait de cette forte demande, les conflits d'usages sur le littoral et les espaces maritimes sont nombreux et certaines activités traditionnelles (agriculture, pêche, artisanat) peuvent voir leur maintien remis en cause (*voir encadré*).

En Bretagne, les activités maritimes représentent une partie importante de l'activité économique. Les quatre ports de commerce (Lorient, Brest, Saint-Malo, Saint-Brieuc) ont une activité moyenne mais les trafics passagers augmentent chaque année. 50,7 % de la pêche débarquée en France provient de Bretagne, 77 % des crustacés et 41 % de la conchyliculture. L'aquaculture se développe également dans les estuaires et abers ainsi que sur certaines rivières côtières. Le ramassage des algues constitue une nouvelle industrie à part entière, tandis que certains sédiments marins non renouvelables (le maërl) font l'objet d'une exploitation excessive. Enfin, la plaisance représente l'essentiel du développement portuaire : 163 ports de plaisance dont 10 de plus de 600 places, soit 32 000 places auxquelles il faut ajouter 7 000 places réparties dans 79 mouillages organisés. L'ensemble de ces activités exercent une pression importante sur le littoral tant du point de vue des rejets que de l'occupation de l'espace et de l'épuisement des ressources marines.

Agriculture intensive et environnement : un modèle non durable

Première région agricole française devant les Pays de la Loire et Midi-Pyrénées, la Bretagne abrite 10 % de la population agricole du pays. Elle est aussi la deuxième région pour l'agroalimentaire (en termes de valeur ajoutée). Elle assure 12 % des livraisons nationales sur seulement 6 % du territoire cultivé. Aux productions végétales spécialisées s'ajoute un système d'utilisation des sols fondé sur les labours, les prairies temporaires, le maïs (24 % de la SAU régionale), les productions animales classiques très intensives (lait, gros bovins), mais surtout sur les élevages hors sol (54 % de la production porcine française de ce type, 48 % des poulets et 32 % des veaux de boucherie).

Les conséquences sur l'environnement liées à ce type de développement agricole et les dommages qui en résultent (remembrement, pollutions des eaux et des sols, pollution des eaux littorales...) amènent à s'interroger sur la « durabilité » du modèle agricole de la région.

■ *Remembrement et transformation de l'espace*

En l'espace de quarante ans, près de 65 % de la surface agricole ont fait l'objet d'un aménagement foncier, particulièrement dans le Morbihan et les Côtes-d'Armor. Cela a provoqué un profond bouleversement du paysage et généré des effets négatifs sur l'environnement : moindre rétention des eaux et risques accrus d'inondation dans les parties aval des bassins versants, moindre obstacle aux pollutions, assèchement plus rapide des terres, parfois érosion des sols, diminution de la diversité faunistique et floristique... Le taux d'arasement de talus dans les communes remembrées a été de l'ordre de 40 % jusqu'à la fin des années 80. En trente ans, de 1963 à 1992, le nombre de kilomètres de haies est passé de 175 000 à 102 000 dans les Côtes-d'Armor, de 135 000 à 79 000 dans le Finistère (– 42 %).

■ *Surfertilisation : la première région pour l'emploi d'engrais minéraux et organiques*

Cette agriculture intensive a non seulement entraîné la disparition du bocage mais aussi contribué à la pollution des sols, des eaux superficielles, des eaux souterraines et des eaux littorales. L'emploi très important d'engrais, l'épandage mal contrôlé des effluents d'élevage – lisiers de porc et fientes de volaille, sans oublier les déjections bovines – ou des industries d'abattage ont augmenté de manière continue la teneur des eaux en phosphates et nitrates. Cette pollution est liée à la fois à la forte consommation d'engrais chimiques, azotés en particulier (multiplication par cinq de 1960 à 1980 de leur emploi dans les zones légumières, pour le ray-grass et le maïs), et à la surabondance locale de déjections animales dont les quantités épandues dépassent les capacités d'absorption par les sols et les cultures en place.

Dans certaines zones d'élevage porcin intensif, où la production d'azote animal dépasse 200 kilogrammes par hectare, il a fallu de nombreuses fois interdire la consommation d'eau potable et imaginer des palliatifs : coupages d'eaux de provenances diverses, construction de plusieurs usines de dénitrification. L'application prévue de la directive communautaire limitant les épandages d'azote (170 kilogrammes par hectare) menace l'existence de nombreux éleveurs hors sol, qui seraient dans l'incapacité de trouver à proximité les espaces nécessaires pour l'épandage.

La pollution des eaux : le problème central

La situation géographique et géologique de la Bretagne, la nature des activités agricoles et industrielles, l'évolution de l'urbanisation, un certain manque d'anticipation et le retard dans la lutte antipollution expliquent largement les problèmes de qualité des eaux auxquels est confrontée la région.

Ces problèmes de qualité concernent tant les rivières que les eaux littorales. Ces dernières sont de plus, sur la côte nord, exposées aux risques de déversement de polluants (pétrole, produits chimiques,...) du fait des accidents ou naufrages de navires empruntant la Manche. La Bretagne a, dans un passé récent, payé un lourd tribut dans ce domaine.

Une qualité de l'eau très préoccupante

Les diverses formes de pollution qui affectent les eaux intérieures mais aussi nombre de zones littorales concernent l'eutrophisation, la pollution par les nitrates et les pesticides et les contaminations bactériennes.

La situation est cependant en voie d'amélioration en ce qui concerne la lutte contre les pollutions par les agglomérations et les industriels, malgré la persistance de divers points noirs, en particulier dans la partie est de la région, handicapée par des débits d'étiage extrêmement faibles. De même, la qualité bactériologique des eaux de baignade va en s'améliorant lentement au fil des ans. En revanche, d'autres formes de pollution perdurent ou s'aggravent. Ce sont essentiellement les nitrates, les phosphates et les pesticides.

Les nitrates augmentent inexorablement d'année en année. Les prises d'eau pour l'alimentation sont de plus en plus affectées par les dépassements de la concentration maximale admissible de 50 mg/l. Au début des années 90, près de 60 000 personnes étaient alimentées par une eau dépassant de manière chronique cette norme, alors que pour plus de 850 000 personnes l'eau d'alimentation était sujette à des dépassements occasionnels. La Bretagne dans sa totalité a été par ailleurs placée en zone vulnérable au titre de la directive européenne nitrates.

L'eutrophisation des canaux et des plans d'eau, notamment des retenues pour l'alimentation, reste importante et souvent en croissance. Le recours à la déphosphatation des effluents est très loin d'être suffisant. Sur le littoral, l'ampleur des marées vertes, favorisées par les apports printaniers en nitrates, a tendance à s'aggraver. L'impact sur l'écosystème et sur l'activité touristique est très négatif.

L'augmentation des teneurs en pesticides a été observée dans les eaux de surface et certaines eaux souterraines. Dans le cadre du suivi des cinq rivières – l'Aven, l'Arguenon, l'Oust, la Seiche et la Vilaine – mis en place depuis 1990, l'existence d'une contamination chimique des eaux superficielles par la banalisation de l'usage de produits phytosanitaires (agriculture, particuliers, collectivités), dont les triazines, a été confirmée. Les concentrations de pesticides dans l'eau de pluie sont également préoccupantes.

Des contaminations bactériennes sont observées, notamment dans les baies fermées, créant des risques d'insalubrité pour les producteurs conchylicoles en Bretagne-Nord. Cette contamination bactérienne peut interdire en permanence ou périodiquement la consommation des coquilages et affecte encore certaines plages.

■ *Des pressions fortes et une agriculture trop intensive*

Une des causes principales de la dégradation des eaux de la Bretagne est l'agriculture intensive. L'évolution des dernières décennies vers une plus grande intensification (remembrements, élevage hors sol, concentration de la production animale, consommation d'engrais minéraux, systématisation de l'usage des produits phytosanitaires) ne semble pas devoir s'infléchir dans un avenir proche, malgré la réforme de la politique agricole commune. Cette course à la productivité a eu en Bretagne des conséquences considérables sur la qualité des eaux et des milieux aquatiques, par un excès de production de lisiers et de fumiers et par une mauvaise maîtrise de leur épandage, autant que par une utilisation excessive de fertilisants et de produits phytosanitaires.

Outre l'agriculture, les rejets urbains ou industriels ont toujours des impacts négatifs. Le taux d'épuration reste ponctuellement insuffisant pour atteindre les objectifs de qualité fixés pour les cours d'eau. C'est le cas notamment sur le littoral où la fiabilité des systèmes d'assainissement n'est pas toujours assurée lors des épisodes pluvieux et lors des variations des charges de pollutions liées à la fréquentation touristique.

Enfin, les rejets de pisciculture (50 % de la production nationale) sont sources de pollutions aux incidences écologiques non négligeables sur de nombreux cours d'eau.

CENTRE

Des milieux naturels riches

Avec la Loire et deux des plus vastes zones humides d'intérêt international que sont la Brenne et la Sologne, la région Centre abrite une faune et une flore exceptionnelles qui, pour certaines espèces, ont disparu des autres régions françaises. La région est aussi une étape pour les oiseaux migrateurs entre l'Europe du Nord et le continent africain (héron pourpré, bécassine des marais, chevalier arlequin,...). L'importance de la Brenne a d'ailleurs suscité en 1989 la création d'un parc naturel régional.

La région est organisée autour de la Loire, dernier fleuve sauvage d'Europe. Celui-ci forme, de Nevers à Saumur, le Val de Loire. On appelle ainsi ce long ruban de plusieurs kilomètres de large constitué par le cours d'eau lui-même, la plaine alluviale et les coteaux. La Loire présente une grande variété de biotopes : eaux libres, îlots sableux, roselières, ripisylves, falaises, rives mises en culture ou colonisées par des landes...

Sologne, Brenne, Perche, Berry mais aussi forêt d'Orléans, bocages du Boischaut et de Puisaye, espaces calcaires de Beauce ou du Gâtinais, vallonnements du Pays Fort illustrent la diversité des paysages et des terroirs. C'est ainsi que plus de 778 zones naturelles d'intérêt écologique faunistique et floristique (ZNIEFF) ont été recensées, couvrant 17 % du territoire régional.

Les pays bocagers et les gâtines s'observent plutôt sur les franges de la région avec le Perche au nord-ouest, le Gâtinais au nord-est et le Boischaut au sud. Le terme de gâtines en vieux français évoque des forêts dégradées ou « gâtées ». Leur défrichement est cependant plus récent (XVIIe ou XIXe siècle), de l'époque où l'on installait encore de nouvelles exploitations agricoles dans ces pays. La haie n'en est jamais absente mais le maillage n'est que très rarement organisé (semi-bocage). Les gâtines se caractérisent par une présence importante de la couverture forestière organisée en boisements épars. À l'origine zones de polycultures et polyélevage, les céréales et oléagineux gagnent aujourd'hui de plus en plus de terrain. La tendance est à l'uniformisation du paysage, alors que la juxtaposition d'espaces ouverts et de la forêt est favorable à une large diversité d'espèces.

Les bocages se composent de réseaux de haies parfois très denses, délimitant des parcelles le plus souvent vouées à l'élevage. Le déclin du bocage a commencé dès 1920, du fait du manque de main-d'œuvre et de l'inadaptation des haies à la mécanisation agricole.

Centre

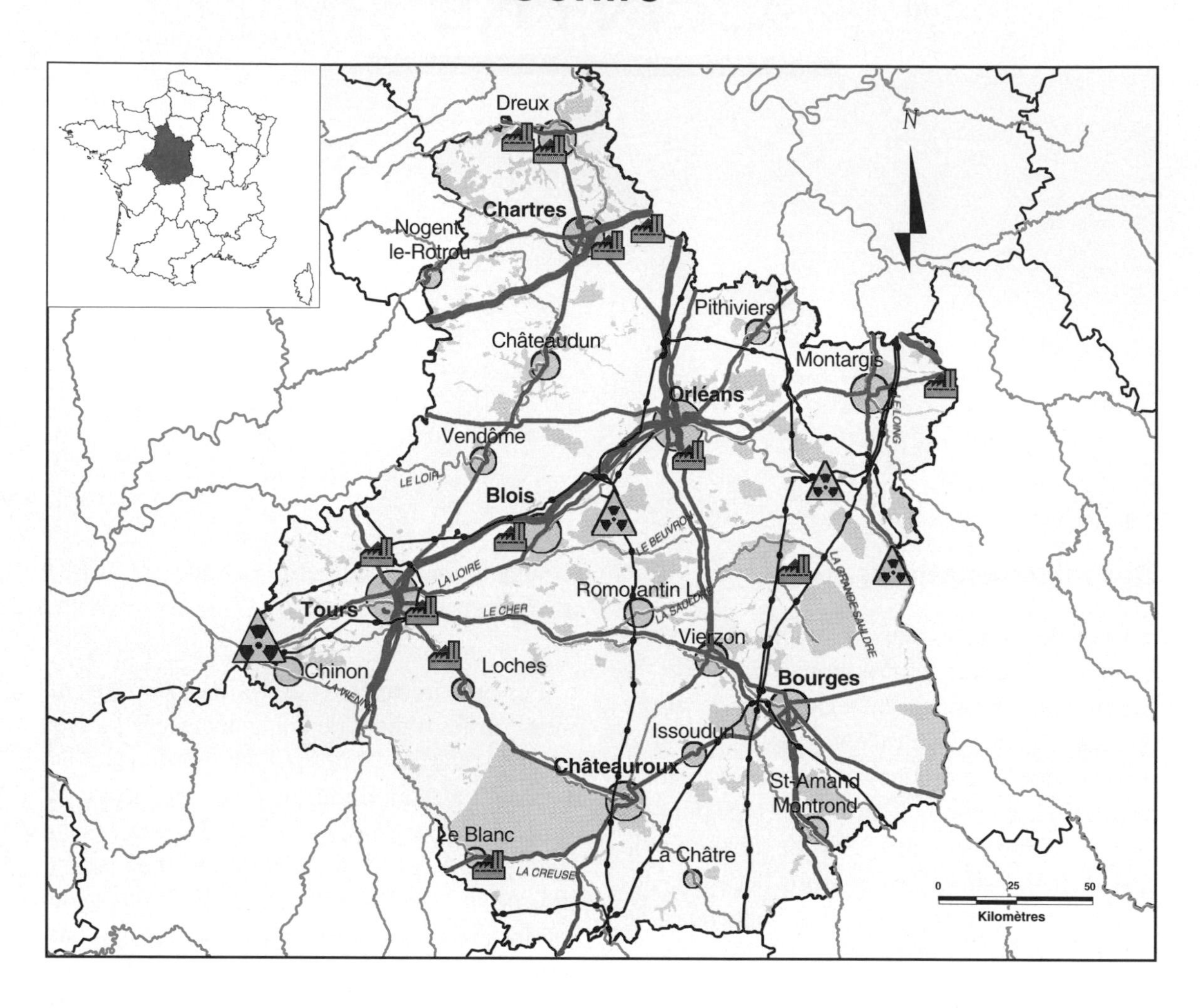

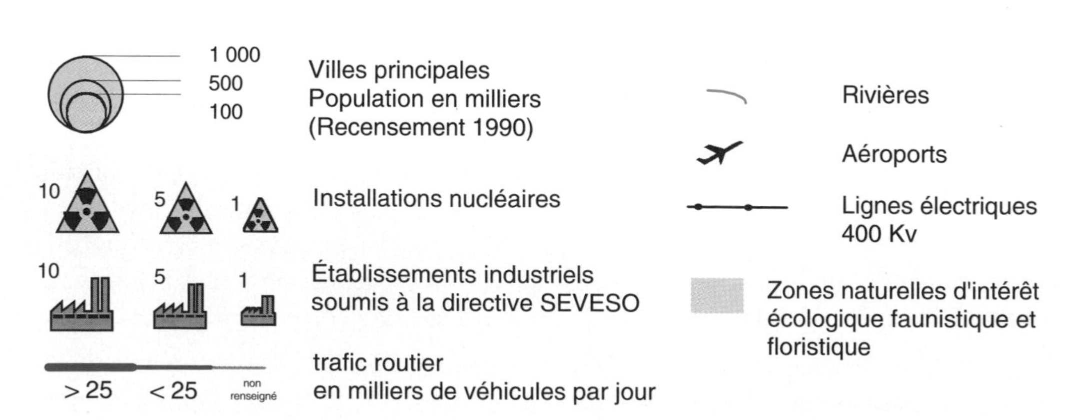

sources : MELTT/SETRA ; EDF Production Transport 1996 ; INSEE ; IFEN ; ministère de l'Environnement ; ministère de l'Industrie ; Muséum national d'histoire naturelle.

LES PRINCIPAUX INDICATEURS ENVIRONNEMENTAUX

INDICATEURS	VALEUR RÉGIONALE	VALEUR NATIONALE	UNITÉ	ANNÉE
TERRITOIRE				
• Types d'occupation des sols :				
- naturelle	28,1	38,2	%	1994
- agricole	65,2	54,4	%	1994
- artificielle	6,7	7,4	%	1994
• Pression urbaine	39,2	77	hab. urbain/km²	1990
• Taux de boisement	21,3	26,3	%	Dernier inventaire
MILIEUX NATURELS FAUNE FLORE				
• ZNIEFF 1	3,6	8	% sup. régionale	1996
• ZNIEFF 2	13,9	21,1	% sup. régionale	1996
• Réserves naturelles	450*	132 045	ha	1995
• Zones de protection spéciale (directive Oiseaux)	1 480**	707 000	ha	1995
EAU				
• Qualité physico-chimique des eaux superficielles (rivières). Observations classées en catégories très bonne et bonne :				
- matières organiques et oxydables	55	56	%	1993
- phosphore	88	60	%	1993
- nitrates	89	83	%	1993
• Qualité des eaux de baignade en eau douce :				
- points de surveillance conformes aux normes de la directive européenne	89,8	87,3	%	1993
ATMOSPHÈRE, AIR				
• Part de la région CENTRE dans la contribution française :				
- à l'accroissement de l'effet de serre	3,7	100	%	1990
- à la formation des pluies acides	3,5	100	%	1990
DÉCHETS MÉNAGERS ET ASSIMILÉS				
• Taux de valorisation énergétique et organique	15,9	29,9	%	1993
• Taux de mise en décharge	73,5	60,9	%	1993
ÉNERGIE				
• Production d'énergie primaire	16 871 dont 99 % d'origine nucléaire	99 885	Ktep	1992
• Nombre de réacteurs de production d'électricité	12	59	Nbre	1994
RISQUES TECHNOLOGIQUES				
• Nombre d'installations Seveso	12	346	Nbre	1994
• Autres installations potentiellement dangereuses	58	691	Nbre	1994
TRANSPORTS TERRESTRES				
• Densité des routes nationales (routes et autoroutes)	5,8	6,6	km pour 100 km²	1993
• Parcours journalier moyen sur les routes nationales	13,6	8,1	100 millions de véhicules/km	1992
• Distance moyenne domicile/travail	9,5	8,1	km	1990
• Points noirs dus au bruit :				
- route	78	1 414	Nbre	1991
- rail	4	248	Nbre	1991
SOCIÉTÉ				
• Associations agréées de protection de l'environnement	41	1 434	Nbre	1991

* La réserve répartie sur le Centre et la Bourgogne (1 900 hectares) n'est pas comprise.

** Y compris les zones en commun avec d'autres régions.

Le rôle bénéfique des haies est pourtant de plus en plus reconnu : abri pour le bétail, brise-vent, limitation de l'érosion, régulation hydrique, entretien de la variété biologique et cynégétique.

La forêt couvre près du quart du territoire régional (21,3 %, soit 0,35 hectare par habitant). Composés essentiellement de feuillus (76 %), les peuplements forestiers sont constitués en majorité de taillis sous futaie. Les massifs forestiers tels que la forêt d'Orléans, qui est la plus grande forêt domaniale de France d'un seul tenant (34 700 hectares), mais aussi l'arc forestier percheron, la vallée du Cher, le Pays Fort jouent un rôle écologique important vis-à-vis notamment des grands mammifères (chevreuil, sanglier, cerf). Ils constituent de nombreux refuges pour des espèces animales et végétales,

TERRITOIRE	Six départements :	Cher, Eure-et-Loir, Indre, Indre-et-Loire, Loir-et-Cher, Loiret
	Superficie totale :	39 150,9 km² (7,2 % sup. française)
	Superficie communes urbaines :	5 666,5 km² (14,4 % sup. régionale)
	Densité 1994 :	62 hab./km²
POPULATION	Population totale 1990 :	2 371 036 (4,2 % de la pop. française) estimation 1994 : 2 412 467
	Population urbaine 1990 :	1 536 010 (64,8 % pop. régionale)
	Quatre principales agglomérations :	Tours, Orléans, Bourges, Chartres (29,7 % de la pop. régionale)
	Pyramide des âges 1994 :	– 25 ans : 33,3 %
		+ 60 ans : 21,7 %
COMPTES ÉCONOMIQUES	Produit intérieur brut (PIB) 1992 :	265 665 millions F (3,8 % PIB français)
	PIB/hab. 1992 :	110 552 F
EMPLOI	Emploi total 1992 :	907 127 (4,1 % emploi total français)
	Agriculture :	6,5 % emploi total régional
	Industrie :	24,8 % / /
	Bâtiment, génie civil et agric. :	7,5 % / /
	Commerce, transport et télécom. :	11,2 % / /
	Autres services :	50 % / /
	Taux de chômage 1994 :	11,6 % (124 907 chômeurs)
LOGEMENT	Résidences principales 1990 :	905 000
	dont logements collectifs :	26,1 %
	Résidences secondaires 1990 (1) :	112 297
AGRICULTURE	SAU 1993 :	2 399 milliers d'ha (8,5 % SAU nationale)
	dont terres labourables :	86 %
	Nbre d'exploitations 1993 :	41 682
	Superficie moyenne 1993 :	57,5 ha
INDUSTRIE	Nbre d'établissements 1995 :	11 899, dont – 10 sal. : 9 322, + 500 sal. : 44
	Principaux secteurs industriels (effectifs salariés 1993) :	équipements industriels, IAA, travail des métaux, chimie-caoutchouc-plastiques

Sources : INSEE, SCEES.

(1) Les résidences secondaires comprennent également les logements occasionnels.
NB : les pourcentages sont calculés par rapport à la France métropolitaine.

communes et rares (arnica, comaret, triton crêté, aigle botté,...).

Ce patrimoine est fragilisé en particulier par les activités fortement consommatrices de nouveaux espaces. Extension de l'urbanisation, remembrements consécutifs à la réorganisation d'une agriculture intensive, implantations industrielles et infrastructures de transport mais aussi extractions de matériaux du lit de la Loire menacent la richesse de ces milieux naturels.

Le dernier fleuve sauvage en sursis

De tous les fleuves français, les crues et les étiages de la Loire sont les plus extrêmes. Les étiages peuvent transformer la Loire en un simple ruisseau. Au contraire, en période de hautes eaux, elle occupe tout le lit mineur et les îles sont submergées. Ces hautes eaux peuvent se transformer en crues gigantesques qui conduisent alors le fleuve à envahir le lit majeur. Le Val de Loire est ainsi soumis au risque d'inondation. Le quart de l'agglomération d'Orléans et les trois quarts de celle de Tours se trouvent aujourd'hui en zone inondable. Ainsi les débits moyens mensuels confèrent-ils une grande irrégularité au régime du fleuve. À Orléans, le débit de février est presque huit fois plus élevé que celui d'août.

Trait d'union et axe majeur de la région, la Loire a aussi une fonction économique considérable et multiple. Outre l'approvisionnement en eau des villes et des industries, elles est utilisée par l'agriculture pour l'irrigation et sert au fonctionnement des quatre centrales nucléaires.

La Loire, dernier fleuve sauvage d'Europe, est menacée par des risques de pollutions chimiques et bactériologiques liés aux rejets issus des activités humaines et par un risque d'asphyxie du fait de rejets de nitrates (phénomène d'eutrophisation) qui se répercute sur sa faune et sa flore. Les risques de réchauffement des eaux, liés à la présence des centrales nucléaires, entraînent des perturbations au sein des écosystèmes. Enfin, il est reproché aux barrages existants ou en construction en amont de la région de modifier le rythme du fleuve. Les soutiens d'étiage, en élevant le niveau des eaux en été, peuvent mettre en jeu la survie de certaines espèces, comme les sternes, qui ont besoin pour se reproduire de basses eaux dégageant de vastes îlots sableux.

Des pressions urbaines faibles

Malgré un long passé urbain – les quatre plus grandes villes d'aujourd'hui (Bourges, Tours, Orléans et Chartres) étaient les principaux carrefours de routes romaines – et un taux d'urbanisation proche de la moyenne française, la densité de population actuelle de 60 habitants au kilomètre carré reste peu élevée par rapport à celle des autres régions françaises (104 habitants au kilomètre carré pour la France entière).

De 1982 à 1990, la croissance démographique (4,7 %) a surtout profité aux zones périurbaines (banlieues et communes rurales proches). La population du territoire rural (hors des zones de peuplement industriel et urbain, maintenant touchées par la suburbanisation) et celle des grandes villes (retour au centre-ville) restent quasiment stables. Dans les cantons de l'agglomération d'Orléans, entre 1970 et 1988, l'urbanisation a grignoté 14 % des zones agricoles contre 4,6 % en moyenne pour le département du Loiret. Le même phénomène est constaté dans l'agglomération de Tours avec respectivement 9,7 % et 4,1 %. Les contrastes se sont accentués entre deux zones fortes (le Val de Loire et les confins septentrionaux) et le reste de la région. Les moteurs du dynamisme sont Orléans et Tours d'une part et Paris d'autre part. En 1990, près de 3 500 Orléanais travaillaient journalièrement à Paris. En revanche, le sud de la région est en déclin relatif.

Dans l'ensemble du territoire régional, la population est donc plus dense sur l'axe Orléans-Blois-Tours et sur les franges d'influence francilienne. La région est dotée d'un tissu de villes moyennes abondant (onze unités urbaines regroupant les deux tiers de la population) et dynamique (en croissance) et d'un semis de petites villes enracinées dans le monde rural. L'armature urbaine est en fait assez déséquilibrée. Mises à part Tours et Orléans, il n'y a pas d'agglomérations de plus de 100 000 habitants.

Attraction parisienne et importance des radiales

Région de passage entre l'agglomération parisienne, le Massif central qui le borde au sud, le Poitou et les pays de l'Ouest (Bretagne-Sud, Pays de la Loire), le Centre est traversé par les flux de transport entre l'Europe du Nord-Est et l'Europe du Sud-Ouest. L'espace régional se trouve ainsi fractionné par un réseau dense de voies radiales qui de Paris mènent à l'Aqui-taine et au Languedoc-Roussillon. En 1995, 78 points noirs concernant le bruit routier ont été recensés.

Le tronçon Paris-Orléans demeure l'axe majeur des transports ferroviaires et routiers dans la région. Il est emprunté par 20 % du trafic total entre Paris et la province. L'importance du point d'éclatement orléanais a été accrue par l'ouverture d'autoroutes vers Bordeaux, vers Bourges et Clermont-Ferrand et, au-delà, vers le Rhône et le Languedoc-Roussillon, ainsi que par la transformation de la RN20 en voie de type autoroutier.

Les déplacements ou migrations quotidiennes vers l'agglomération parisienne sont les plus intenses, surtout depuis Chartres, Orléans, Blois et Tours.

Un poids croissant de l'agriculture

Les sols agricoles occupent 67,8 % de la superficie régionale (contre 56 % en moyenne nationale), marquant ainsi fortement le paysage. Première région céréalière de la France (13 % de la production nationale) et de l'Union européenne, la région connaît les grandes tendances observées dans le Bassin parisien : diminution du nombre d'exploitations, augmentation de leur taille, diminution de la surface agricole consacrée aux céréales et développement des oléo-protéagineux. La concentration des surfaces agricoles s'est poursuivie entre 1988 et 1993. Les unités de 20 à 50 hectares de SAU (surface agricole utilisée) disparaissent à raison de 13 % par an. Toutefois, le nombre d'exploitations de plus de cent hectares progresse de 6 % par an (plus de 1 300 en 1993). La SAU moyenne actuelle par exploitation dans le Loiret est de 56 hectares (la moyenne nationale est de 35 hectares). La concentration s'effectue surtout dans le domaine céréalier et dans l'élevage (Beauce, Loiret...).

Les céréales sont produites dans de vastes exploitations fortement mécanisées de la Beauce et de la Champagne berrichonne. Elles occupent plus de la moitié de la surface agricole exploitée avec les betteraves sucrières.

On assiste ainsi à une intensification croissante des méthodes de production avec fort usage d'engrais et de pesticides et à une disparition des haies et bosquets qui s'accompagne d'une uniformisation des paysages (Champagnes et Gâtines).

Ces paysages laissent place dans le Val de Loire à une agriculture « soignée » d'une très forte intensité (12 % de la valeur ajoutée agricole pour 2 % de la superficie exploitée). C'est le « jardin de France » qui porte des cultures maraîchères et florales mais aussi des vergers et de la vigne, notamment en Touraine et dans l'Orléanais.

Par ailleurs, la surface en jachère a pratiquement triplé entre 1992 et 1994, passant de 4,6 % à 12,3 % des surfaces cultivables, dont une grande majorité en gel non productif et en jachère nue entraînant un lessivage important des sols.

Une dégradation de la ressource en eau

La qualité des eaux souterraines et des eaux de surface (fleuves et rivières) est gravement menacée par la pollution.

Une eau potable de qualité médiocre

La région utilise essentiellement les nappes d'eau souterraine abondantes pour s'alimenter en eau potable. Or, les zones de culture intensive coïncident avec la présence d'une sous-couche de calcaire à l'intérieur de laquelle les nappes sont particulièrement vulnérables (*voir encadré*).

En 1994, près de 16 % de la population (379 000 habitants) reçoivent une eau dont la teneur en nitrates est comprise entre 40 et 50 milligrammes par litre[1]. Et un peu moins de 3 % de la population (69 000 habitants) reçoit une eau dont la teneur en nitrates dépasse la norme européenne de 50 mg/l. Au total le nombre d'habitants recevant une eau dont la teneur excède 40 mg/l en nitrates est de 448 000, sans changement par rapport à 1989. Cette stabilité masque en réalité une dégradation de la ressource. En effet, les captages les plus touchés ont été progressivement abandonnés et la qualité des eaux captées dans les classes 25-40 mg/l s'est détériorée.

En 1989, différentes recherches ont mis en évidence des contaminations par les pesticides. En 1994, sur les deux pesticides les plus courants, l'atrazine et la simazine, au moins l'un a été rencontré à des teneurs supérieures à la norme de 0,1 µg/l dans les eaux alimentant 14 % de la population.

En ce qui concerne la qualité bactériologique, 75 000 habitants étaient alimentés, en 1989, par une eau ayant plus de 30 % de résultats non conformes (dont 6000 recevaient une eau dépassant le taux de 60 % de non-conformité). En 1994, le nombre d'habitants desservis par une eau provenant d'unités de distribution ayant plus de 30 % d'analyses non conformes a été ramené à 48 000. Il s'agit d'unités de petite taille. Plus aucune ne délivre une eau dépassant le seuil de 60 % de non-conformité.

Ce bilan montre que la plupart des problèmes en région Centre sont dus à des pollutions de la ressource. Quand la pollution est marquée, la solution utilisée jusqu'à présent consiste à abandonner le captage pollué et à forer plus profondément de façon à atteindre une eau non encore contaminée.

Eaux de surface : amplification des problèmes

La pollution et le gaspillage menacent la vie du milieu aquatique et l'équilibre entre besoins et ressources en eau de la région. Le phénomène s'amplifie lors des étiages estivaux. En effet, les rejets de phosphates, les importants prélèvements agricoles et l'alimentation en eau des villes entraînent avec la chaleur une prolifération dangereuse d'algues (eutrophisation) et des problèmes de disponibilité des ressources en eau.

Des capacités épuratoires insuffisantes

L'eau des fleuves et des rivières, notamment de la Loire, est fortement polluée en raison d'une insuffisance des systèmes d'épuration des eaux usées. Certaines stations d'épuration ne possédant pas de réseau de collecte parallèle ou séparée et de bassins de stockage appropriés, se trouvent submergées en cas de fortes pluies.

Si le taux de dépollution des eaux industrielles a progressé depuis les années 80 dans le bassin Loire-Bretagne, il accuse un retard pour les matières toxiques (65 % de la pollution brute éliminée dans le bassin Loire-Bretagne contre 70 % au niveau national).

Le taux d'assainissement collectif des agglomérations de plus de 10 000 habitants en 1993 (54 %) est supérieur à la moyenne nationale. L'objectif de l'Agence de l'eau Loire-Bretagne est d'atteindre un taux de dépollution de 64 %. Cet objectif n'est tenu dans aucun département, et ce en particulier pour la pollution azotée et phosphorée. C'est dans l'Indre que les taux sont les meilleurs avec le taux de collecte le plus élevé de la région. Au contraire, l'Eure-et-Loir est encore loin de l'objectif.

---

1. La valeur guide fixée par la directive européenne est de 25 mg/l et la valeur limite ou concentration maximale admissible est de 50 mg/l.

LA NAPPE PHRÉATIQUE DE BEAUCE EN DANGER

Épieds-en-Beauce, petite commune de 500 habitants située à l'ouest du département du Loiret, détient un peu enviable record. La teneur en nitrates des échantillons d'eau puisés à cet endroit dans la nappe phréatique est passée de 58 milligrammes par litre en 1978 à 85 mg/l en 1993, soit une augmentation de 46,6 % ! Cela fait près de vingt ans qu'ici la norme européenne de 50 mg/l est largement dépassée.

Épieds-en-Beauce n'est évidemment pas un cas isolé. Entre 1978 et 1990, les seize captages puisant dans la nappe de Beauce ont connu une augmentation régulière annuelle d'un milligramme de nitrate par litre. La moyenne est ainsi passée de 37 à 49 mg/l. Que l'augmentation ait été quasi nulle entre 1990 et 1993 n'autorise pas à l'optimisme. La sécheresse qui a touché la région a en effet réduit le lessivage par la pluie des nitrates stockés dans les sols.

UNE NAPPE SANS PROTECTION NATURELLE

De tels résultats montrent bien l'ampleur des menaces sur la nappe phréatique de la Beauce, l'une des plus importantes réserves d'eau de la France. Entre Loire et Seine, sur une superficie de 9 000 km², les calcaires lacustres et autres formations d'âge tertiaire renferment plusieurs milliards de mètres cubes d'eau stockés dans une cuvette à fond d'argile à silex. Cette nappe fluctue selon l'ampleur des pluies hivernales qui la rechargent et selon le débit des rivières exutoires qui la vidangent. À ces phénomènes naturels s'ajoutent les prélèvements pour l'irrigation, l'alimentation en eau des populations et les besoins industriels.

Cette nappe est vulnérable, car mal protégée, sauf sous la forêt d'Orléans grâce à la présence d'un écran sablo-argileux plus ou moins imperméable en surface et au nord de la Beauce. La partie inférieure de la nappe se trouve alors protégée par un écran hydraulique constitué d'argile ou de marne. Partout ailleurs, le calcaire perméable laisse migrer l'eau chargée en nitrates et parfois en d'autres polluants comme certains produits phytosanitaires dans la nappe. Ainsi, sur les trente-deux captages analysés, quatorze ont présenté de l'atrazine ou de la déséthylatrazine et huit dépassent la norme européenne de 0,1 µg/l . Il est toutefois trop tôt pour avoir une tendance, les traces de produits phytosanitaires ne sont en effet suivis par la DDASS du Loiret que depuis 1992.

UN LOURD HÉRITAGE

Pour la DDASS du Loiret, le respect des concentrations en nitrates et en pesticides s'impose. Mais la tâche est énorme. Pour les seules teneurs en nitrates, vingt-trois réseaux alimentant 16 438 personnes ont distribué une eau dépassant en moyenne sur l'année les 50 mg/l. Dix-sept autres réseaux alimentant près de 40 000 personnes ont atteint épisodiquement ce taux. Près de 10 % de la population du département du Loiret reçoit donc une eau non conforme. Pour remédier à la situation, les services de l'État en collaboration avec les communes ou les regroupements de communes creusent de nouveaux forages ou créent des unités de dénitrification. Mais cela coûte très cher. À Épieds-en-Beauce, le forage d'un nouveau puits et la création d'une unité de déferrisation atteint les 3,5 millions de francs.

Le salut viendra plus sûrement des nouvelles règles que s'imposeront les agriculteurs. La profession fait aujourd'hui des efforts très importants. Ainsi, avec Ferti-mieux, les céréaliers de la Beauce sont incités à utiliser moins et mieux les engrais et pesticides. Reste que les nitrates issus de plus de trente ans de fertilisation mal contrôlée migrent à travers le calcaire à une vitesse aujourd'hui inconnue.

La région n'est pour le moment capable d'éliminer que 35 % à 45 % des nitrates et des phosphates (intensification agricole, habitations et activités agro-industrielles). Le phénomène d'eutrophisation ne cesse de s'aggraver sur l'ensemble de la Loire. Il se renforce par les prélèvements plus importants en été dus à l'irrigation des cultures.

Sur la Loire, principalement en aval d'Orléans et de Tours, les rejets urbains ont de fortes conséquences sur les eaux du fleuve, qui, à cet endroit, se trouvent en classe de mauvaise qualité. De même, le Cher est pollué sur un grand nombre de stations durant sa traversée de la région Centre. Le Loir est atteint sur la totalité de son parcours dans la région. La qualité est mauvaise pour l'Indre en aval de La Châtre et avant sa confluence avec la Loire.

Le cours de la Loire jusqu'à Tours est inscrit en zone sensible selon la directive européenne du 25 mai 1991 qui impose de nouvelles normes d'épuration des eaux usées aux collectivités urbaines. Elle prévoit en outre que les agglomérations de plus de 10 000 habitants situées sur une zone d'eutrophisation ou sur une zone où la fabrication d'eau potable est difficile devront atteindre, d'ici 1998, un taux d'élimination des phosphates et des nitrates de 80 %.

Un équipement insuffisant pour le traitement des déchets

Les déchets industriels spéciaux (boues d'hydroxyde métallique, solvants chlorés,...) produits en région Centre représentent annuellement 130 000 tonnes. Trois secteurs d'activité produisent 69 % des déchets industriels spéciaux de la région : la fonderie et le travail des métaux (39 %), la chimie et la parapharmacie (17 %) et l'industrie mécanique (13 %).

Moins de 2 % des déchets produits sont éliminés en région Centre. Les 98 % restants sont éliminés hors région, dont 62 % en Île-de-France et 15 % en Pays de la Loire. La région Centre est donc sous-équipée en installations d'élimination de déchets et totalement dépendante des autres régions. Elle ne compte aucune décharge de classe 1 pour recevoir les déchets ultimes. Le processus de recherche de sites favorables est en cours ; il est confronté, comme dans d'autres régions, à l'opposition des populations locales.

Près de 73,5 % des déchets ménagers et assimilés sont mis en décharge. Les efforts à accomplir d'ici 2002, pour répondre à la directive européenne interdisant la mise en décharge, sont donc très importants. Une première étape a été franchie en 1996, avec la mise en service du centre de traitement et de valorisation des déchets de Saran, qui dessert l'agglomération orléanaise.

Des risques technologiques considérables

Le tissu économique de la région Centre est très diffus, en dehors de quelques concentrations comme par exemple celle de l'agglomération tourangelle. De nombreuses installations classées au titre des risques industriels se trouvent ainsi en milieu quasi rural. Le Centre accueille douze entreprises soumises à la directive Seveso, quatre centres de production nucléaire et plusieurs établissements pyrotechniques. Les normes de sécurité autour de ces établissements sont sévères, toutefois les risques restent présents.

■ *Douze entreprises Seveso*

La plupart des « établissements Seveso » dans la région le sont essentiellement pour des activités de stockage de gaz de combustibles liquéfiés ou de produits phytosanitaires. Les risques d'explosion ou d'incendie avec rejets accidentels de gaz ou de substances toxiques dans le milieu naturel pourraient entraîner des problèmes aux conséquences très lourdes tant pour les hommes que pour l'environnement. Ainsi, l'accident survenu en 1988 à Protex, près de Tours, avait privé d'eau potable plusieurs milliers de personnes pendant une semaine.

Les anciennes habitations et infrastructures situées aujourd'hui à l'intérieur des périmètres de sécurité des établissements Seveso demeurent exposées à des risques importants.

■ *Un parc nucléaire important*

Avec quatre centrales nucléaires (Chinon-Avoine, Saint-Laurent-des-Eaux, Dampierre-en-Burly et Belleville) implantées sur la Loire, soit désormais douze réacteurs à eau sous pression mis en service entre 1980 et 1988, le Centre était en 1992 la première région française pour la production d'électricité d'origine nucléaire (23 %).

Pour ces centrales, des problèmes liés aux étiages de la Loire se posent. En effet, au cours de ces périodes, les centrales doivent quelquefois stocker leurs effluents radioactifs liquides pendant plusieurs semaines. Le débit de la Loire est alors soutenu par les volumes d'eau lâchés depuis les barrages situés en amont, pouvant conduire jusqu'à doubler le débit naturel à l'étiage.

Une vingtaine d'années après leur mise en service, les cinq réacteurs « graphite-gaz » des premières centrales nucléaires ont cessé définitivement leur production. Reste le problème du démantèlement des installations et de la réutilisation des sites, qui n'ont pas fait l'objet de choix techniques et d'arbitrages définitifs.

CHAMPAGNE-ARDENNE

Des milieux naturels riches

L'uniformité paysagère de la Champagne crayeuse, qui occupe plus d'un tiers de la surface totale de la région, ne doit pas masquer la richesse et la variété des milieux écologiques de Champagne-Ardenne. En effet, cette région possède un patrimoine naturel relativement épargné : 603 zones naturelles d'intérêt écologique, faunistique et floristique (les ZNIEFF) ont été recensées. Forêts, pelouses sèches, marais, tourbières, étangs, prairies humides et inondables sont autant de milieux naturels diversifiés. Les deux parcs naturels régionaux ont été parmi les premiers créés en France : le parc de la forêt d'Orient, qui date de 1970, comporte un ensemble de cultures, de prairies d'élevage et un grand massif forestier renfermant deux lacs artificiels qui totalisent 4 600 hectares de plan d'eau ; le parc naturel de la Montagne de Reims, mis en place en 1976, est composé de forêts de hêtres et de charmes, de coteaux viticoles.

À cheval sur les trois bassins de la Seine, de la Meuse et du Rhône, la région Champagne-Ardenne contribue à irriguer l'Europe du nord au sud et recèle sources, grandes rivières, étangs et retenues artificielles de grande dimension.

La situation de la flore et de la faune des vallées, des cours d'eau et des zones humides s'est détériorée suite aux mutations des pratiques agricoles accompagnées de remembrements, de drainages et de recalibrages des fossés et cours d'eau. La Champagne-Ardenne est la deuxième région, après le Centre, pour les superficies ayant fait l'objet d'un remembrement. L'urbanisation quelquefois mal contrôlée, l'emprise des grandes infrastructures, l'extraction de matériaux risquent aussi de porter des coups irrémédiables à un espace naturel sensible.

Les guerres, l'essor de l'industrialisation au siècle dernier et la révolution agricole de l'après-guerre ont marqué fortement les paysages, bouleversant plaines et forêts. Deux faits majeurs illustrent des tendances d'évolution opposées ces dernières années dans la région. D'un côté, la révolution agricole de la Champagne crayeuse avec assèchement des marais, aménagement des vallées et mise en culture des savarts (parcours à moutons) a entraîné la disparition ou la très forte régression d'espèces végétales et animales qui s'étaient adaptées lentement à l'ancien système agro-pastoral (*voir encadré*).

Champagne-Ardenne

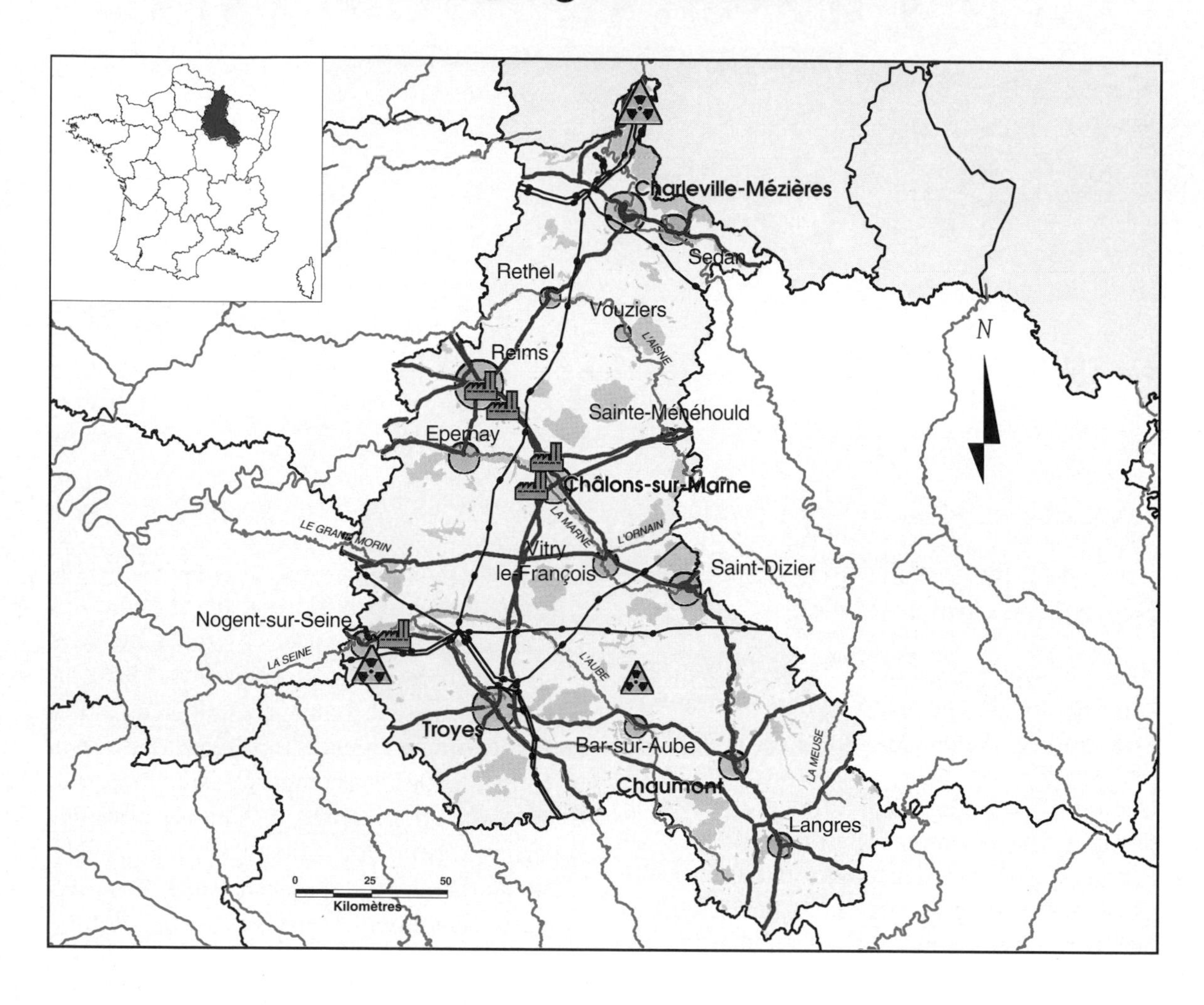

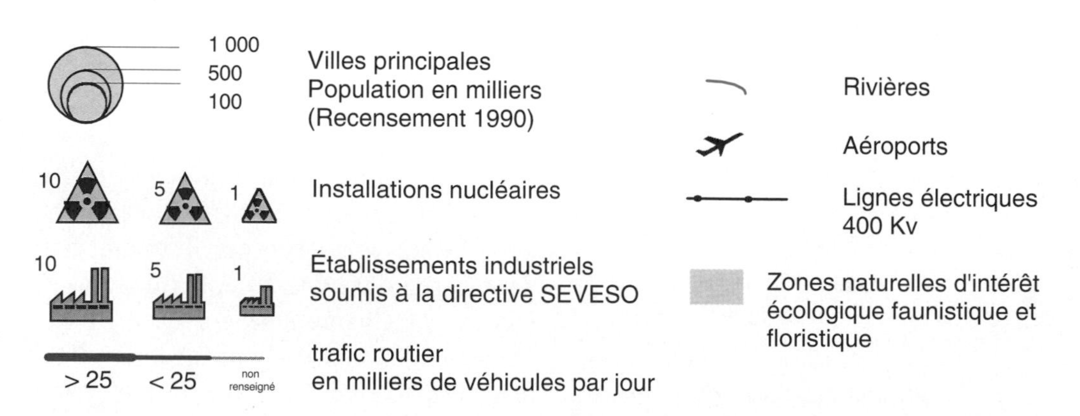

sources : MELTT/SETRA ; EDF Production Transport 1996 ; INSEE ; IFEN ; ministère de l'Environnement ; ministère de l'Industrie ; Museum national d'histoire naturelle.

LES PRINCIPAUX INDICATEURS ENVIRONNEMENTAUX

INDICATEURS	VALEUR RÉGIONALE	VALEUR NATIONALE	UNITÉ	ANNÉE
TERRITOIRE				
• Types d'occupation des sols :				
- naturelle	28,9	38,2	%	1994
- agricole	64,4	54,4	%	1994
- artificielle	6,7	7,4	%	1994
• Pression urbaine	32,8	77	hab. urbain/km²	1990
• Taux de boisement	25,8	26,3	%	Dernier inventaire
MILIEUX NATURELS FAUNE FLORE				
• ZNIEFF 1	2,7	8	% sup. régionale	1996
• ZNIEFF 2	11,9	21,1	% sup. régionale	1996
• Réserves naturelles	125	132 045	ha	1995
• Zones de protection spéciale (directive Oiseaux)	8 920	707 000	ha	1995
EAU				
• Qualité physico-chimique des eaux superficielles (rivières). Observations classées en catégories très bonne et bonne :				
- matières organiques et oxydables	85	56	%	1993
- phosphore	74	60	%	1993
- nitrates	70	83	%	1993
• Qualité des eaux de baignade en eau douce :				
- points de surveillance conformes aux normes de la directive européenne	66,6	87,3	%	1993
ATMOSPHÈRE, AIR				
• Part de la région CHAMPAGNE-ARDENNE dans la contribution française :				
- à l'accroissement de l'effet de serre	2,7	100	%	1990
- à la formation des pluies acides	2,5	100	%	1990
DÉCHETS MÉNAGERS ET ASSIMILÉS				
• Taux de valorisation énergétique et organique	12,4	29,9	%	1993
• Taux de mise en décharge	87,6	60,9	%	1993
ÉNERGIE				
• Production d'énergie primaire	4 376 dont 82 % d'origine nucléaire	99 885	Ktep	1992
• Nombre de réacteurs de production d'électricité	4	59	Nbre	1994
RISQUES TECHNOLOGIQUES				
• Nombre d'installations Seveso	5	346	Nbre	1994
• Autres installations potentiellement dangereuses	57	691	Nbre	1994
TRANSPORTS TERRESTRES				
• Densité des routes nationales (routes et autoroutes)	6,3	6,6	km pour 100 km²	1993
• Parcours journalier moyen sur les routes nationales	9,4	8,1	100 millions de véhicules/km	1992
• Distance moyenne domicile/travail	7,3	8,1	km	1990
• Points noirs dus au bruit :				
- route	48	1 414	Nbre	1991
- rail	3	248	Nbre	1991
SOCIÉTÉ				
• Associations agréées de protection de l'environnement	31	1 434	Nbre	1991

LA CHAMPAGNE CRAYEUSE REPLANTE SES ARBRES

La Champagne crayeuse, qui s'étend sur les départements des Ardennes, de la Marne et de l'Aube, fait partie des toutes premières régions agricoles de France. Sur les 920 000 hectares de cette région naturelle, 720 000 – soit 80 % de la surface – sont cultivés en céréales, betteraves, luzerne sur les plateaux, maïs et tournesol dans les vallées alluviales de l'Aube, de la Seine, de la Marne et de l'Aisne. Cette situation est très récente. L'histoire agricole de la région est en effet marquée par une succession de boisements et déboisements. Au XVIIe siècle, la région était une steppe herbeuse. À la fin du XVIIIe siècle, on a planté des forêts qu'on a défrichées à la Révolution. La région était alors occupée par d'immenses parcours à moutons sur substrat calcaire, appelés localement « savarts ». À partir de la fin du XIXe siècle, d'importants reboisements en essences résineuses (pins sylvestres, pins noirs) ont fait régresser ces savarts, dont on ne trouve plus trace aujourd'hui que dans les grands camps militaires de la région. Une grande partie de ces plantations a en effet été défrichées à partir des années 50, du fait de la modernisation de l'agriculture (mécanisation des techniques culturales) et du développement de l'agriculture intensive.

UNIFORMITÉ DU PAYSAGE

Ainsi, la part de boisements en Champagne crayeuse est passée de 25 % de la superficie du territoire en 1950 à 5,5 % de nos jours. Les deux tiers de ces 46 700 hectares arborés sont en exploitation. La forêt appartient à 90 % à des propriétaires privés. Elle est principalement constituée de futaies de résineux. Le pin sylvestre s'étend sur de grandes surfaces dans l'Aube et dans la Marne. Les rares massifs composés de feuillus se trouvent à la périphérie des villes de la région (Reims, Châlons-en-Champagne, Troyes). Ils sont d'autant plus fréquentés par les promeneurs que les forêts comme celles de la Perthe (Aube), Vauhalaise et Sapigneul (Marne) sont très rares.

La rareté du couvert forestier se traduit en termes d'impact paysager par une certaine uniformité. Les impacts physiques des déboisements sont également importants. Il y a beaucoup moins de protection contre le vent. La température et le taux d'humidité connaissent des variations plus importantes. Les pluies sont moins abondantes et plus irrégulières. Les sols souffrent d'une érosion hydraulique plus forte. La biodiversité, enfin, est mise à mal, notamment pour ce qui concerne les animaux prédateurs d'espèces nuisibles pour l'agriculture.

REBOISEMENT

Pour atténuer ces effets, la direction départementale de l'agriculture et de la forêt (DDAF) a établi un « schéma directeur des boisements ». Avec ce schéma, la DDAF de l'Aube entend amener les commissions d'aménagement foncier, instance de décision en matière de remembrement, à intégrer le développement forestier dans le nouveau parcellaire des communes du département. Un bilan est établi entre les bois à conserver et les bois à défricher, pour arriver à un « taux de boisement objectif » fixé par la commission départementale d'aménagement foncier. Ce taux objectif peut être éventuellement diminué si le taux d'avant remembrement est supérieur à 10 %, cas extrêmement rare. Il doit être maintenu s'il se situe avant remembrement entre 7 % et 10 %. Il doit progresser si le taux de départ est inférieur à 7 %. Les boisements sont répartis harmonieusement sur le territoire à remembrer. Ils sont l'occasion de remplacer les pins sylvestres par des essences feuillues (chêne, hêtre...), mieux adaptées aux conditions locales de sol et de climat et au paysage champenois. Ces dispositions sont souvent considérées comme contraignantes par les agriculteurs. Le schéma recommande donc de privilégier la concertation. Pour encourager les bonnes volontés, le conseil général de l'Aube a assorti l'octroi de son aide financière au remembrement à l'obligation de réaliser et d'appliquer le schéma de boisements.

Par ailleurs une réflexion au niveau régional a été engagée sur le thème des boisements en Champagne crayeuse. Elle a débouché sur une étude typologique en vue du réaménagement paysager multifonctionnel de la Champagne crayeuse, qui permettra un choix plus judicieux des espèces à utiliser. Enfin, il existe un dispositif d'« aide à la haie », financé par le conseil régional, auprès des agriculteurs. Il vise à encourager de nouvelles pratiques culturales. Ainsi, par petites touches, l'arbre reconstruit un paysage dans les immensités agricoles.

De l'autre côté, la création récente de grands réservoirs dans le bassin amont de la Seine a permis l'apparition d'importantes haltes pour les oiseaux migrateurs, en particulier pour les canards et surtout pour la grue cendrée. Le plus grand des oiseaux visitant la Champagne-Ardenne est le pygargue à queue blanche. Ce rare rapace vient hiverner sur ces grands réservoirs et notamment le lac du Der. L'hivernage de cette espèce, avec une majorité d'adultes, représente la moitié de l'effectif français (dix individus).

Une forte régression des zones humides et des pelouses

Les prairies humides et inondables, bien que couvrant encore des milliers d'hectares, sont l'un

TERRITOIRE	Quatre départements : Superficie totale : Superficie communes urbaines : Densité 1994 :	Ardennes, Aube, Haute-Marne, Marne 25 605 km^2 (4,7 % sup. française) 2 254,7 km^2 (8,8 % sup. régionale) 53 hab./km^2
POPULATION	Population totale 1990 : Population urbaine 1990 : Quatre principales agglomérations : Pyramide des âges 1994 :	1 347 848 (2,4 % de la pop. française), estimation 1994 : 1 353 276 838 742 (62,2 % pop. régionale) Reims, Troyes, Charleville-Mézières, Châlons-en-Champagne (34 % de la pop. régionale) – 25 ans : 35,5 % + 60 ans : 19,1 %
COMPTES ÉCONOMIQUES	Produit intérieur brut (PIB) 1992 : PIB/hab. 1992 :	154 573 millions F (2,2 % PIB français) 114 464 F
EMPLOI	Emploi total 1992 : Agriculture : Industrie : Bâtiment, génie civil et agric. : Commerce, transport et télécom. : Autres services : Taux de chômage 1994 :	511 803 (2,3 % emploi total français) 9,1 % emploi total régional 25,7 % / / 6,2 % / / 10,7 % / / 48,3 % / / 12,6 % (73 933 chômeurs)
LOGEMENT	Résidences principales 1990 : dont logements collectifs : Résidences secondaires 1990 (1) :	503 577 33,8 % 33 716
AGRICULTURE	SAU 1993 : dont terres labourables : Nbre d'exploitations 1993 : Superficie moyenne 1993 :	1 571 milliers d'ha (5,6 % SAU nationale) 79 % 30 258 52 ha
INDUSTRIE	Nbre d'établissements 1995 : Principaux secteurs industriels (effectifs salariés 1993) :	6 571, dont – 10 sal. : 5 033, + 500 sal. : 30 travail des métaux, IAA, équipements industriels, textile

Sources : INSEE, SCEES.

(1) Les résidences secondaires comprennent également les logements occasionnels.
NB : les pourcentages sont calculés par rapport à la France métropolitaine.

des milieux qui régressent le plus à cause de l'intensification agricole et du développement de la céréaliculture. Elles disparaissent peu à peu, d'abord devant l'extension des peupleraies, puis plus récemment devant celle des champs de maïs. Les peupliers ont presque totalement remplacé les boisements de chênes et d'ormes du lit majeur et les derniers marécages disparaissent pour les mêmes raisons. De multiples gravières se sont installées dans certains secteurs.

Les prairies humides et inondables qui subsistent encore abritent une flore remarquable : violette élevée, œnanthe moyenne, ail anguleux, narcisse... Ces prairies se rencontrent dans les grandes vallées (Meuse, Chiers, Aisne, Seine et Aube), ainsi que dans des vallons et dépressions (Jeugny, Clérey, Lusigny, Belval, Autry, Coiffy).

Jusqu'au début du siècle, marais et tourbières avaient un intérêt complémentaire à celui des pelouses sèches, constituant des parcours extensifs en situation humide. Ces milieux ont été fréquemment drainés et mis en valeur, pour des motifs de meilleure rentabilité économique. Les dernières tourbières de la région sont menacées de disparition notamment par évolution spontanée vers le boisement à cause de l'abaissement des niveaux d'eau et des apports de fertilisants en provenance des terrains cultivés voisins. Il est cependant encore possible de rencontrer dans certaines zones humides le mouron délicat dans les marais alcalins (Chenay, Marault, Saint-Gond, Chézeaux) ou la swertie des marais dans les massifs tuffeux de Haute-Marne (Val-Clavin, Chalmessin) et la drosère à feuilles rondes ou la linaigrette vaginée dans les tourbières acides (Hauts-Buttés, Gué d'Hossus, Sécheval).

Les pelouses sont un milieu biologique très riche mais en sursis. Inutiles aux yeux de certains responsables, elles sont reboisées – en général enrésinées – ou défrichées et mises en culture, en vignes et céréales principalement. La disparition de l'économie pastorale traditionnelle est la cause principale de leur régression. Les rares vestiges qui subsistent çà et là sont gagnés peu à peu par les broussailles, première étape vers un boisement naturel.

■ *La diminution des surfaces en forêt*

Couvrant 26 % du territoire, les forêts et bois de Champagne-Ardenne, essentiellement composés de feuillus, constituent le milieu biologique le plus important de la région. Le chêne y occupe une place prépondérante avec plus de la moitié de la surface boisée totale. Forêts d'Othe, de Clairvaux, d'Épernay, d'Enghen, de Chaource, de Trois-Fontaines, d'Arc-en-Barrois, d'Auberive, de l'Argonne ou du massif ardennais : une partie de ces boisements est fort ancienne. Certains remontent probablement aux périodes gallo-romaine ou celtique et ont subi les effets des activités humaines, notamment à des fins d'exploitation. Toutefois, une grande part des boisements est d'origine récente, soit spontanée, liée à la dynamique forestière après abandon du pâturage, soit artificielle, par la plantation notamment de pins ou de peupliers. Une partie de ces boisements secondaires a disparu récemment avec la reconquête agricole, en particulier en Champagne crayeuse.

En valeur absolue, la tendance est à la diminution des superficies boisées en forêts, constituant en cela une exception par rapport aux autres régions françaises. Ces variations restent globalement limitées. Aujourd'hui la forêt est de plus en plus exploitée en futaie génératrice de bois d'œuvre, notamment dans les domaines de l'État. Cette conversion est toujours en cours et beaucoup d'espaces boisés privés sont encore des taillis sous futaies.

Une agriculture de plus en plus intensive

La Champagne-Ardenne est l'une des toutes premières régions agricoles de France. La richesse du vignoble champenois, l'importance du secteur céréalier (deuxième rang national) et des fourrages déshydratés (80 % de la production nationale et 50 % de la production européenne) expliquent cette place. L'agriculture représente plus de 10 % de la valeur ajoutée régionale, soit le pourcentage le plus élevé de toutes les régions françaises. Avec les industries agricoles et alimentaires, elle emploie près de 13 % de la population active. Sur trois exploitations, une est viticole et une autre est spécialisée en grandes cultures. En 1990, les prairies occupaient 18,5 % du territoire régional et ont diminué de 13,7 % entre 1982 et 1990. Les cultures annuelles, qui occupaient 43,8 % du territoire, ont augmenté de 6,5 % sur la même période.

Dans la région, l'opposition est nette entre l'Aube et la Marne, domaine du champagne, de la culture intensive et mécanisée des grandes cultures, représentant l'artificialisation la plus poussée, et les Ardennes et la Haute-Marne, départements tournés vers la polyculture et l'élevage.

Dans les grandes plaines où l'on pratique la culture intensive, la faune sauvage est d'une très grande pauvreté. Ces pratiques agricoles sont incompatibles avec le maintien de la caille, de la perdrix, du lièvre et d'une espèce typique de la steppe, l'outarde canepetière, qui a vu sa population s'effondrer depuis vingt ans. La flore typique des champs a pratiquement disparu. Les messicoles (bleuets, coquelicots, etc.) ne s'observent plus qu'en lisière des chemins. Certaines espèces, moins communes, n'ont pas été observées depuis plus de trente ans dans toute la région, ou les régions voisines. Dans les secteurs d'élevage (crêtes préardennaises, Thiérache, Brie champenoise, Champagne humide, Bassigny,...), les prairies naturelles, qui ont fortement régressé depuis le début des années 80, alternent avec les champs cultivés et les boisements, formant le bocage.

Le vignoble, de son côté, utilise abondamment la chimie de synthèse et la généralisation de la destruction des « mauvaises herbes » a entraîné la disparition complète des escargots et de la petite faune. L'utilisation des pesticides élimine les plantes concurrentes et l'ensemble de la faune des insectes, qu'il s'agisse ou non de parasites.

Depuis 1993, la jachère est apparue dans le paysage. Elle conditionne le versement des aides compensatrices aux producteurs de céréales et d'oléoprotéagineux.

Une occupation du territoire peu dense

■ *Les espaces ruraux les plus dépeuplés du Bassin parisien*

Située sur la bordure est du Bassin parisien, la Champagne-Ardenne couvre 4,7 % du territoire national et ne représente que 2,4 % de la population française. C'est une région à faible densité de population avec 53 habitants au kilomètre carré, inférieure de moitié à la moyenne nationale, densité qui s'abaisse dans nombre de communes rurales à moins de 20 habitants au kilomètre carré. Très rurale (38 % des habitants vivent à la campagne, contre 27 % pour la moyenne nationale), les espaces entre les vallées y sont presque vides, les villages distants. Les territoires ruraux sont ici parmi les plus dépeuplés du Bassin parisien.

■ *Périurbanisation et recul de l'urbain concentré*

La basse densité régionale reflète davantage la grande étendue des espaces ruraux très peu peuplés que le faible taux d'urbanisation. Par suite de la périurbanisation, le taux d'urbanisation a décru de 1,4 % depuis 1975 pour atteindre 62,2 %. Les communes périurbaines dans un rayon de 30 kilomètres autour de Reims et Troyes et sur un périmètre plus restreint autour de Châlons, Charleville-Mézières, Saint-Dizier... ont maintenu une forte croissance, contrastant avec le déclin démographique persistant de zones « rurales profondes ».

Infrastructures et trafics aujourd'hui dominés par la route

Bien qu'assez peu peuplée, la région voit se développer un trafic passagers et marchandises important, avec sa position de carrefour entre le Nord, la région parisienne, l'est de la France et le Sud au-delà de Dijon. De 1982 à 1993, la région a connu une forte augmentation de son réseau autoroutier (+ 220 %). L'achèvement de l'autoroute A26 Calais-Dijon, débouché du tunnel sous la Manche, et la réalisation de l'A5 reliant Paris à Troyes et à la A26 font de la région un carrefour où se croisent les axes Paris-Francfort et Angleterre-Méditerranée.

La proximité des pôles parisien et lorrain et la voie autoroutière Lille-Dijon-Lyon expliquent en partie l'importance considérable d'un trafic de transit. En tonnage, le réseau routier monopolise la quasi-totalité du trafic de marchandises interne à la région et près de 84 % des flux entre la Champagne-Ardenne et les autres régions françaises.

Le trafic par le rail a régressé au cours des dernières années. L'arrivée du TGV en région Champagne-Ardenne modifiera peut-être ces données à l'horizon 2000-2005.

En ce qui concerne la voie d'eau, 635 kilomètres de voies fluviales au gabarit Freycinet (280 t) assurent la majeure part du trafic de pondéreux et notamment les céréales, dont la région est un gros producteur. Les voies navigables concernent essentiellement les petits gabarits et limitent donc la part du trafic lié à ce mode de transport. Mais, menée à son terme, la volonté actuelle de maîtriser les cours et d'aménager les lits mineurs et majeurs de la Seine, de l'Aube, de la Marne et de l'Aisne conduirait à une simplification de l'écosystème et à la disparition conjointe de nombreux biotopes de premier ordre et de leurs espèces végétales et animales.

Les problèmes de la ressource en eau

Inondations et impact des barrages réservoirs

Parcourue par de grands cours d'eau (Seine, Marne, Aisne, Aube et Meuse, etc.), la région Champagne-Ardenne est exposée à leurs débordements. Elle est fréquemment touchée par des inondations dites « de plaine » qui se caractérisent par une montée lente et prévisible des eaux et une durée de submersion importante. Ces inondations peuvent prendre un caractère catastrophique dans les zones urbanisées : vallée de la Meuse, sinistrée à plusieurs reprises au cours des dernières années, vallée de la Seine dans l'agglomération de Troyes, vallée de la Marne autour de Saint-Dizier, etc.

Cette situation contribue également aux problèmes rencontrés dans les bassins versants en aval. Dans le cadre de la lutte contre les inondations, la Ville de Paris a décidé l'implantation de plusieurs réservoirs de régulation dans le bassin amont de la Seine. La région Champagne-Ardenne en accueille plusieurs. Ils permettent un stockage des eaux entre octobre et mai et un soutien de l'étiage entre juin et septembre. Ces ouvrages répondent à un double objectif : éviter les crues de la Seine et soutenir les étiages pour assurer une bonne alimentation en eau potable de l'agglomération parisienne.

Le réseau hydrographique naturel a ainsi subi de profonds changements avec la création de ces barrages réservoirs. Le lac de la forêt d'Orient, ou réservoir « Seine », a été mis en service en 1966. Le lac du Der, ou réservoir « Marne » (en 1974), est le plus grand d'Europe et le réservoir « Aube » a été mis en service en 1990. Ces lacs régularisent les cours d'eau, lesquels ont fait l'objet d'un recalibrage et d'un reprofilage pour l'écoulement des restitutions d'été.

Une forte dégradation des cours d'eau

Quatre principaux types de nuisances agissent sur la santé des cours d'eau de la région. La présence de barrages infranchissables rend très aléatoire la migration des truites *fario* vers leurs frayères et ont éliminé depuis la fin du siècle dernier les grands migrateurs. La dégradation de l'habitat piscicole s'effectue aussi soit par des travaux de recalibrage de rivière ne tenant pas compte des contraintes liées au respect de l'environnement aquatique, soit, à l'opposé, par l'absence totale d'entretien du lit et des berges, conduisant à un envasement et à l'encombrement du cours d'eau. La modification du régime hydraulique naturel des cours d'eau dérivés pour le remplissage des barrages-réservoirs du bassin de la Seine est préjudiciable, entre autres, à la reproduction naturelle du brochet, espèce exigeant un niveau d'eau élevé et variant peu, en période printanière, pour y frayer dans les zones submersibles.

En 1993, la qualité des eaux superficielles est globalement bonne pour plus des trois quarts des points de mesure. Cependant, certains secteurs connaissent une pollution aiguë. Il s'agit, par exemple, de rivières de la Montagne de Reims, polluées par l'activité vinicole (pollution saisonnière due aux rejets des pressoirs), ou de la Traire (Haute-Marne), contaminée par les rejets des ateliers de traitement de surface des métaux (coutellerie, métallurgie).

Enfin, la qualité des eaux de baignade en eau douce n'est conforme aux exigences de qualité définies par les réglementations européennes qu'à 66,6 %, ce qui représente la plus mauvaise situation régionale après la Basse-Normandie et la Picardie.

Plus répandues, mais moins bien connues, sont les manifestations récentes d'eutrophisation des cours d'eau dont l'origine serait probablement à rechercher dans la pollution diffuse domestique ou agricole (érosion et lessivage des terres chargées d'engrais).

■ *La pollution des eaux par l'industrie*

Quatre secteurs industriels sont à l'origine de la majeure partie des effluents en région Champagne-Ardenne. L'industrie agroalimentaire (sucreries, distilleries) produit une pollution organique non négligeable généralement traitée par épandage. L'industrie du traitement de surface et de la transformation des métaux rejette une pollution toxique liée à l'utilisation de produits acides ou basiques, ou contenant des métaux solubles ou des complexants. Des situations anormales subsistent, en particulier pour les rejets de petits ateliers, principalement dans le bassin de la coutellerie à Nogent en Haute-Marne ou dans l'industrie textile dans le bassin de Troyes, qui rejette une pollution chimique importante. Enfin, l'industrie papetière est à l'origine de pollutions chimiques et organiques importantes, dont le traitement doit être assuré avant rejet.

Contrairement aux tendances nationales observées entre 1981 et 1991 en ce qui concerne les rejets dans l'eau de l'industrie, la région Champagne-Ardenne fait partie des quatre régions dans lesquelles on observe un accroissement des rejets nets en matières oxydables, pour une réduction de 22 % en moyenne nationale. Les rejets nets en matières toxiques connaissent seulement une très faible diminution (de – 1 %, alors que la baisse est de 39 % au niveau national).

Les déchets industriels

La région Champagne-Ardenne ne dispose que de deux installations de traitement des déchets industriels, mises en service en 1994 : une cimenterie autorisée à incinérer des déchets industriels, notamment des huiles usagées (20 000 tonnes par an), une installation de régénération de gangues salines issues de l'affinage de l'aluminium à Sainte-Ménéhould (60 000 tonnes par an).

Les déchets industriels spéciaux sont exportés dans les centres d'élimination ou les décharges de classe 1 implantés dans d'autres régions, essentiellement en Lorraine, en Île-de-France et en Alsace. Seuls les déchets industriels banals sont éliminés localement dans des décharges de classe 2, avec les déchets ménagers. Deux centres de regroupement et/ou prétraitement, l'un à Reims, l'autre près de Troyes, permettent cependant la collecte des déchets spéciaux produits en petites quantités, en vue de leur transfert vers des centres de traitement adaptés.

Les risques nucléaires et technologiques

En 1994, la région comptait cinq installations relevant de la directive Seveso : deux dépôts de gaz de pétrole liquéfiés, deux dépôts de produits phytosanitaires et une unité mettant en œuvre des isocyanates. Elle comporte aussi des installations pyrotechniques, des gros dépôts de liquides ou de gaz inflammables, des silos de stockage de céréales et des dépôts de produits phytosanitaires et certains autres établissements à risques spécifiques, notamment dans le domaine de la chimie.

Les installations nucléaires de base incluent la centrale de Chooz A (800 MW à l'arrêt), la centrale de Nogent-sur-Seine (2 x 1300 MW), la centrale de Chooz B, mise en service à puissance réduite en juillet 1996, et le centre de stockage de déchets radioactifs de Soulaines dans l'Aube.

CORSE

Un des derniers territoires de nature en Europe

La qualité, la diversité et la dimension des espaces naturels et des paysages corses font de cette île un des derniers « réservoirs de nature européens », comme le sont encore le Massif central ou l'Espagne intérieure. Les espaces naturels (ni agricoles, ni artificialisés) couvrent en effet 83 % de son territoire. La Corse, montagne dans la mer, culmine à 2 710 m, au Monte Cinto. L'altitude moyenne est de 560 m. Tous les types de reliefs y sont présents et se déclinent depuis le littoral marin jusqu'aux paysages escarpés de montagne. Le climat varie selon l'altitude, d'un climat méditerranéen à un climat alpin pur.

La côte s'étend sur 1 047 km (soit 14 % du littoral français) ; elle est souvent rocheuse (71 %), parfois ornée de plages de sable fin. La Corse a le privilège, peu répandu dans cette partie de la Méditerranée, de posséder des rivages encore préservés des excès de l'urbanisation, avec d'importants secteurs vierges de tout aménagement.

Les montagnes, Monte Rotondo, Aiguilles de Bavella, Tafonato, le plateau du Coscione, les lacs d'altitude (Melo, Capitello, Creno, Nino) et leurs pozzines, les gorges et les défilés (Scala di Santa Regina, l'Inzecca), les rivières et les cascades, les embouchures (Ostriconi, Ortolo), les cols, le Piale et les falaises de Bonifacio témoignent de la remarquable diversité de sites et des paysages. 230 zones naturelles d'intérêt écologique, faunistique et floristique (les ZNIEFF) ont été répertoriées.

La région possède une faune et une flore particulièrement riches caractérisées par un important endémisme, c'est-à-dire que l'on ne trouve nulle part ailleurs. Plus de 10 % des 2 500 espèces floristiques recensées sont ainsi uniques au monde. La région accueille aussi bon nombre de plantes méditerranéennes qui ne sont pas présentes en France continentale.

Les forêts et les maquis occupent 57 % du territoire corse. Le maquis (bruyère, lentisque, genêt, ciste...) domine jusqu'à 800 m. Au-dessus apparaissent des conifères comme le pin laricio. La Corse est dotée d'un capital forestier de grande valeur – chênes verts, chênes-lièges, châtaigniers – faiblement exploité. Les incendies de forêt et le « mitage » de certains paysages mettent en danger cette richesse. Les espèces végétales notamment ont ainsi déjà payé un lourd tribut à la fréquentation humaine : sept espèces ont déjà disparu et soixante-dix-sept sont considérées comme vulnérables.

Corse

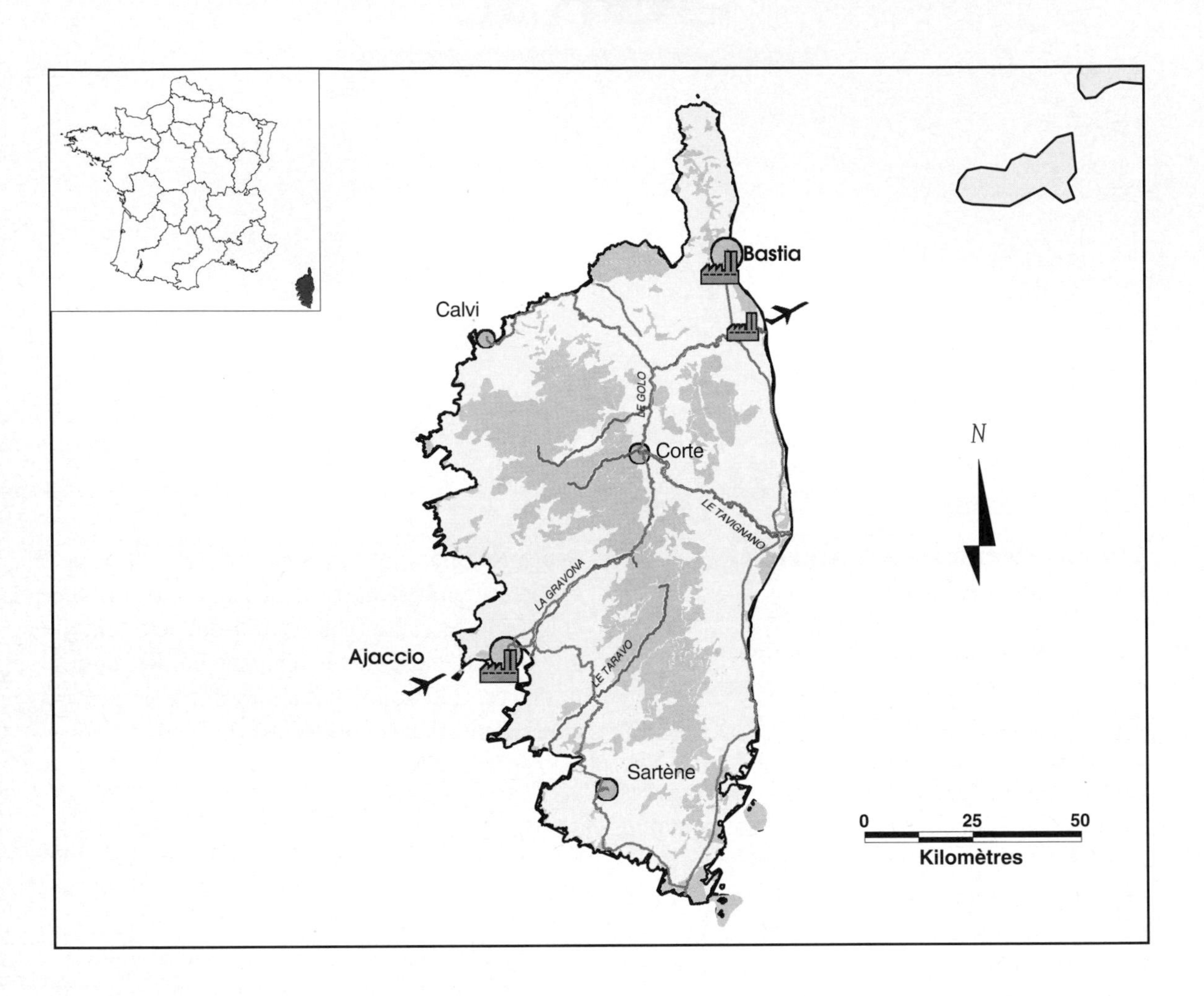

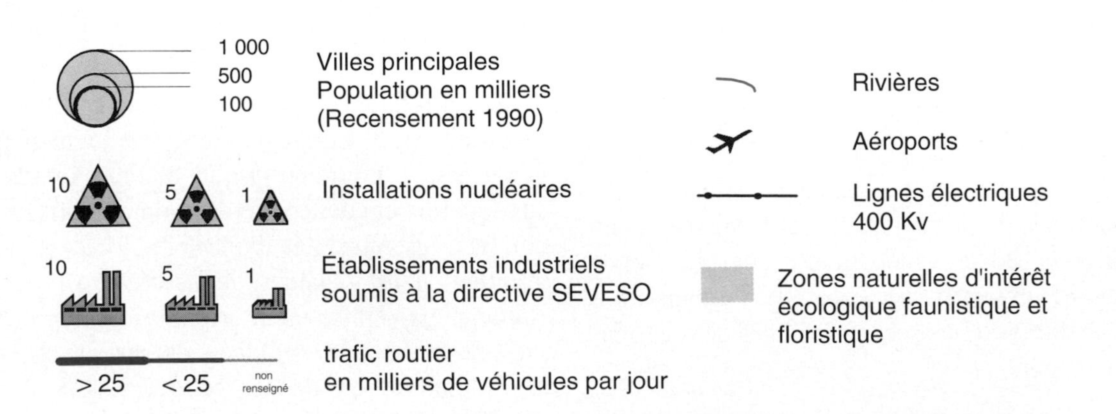

sources : MELTT/SETRA ; EDF Production Transport 1996 ; INSEE ; IFEN ; ministère de l'Environnement ; ministère de l'Industrie ; Muséum national d'histoire naturelle.

LES PRINCIPAUX INDICATEURS ENVIRONNEMENTAUX

INDICATEURS	VALEUR RÉGIONALE	VALEUR NATIONALE	UNITÉ	ANNÉE
TERRITOIRE				
• Types d'occupation des sols :				
- naturelle	81,3	38,2	%	1994
- agricole	15,9	54,4	%	1994
- artificielle	2,7	7,4	%	1994
• Pression urbaine	16,9	77	hab. urbain/km^2	1990
• Taux de boisement	29	26,3	%	Dernier inventaire
MILIEUX NATURELS FAUNE FLORE				
• ZNIEFF 1	11,4	8	% sup. régionale	1996
• ZNIEFF 2	22,5	21,1	% sup. régionale	1996
• Réserves naturelles	8 670	132 045	ha	1995
• Zones de protection spéciale (directive Oiseaux)	46 320	707 000	ha	1995
EAU				
• Qualité physico-chimique des eaux superficielles (rivières). Observations classées en catégories très bonne et bonne :				
- matières organiques et oxydables	100	56	%	1993
- phosphore	100	60	%	1993
- nitrates	100	83	%	1993
• Qualité des eaux de baignade en eau douce :				
- points de surveillance conformes aux normes de la directive européenne	94,5	87,3	%	1993
ATMOSPHÈRE, AIR				
• Part de la région CORSE dans la contribution française :				
- à l'accroissement de l'effet de serre	0,4	100	%	1990
- à la formation des pluies acides	0,6	100	%	1990
DÉCHETS MÉNAGERS ET ASSIMILÉS				
• Taux de valorisation énergétique et organique	/	29,9	%	1993
• Taux de mise en décharge	79,1	60,9	%	1993
ÉNERGIE				
• Production d'énergie primaire	86	99 885	Ktep	1992
• Nombre de réacteurs de production d'électricité	/	59	Nbre	1994
RISQUES TECHNOLOGIQUES				
• Nombre d'installations Seveso	5	346	Nbre	1994
• Autres installations potentiellement dangereuses	0	691	Nbre	1994
TRANSPORTS TERRESTRES				
• Densité des routes nationales (routes et autoroutes)	6,6	6,6	km pour 100 km^2	1993
• Parcours journalier moyen sur les routes nationales	2,7	8,1	100 millions de véhicules/km	1992
• Points noirs dus au bruit :				
- route	0	1 414	Nbre	1991
- rail	0	248	Nbre	1991
SOCIÉTÉ				
• Associations agréées de protection de l'environnement	17	1 434	Nbre	1991

Sur 213 espèces menacées, 50 sont condamnées à disparaître dans les dix années à venir si des mesures immédiates de sauvegarde ne sont pas prises.

La faune est également très riche mais témoigne d'une certaine fragilité. Des espèces comme le mouflon ou le cerf corse – qui a été réintroduit – sont très menacées. Les zones humides, marais, faignes, tourbières, lagunes estuaires, abritent de nombreux oiseaux dont certains sont en voie de disparition. En effet, plus de 120 espèces d'oiseaux nicheurs (aigle royal, gypaète barbu, balbuzard pêcheur, goéland d'Audouin, cormoran, sittelle corse), des amphibiens et des chauves-souris voient leurs biotopes menacés par l'exploitation touristique de l'île (développement immobilier du littoral, urbanisation...). L'étang de Biguglia est reconnu comme zone humide d'importance internationale dans le cadre de la

TERRITOIRE	Deux départements :	Corse-du-Sud, Haute-Corse
	Superficie totale :	8 679,7 km^2 (1,6 % sup. française)
	Superficie communes urbaines :	818,3 km^2 (9,3 % sup. régionale)
	Densité 1994 :	29 hab./km^2
POPULATION	Population totale 1990 :	250 371 (0,4 % de la pop. française), estimation 1994 : 253 706
	Population urbaine 1990 :	146 660 (58,6 % pop. régionale)
	Qautre principales agglomérations :	Ajaccio, Bastia, Porto-Vecchio, Corte (50,5 % de la pop. régionale)
	Pyramide des âges 1994 :	– 25 ans : 30,6 % + 60 ans : 22,8 %
COMPTES ÉCONOMIQUES	Produit intérieur brut (PIB) 1992 :	21 283 millions F (0,3 % PIB français)
	PIB/hab. 1992 :	84 435 F
EMPLOI	Emploi total 1992 :	85 440 (0,4 % emploi total français)
	Agriculture :	7,1 % emploi total régional
	Industrie :	7,2 % / /
	Bâtiment, génie civil et agric. :	10,5 % / /
	Commerce, transport et télécom. :	12,7 % / /
	Autres services :	62,5 % / /
	Taux de chômage 1994 :	12 % (11 884 chômeurs)
LOGEMENT	Résidences principales 1990 :	93 659
	dont logements collectifs :	51 %
	Résidences secondaires 1990 (1) :	54 858
AGRICULTURE	SAU 1993 :	111 milliers d'ha (0,4 % SAU nationale)
	dont terres labourables :	12 %
	Nbre d'exploitations 1993 :	3 361
	Superficie moyenne 1993 :	33 ha
INDUSTRIE	Nbre d'établissements 1995 :	1 452, dont – 10 sal. : 1 302, + 500 sal. : 0
	Principaux secteurs industriels (effectifs salariés 1993) :	IAA, produits minéraux, travail des métaux, équipements mécaniques

Sources : INSEE, SCEES.

(1) Les résidences secondaires comprennent également les logements occasionnels.
NB : les pourcentages sont calculés par rapport à la France métropolitaine.

convention de Ramsar. La richesse du patrimoine naturel a été valorisée par la création en 1971 du parc naturel régional le plus vaste de France puisqu'il regroupe 138 communes et 300 000 hectares.

Une pression touristique essentiellement concentrée sur le littoral

Cette variété des paysages corses a été, à la fin des années 60, un des facteurs du développement touristique. Aujourd'hui, la capacité d'accueil touristique de la région est d'environ 380 000 personnes et sa population permanente est de 250 000 habitants, soit un taux de 152 lits pour 100 habitants, ce qui situe la Corse à un niveau presque cinq fois supérieur à la moyenne nationale. Si les résidences secondaires (219 pour 1 000 habitants) constituent plus de 70 % de cette capacité, les structures d'hébergement professionnelles sont aussi développées : les campings peuvent accueillir près de 60 000 estivants.

La pression touristique est fortement localisée sur l'espace littoral : près de six touristes sur dix y séjournent. L'impact touristique est, par ailleurs, très concentré sur les deux mois d'été : ainsi, vers le 15 août, la Corse compte plus du double de résidents qu'en temps ordinaire. De fait, les possibilités d'hébergement sont concentrées sur le littoral : les communes côtières regroupent plus des deux tiers des hôtels, résidences secondaires et villages de vacances. Cette concentration a entraîné la destruction de la flore et de la faune dans certains secteurs et conduit à la dégradation de plusieurs sites de qualité par la multiplication incontrôlée d'hôtels, de résidences, de villages de vacances à l'architecture souvent inadaptée aux paysages.

Le Conservatoire du littoral a acquis près de 10 500 hectares, soit 124 kilomètres de côte, qui représentent 15,5 % du linéaire côtier. Certains des terrains menacés, notamment par la pression urbaine, tels que le désert des Agriates, Roccapina, ont pu être ainsi réhabilités et ouverts au public.

La qualité des eaux de baignade est bonne et 98 % des prélèvements conformes à la directive européenne. Les problèmes de pollution sont plutôt ponctuels : des campings surpeuplés en été ne disposant pas d'équipement d'assainissement, des collectivités littorales non équipées de stations d'épuration rejetant leurs eaux usées en mer, les déchets de plaisanciers jetés en mer et les décharges sauvages sur les plages polluant les côtes...

Une faible densité de population au centre de la Corse

La Corse a la plus faible densité de population des régions françaises : 29 habitants au kilomètre carré, la moyenne nationale étant de 104. Cependant, les agglomérations d'Ajaccio et de Bastia ont une densité comparable à celles des villes françaises de même taille.

58,6 % des insulaires sont des citadins. L'urbanisation s'est fortement développée à partir des années 60. De 1982 à 1992, la croissance démographique a bénéficié essentiellement aux villes moyennes du littoral et aux périphéries d'Ajaccio et de Bastia, qui ont connu la plus forte expansion, respectivement + 44 % et + 31 %. Plus de la moitié de la population réside autour de ces deux villes. En revanche, l'intérieur et les zones de montagne continuent à se dépeupler : ces espaces ont, en effet, perdu plus de 4 000 habitants depuis 1982. 40 % des communes, soit 153 (contre seulement 115 en 1982), comptent moins de 100 habitants. Moins de 10 % des insulaires vivent ainsi sur 44 % du territoire.

Une agriculture peu intensive et une pêche artisanale

Avec 14,8 % de la superficie régionale (contre 56 % au niveau national), la surface de la région utilisée par les activités agricoles est très faible. Elle a, de plus, connu de 1982 à 1990 la diminution la plus importante (6 %) après celle de la région Provence-Alpes-Côte d'Azur.

L'agriculture corse présente des types d'exploitations très divers. D'une part, une agriculture traditionnelle fondée sur l'élevage extensif transhumant dans l'intérieur de l'île et l'arboriculture de l'olivier et du châtaignier, d'autre part des grandes exploitations de productions végétales, viticoles et fruitières sur le littoral, plus particulièrement dans la plaine orientale. Bien qu'ayant subi une politique d'arrachage menée par la l'UE, la vigne reste la première production agricole de l'île et s'oriente aujourd'hui vers une production viticole de qualité. Les cultures fruitières, deuxième production insulaire, concernent essentiellement les agrumes (clémentines). L'élevage est surtout pratiqué pour la production de lait de chèvre et de brebis, en vue de la fabrication du fromage. Les porcs élevés en liberté ou semi-liberté donnent une charcuterie traditionnelle réputée.

L'agriculture connaît depuis une vingtaine d'années une mutation considérable marquée par la poursuite de l'exode rural et la réduction des surfaces viticoles (passées de 30 000 à 8 000 hectares). La société rurale corse est ainsi passée, en quelques dizaines d'années, d'un équilibre agro-sylvo-pastoral à une situation de crise agricole et de désertification rurale.

La pêche maritime constitue de son côté une activité de type artisanal. Elle est étroitement dépendante de la qualité du milieu marin. Avec ses côtes baignées à bonne température, l'absence de pollution et la proximité du marché italien, la Corse est un site bien adapté au développement de l'aquaculture. Cette filière s'est développée à partir de 1986. En 1992, avec une production de 700 tonnes de loups et de daurades, la Corse est le premier producteur piscicole français et assure la moitié de la production nationale.

Les incendies de forêts : principal problème d'environnement

La Corse, comme le sud-est de la France continentale et d'autres régions de Méditerranée, est régulièrement ravagée par le feu. Toutefois, ce phénomène présente en Corse des caractéristiques qui la différencient nettement des autres régions concernées. L'île était autrefois couverte de forêts qui avançaient jusqu'à la mer. De ces vastes forêts, il ne reste aujourd'hui que quelques massifs forestiers de grande taille (forêts d'Aïtone, Vizzavona, Ospédale...). Les formations dégradées (maquis, garrigues), elles-mêmes régulièrement détruites par le feu, ne peuvent de ce fait redonner naissance à des forêts.

Les deux départements de la Corse présentent, en comparaison des autres départements méditerranéens français, des surfaces boisées importantes, et ce plus particulièrement en Corse-du-Sud. Plus des quatre cinquièmes du territoire régional sont ainsi soumis à des degrés divers au risque d'incendie. Le nombre de mises à feu par an est très élevé : 1 040 en moyenne. En Corse-du-Sud, en dix-sept-ans (entre 1976 et 1992), les surfaces incendiées ont représenté 69 865 hectares, soit une moyenne annuelle de 4 110 hectares. La Haute-Corse a vu en vingt ans (entre 1973 et 1992) 116 000 hectares boisés partir en fumée, soit une moyenne annuelle de 5 800 hectares. Quelques feux de grande taille (les feux « catastrophes ») sont responsables de l'essentiel des surfaces brûlées. Ainsi, les feux de plus de 50 hectares, soit 1,25 % du nombre total des feux, ont été responsables de 86 % des surfaces incendiées.

Les périodes de sécheresse correspondent bien sûr à une multiplication des mises à feu et des surfaces parcourues par le feu. L'étendue du maquis, l'absence de barrières naturelles ou artificielles à l'extension du feu, le dépeuplement des zones rurales qui s'accompagne du non-débroussaillage concourent à cette situation.

Nombreux sont les incendies dus à l'imprudence, mais la plupart sont volontaires (écobuage, spéculations immobilières...). Ils prennent aussi naissance dans les décharges sauvages. En Haute-Corse, le mode d'élevage très extensif, fondé sur la divagation du bétail, serait responsable de 80 % des mises à feu et de la totalité des départs de feu aux conséquences les plus graves. Les problèmes liés à la chasse et plus particulièrement aux conflits d'usage de l'espace sont également souvent évoqués comme des causes importantes d'incendies.

Ces incendies ont de graves conséquences sur l'environnement : faune et flore détruites, érosion du sol qui n'est plus retenu par la végétation, assèchement des sources et des petits torrents, destruction des ressources (châtaigniers, arbres fruitiers...). Dans ces zones mises à nu, l'eau peut ruisseler de manière plus intense, entraînant une exportation massive des sols vers les fonds de vallons, des phénomènes réguliers d'inondations et de coulées de boue et, par manque d'infiltration dans les sols, un déficit important au niveau des nappes phréatiques. Plus encore que le passage du feu, la répétition de l'incendie sur les mêmes espaces est susceptible d'entraîner les dégâts les plus graves aux écosystèmes, et bien souvent de façon irréversibles.

Une eau abondante mais une période estivale déficitaire

La Corse bénéficie d'un important potentiel hydraulique. Sa position favorable dans le golfe de Gênes, mais surtout la présence d'une haute barrière montagneuse en font une région particulièrement arrosée. Ce sont plus de 8 milliards de mètres cubes d'eau que reçoit annuellement la région. Elle devance les autres îles méditerranéennes, ainsi que la plupart des régions françaises continentales, quant au ratio de disponibilité en eau par habitant.

Toutefois, plus de 80 % des pluies sont concentrées sur un petit nombre de jours entre les mois d'octobre et d'avril. Le climat corse se caractérise, en effet, par une forte sécheresse estivale, avec des vents très importants et une insolation élevée. Le relief escarpé et la structure géologique de l'île aboutissent à un ruissellement important ne permettant pas de grandes retenues d'eau, que ce soit en surface ou dans les nappes phréatiques. Ainsi, chaque année, près de 60 % du volume des précipitations retournent à la mer et sont donc inexploitables. La dégradation du couvert végétal, en particulier par les incendies, constitue un facteur aggravant.

Les besoins maximum en eau, tant pour la végétation et l'agriculture que pour la consommation humaine, se situent durant la période estivale. Des aménagements hydrauliques (barrages) ont donc été réalisés afin de disposer en été de la quantité d'eau nécessaire à la satisfaction des besoins courants. Les superficies irriguées, sans être importantes (elles représentent 12,3 % de la SAU), ont néanmoins augmenté de 31 % de 1988 à 1993.

Des pollutions domestiques ponctuelles

La quasi-absence d'industries et la faible importance d'une agriculture très localisée et peu intensive expliquent le faible niveau des pollutions de l'eau. La majeure partie du réseau hydrographique est de bonne qualité. L'essentiel de la pollution est d'origine domestique. Elle affecte surtout la zone littorale, où se situent les plus fortes concentrations humaines, notamment en période touristique. Ne sont donc concernés que le cours inférieur des fleuves et les eaux littorales. Le caractère très dispersé de l'habitat rural pose néanmoins quelques problèmes ponctuels.

La capacité de traitement des eaux usées installée en Corse atteint 365 000 équivalents-habitant. Elle se révèle largement insuffisante : 30 % de la pollution collectée est rejetée directement dans le milieu naturel sans traitement. L'augmentation importante de la population en période estivale rend en effet difficiles le dimensionnement des stations d'épuration et leur fonctionnement. Ces stations ont ainsi une efficacité médiocre, due partiellement aussi à l'insuffisance ou à l'absence d'entretien. L'assainissement individuel, qui semble souvent la meilleure solution pour l'habitat diffus ou les villages, est encore peu et mal utilisé.

Il existe quelques pôles de pollutions dues à des agglomérations qui ne traitent pas leurs rejets. Enfin, l'activité industrielle liée à l'exploitation des alluvions dans le lit mineur des cours d'eau entraîne une baisse de la qualité. La reconversion progressive de cette activité vers l'exploitation de sites en roches massives fait que la situation tend à s'améliorer.

Une pollution de l'eau par les industries viticoles

La pollution industrielle de l'eau est due essentiellement à trois activités : l'industrie laitière, le lavage-criblage des substances minérales, mais surtout la production des vins, liqueurs et spiritueux.

La pollution par la production des vins et liqueurs (qui a représenté, en 1992, 65 % des pollutions « industrielles ») est liée à l'insuffisance des équipements des caves de vinification ou à l'absence de récupération des sous-produits. Elle touche surtout la plaine orientale, région fortement viticole, qui abrite des milieux très sensibles à toutes les pollutions : les étangs saumâtres de Corse. La régression du vignoble et la fermeture progressive d'un grand nombre d'établissements, ont cependant fait diminuer fortement depuis 1974 ce type de pollution.

Une gestion des déchets problématique

La Corse souffre d'une prolifération de décharges non autorisées – facteur de pollutions importantes et de défiguration des sites –, du faible volume des déchets traités, de la quasi-absence de tri et de valorisation de ceux-ci ainsi que du mauvais fonctionnement de certaines installations.

■ *Un traitement incomplet des ordures ménagères*

Le taux de desserte de la population par des installations autorisées de traitement des déchets ménagers est de 62 %. Ces installations ne sont pas toujours aux normes. La mise en décharge (79 %) sans broyage préalable et l'incinération sans récupération d'énergie des ordures ménagères sont les deux modes principaux d'élimination des déchets. Exploitées le plus souvent par brûlage à l'air libre (pratique aujourd'hui interdite par la législation), ces décharges constituent des sources de nuisances et de pollutions importantes.

Nombreuses sont les décharges « tolérées » (décharges municipales exploitées mais non réellement autorisées) installées dans des sites peu adaptés à une exploitation satisfaisante : pente trop forte, secteur exposé au vent, absence de matériaux pour recouvrir les déchets, impact paysager. La pollution de l'air en Corse provient essentiellement des déchets ménagers et de leur combustion. Les incinérateurs sont souvent anciens et mal utilisés, induisant ainsi d'importantes nuisances *(voir encadré)*.

■ *Un cas particulier de déchets encombrants : les épaves de véhicules*

En Corse, aucun plan d'ensemble de gestion des déchets encombrants n'existe. Les collectes ne sont organisées que dans de rares communes et concernent à chaque fois un seul type de déchets. Depuis de nombreuses années, des épaves de toutes tailles (motos, voitures, camionnettes, camions, cars…) sont abandonnées sur le bord des routes ou jetées dans les ravins. Le relief montagneux de la Corse facilite ces pratiques et ces abandons. Ce phénomène a pris une telle ampleur que l'organisation de l'élimination des carcasses est nécessaire.

DES DÉCHETS DIFFICILES À COLLECTER[1]

DE NOMBREUSES PETITES COMMUNES

En Corse, il est très difficile de collecter les ordures ménagères. 90 % des communes ont moins de 1 000 habitants. 60 % des 250 000 Corses vivent dans des petits villages majoritairement situés dans des zones de montagne où les routes sont étroites et escarpées. L'été, l'île connaît une forte fréquentation touristique. La population est multipliée par neuf dans certains secteurs, si bien qu'un tiers du tonnage annuel des ordures ménagères est produit pendant les dix semaines de la saison touristique. Il est donc difficile de calibrer la taille des unités de traitement.

La Corse-du-Sud produit 90 650 tonnes par an de déchets ménagers et assimilés[2], la Haute-Corse, 77 580 tonnes. La plupart des petites communes corses déversent leurs ordures dans des décharges sauvages, nocives pour l'environnement (pollution du sol, de l'eau, risques d'incendie...). Le tri sélectif ne concerne que la collecte de verre, et représente moins de 1 % du tonnage annuel. La situation entre les deux départements est cependant très différente. En Corse-du-Sud, cinq décharges autorisées traitent les déchets d'environ 75 % de la population. Ajaccio et Porto-Vecchio concentrent 82 % des capacités de traitement installées dans le département, mais elles arrivent à saturation. En Haute-Corse, 85 % des déchets vont en décharges sauvages. Le département ne compte que deux décharges autorisées et cinq incinérateurs d'une capacité inférieure à une tonne par heure.

ENTENTES INTERCOMMUNALES

La loi du 13 juillet 1992 met l'accent sur la valorisation et prévoit qu'à compter de 2002 seuls les déchets ultimes[3] pourront être reçus dans les décharges contrôlées. Ces impératifs imposent une remise à niveau pour l'ensemble des communes corses. Le plan d'élimination des déchets ménagers de la Corse-du-Sud va d'abord coordonner les seize projets intercommunaux recensés dans le département. Ces projets de création de décharges contrôlées ou de transfert vers des unités de traitement étaient la plupart du temps ralentis par manque de moyens financiers. Il s'agit donc de rompre l'isolement des petites communes en créant des postes de transfert. La commune prend le déchet à la porte du particulier, le département le reprend à la porte de la commune. Le plan a déterminé dix « bassins » d'organisation de la collecte permettant d'optimiser les circuits de transport. Dans chaque bassin, un emplacement situé à proximité d'une voie principale doit être choisi pour recevoir l'équipement permettant la réception des différentes collectes municipales, leur compactage et leur transport en benne étanche vers des centres plus importants.

La Haute-Corse a décidé de rattraper son retard technique. Une usine d'incinération avec récupération d'énergie d'une capacité de 50 000 tonnes par an est en projet dans la région bastiaise. Deux unités de traitement sont envisagées dans la région de Ponte-Leccia et Corte et deux autres au sud de la Côte orientale. Un centre d'enfouissement technique est également prévu dans la plaine orientale, seul site géologique possible. Comme en Corse-du-Sud, pour parer aux difficultés de collecte, huit centres de transfert seront nécessaires en Balagne, Cortenais, Côte orientale, Cap Corse et Nebbio. Cela coûtera évidemment très cher. La Corse-du-Sud a calculé que le prix de traitement des déchets passerait de 8,9 millions de francs par an à 22 millions.

1. Les données présentées dans l'encadré sont issues des projets de plans départementaux d'élimination des déchets ménagers.
2. Ordures ménagères, produits issus de la collecte sélective, encombrants ménagers et déchets industriels banals.
3. Déchets résultant ou non du traitement d'un déchet qui n'est pas susceptible d'être traité dans les conditions techniques et économiques du moment, notamment par extraction de la part valorisable ou par réduction de son caractère polluant ou dangereux.

FRANCHE-COMTÉ

Milieux naturels et paysages

La Franche-Comté, une des plus petites régions françaises par sa taille et sa population, recèle néanmoins des paysages contrastés : pâturages et pré-bois du haut Doubs, massifs forestiers d'altitude du haut Jura ou des Vosges méridionales, lacs jurassiens et leurs complexes de tourbières et marais, vallées encaissées (côtes du Doubs, gorges de Flume, de la Bienne...), « reculées jurassiennes », zones des étangs (Bresse, Sundgau, et « plateau des Mille Étangs »). L'inventaire des zones naturelles d'intérêt écologique, faunistique et floristique (ZNIEFF) engagé en 1983 a permis ainsi de répertorier 705 zones couvrant 447 000 hectares, soit 27 % du territoire régional.

Outre de vastes espaces boisés, la région est riche en milieux humides : les lacs, marais et tourbières d'altitude abritent une flore et une faune remarquables et fragiles, apparentées à celles que l'on rencontre dans les contrées boréo-arctiques. Certaines associations végétales constitutives de ces milieux ne sont présentes en France qu'en Franche-Comté. Par opposition à ces milieux « froids », les corniches des reculées jurassiennes accueillent des espèces subméditerranéennes. Certaines espèces végétales liées à des milieux spécifiques sont ainsi menacées par la modification ou la disparition de ces milieux : les plantes de tourbières (andromède, drosera, grassette vulgaire), les orchidées, les plantes de corniches et des reculées. Grottes, cavernes et avens abritent vingt-quatre espèces de chauves-souris sur les vingt-sept espèces présentes en France.

La Franche-Comté compte environ 9 000 kilomètres de cours d'eau. Au regard de la vie piscicole, deux catégories de cours d'eau peuvent être distinguées : ceux où la population des salmonidés domine : truite *fario*, truite arc-en-ciel, ombre commun (cette dernière espèce, encore abondante dans la région, est quasi absente ou menacée ailleurs en France), et ceux où la population des cyprinidés domine (carpe, tanche et brochet dans les eaux calmes, barbeau, hotu, chevaine dans les eaux vives).

En Franche-Comté, les quatre cinquièmes du territoire sont constitués de terrains calcaires ou « karst ». Bien que soumis à une pluviosité importante, les plateaux calcaires sont généralement dépourvus de cours d'eau superficiels. Les eaux de pluie, chargées principalement en acide carbonique, provoquent une dissolution de la roche (un mètre de roche est enlevé par les eaux chaque millénaire). Elles disparaissent dans les innombrables fissures et pertes.

Franche-Comté

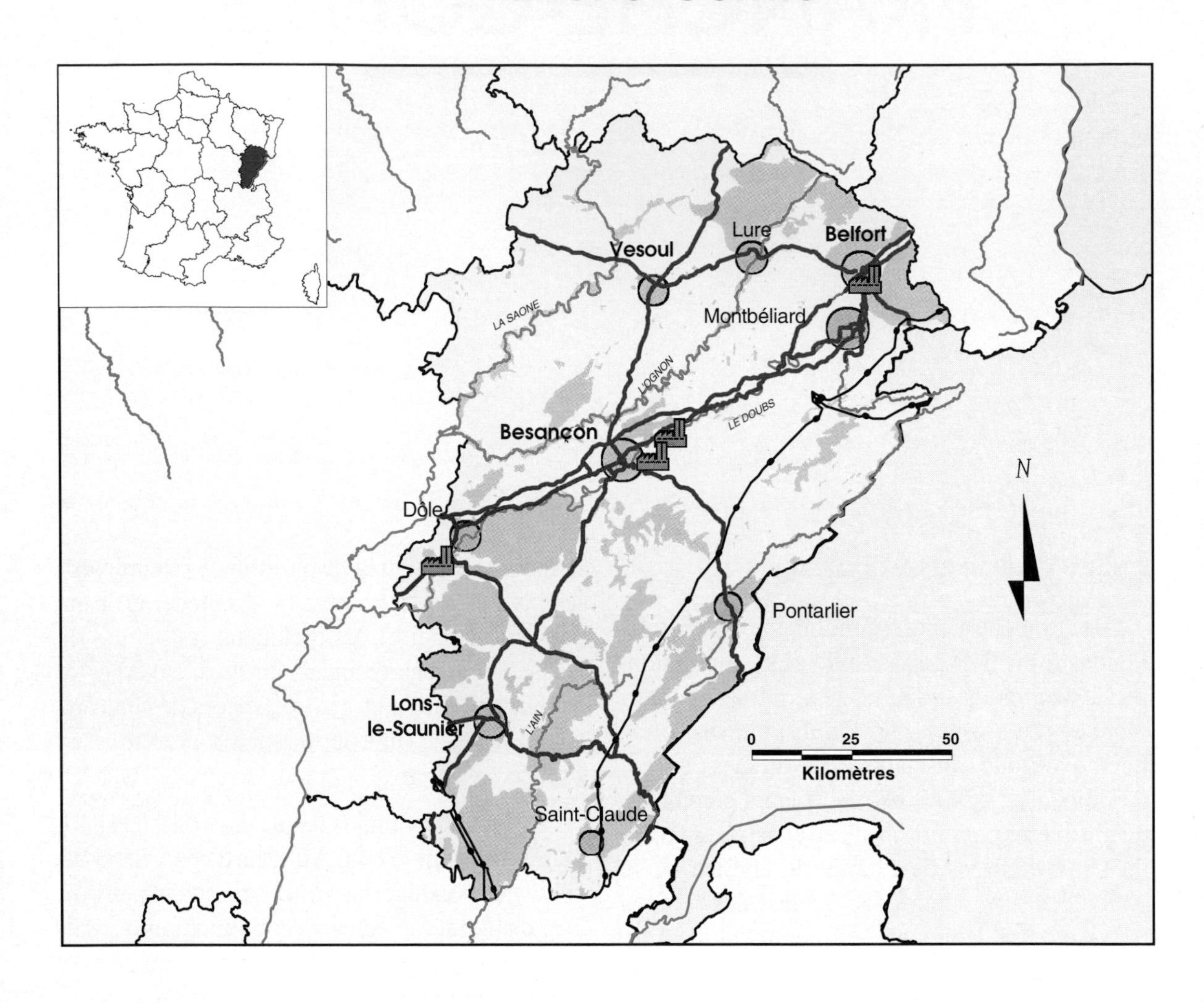

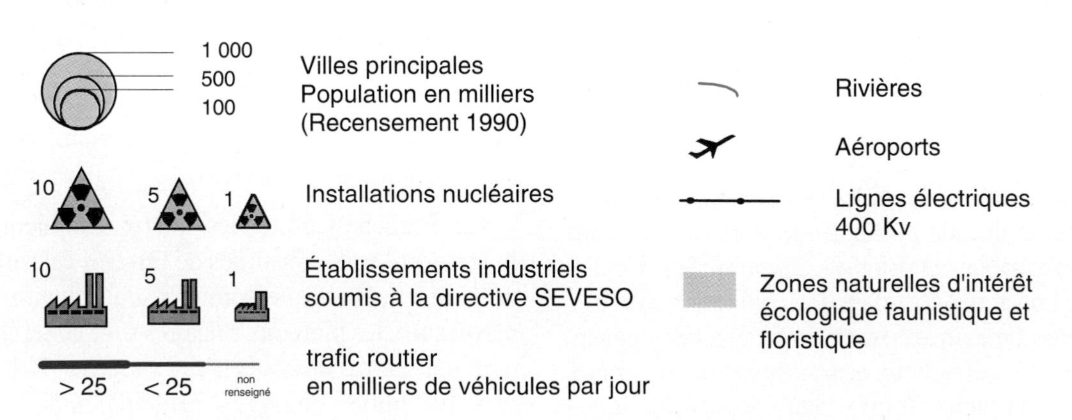

sources : MELTT/SETRA ; EDF Production Transport 1996 ; INSEE ; IFEN ; ministère de l'Environnement ; ministère de l'Industrie ; Muséum national d'histoire naturelle.

LES PRINCIPAUX INDICATEURS ENVIRONNEMENTAUX

INDICATEURS	VALEUR RÉGIONALE	VALEUR NATIONALE	UNITÉ	ANNÉE
TERRITOIRE				
• Types d'occupation des sols :				
- naturelle	47,9	38,2	%	1994
- agricole	46	54,4	%	1994
- artificielle	6	7,4	%	1994
• Pression urbaine	39,4	77	hab. urbain/km²	1990
• Taux de boisement	42,1	26,3	%	Dernier inventaire
MILIEUX NATURELS FAUNE FLORE				
• ZNIEFF 1	3,3	8	% sup. régionale	1996
• ZNIEFF 2	25,7	21,1	% sup. régionale	1996
• Réserves naturelles	960	132 045	ha	1995
• Zones de protection spéciale (directive Oiseaux)	430	707 000	ha	1995
EAU				
• Qualité physico-chimique des eaux superficielles (rivières). Observations classées en catégories très bonne et bonne :				
- matières organiques et oxydables	65	56	%	1993
- phosphore	80	60	%	1993
- nitrates	100	83	%	1993
• Qualité des eaux de baignade en eau douce :				
- points de surveillance conformes aux normes de la directive européenne	87.2	87,3	%	1993
ATMOSPHÈRE, AIR				
• Part de la région FRANCHE-COMTÉ dans la contribution française :				
- à l'accroissement de l'effet de serre	1,9	100	%	1990
- à la formation des pluies acides	2	100	%	1990
DÉCHETS MÉNAGERS ET ASSIMILÉS				
• Taux de valorisation énergétique et organique	44,8	29,9	%	1993
• Taux de mise en décharge	42,9	60,9	%	1993
ÉNERGIE				
• Production d'énergie primaire	196	99 885	Ktep	1992
• Nombre de réacteurs de production d'électricité	/	59	Nbre	1994
RISQUES TECHNOLOGIQUES				
• Nombre d'installations Seveso	4	346	Nbre	1994
• Autres installations potentiellement dangereuses	20	691	Nbre	1994
TRANSPORTS TERRESTRES				
• Densité des routes nationales (routes et autoroutes)	6	6,6	km pour 100 km²	1993
• Parcours journalier moyen sur les routes nationales	6,2	8,1	100 millions de véhicules/km	1992
• Distance moyenne domicile/travail	7,1	8,1	km	1990
• Points noirs dus au bruit :				
- route	45	1 414	Nbre	1991
- rail	1	248	Nbre	1991
SOCIÉTÉ				
• Associations agréées de protection de l'environnement	33	1 434	Nbre	1991

Les eaux des plateaux calcaires peuvent réapparaître très rapidement au fond des vallées sous forme de résurgences (sources de la Loue, du Lison, de l'Ain, de la Seille, de la Romaine, de la Filaine, du Cusancin...), caractéristiques du paysage régional. Les plans d'eau répartis sur l'ensemble du territoire régional couvrent 4 000 hectares.

L'une des régions les plus boisées

La Franche-Comté est une des régions les plus boisées de France. Elle abrite le troisième massif forestier national qui s'étend sur plus de 40 % du territoire de la région. La surface boisée est restée pratiquement stable au cours des dix dernières années. Dix-neuf régions naturelles forestières ont été identifiées, avec un

TERRITOIRE	Deux départements :	Doubs, Haute-Saône, Jura, Territoire de Belfort
	Superficie totale :	16 202,3 km^2 (3 % sup. française)
	Superficie communes urbaines :	1719,8 km^2 (10,6 % sup. régionale)
	Densité 1994 :	68 hab./km^2
POPULATION	Population totale 1990 :	1 097 276 (1,9 % de la pop. française), estimation 1994 : 1 110 722
	Population urbaine 1990 :	637 880 (58,1 % pop. régionale)
	Quatre principales agglomérations :	Besançon, Montbéliard, Belfort, Dole (31,8 % de la pop. régionale)
	Pyramide des âges 1994 :	– 25 ans : 35,1 %
		+ 60 ans : 19,5 %
COMPTES ÉCONOMIQUES	Produit intérieur brut (PIB) 1992 :	120 928 millions F (1,7 % PIB français)
	PIB/hab. 1992 :	109 314 F
EMPLOI	Emploi total 1992 :	407 323 (1,9 % emploi total français)
	Agriculture :	5,1 % emploi total régional
	Industrie :	32,3 % / /
	Bâtiment, génie civil et agric. :	5,8 % / /
	Commerce, transport et télécom. :	10 % / /
	Autres services :	46,8 % / /
	Taux de chômage 1994 :	9,7 % (46 799 chômeurs)
LOGEMENT	Résidences principales 1990 :	408 281
	dont logements collectifs :	37,7 %
	Résidences secondaires 1990 (1) :	41 331
AGRICULTURE	SAU 1993 :	662 milliers d'ha (2,3 % SAU nationale)
	dont terres labourables :	42 %
	Nbre d'exploitations 1993 :	15 358
	Superficie moyenne 1993 :	43,1 ha
INDUSTRIE	Nbre d'établissements 1995 :	6 513, dont – 10 sal. : 5 012, + 500 sal. : 13
	Principaux secteurs industriels (effectifs salariés 1993) :	automobile, travail des métaux, équipement ménager, IAA

Sources : INSEE, SCEES.

(1) Les résidences secondaires comprennent également les logements occasionnels.
NB : les pourcentages sont calculés par rapport à la France métropolitaine.

étagement en fonction de l'altitude : la chênaie-charmaie à l'étage collinéen (de 300 à 600 mètres), le hêtre entre 600 et 900 mètres. L'étage montagnard supérieur est le domaine des résineux. Enfin, les formations monospécifiques se développent aux altitudes les plus élevées. Quelques-unes de ces forêts d'altitude accueillent des espèces animales rares comme le grand tétras (*voir encadré*). Les forêts de feuillus représentent 70 % de la surface boisée. La tendance à la reconversion des taillis en futaie et à l'enrésinement se trouve limitée par l'émiettement des bois privés.

La filière bois occupe une place traditionnellement importante dans l'économie régionale (près de deux millions de mètres cubes sont récoltés annuellement) et représente 14 000 emplois. Elle participe pour 6,5 % à la production nationale et produit 8 % du volume national de sciages feuillus, chêne et hêtre principalement. Les deux parcs naturels régionaux (Ballons des Vosges et Haut-Jura) comprennent 60 % de forêts dans leur partie située en Franche-Comté. Le rôle des communes dans la gestion de la forêt est important. Près des deux tiers des communes de la région ont plus de la moitié de leur territoire boisé en forêt communale.

■ *Le dépérissement forestier des peuplements de la Haute Chaîne*

La Franche-Comté est concernée par le dépérissement forestier où la pollution atmosphérique (et plus particulièrement les pluies acides) joue, à côté d'autres paramètres, un rôle important. En 1984, la région a été dotée d'un réseau permanent de surveillance spécifique à ce problème. L'état sanitaire est déterminé en fonction du pourcentage de défoliation, de la perte des aiguilles et du jaunissement. Malgré une légère évolution favorable, la situation demeure préoccupante pour les conifères, surtout pour le sapin, dont plus de 40 % des effectifs présentaient en 1989 un taux de défoliation supérieur à 10 %. En ce qui concerne les feuillus, l'état sanitaire du hêtre et celui du chêne se sont légèrement dégradés depuis 1985.

Une région faiblement urbanisée

Les villes sont peu nombreuses dans la région et souvent modestes au regard des régions voisines. Seules deux agglomérations dépassent 100 000 habitants. Besançon et l'aire Belfort-Montbéliard-Héricourt sont les deux pôles urbains principaux, complétés par un réseau d'une dizaine de villes moyennes. La forte représentation des villes de 10 000 à 50 000 habitants est une caractéristique de l'armature urbaine comtoise.

L'axe qui va de Dole-Besançon à Montbéliard-Belfort traverse en diagonale l'espace franc-comtois et joue le rôle de voie de passage. Un tiers de la superficie, plus de 55 % de la population régionale, les agglomérations principales, l'essentiel des activités industrielles et de l'emploi secondaire et tertiaire s'y localisent et concentrent la majorité des nuisances.

Cette diagonale correspond aussi à un couloir de circulation à l'échelle nationale et européenne entre le Rhin et l'axe Lyon-Méditerranée, comme entre l'Europe moyenne et la région parisienne. Ce n'est cependant pas un territoire continu d'urbanisation, mais un ensemble d'agglomérations autour de carrefours de communication, séparées par des espaces intermédiaires plus ou moins larges, restés essentiellement ruraux.

■ *Les tendances de la périurbanisation*

La croissance urbaine a fortement ralenti, voire même régressé en Franche-Comté. La région est devenue une terre d'exode : de 1982 à 1990, les départs ont dépassé les arrivées d'environ 30 000 personnes.

Désormais, l'habitat tend à s'implanter dans la périphérie des villes et les banlieues se développent. Les quartiers périurbains, sans véritables limites, s'imbriquent avec plus ou moins de réussite dans les zones à vocation agricole, induisant un mitage des paysages. Le dépeuplement de l'espace rural se fait davantage au profit du milieu « rurbain » que des villes proprement dites. Depuis 1982, la tendance est à la renaissance des

LA DIFFICILE SAUVEGARDE DU TÉTRAS

En 1993, sur les 1 210 hectares de la forêt du Risoux (Jura) vivaient 17 coqs tétras et 14 poules. Ce pointage très précis montre à quel point les effectifs de ces grands gallinacés sont bas. De toutes les espèces d'Europe, le tétras est celui qui vit la situation la plus difficile. Aucun pays n'est épargné par la régression des effectifs, mais en France les risques d'extinction sont tels qu'il a fallu élaborer un plan d'urgence pour maintenir sa présence dans les forêts d'altitude du Jura, du Doubs, des Vosges et de l'Ain. En 1975, on comptait encore 250 coqs dans les Vosges. Il n'en resterait plus aujourd'hui qu'une centaine. Le tétras est principalement victime des bouleversements de son habitat par l'homme.

UN ANIMAL SOLIDE

Ce gros oiseau est bien armé pour affronter l'adversité. Son aire de répartition, entre Russie et Espagne, est extrêmement vaste. Il peut survivre dans des climats variés, du plus océanique (l'Irlande) au plus continental (Sibérie). La poule pond sept à huit œufs par an dès sa première année d'existence. C'est enfin un animal extrêmement discret qui sait se cacher dans les arbres aux cimes touffues et les sous-bois et possède d'excellentes capacités de fuite et de défense.

Cependant, pour vivre et croître, le tétras a besoin d'un milieu très particulier. L'espèce s'épanouit dans les forêts primaires, les vieilles futaies entrouvertes, faiblement régénérées et abondamment envahies par les buissons et la myrtille, plante qui signale sa présence. L'oiseau a donc besoin d'espaces boisés qui n'ont pas été exploités depuis très longtemps et laissent la place à de larges clairières. Or, les massifs forestiers sont désormais très régulièrement visités à la fois par l'agriculture, la sylviculture et le tourisme.

UN HABITAT FRAGILE

Aujourd'hui, la sylviculture bouleverse l'habitat naturel du tétras. Les forêts rajeunies sont plus denses et rendent les envols difficiles. Le sous-bois de fleurs variées et de myrtilles, nécessaire à l'animal en été, disparaît. Les grandes coupes à blanc et le morcellement des massifs forestiers détruisent les espaces indispensables à l'oiseau pour sa parade nuptiale et l'établissement de relations sociales complexes. L'ouverture de routes forestières augmente la pénétration humaine et les perturbations qui vont avec : bruits, vagabondages de chiens, braconnage. L'hiver, période difficile pour le tétras, c'est la pratique du ski qui menace l'oiseau. À cette époque, les tétras ont une alimentation pauvre constituée d'aiguilles de pin et de sapin. Les dérangements provoqués par les skieurs les poussent à des envolements successifs qui les affaiblissent considérablement.

Pour maintenir les populations, il faut donc préserver des surfaces de forêts favorables aux tétras. Avec l'aide financière de la région Franche-Comté, du ministère de l'Environnement et de l'Union européenne, l'Office national des forêts (ONF), le parc naturel régional du Haut Jura, l'Office national de la chasse et les centres régionaux de la propriété foncière de Franche-Comté aident des techniciens à reconstituer cet habitat naturel. Une nouvelle directive de gestion forestière devrait par ailleurs permettre de concilier production de bois et préservation des grands tétras. Ces travaux sont très longs. Les gestionnaires se sont donné quinze ans pour sauver l'espèce.

communes rurales situées dans un rayon de 20 kilomètres autour des zones urbanisés, à la fin de l'exode des bourgs de quelques milliers d'habitants et au fléchissement marqué de l'exode rural.

Enfin, Vesoul et sa périphérie, l'axe sous-vosgien et la zone d'influence bisontine sont en forte expansion à l'inverse des secteurs de Montbéliard ou du haut Doubs.

■ *Des projets d'infrastructures controversés*

Le projet de canal à grand gabarit pour relier la Saône aux réseaux du Rhin et du Danube est toujours à l'ordre du jour, alors que ses impacts écologiques et son coût financier très élevé ont été reconnus. Le creusement bouleverserait de manière considérable le milieu : rectification du Doubs et construction de nombreux barrages et écluses, disparition de plusieurs milliers d'hectares de terres agricoles, transformation et destruction de milieux humides.

Quant au projet de tracé du TGV Rhin-Rhône devant compléter le dispositif national et l'intégrer dans un réseau européen, il suivrait la vallée de l'Ognon sur 80 kilomètres. Or, celle-ci constitue une riche zone inondable et humide inventoriée comme ZNIEFF.

Une région d'élevage à vocation laitière

La Franche-Comté est une région plus rurale que la moyenne des régions françaises, le monde rural accueillant 43 % de la population régionale. La surface agricole utile couvre 44,2 % du territoire. Elle est occupée à 70 % par des prairies. S'appuyant sur la race montbéliarde, l'agriculture locale présente un caractère laitier dominant. 90 % du lait est transformé en fromage à pâte cuite et 50 % des exploitations ont pour unique activité la production laitière.

Encore largement représenté dans les massifs jurassiens et particulièrement dans le haut Doubs, l'élevage permet la production de fromages renommés tels que le comté, le morbier ou le mont-d'or dans plus de trois cents fromageries artisanales. Le nombre de vaches laitières continue à s'accroître, en particulier dans le Doubs, alors qu'il reste stable au niveau national, donnant à la région une physionomie particulière : une concentration laitière sur les plateaux supérieurs du Doubs et dans une moindre partie du Jura.

Toutefois, l'agriculture connaît une double évolution : intensification des pratiques agricoles dans le secteur de la plaine qui développe la céréaliculture et, à l'inverse, abandon progressif de terres pastorales dans les secteurs montagnards.

Les plaines sont devenues des zones de grande culture : les remembrements ont uniformisé le paysage par la constitution de grandes parcelles. L'abandon des haies est presque total.

Sur les plateaux de Haute-Saône, le paysage agricole est plus diversifié : c'est une région mixte de cultures et de prairies. Les haies sont en nombre encore assez important. Sur le massif du Jura, les espaces en herbe dominent largement, entrecoupés d'un bocage très ouvert. En altitude, il s'agit de forêts pâturées ou de pré-bois. Les espaces agricoles et les surfaces toujours en herbe (STH) sont associés à des bosquets, des boqueteaux et des petits bois. Ce type de paysage est en net recul, avec le reboisement naturel ou artificiel, la plantation d'épicéas et la disparition des clairières au profit des forêts.

La déprise agricole en zone de moyenne montagne, comme les Vosges saônoises et le haut Doubs, conduit petit à petit à une fermeture des paysages par une avancée de la forêt et un développement des friches. Ce phénomène se traduit par un appauvrissement de la diversité du biotope. La diminution très sensible du nombre des exploitants agricoles a pour conséquence de laisser inexploitées les parcelles d'accès le plus difficile. De la même façon, la modification des pratiques culturales a eu pour corollaire la destruction de certains milieux caractéristiques, comme les zones humides.

La fragilité des ressources en eau

La présence des sols et sous-sols calcaires pose dans la région des problèmes particuliers en matière d'eau, tant du point de vue de la protection des ressources que de la recherche d'apports nouveaux.

■ *Pollution bactériologique des eaux souterraines*

Le problème majeur est celui de la pollution bactériologique alliée souvent à une turbidité excessive, qui caractérisent les aquifères karstiques (le phénomène d'auto-épuration y est quasi nul) et qui affectent, de ce fait, une grande partie des ressources en eau de la Franche-Comté. Le phénomène s'explique essentiellement par le contexte géologique des eaux captées. Celles-ci, le plus souvent issues de résurgences de circulations karstiques, sont en liaison directe avec l'extérieur et de ce fait vulnérables et difficiles à protéger. Comme l'eau de consommation est, dans la région, le plus souvent captée dans le karst, cette situation pose des problèmes pour la qualité des eaux distribuées.

Des facteurs aggravants sont particulièrement sensibles en Franche-Comté. Ce sont d'abord la quasi-absence de périmètres de protection effectivement appliqués et la difficulté de la définition de ce type de protection pour une résurgence karstique. C'est ensuite la petite taille de nombre d'unités de distribution qui pose des problèmes de surveillance et d'entretien des systèmes de désinfection.

■ *Qualité de l'eau des rivières et eutrophisation*

Malgré l'abondance des précipitations en Franche-Comté et en raison de la nature géologique du sous-sol, la région connaît, sur une large part de son territoire, un ruissellement direct réduit. L'essentiel des eaux de pluie part directement dans les calcaires ou dans les alluvions. Le réseau hydrographique de surface est constitué de quelques rivières importantes : Saône, Ognon, Doubs, Loue, Ain.

Concernant la qualité des eaux des rivières, la situation est contrastée. Pour les indices de mesure habituels (qualité physico-chimique et qualité biologique), la situation est relativement stable sur l'ensemble du territoire, avec des secteurs qui s'améliorent et d'autres qui se dégradent. Par contre, en nette expansion dans l'espace et dans le temps au cours de la dernière décennie, la prolifération des algues affecte de nombreux milieux aquatiques régionaux. Elle atteint un maximum en été. Elle est à l'origine d'une mortalité accrue des poissons et de goût indésirable rendant l'eau impropre à la consommation. Dans les zones agricoles, les excédents azotés et phosphorés, l'éradication des haies et des bosquets et le remplacement des prairies de fond de vallée par les cultures sont les facteurs déterminants. Dans les zones urbaines, l'imperméabilisation des surfaces, l'insuffisance des capacités d'épuration ou de raccordement et le mauvais fonctionnement des stations d'épuration concourent à cette situation. Au niveau du lit apparent des cours d'eau, le recalibrage et le curage sont également en cause.

■ *Pollution d'origine domestique et assimilée*

La pollution brute avant traitement n'a cessé d'augmenter sous l'influence conjuguée de la croissance démographique, de la concentration urbaine et des concentrations saisonnières de population sur les lieux de vacances (stations de ski, plages des bords de lacs et de rivières…). Une large part de la population est rurale et habite des petites communes, ce qui nécessite de multiplier les installations de traitement des eaux usées de taille réduite. Du côté des agglomérations de plus de 10 000 habitants, qui correspondent, avec les services et industries raccordées, à près de 800 000 équivalents-habitant (exprimés selon les matières oxydables), le taux de collecte (67 % en 1993) et le taux de dépollution (52 %) sont légèrement supérieurs à la moyenne nationale.

■ *Le lactosérum : source de pollution*

Les fruitières (locaux de fabrication) produisant les fromages régionaux sont aussi des sources de pollution. Grande utilisatrice d'eau, la transformation du lait en fromage d'une part entraîne la production d'une quantité importante d'eaux résiduaires (environ 1,5 litre d'effluent par litre de lait traité) composées en grande partie d'eaux de lavage, et, d'autre part, conduit à la présence d'un sous-produit à forte charge polluante, le lactosérum : 100 litres de lait transformés en fromage de Comté produisent 80 litres de lactosérum, équivalents à la pollution de quarante habitants, lorsqu'ils sont rejetés directement dans le milieu. Dans les fromageries, les pertes de lactosérum représentent 10 %. Le reste est valorisé soit par concentration (60 %), soit dans l'alimentation des porcs (40 %). Toutefois, pour ne pas assister à un simple transfert de pollution du lactosérum au lisier de porc, un effort important de modernisation a été effectué au cours des dernières années, accompagné de la mise en place de plans d'épandage du lisier.

■ *Une dizaine d'établissements à l'origine de 50 % de la pollution industrielle des eaux*

Souvent décrite comme un espace rural, la Franche-Comté est pourtant dans sa structure la première région industrielle française : un actif sur trois est employé dans le secteur secondaire. S'opposent dans ce domaine, d'une part, une Franche-Comté d'industries concentrées dans les villes, dont le prototype est le pays de Montbéliard, où quelques très grandes entreprises impriment fortement leur marque au paysage, à l'habitat et au rythme de vie, et, d'autre part, une Franche-Comté de petites industries insérées dans un univers rural : horlogerie de Maîche et Morteau, productions localement diversifiées du Jura du Sud (lunettes, matières plastiques, jouets et travail du bois...).

En 1992, douze établissements génèrent la moitié de la pollution oxydable d'origine industrielle, onze la moitié de la pollution toxique et vingt la moitié de la pollution par les matières en suspension. Le taux de dépollution toxique est de près de 85 %. Les principales branches polluantes sont l'industrie laitière, la chimie, les activités mécaniques, les traitements de surface et la pâte à papier. En matière de pollution industrielle de l'eau, l'évolution des rejets entre 1981 et 1991 place la région dans la moyenne française (– 22 %) pour les matières oxydables, mais en retrait (seulement – 18 %) pour les matières toxiques.

■ *Traitement de surface : les trois quarts de la pollution toxique industrielle*

Le traitement de surface est responsable des trois quarts de la pollution toxique industrielle régionale. La Franche-Comté est au premier rang des régions concernées par cette activité. Se distinguent une zone nord très dense autour de Montbéliard, équipée d'ateliers de gros volume, organisée autour du marché de la soustraitance automobile, et une zone sud autour de Besançon, Maîche, Morteau, Morez, constituée principalement des doreurs sous-traitants de l'horlogerie et de la lunetterie. L'origine des ateliers remonte fréquemment aux années 50 et 60. La nécessaire mise en conformité des installations et la gestion appropriée des boues de traitement restent coûteuses pour ces industries.

Déchets industriels et ménagers

En 1990, 18 % des déchets industriels de la région font l'objet d'une valorisation, taux qui est inférieur à la situation moyenne des régions françaises, 26 % font l'objet d'un traitement et 56 % sont stockés. La région dispose par ailleurs d'un centre d'enfouissement de classe 1 pour les déchets industriels spéciaux.

En ce qui concerne les déchets ménagers, le taux de valorisation énergétique est, avec 41,2 %, supérieur à la moyenne française. Les usines d'incinération ne sont toutefois pas encore conformes aux normes européennes concernant les rejets de polluants de l'air. Le taux de mise en décharge est inférieur à la moyenne des régions françaises.

HAUTE-NORMANDIE

Les milieux naturels dans une région à forte concentration humaine

Située entre l'Île-de-France et la Manche (mer la plus fréquentée du globe), la région Haute-Normandie, si elle ne possède pas l'extrême diversité biologique que l'on trouve en France dans les massifs montagneux ou sur le pourtour méditerranéen, abrite néanmoins un environnement naturel riche. 488 zones naturelles d'intérêt écologique, faunistique et floristique (ZNIEFF) ont été répertoriées. Les espaces naturels couvrent une superficie relativement restreinte, 21,5 % du territoire régional (contre une moyenne de 38 % pour la France entière). La région est soumise à une forte présence humaine.

À côté de la frange littorale et des forêts normandes, les bocages du pays de Bray et du Lieuvin, les vallées herbagères littorales, les plateaux cultivés du pays de Caux et de l'Eure sont autant de paysages façonnés par l'homme et son agriculture. Subsistent encore cependant de nombreux espaces « naturels » dans des zones moins soumises aux activités agricoles intensives et industrielles. Ce sont ainsi les falaises et valleuses littorales, la plupart des vallées, les estuaires qui, avec les massifs forestiers, présentent les meilleures potentialités biologiques.

Mais les tentatives d'aménagement de ces sites (enrésinement, drainage, populiculture, urbanisation, extraction de granulats,...) et l'abandon des zones marginalisées par l'agriculture (pelouses calcicoles et prairies humides qui retournent en friches) contribuent actuellement à appauvrir le patrimoine biologique de la région. De fait, l'agriculture intensive, l'industrialisation et le tourisme ont contribué en Haute-Normandie au recul du milieu naturel, qui s'est particulièrement accentué au cours des dernières décennies.

■ *Les massifs forestiers haut-normands*

La forêt couvre 18 % du territoire régional, sans compter les quelque 16 000 kilomètres de boisements linéaires (haies, clos-masures, alignements). Ce taux de boisement, inférieur à la moyenne nationale, est cependant le plus important du quart nord-ouest de la France. Les massifs forestiers épousent le plus souvent le réseau hydrographique : les forêts d'Eu le long de la rivière de la Bresle, les forêts d'Eawy le long de la Varenne, la forêt de Lyons et l'Andelle. La Seine à elle seule irrigue un véritable chapelet forestier composé des massifs de Vernon, des Andelys, de Rouvray, la Londe, Roumare, Mauny, Le Trait, Jumièges, et Brotonne.

Haute-Normandie

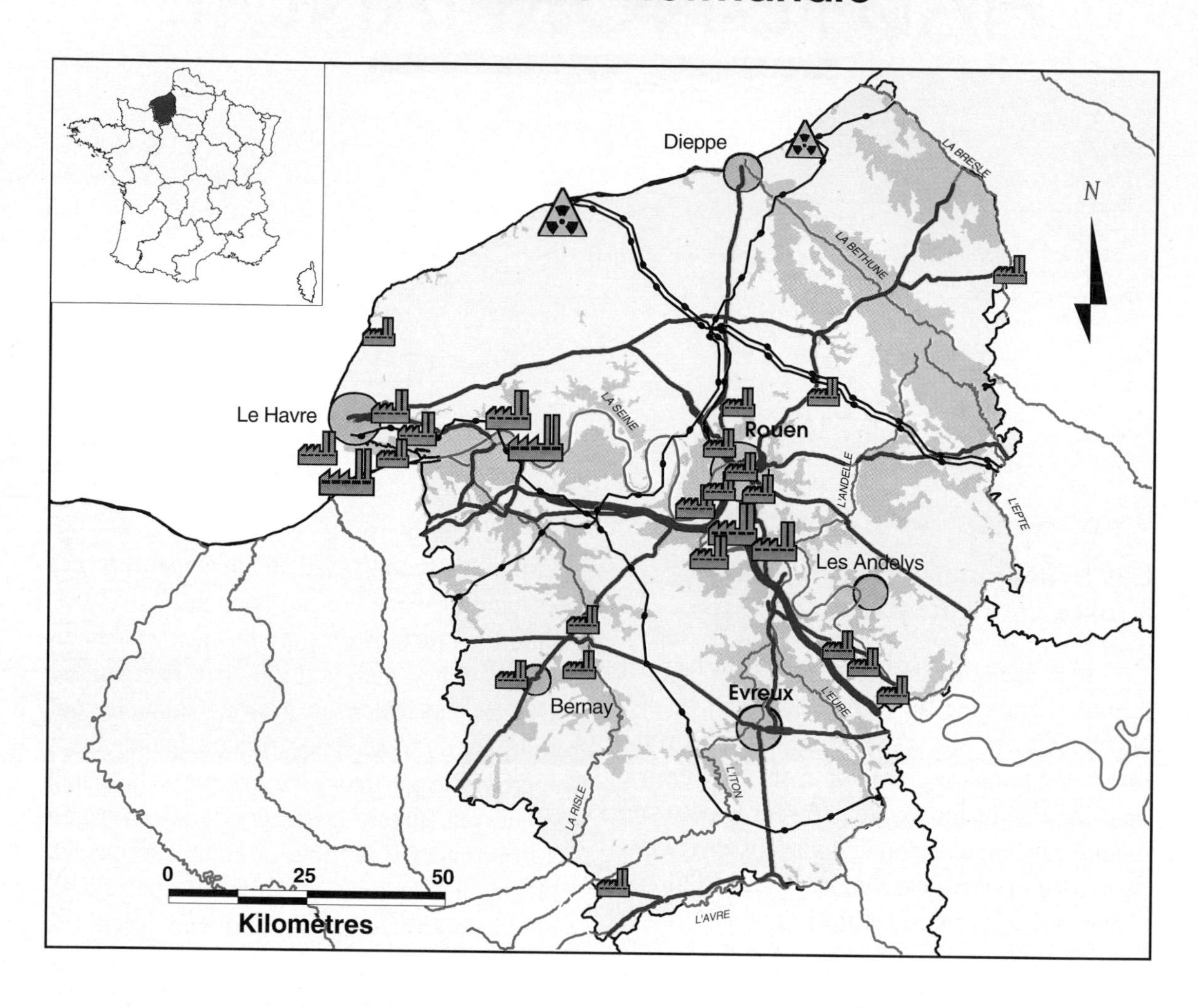

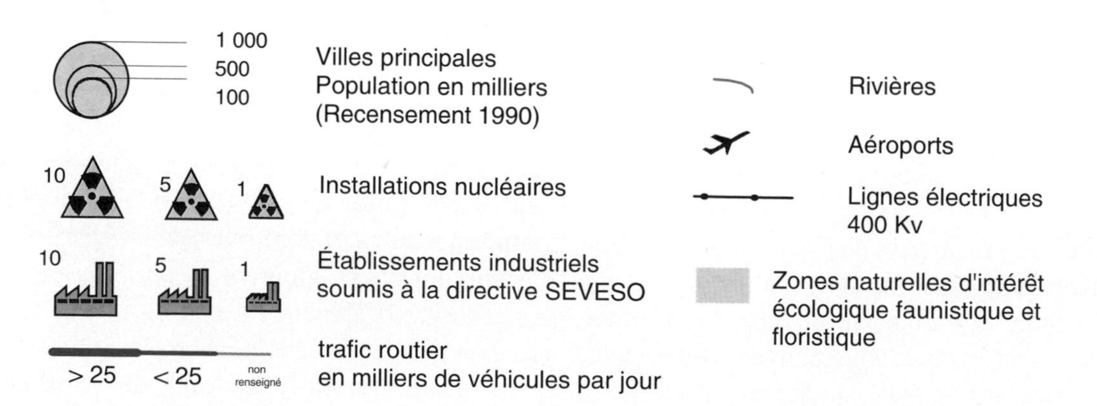

sources : MELTT/SETRA ; EDF Production Transport 1996 ; INSEE ; IFEN ; ministère de l'Environnement ; ministère de l'Industrie ; Muséum national d'histoire naturelle.

LES PRINCIPAUX INDICATEURS ENVIRONNEMENTAUX

INDICATEURS	VALEUR RÉGIONALE	VALEUR NATIONALE	UNITÉ	ANNÉE
TERRITOIRE				
• Types d'occupation des sols :				
- naturelle	21,5	38,2	%	1994
- agricole	68,3	54,4	%	1994
- artificielle	10	7,4	%	1994
• Pression urbaine	97	77	hab. urbain/km^2	1990
• Taux de boisement	18,3	26,3	%	Dernier inventaire
MILIEUX NATURELS FAUNE FLORE				
• ZNIEFF 1	2,9	8	% sup. régionale	1996
• ZNIEFF 2	23,8	21,1	% sup. régionale	1996
• Réserves naturelles	95	132 045	ha	1995
• Zones de protection spéciale (directive Olseaux)	8 450	707 000	ha	1995
EAU				
• Qualité physico-chimique des eaux superficielles (rivières). Observations classées en catégories très bonne et bonne :				
- matières organiques et oxydables	4	56	%	1993
- phosphore	0	60	%	1993
- nitrates	42	83	%	1993
• Qualité des eaux de baignade en eau douce :				
- points de surveillance conformes aux normes de la directive européenne	80	87,3	%	1993
ATMOSPHÈRE, AIR				
• Part de la région HAUTE-NORMANDIE dans la contribution française :				
- à l'accroissement de l'effet de serre	5,7	100	%	1990
- à la formation des pluies acides	7,9	100	%	1990
DÉCHETS MÉNAGERS ET ASSIMILÉS				
• Taux de valorisation énergétique et organique	43,1	29,9	%	1993
• Taux de mise en décharge	49,4	60,9	%	1993
ÉNERGIE				
• Production d'énergie primaire	9 108 dont 99,9 % d'origine nucléaire	99 885	Ktep	1992
• Nombre de réacteurs de production d'électricité	6	59	Nbre	1994
RISQUES TECHNOLOGIQUES				
• Nombre d'installations Seveso	49	346	Nbre	1994
• Autres installations potentiellement dangereuses	34	691	Nbre	1994
TRANSPORTS TERRESTRES				
• Densité des routes nationales (routes et autoroutes)	8,2	6,6	km pour 100 km^2	1993
• Parcours journalier moyen sur les routes nationales	8,1	8,1	100 millions de véhicules/km	1992
• Distance moyenne domicile/travail	9,4	8,1	km	1990
• Points noirs dus au bruit :				
- route	57	1 414	Nbre	1991
- rail	0	248	Nbre	1991
SOCIÉTÉ				
• Associations agréees de protection de l'environnement	42	1 434	Nbre	1991

L'Eure côtoie les forêts d'Ivry, Louviers et Bord. Enfin, les massifs de Breteuil et d'Évreux peuvent être associés avec l'Iton, ceux de Conches, Beaumont et Mont-fort avec la Risle.

La forêt est composée essentiellement de feuillus (85 %) parmi lesquels dominent le hêtre et les résineux, le plus souvent introduits. Le chêne couvre 48 % de la surface. La forêt publique représente 26 % de la surface forestière régionale.

■ *Agriculture intensive et réduction des prairies*

En exploitant 68 % du territoire haut-normand, l'agriculture marque fortement l'espace régional. La tendance est à la diminution des prairies, qui ont perdu 20,6 % de leur superficie

TERRITOIRE	Deux départements : Superficie totale : Superficie communes urbaines : Densité 1994 :	Eure, Seine-Maritime 12 317,4 km^2 (2,2 % sup. française) 2 089,9 km^2 (16,9 % sup. régionale) 143 hab./km^2
POPULATION	Population totale 1990 : Population urbaine 1990 : Quatre principales agglomérations : Pyramide des âges 1994 :	1 737 247 (3,1 % de la pop. française) estimation 1994 : 1 767 212 1 195 032 (68,7 % pop. régionale) Rouen, Le Havre, Évreux, Elbeuf (42,9 % de la pop. régionale) - 25 ans : 36,7 % + 60 ans : 17,7 %
COMPTES ÉCONOMIQUES	Produit intérieur brut (PIB) 1992 : PIB/hab. 1992 :	214 145 millions F (3 % PIB français) 121 998F
EMPLOI	Emploi total 1992 : Agriculture : Industrie : Bâtiment, génie civil et agric. : Commerce, transport et télécom. : Autres services : Taux de chômage 1994 :	653 280 (3 % emploi total français) 4,1 % emploi total régional 26,3 % / / 7,1 % / / 11,6 % / / 50,9 % / / 14,2 % (111 998 chômeurs)
LOGEMENT	Résidences principales 1990 : dont logements collectifs : Résidences secondaires 1990 (1) :	637 337 34,9 % 48 526
AGRICULTURE	SAU 1993 : dont terres labourables : Nbre d'exploitations 1993 : Superficie moyenne 1993 :	811 milliers d'ha (2,9 % SAU nationale) 70 % 19 255 42,1 ha
INDUSTRIE	Nbre d'établissements 1995 : Principaux secteurs industriels (effectifs salariés 1993) :	7 322, dont – 10 sal. : 5 633, + 500 sal. : 31 chimie-caoutchouc-plastiques, automobile, IAA, équipements industriels

Sources : INSEE, SCEES.

(1) Les résidences secondaires comprennent également les logements occasionnels.
NB : les pourcentages sont calculés par rapport à la France métropolitaine.

entre 1982 et 1990, et à la croissance des cultures annuelles, qui ont augmenté de 14,9 % sur la même période. Ces deux principaux modes d'occupation agricole du territoire couvrent respectivement 26,7 % et 42,2 % de l'espace régional en 1990.

Le pays de Caux, aujourd'hui remembré, est un openfield où subsistent des îlots bocagers et une forme d'habitat caractéristique, la cour-masure. Des haies entourent une prairie plantée de pommiers où sont situés les bâtiments d'exploitation. Céréales (blé, orge, maïs) et plantes industrielles (betterave, lin, colza) y sont cultivées. À l'élevage laitier traditionnel se substitue de plus en plus un élevage pour la viande et pour le lait. Le pays de Bray, plus humide, se spécialise davantage dans l'élevage. Le Neubourg, la plaine de Saint-André, plus encore le Vexin possèdent de grandes exploitations céréalières, véritable agriculture industrielle.

Une occupation du territoire axée sur la Seine

Une région densément peuplée mais moyennement urbanisée

Avec une densité élevée de 141 habitants au kilomètre carré (105 hab./km^2 en France), la région reste toutefois aux marges de cette Europe des fortes densités et plus encore si on la compare à l'Île-de-France voisine (800 hab./km^2). De fait, la Haute-Normandie est sous l'influence de ce puissant voisin et joue en partie le rôle d'espace libre pour le desserrement de la région Île-de-France. Les migrations pendulaires vers Paris sont aujourd'hui de plus en plus nombreuses.

Le taux de population urbaine de la région est de 69 % (la moyenne nationale est de 74 %), mais les deux départements de la région diffèrent à bien des égards : par leur poids respectif (1 223 000 habitants en Seine-Maritime et 513 000 dans l'Eure) et par la répartition entre population urbaine et population rurale (73,7 % d'urbains en Seine-Maritime mais 50,9 % dans l'Eure). Ils ont cependant un point commun : partout les campagnes se repeuplent.

Les zones de forte densité correspondent au pays de Caux (agriculture intensive), aux anciennes vallées industrielles (Risle, Cailly, Andelle) et surtout à la vallée de la Seine.

La vallée de la Seine concentre les trois quarts de la population

La vallée de la Seine est l'axe majeur de la Haute-Normandie. De Rouen à la Manche, la basse Seine concentre, de part et d'autre d'une voie navigable qui voit passer le plus important trafic fluvial de France, oléoducs et gazoducs, autoroutes et voies ferrées. Ce dense réseau d'infrastructures relie la région parisienne à sa façade littorale. Dans cette vallée s'est développé un puissant complexe portuaire, le deuxième de France après Marseille-Fos et le quatrième d'Europe en trafic. S'y trouvent concentrés les agglomérations de Rouen et du Havre et au total plus des trois quarts de la population. La densité de cet axe central régional, nettement supérieure à la moyenne régionale, est de 194 hab./km^2.

À partir de 1846 ont été entrepris des travaux de régularisation du lit de la Seine qui ne cesseront plus. Les îles sont supprimées et le chenal est dragué en permanence pour éliminer les bancs de sable. Au XXe siècle, la construction de barrages d'amont élimine le danger des crues et achève ainsi de faire de la basse Seine un fleuve au chenal totalement artificiel. La construction de digues a également mis hors eau de vastes terrains qui sont autant de zones industrielles potentielles, particulièrement sur la rive nord.

Par rapport à cet axe est-ouest, il faudra attendre la construction des ponts de Tancarville (1959) et de Brotonne (1977) pour que la Seine cesse d'être une « barrière ». Pour sa part, le pont de Normandie, élément clé de la « route des estuaires » destiné à désenclaver le Grand Ouest, a été inauguré en janvier 1995. Il suscitera une augmentation des trafics routiers nord-sud.

■ *Une forte artificialisation du territoire*

Dans les dix années à venir, l'artificialisation du territoire (qui concerne 10 % des sols, contre seulement 7 % au niveau national) devrait poursuivre son expansion de manière significative, alors qu'elle a déjà crû de 11,4 % de 1982 à 1990. En effet, de nombreux travaux d'infrastructures sont annoncés : travaux routiers avec la mise à 2x2 voies de plus de cent kilomètres de route (Rouen-Dieppe, Rouen-Abbeville, Évreux-Chartres...) et la construction de plus de cent kilomètres d'autoroute (A28-A29), mais aussi travaux portuaires avec la poursuite des aménagements du port rapide du Havre et de l'avant-port de Dieppe.

Par ailleurs, se pose à l'horizon 2000 le problème de la pénurie potentielle en matériaux de construction (dont une partie est à destination de l'Île-de-France) si, alors qu'il est nécessaire de préserver les sites écologiquement les plus riches de la région, le système d'approvisionnement actuel n'est pas modifié. Les landes et pelouses acides, groupements très riches qui peuvent abriter des espèces exceptionnelles, sont en effet des milieux en raréfaction croissante, en partie due à l'expansion des carrières et des gravières.

Dans le passé, la Haute-Normandie a su faire face à ses propres besoins et aussi très largement à ceux de sa voisine l'Île-de-France. Ces dernières années, la production de granulats alluvionnaires a été en Haute-Normandie de l'ordre de 17 millions de tonnes ; c'est-à-dire la quatrième production nationale derrière les régions Rhône-Alpes (34 Mt), Alsace (25 Mt) et Île-de-France (20 Mt). Pourtant, la Haute-Normandie n'a consommé, pour ses propres besoins, qu'environ 10 millions de tonnes par an. C'est donc 7 millions de tonnes qui ont été exportées chaque année, principalement vers l'Île-de-France.

Les multiples problèmes de la ressource en eau

■ *Le poids des diverses sources de pollution*

Les agressions dont sont victimes les cours d'eau, et en particulier la Seine, sont multiples : aux rejets industriels s'ajoutent les rejets domestiques, le lessivage des surfaces imperméabilisées des zones urbaines et les rejets agricoles.

Les rejets des industries représentent une source importante de pollution. De fait, la Haute-Normandie est la quatrième région industrielle française en terme d'emplois, avec une industrie très diversifiée : raffinage, pétrochimie, chimie, papeterie, industrie du verre, traitement de surface, teintureries... Ces rejets de polluants décroissent cependant beaucoup plus rapidement que ceux des villes. Ils ont baissé, entre 1981 et 1991, de 34 % pour les matières oxydables et de 58 % pour les matières toxiques. La région reste toutefois, en volume de rejets toxiques, au deuxième rang derrière le Nord-Pas-de-Calais.

Affectant directement les concentrations en oxygène dissous dans les cours d'eau, la pollution oxydable rejetée par l'industrie a fait l'objet d'un programme de réduction prioritaire en Haute-Normandie. Les efforts engagés depuis 1978 ont permis de diviser par plus de quatre la pollution oxydable industrielle qui, globalement en 1994, a atteint un niveau comparable à celle des collectivités locales. Si les entreprises industrielles ne sont plus les principaux contributeurs de cette pollution, il leur reste néanmoins à lisser certaines pointes de rejets, voire, pour certaines, à poursuivre l'effort de réduction en fonction de l'impact local de leurs rejets sur le milieu aquatique.

Du côté des collectivités locales, les efforts ont été engagés plus récemment. Le taux de collecte des eaux usées des agglomérations de plus de 10 000 habitants de la région est aujourd'hui encore inférieur à la moyenne nationale (respectivement 57 % et 65 % pour l'année 1993). Le taux de dépollution, quant à lui, est, avec un niveau de 32 % (pour 45 % au niveau national), le plus bas de France.

■ *La qualité de l'eau est trop souvent mauvaise*

Le bilan régional de la qualité des cours d'eau n'est pas bon. Le niveau de qualité pour l'altération phosphore était, en 1993, très mauvais pour 63 % des points de mesure sur les cours d'eau régionaux, et mauvais pour 33 %. Ces chiffres étaient respectivement de 29 % et 35 % en 1989. Les résultats pour les matières organiques et oxydables sont mauvais pour 63 % des points de mesure et très mauvais pour 8 %. Les valeurs sont notablement meilleures pour les nitrates.

Les rivières les plus contaminées par les toxiques minéraux sont les rivières urbaines (zones de Rouen, du Havre). Quant aux toxiques organiques, plus d'une dizaine de matières actives phytosanitaires sont fréquemment décelées (lindane, atrazine, simazine, trifluraline...) dans les rivières haut-normandes. Elles proviennent essentiellement de la contamination diffuse par l'agriculture, l'industrie et l'entretien des voiries (*voir encadré*).

En Haute-Normandie, les ressources en eau pour la consommation humaine sont essentiellement souterraines. Elles proviennent principalement de la nappe de la craie. Compte tenu de la topographie et de la dynamique de la ressource, le problème le plus fréquent est celui de la turbidité, c'est-à-dire des eaux troubles, non potables, au robinet. Durant l'hiver 1995 notamment, entre 150 000 et 200 000 habitants de la région ont été privés d'eau pendant huit jours.

■ *La Seine souffre d'anoxie*

Le cas de la Seine est toujours préoccupant. Les rejets de la région parisienne, auxquels s'ajoutent ceux des collectivités implantées le long du fleuve et de la forte activité socio-économique du bassin de la Seine-aval, entraînent de profondes altérations et modifications de l'écosystème. Si les accidents mortels pour la vie piscicole dus à une chute du taux de saturation en oxygène de l'eau sont moins fréquents, la situation reste fragile. Les récents étés secs ont suffi pour voir réapparaître de grosses difficultés.

La Seine souffre d'anoxie (manque d'oxygène dissous), notamment en période d'étiage aux alentours de Caudebec-en-Caux. Le fleuve arrivant de l'agglomération parisienne est en effet très chargé en matières oxydables dès son entrée en Normandie. En 1978, l'oxygène dissous avait quasiment disparu de la Seine. Premier responsable à cette époque : la pollution oxydable industrielle. Exprimée par la demande chimique en oxygène (DCO), elle atteignait 300 tonnes par jour. Elle est de moins de 70 tonnes par jour dans le bilan publié en 1992.

Cette évolution significative et positive reflète les efforts importants en matière d'équipements d'épuration et de prévention accomplis par la plupart des industriels dans le domaine des pollutions classiques. Malgré ce succès, l'oxygénation des eaux du fleuve reste encore fragile et, dans certains secteurs, elle est encore inférieure aux concentrations indispensables à la vie aquatique.

En Seine, l'ammonium provient essentiellement de la région parisienne et se dégrade au fil de l'eau. Si la concentration moyenne a diminué en 1994, par rapport à 1993, les valeurs sont encore souvent supérieures au seuil admissible de 0,5 mg/l. La dégradation de l'ammonium n'est pas complète et produit des nitrites (toxiques sous forme acide) en raison de l'insuffisance d'oxygène dans le milieu. La Seine présente globalement un excès de l'élément azote, ce qui ne se traduit pas par une prolifération d'algues en raison du manque de lumière lié à la turbidité.

La réduction, voire la suppression dans certains cas des rejets de métaux lourds dans le fleuve a constitué un objectif prioritaire. Outre l'activité du traitement de surface dont les effluents sont en voie de stabilisation, la production d'engrais phosphatés et la fabrication de dioxyde de titane sont particulièrement concernées, compte tenu de la présence de nombreux composés métalliques dans les matières premières

DES RIVIÈRES DIFFICILES À SOIGNER

Les eaux des rivières et fleuves de Haute-Normandie n'ont cessé de se dégrader ces dernières décennies. Les rejets mal épurés des collectivités locales et des industries, les effets mal contrôlés de l'agriculture intensive et les eaux de ruissellement pluvial sont les principaux responsables de cette situation. Surveillées par le réseau de mesures du Service de l'eau et des milieux aquatiques (DIREN), les rivières normandes font l'objet d'« objectifs de qualité », mais le retour à une qualité acceptable se révèle difficile.

LA NAPPE DE LA CRAIE

Outre la Seine et son estuaire, la région Haute-Normandie est sillonnée par tout un réseau de petites rivières et fleuves côtiers d'un grand intérêt halieutique. Les affluents de la Seine comme l'Eure ou la Risle et les fleuves côtiers comme la Bresle, l'Yères, l'Arques, sont tous des exutoires de la nappe de la craie qui constitue un immense réservoir d'eau couvrant la plus grande partie de la région. Cette nappe fournit la totalité des besoins en eau de la région et est même exportée puisque des captages sur l'Eure sont destinés à la région parisienne. Les cours d'eau haut-normands ont un régime hydraulique régulier avec des étiages modérés. Fraîches et d'origine crayeuse, leurs eaux sont théoriquement favorables aux poissons les plus exigeants comme les truites et les saumons. Les nombreuses pollutions subies par la nappe de la craie ont cependant énormément détérioré le milieu.

La nappe est en effet très vulnérable. La craie est fissurée et la couverture d'argile à silex qui normalement doit pouvoir protéger les eaux souterraines des pollutions est souvent percée par des puits ou des marnières. Dans les vallées, le manteau d'argile disparaît et la nappe est alors menacée par les activités exercées en surface. Lors de fortes pluies, les eaux de ruissellement atteignent rapidement la nappe et provoquent des contaminations bactériologiques. Ce phénomène constitue un problème de santé publique puisque cette eau sert à la consommation humaine. Plusieurs centaines de communes du bassin de la Seine aval distribuent, parfois depuis des années, une eau de mauvaise qualité (nitrates, turbidité).

OBJECTIFS DE QUALITÉ D'EAU

Les objectifs de qualité des cours d'eau définissent les traitement des rejets à effectuer pour répondre à des exigences d'usages de l'eau (santé, loisirs...). Fixés à un niveau élevé en Haute-Normandie pour prendre en compte des usages contraignants (vie piscicole, salubrité...), ils ont permis de stopper en partie les dégradations du milieu aquatique. Les rejets urbains et industriels sont mieux traités. L'Agence de l'eau Seine-Normandie a institué des politiques à l'échelle de mini-bassins pour lutter contre la pollution agricole. Les fermes sont incitées à contrôler les rejets de déjections animales et à enherber les abords des rivières pour piéger la pollution par les nitrates et stopper l'érosion. En Haute-Normandie, on commence à observer une réduction des points noirs mais la qualité globale des rivières ne s'est guère améliorée faute d'actions difficiles à définir et à conduire sur les pollutions pluviales, les pollutions accidentelles et la pollution diffuse de l'activité agricole. Aujourd'hui, les rivières de mauvaise qualité sont rares (Commerce, Dun...) mais les secteurs d'excellente qualité n'existent quasiment plus.

utilisées. Ainsi, l'arrêt définitif depuis septembre 1992 des déversements de phosphogypse dans l'estuaire par les usines d'engrais a conduit à une division par dix des rejets de métaux lourds.

Une étude récente a cependant montré que les flux de polluants en baie de Seine restent encore très importants : 485 tonnes d'azote par jour, 35 tonnes de phosphore, 700 tonnes de matière en suspension. Sans parler bien sûr des métaux : 90 kilogrammes de cuivre par jour, 75 kilogrammes de chrome, 336 kilogrammes de plomb.

La pollution acide de l'air

La Haute-Normandie, avec sa forte activité industrielle et notamment pétrochimique, est une des régions les plus émettrices de SO_2 avec des rejets de 375 tonnes par jour en moyenne en 1993, ce qui représente 11 % des rejets totaux français (14,5 % en 1990). Elle représente aussi 9,2 % des émissions françaises de NO_2 (deuxième rang national après l'Alsace). Elle est la troisième région pour les émissions de polluants contribuant aux pluies acides. Malgré les efforts importants entrepris, qui ont déjà permis de réduire de plus de 50 % les émissions industrielles, l'impact des rejets de SO_2 sur la qualité de l'air apparaît nettement dans certaines zones de la région, où les valeurs limites définies par l'UE sont encore dépassées.

Les résultats de la mesure de qualité de l'air en 1994 montrent une tendance à la baisse des niveaux d'acidité forte sur les agglomérations rouennaise et havraise par rapport aux années précédentes. Cette amélioration globale masque des détériorations locales correspondant aux stations situées sous les vents dominants de sud-ouest des principales zones industrielles.

L'ozone, polluant à basse altitude, est en progression lente mais continue. Une étude lancée au cours de l'été 1994 sur l'agglomération rouennaise montre que si, d'ordinaire, les niveaux moyens d'ozone sont plus élevés en périphérie de l'agglomération qu'au centre-ville, par contre, lors des épisodes photochimiques importants, c'est l'ensemble de l'agglomération qui est touchée de façon homogène. Des études sont également en cours sur des composés organiques volatils spécifiques pouvant présenter des dangers particuliers pour la santé humaine.

Les problèmes environnementaux de l'industrie

■ *Quanrante-six sites pollués recensés*

Le passé industriel de la Haute-Normandie, auquel étaient associées des pratiques moins soucieuses de l'environnement que de nos jours, a laissé des traces de pollution dans le sol et le sous-sol. Un premier recensement des sites pour lesquels la pollution est avérée a été effectué en 1994 et en 1995 et a abouti à une liste de quarante-six sites. Il est aujourd'hui prévu d'élargir cette liste en opérant par une étude historique de l'activité industrielle haut-normande et de hiérarchiser les priorités de traitement, afin notamment d'affecter les futurs crédits publics de dépollution aux sites considérés comme « orphelins », parce que démunis de propriétaires ou de responsables solvables.

■ *Déchets industriels spéciaux*

Sous-produits de la chimie, « queues » de raffinage, boues d'épuration des eaux, résidus d'incinération, copeaux d'usinage..., chaque année l'industrie haut-normande produit plus de 340 000 tonnes de déchets spéciaux justifiant par leur nature des précautions d'élimination particulières. Progressivement, depuis les années 70, la Haute-Normandie s'est dotée de centres collectifs de grande capacité pour l'incinération et l'enfouissement technique. Parallèlement se sont développées des filières de recyclage, de régénération ou de valorisation qui absorbent aujourd'hui plus du tiers des déchets industriels.

La région disposait en 1994 de onze centres de traitement, pour la plupart concentrés dans l'agglomération rouennaise, et d'une décharge de classe 1. La région importe également 173 000 tonnes par an de déchets industriels spéciaux. Deux centres d'envergure nationale y sont implantés : une unité de régénération des huiles usagées, la seule de ce type en France, et un centre pour l'activité de nettoyage des cuves de navires. Par contre, certains déchets spécifiques comme les déchets chlorés sont traités hors région.

■ *La plus grande concentration de sites Seveso de France*

Le recensement des installations industrielles à risque place la Haute-Normandie en tête du classement des régions françaises. La région compte quarante-neuf entreprises relevant de la directive Seveso, sources de risques technologiques majeurs, soit 14 % des 346 entreprises recensées en France.

Les centrales nucléaires de Penly et Paluel en Seine-Maritime sont de leur côté soumises à des contrôles dans le cadre de la réglementation spécifique des installations nucléaires de base. La production d'électricité en Haute-Normandie représente 11 % de la production française et près de quatre fois la consommation de la région. Les deux centrales nucléaires sont installées sur le littoral où la puissance des courants facilite le refroidissement des eaux nécessaires au fonctionnement des réacteurs. La centrale de Paluel, avec ses quatre tranches, fournit plus de 30 milliards de kWh par an et celle de Penly plus de 16 milliards de kWh. Cette énergie sert pour une large part à alimenter la région parisienne, qui est très déficitaire dans ce domaine.

ÎLE-DE-FRANCE

La richesse du patrimoine naturel

Près de sept cents ZNIEFF

Malgré sa petite taille (12 000 km^2) et un territoire artificialisé qui couvre 20 % de son espace, l'Île-de-France comprend des milieux naturels très divers : des grands massifs forestiers comme celui de Fontainebleau avec ses paysages uniques et la multiplicité de ses biotopes, aux vastes zones humides comme l'ensemble de la Bassée en vallée de Seine à l'amont de Montereau, en passant par des marais remarquables, des tourbières dont la flore témoigne des périodes glaciaires passées (milieux turficoles en forêt de Rambouillet), ou bien encore par les coteaux calcaires riches d'une flore et d'une faune reflétant des affinités méditerranéennes (milieux xérophiles de la vallée de l'Essonne) ou montagnarde (boucle de Moisson).

Près de 700 zones naturelles d'intérêt écologique, faunistique et floristique s'étendant sur 19 % de la superficie régionale ont été identifiées. Plus du tiers d'entre elles concernent des zones humides et un autre tiers des milieux boisés. Deux parcs naturels ont été créés, le parc de la haute vallée de Chevreuse et le parc du Vexin français. Le territoire naturel, incluant les forêts, représente 25,7 % de la région en 1994.

Malgré ces richesses, le patrimoine naturel francilien est en régression du point de vue de sa diversité. Cela est lié à l'extension de l'urbanisation et à la réalisation d'infrastructures de transport qui créent, dans certains cas, des barrières aux échanges biologiques, et, par ailleurs, à l'intensification agricole qui a eu pour effet de faire disparaître de nombreuses espèces liées aux cultures (bleuets, coquelicots, etc.).

Le patrimoine forestier régional

L'Île-de-France, première région urbaine de France, est aussi une région forestière. Sa superficie boisée est d'environ 260 000 hectares. Malgré une très forte densité de population, elle dispose d'un couvert boisé proche de la moyenne nationale. Son taux de boisement de 23,2 % place l'Île-de-France au quatorzième rang des régions françaises.

La répartition des surfaces boisées est hétérogène. La forêt est concentrée dans un grand croissant forestier prenant en écharpe le sud des Yvelines, le centre de l'Essonne et le sud de la Seine-et-Marne, incluant notamment les grands massifs de Rambouillet (20 000 hectares) et de Fontainebleau (21 000 hectares). La Brie humide au centre de la Seine-et-Marne constitue un noyau forestier de moindre étendue (Ferrières-Armain-villiers, Crécy). Le reste de la couverture boisée, très dispersé, souligne les coteaux des petites vallées et des buttes.

Île-de-France

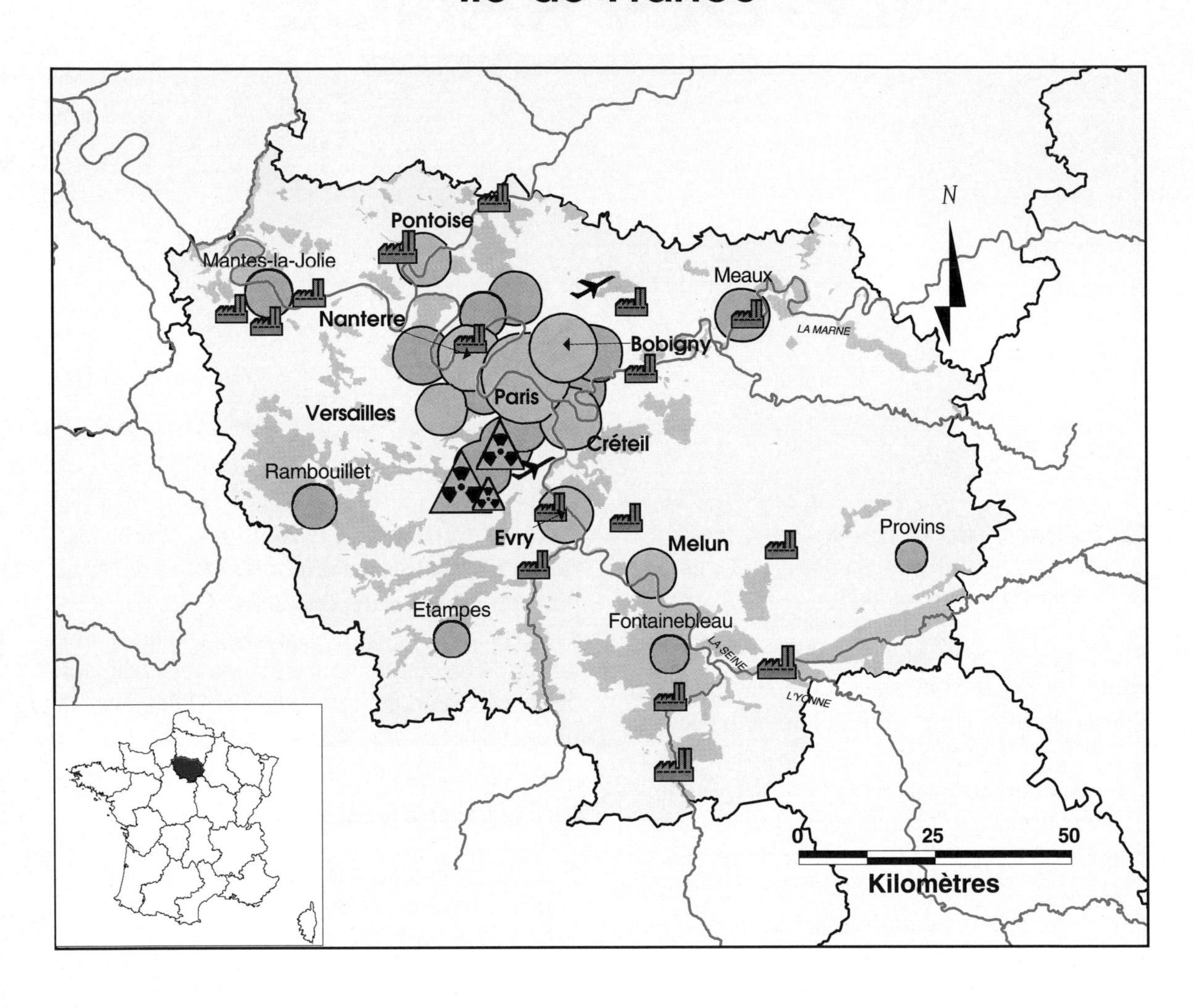

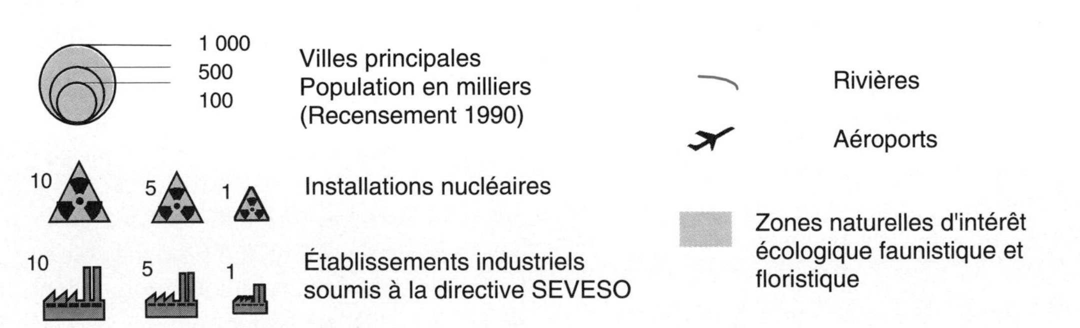

sources : MELTT/SETRA ; EDF Production Transport 1996 ; INSEE ; IFEN ; ministère de l'Environnement ; ministère de l'Industrie ; Muséum national d'histoire naturelle.

LES PRINCIPAUX INDICATEURS ENVIRONNEMENTAUX

INDICATEURS	VALEUR RÉGIONALE	VALEUR NATIONALE	UNITÉ	ANNÉE
TERRITOIRE				
• Types d'occupation des sols :				
- naturelle	25,7	38,2	%	1994
- agricole	53,9	54,4	%	1994
- artificielle	20,3	7,4	%	1994
• Pression urbaine	854	77	hab. urbain/km^2	1990
• Taux de boisement	23,2	26,3	%	Dernier inventaire
MILIEUX NATURELS FAUNE FLORE				
• ZNIEFF 1	5,5	8	% sup. régionale	1996
• ZNIEFF 2	15,1	21,1	% sup. régionale	1996
• Réserves naturelles	145	132 045	ha	1995
• Zones de protection spéciale (directive Oiseaux)	180	707 000	ha	1995
EAU				
• Qualité physico-chimique des eaux superficielles (rivières). Observations classées en catégories très bonne et bonne :				
- matières organiques et oxydables	42	56	%	1993
- phosphore	39	60	%	1993
- nitrates	74	83	%	1993
• Qualité des eaux de baignade en eau douce :				
- points de surveillance conformes aux normes de la directive européenne	81,2	87,3	%	1993
ATMOSPHÈRE, AIR				
• Part de la région ÎLE-DE-FRANCE dans la contribution française :				
- à l'accroissement de l'effet de serre	8,8	100	%	1990
- à la formation des pluies acides	6,2	100	%	1990
DÉCHETS MÉNAGERS ET ASSIMILÉS				
• Taux de valorisation énergétique et organique	47,2	29,9	%	1993
• Taux de mise en décharge	51,5	60,9	%	1993
ÉNERGIE				
• Production d'énergie primaire	1 434	99 885	Ktep	1992
• Nombre de réacteurs de production d'électricité	/	59	Nbre	1994
RISQUES TECHNOLOGIQUES				
• Nombre d'installations Seveso	19	346	Nbre	1994
• Autres installations potentiellement dangereuses	57	691	Nbre	1994
TRANSPORTS TERRESTRES				
• Densité des routes nationales (routes et autoroutes)	17,1	6,6	km pour 100 km^2	1993
• Parcours journalier moyen sur les routes nationales	20,2	8,1	100 millions de véhicules/km	1992
• Distance moyenne domicile/travail	8,8	8,1	km	1990
• Points noirs dus au bruit :				
- route	199	1 414	Nbre	1991
- rail	105	248	Nbre	1991
SOCIÉTÉ				
• Associations agréées de protection de l'environnement	246	1 434	Nbre	1991

Île-de-France

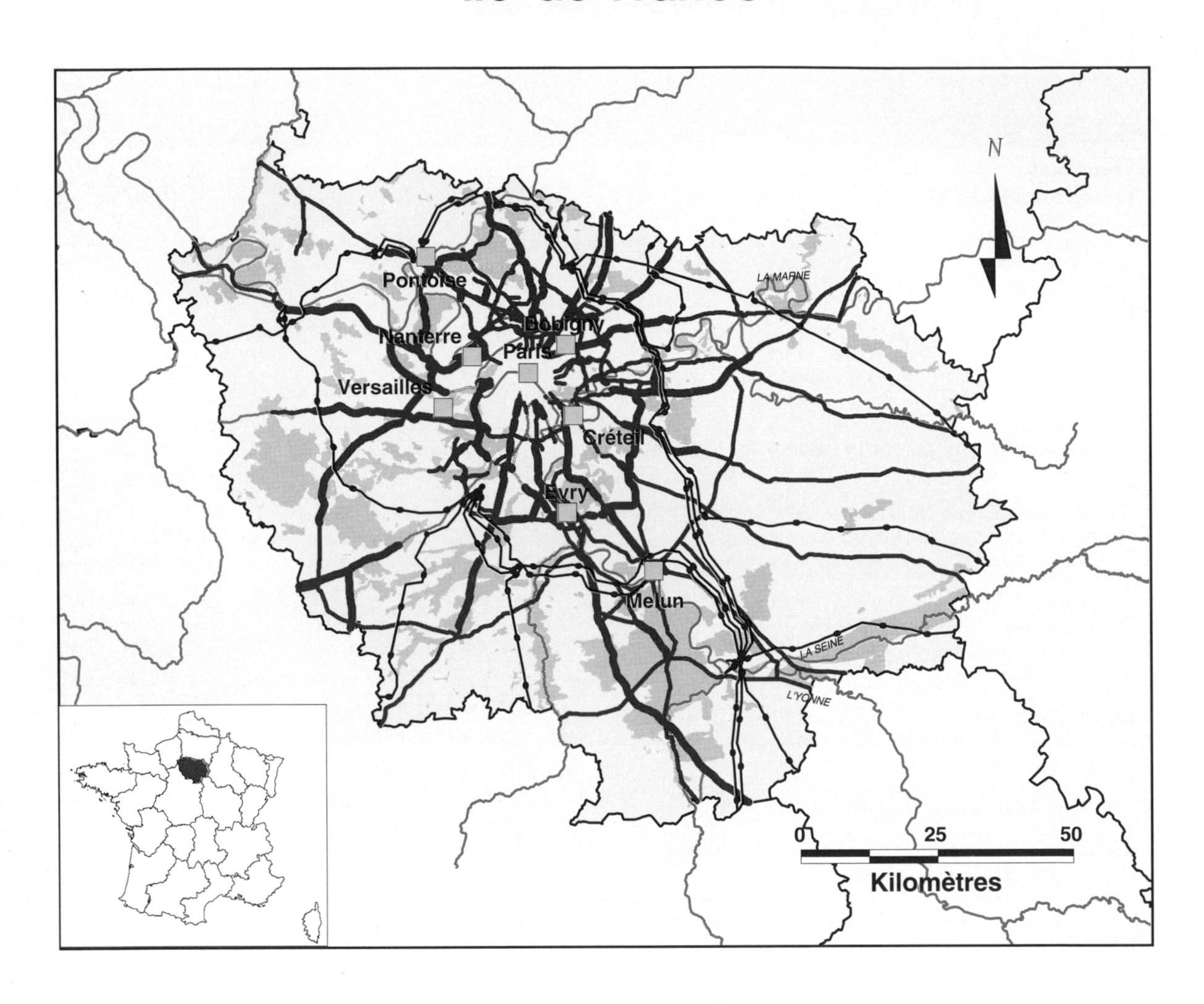

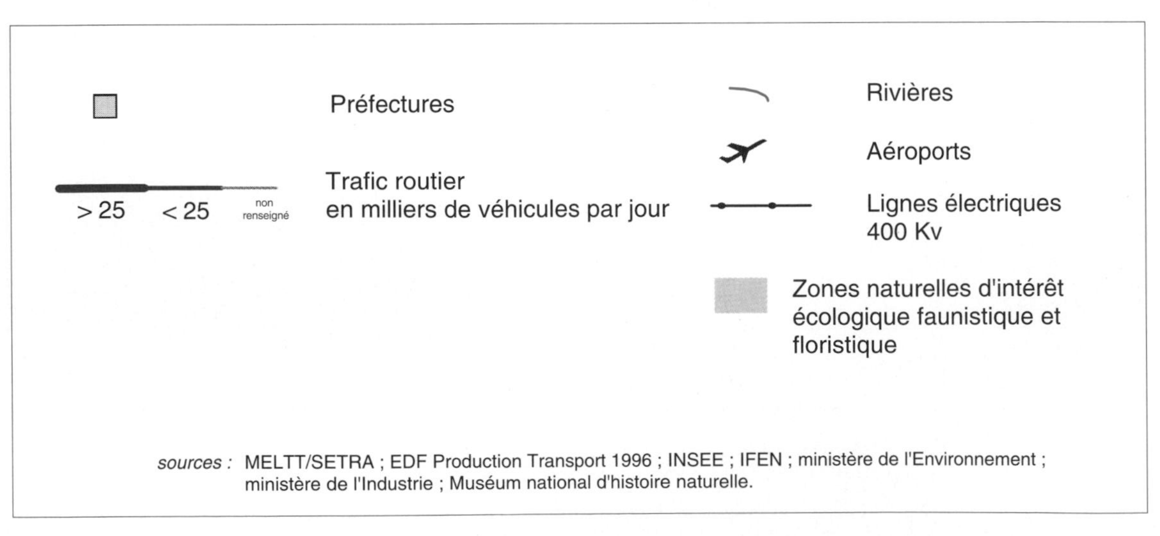

sources : MELTT/SETRA ; EDF Production Transport 1996 ; INSEE ; IFEN ; ministère de l'Environnement ; ministère de l'Industrie ; Muséum national d'histoire naturelle.

Île-de-France - Région parisienne

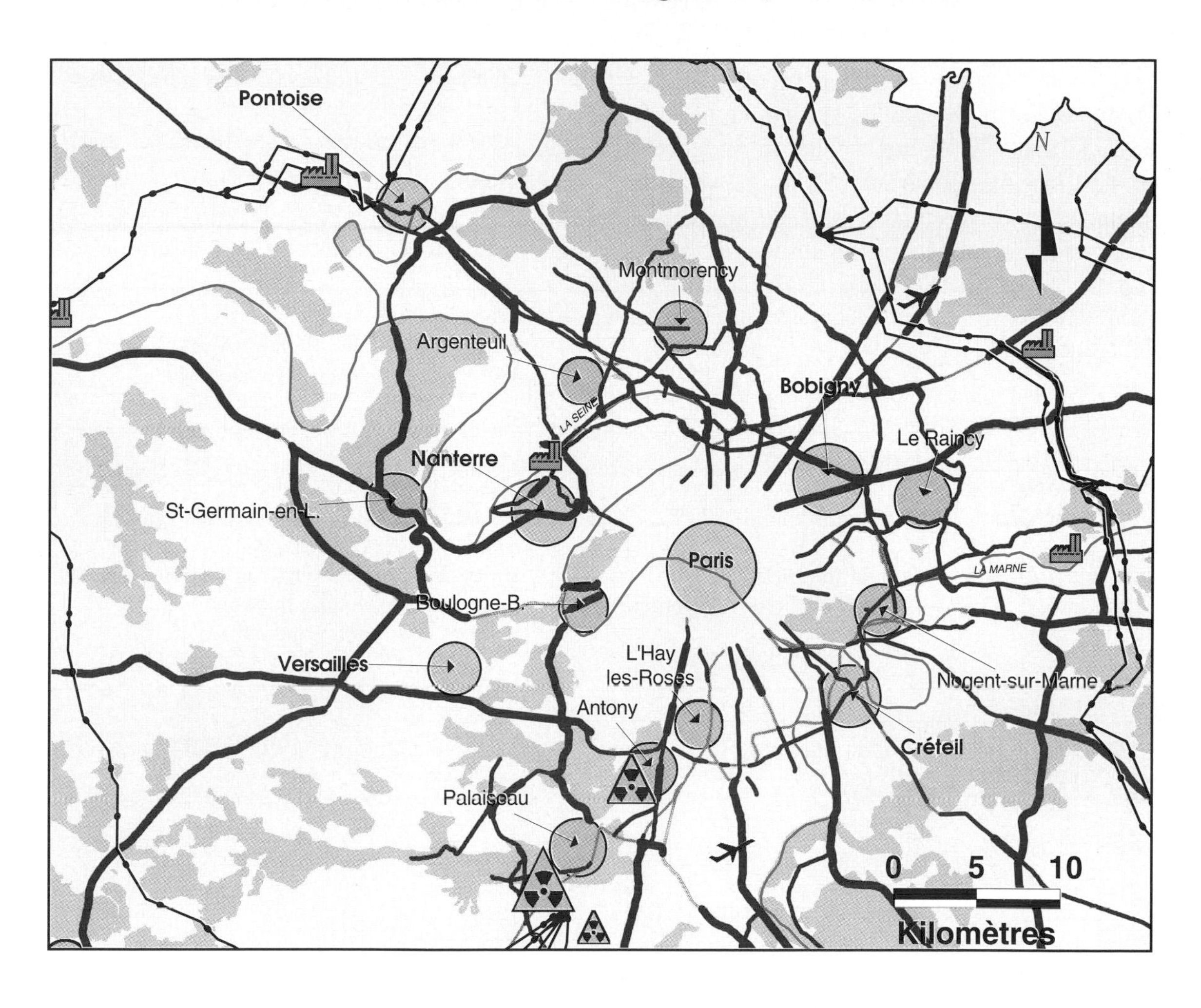

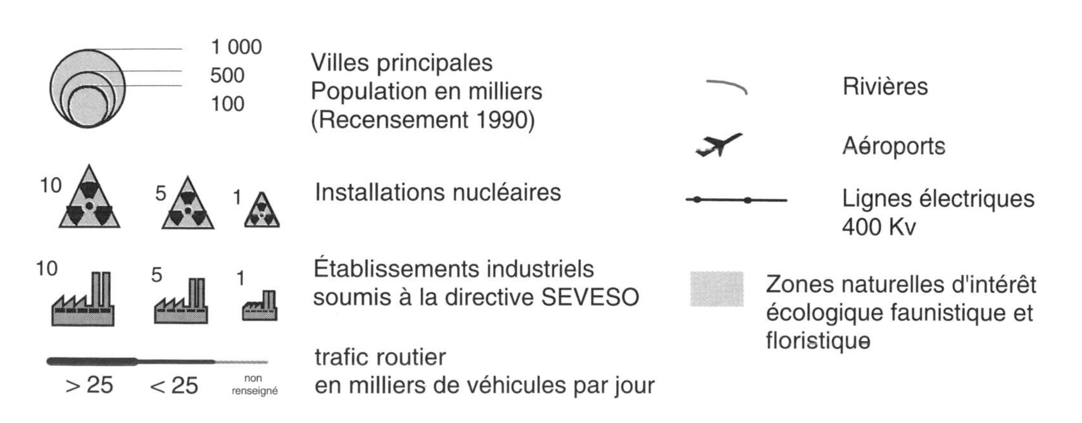

sources : MELTT/SETRA ; EDF Production Transport 1996 ; INSEE ; IFEN ; ministère de l'Environnement ; ministère de l'Industrie ; Muséum national d'histoire naturelle.

Le taux de boisement des départements de la petite couronne est compris entre 4 % et 10 %, celui de la grande couronne entre 18 % et 28 %.

La forêt francilienne est composée en très grande majorité de feuillus, qui couvrent 90 % de sa surface. Le chêne, sessile ou pédonculé, est l'essence prépondérante. Parmi les résineux, le pin sylvestre domine à plus de 80 %. Les taillis et taillis sous futaie constituent 70 % des peuplements. Les futaies représentent seulement 15 % de la surface forestière.

■ *Une forêt un tiers publique, deux tiers privée*

La forêt publique, superficie forestière appartenant à l'État ou aux collectivités et gérée par l'ONF, couvre 29 % de la superficie boisée en 1993. La particularité de l'Île-de-France réside

TERRITOIRE	Huit départements : Superficie totale : Superficie communes urbaines : Densité 1994 :	Essone, Hauts-de-Seine, Paris, Seine-Saint-Denis, Seine-et-Marne, Val-de-Marne, Val-d'Oise, Yvelines 12 012,2 km^2 (2,2 % sup. française) 4 971,6 km^2 (41,4 % sup. régionale) 912 hab./km^2
POPULATION	Population totale 1990 : Population urbaine 1990 : Quatre principales agglomérations : Pyramide des âges 1994 :	10 660 554 (18,8 % de la pop. française), estimation 1994 : 10 964 686 10 258 351 (96,2 % pop. régionale) Paris, Melun, Meaux, Fontainebleau (89,3 % de la pop. régionale) – 25 ans : 34,9 % + 60 ans : 15,3 %
COMPTES ÉCONOMIQUES	Produit intérieur brut (PIB) 1992 : PIB/hab 1992 :	2 036 942 millions F (29,1 % PIB français) 187 530 F
EMPLOI	Emploi total 1992 : Agriculture : Industrie : Bâtiment, génie civil et agric. : Commerce, transport et télécom. : Autres services : Taux de chômage 1994 :	4 975 992 (22,8 % emploi total français) 0,4 % emploi total régional 17,7 % / / 6,3 % / / 12 % / / 63,6 % / / 10,9 % (582 504 chômeurs)
LOGEMENT	Résidences principales 1990 : dont logements collectifs : Résidences secondaires 1990 (1) :	4 232 691 69,7 % 201 595
AGRICULTURE	SAU 1993 : dont terres labourables : Nbre d'exploitations 1993 : Superficie moyenne 1993 :	587 milliers d'ha (2,1 % SAU nationale) 96 % 7 568 77,6 ha
INDUSTRIE	Nbre d'établissements 1995 : Principaux secteurs industriels (effectifs salariés 1993) :	62 633, dont – 10 sal. : 50 871, + 500 sal. : 151 équipements électriques et électroniques, édition-imprimerie-reproduction, automobile, IAA

Sources : INSEE, SCEES.

(1) Les résidences secondaires comprennent également les logements occasionnels.
NB : les pourcentages sont calculés par rapport à la France métropolitaine.

dans l'importance des forêts de l'État et de la Région et dans la très faible part des forêts communales.

La forêt privée couvre 71 % de la superficie boisée. Elle est partagée entre plus de 100 000 propriétaires, dont 1 % possède la moitié de la superficie.

■ *De la forêt à l'espace vert*

Le rôle d'accueil du public prédomine dans les forêts d'Île-de-France. Cet usage peut entrer en conflit avec les fonctions de production ou de protection de la forêt. Certaines parties de ces massifs s'apparentent ainsi davantage à de grands espaces verts de week-end. Depuis plusieurs dizaines d'années, les sorties en forêt constituent un phénomène de masse. Les forêts franciliennes reçoivent globalement chaque année environ 100 millions de visites, dont 90 millions en forêts domaniales. Le nombre de visites a plus que triplé entre 1970 et 1990.

Les forêts les plus fréquentées sont Fontainebleau, Rambouillet, Saint-Germain, Sénart, Verrières, Meudon, Fausses-Reposes, Versailles, Marly et Montmorency. Depuis les années 60, les programmes cumulés d'équipement touristique des forêts domaniales franciliennes représentent autant que ce qui a été consacré aux autres forêts domaniales françaises.

■ *L'urbanisation et les infrastructures grignotent les forêts franciliennes*

L'évolution des forêts franciliennes s'opère dans deux directions. Le développement de l'agglomération parisienne et des infrastructures se fait au détriment de la forêt (comme des terres agricoles). Cependant, en parallèle dans la grande couronne, le retrait local de l'agriculture s'effectue notamment au profit du boisement. Cet abandon touche des terres agricoles marginales, la superficie des terres de grande culture étant stable. Les coteaux, les fonds de vallée et les périphéries de massifs forestiers, là où la productivité céréalière est la plus mauvaise, se reboisent progressivement. Dans le même temps, les boisements linéaires – de rives et haies bocagères – et les bosquets régressent devant le développement de l'agriculture mécanisée.

Une des principales menaces pour la forêt régionale est liée au développement massif d'infrastructures de transport. Depuis les années 50, l'implantation de ces infrastructures s'est faite souvent, « par facilité », dans les forêts. Tous types d'infrastructures confondus, les forêts d'Île-de-France ont été sectionnées sur un linéaire de 200 kilomètres environ entre 1973 et 1988 et 140 kilomètres pourraient l'être encore à l'horizon 2000. Les forêts les plus menacées se situent aujourd'hui dans les Yvelines et en petite couronne.

Aujourd'hui, les principales menaces sur la forêt francilienne ne sont plus le défrichement, mais le morcellement, l'encerclement et le cloisonnement. Si les déboisements sont quantitativement moins importants, leurs conséquences qualitatives ne sont pas moindres lorsqu'il s'agit d'urbanisation en lisière ou de coupures par des infrastructures. En effet, le fractionnement d'un massif dévalorise considérablement l'entité forestière initiale et risque à terme de la banaliser en espace vert. Si trancher un massif en deux comme l'a été la forêt de Marly par l'autoroute de l'Ouest en 1935 semble inconcevable aujourd'hui, des atteintes irréversibles sont encore possibles. L'exemple récent de la forêt domaniale de Coubert en Seine-et-Marne sacrifiée par un échangeur de l'interconnexion TGV en témoigne.

■ *De 1982 à 1990, l'urbanisation a absorbé 1,7 % des espaces naturels et agricoles*

La période 1982-1990 marque une diminution de 1,7 % en huit ans des espaces naturels ou agricoles, soit plus de 2 000 hectares par an. La consommation s'est toutefois réduite par rapport à la période précédente : entre 1975 et 1982, 4 400 hectares en moyenne étaient soustraits chaque année à la campagne.

Dans la zone centrale, cela se traduit par une urbanisation des espaces ruraux interstitiels, la plupart se situant dans la banlieue extérieure urbanisée. La progression de la ville sur la campagne (14 700 hectares) est en grande partie maîtrisée : plus de la moitié des espaces naturels et agricoles consommés (7 800 hectares) est localisée dans les villes nouvelles (4 800 hectares) ou aux franges de l'agglomération (3 000 hectares).

Cette consommation correspond aussi à un certain mitage de l'espace rural : 3 600 hectares d'espaces naturels ou agricoles y ont disparu en huit ans. C'est à la fois relativement peu et beaucoup : peu, car ces 3 600 hectares ne représentent que 0,5 % du total des espaces naturels ou agricoles en milieu rural ; beaucoup, car le nombre de logements construits y est deux fois moins important que dans les villes nouvelles, pour une consommation d'espaces inférieure d'un quart seulement (36 km^2 contre 48 km^2).

L'Île-de-France, une région agricole

L'agriculture occupe 55 % du territoire régional, superficie comparable à la moyenne nationale. Les surfaces agricoles sont, pour l'essentiel, des terres labourées (92 %), exploitées en grande culture par une agriculture intensive, comme dans les régions ou départements limitrophes (Centre, Picardie...), où les haies et bosquets ont presque disparu. Il reste peu de surfaces toujours en herbe (6 %). Les autres espaces agricoles se partagent entre les vergers et les pépinières. Les cultures maraîchères (fleurs...) n'occupent que 600 hectares.

Les problèmes environnementaux liés à la croissance urbaine

L'Île-de-France abrite sur un territoire limité une part très importante de la population et de l'activité économique nationales.

La majorité des atteintes à l'environnement relève de la concentration urbaine propre à l'agglomération parisienne, à ses industries et aux infrastructures correspondantes. Ce phénomène se vérifie pour la qualité de l'air et celle des cours d'eau, où les rejets des véhicules dans l'atmosphère et des effluents urbains (les eaux usées) sont prédominants. Il concerne aussi les autres dimensions de la qualité de la vie – le bruit des transports (*voir encadré*), les conditions et les rythmes de vie – qui sont en Île-de-France singulièrement différentes de celles qui prévalent dans la plupart des autres régions françaises. L'Île-de-France concentre la grande majorité des encombrements routiers et le temps de déplacement moyen journalier (tous motifs confondus) est supérieur aux autres régions : 80 minutes au lieu de 55 minutes par jour.

Enfin, depuis vingt ans, le temps de transport moyen « domicile-travail » en Île-de-France, tous modes confondus, demeure stable (un peu plus d'une demi-heure dans chaque sens). 42 % des Franciliens utilisent les transports publics pour se rendre à leur travail (contre 11 % dans le reste de la France). Ils effectuent 330 voyages/hab./an en transports en commun. Les deux tiers des déplacements effectués par les Parisiens se font par les transports en commun.

■ *Près de 20 % des Français habitent en Île-de-france*

La région Île-de-France compte près du cinquième de la population française sur 2 % du territoire national. C'est la seule région où la quasi-totalité de la population est urbaine (96,2 % en 1990). Sa géographie témoigne de sa position privilégiée dans le Bassin parisien et en fait un lieu de convergence qu'exprime son réseau de transport régional et national. L'urbanisation a pris son essor dès la seconde moitié du XIXe siècle, du fait de l'attrait que la région-capitale a exercé sur la province. Cette expansion s'est opérée le long des axes de communication. Son histoire récente montre une volonté de canaliser la croissance urbaine dans les villes nouvelles.

DES TRANSPORTS TERRESTRES TROP BRUYANTS

Les Franciliens le confirment à chaque sondage : les nuisances sonores leur sont de plus en plus insupportables. Les transports figurent quasiment seuls au rang des accusés. Les Valdoisiens manifestent contre l'aéroport de Roissy, les habitants de Villeneuve-Saint-Georges (Val-de-Marne) supportent de plus en plus mal les lignes de chemin de fer et les voies routières qui traversent leur villes. Le tracé de l'autoroute A86 bute contre les oppositions locales en Seine-Saint-Denis, dans les Yvelines et dans les Hauts-de-Seine. Le bruit trouble le sommeil, fatigue le système nerveux, incite à la consommation de tranquillisants et somnifères. Dans les départements de la première couronne autour de Paris, un dixième de la population est exposé à un bruit fatigant de plus de 70 décibels (dB). Dans certaines communes, plus de 20 % des habitants sont soumis à niveau sonore dépassant ce même seuil.

CARTE DU BRUIT RÉVÉLATRICE

L'Institut d'aménagement et d'urbanisme de la région Île-de-France (IAURIF) a dressé une carte du bruit des transports terrestres pour les trois départements de la petite couronne hormis les riverains du boulevard périphérique. Les niveaux sonores en façade des immeubles des principaux axes routiers et ferroviaires entre huit heures et vingt heures ont été mesurés, pour établir une moyenne diurne du niveau de bruit. Ces résultats ont été croisés avec les données démographiques et le mode d'occupation des sols pour déterminer le nombre d'habitants touchés par un bruit excessif. À l'issue de cette étude, l'IAURIF a conclu que 360 000 personnes sont soumises à un bruit fatigant supérieur à 70 dB. Plus de 70 000 habitants subissent même un niveau sonore diurne moyen de 75 dB[1], alors que la loi du 31 décembre 1992 considère que le bruit des transports terrestres est préoccupant lorsque ce niveau dépasse 60 dB. Sur les 1 470 kilomètres de voies étudiées, 66 % ont un niveau sonore supérieur à 70 dB. La quasi-totalité (98 %) des 834 carrefours routiers et 19 % des 350 kilomètres de voies ferroviaires dépassent ce seuil. Les Hauts-de-Seine sont le département plus le touché par le bruit de la circulation automobile et la Seine-Saint-Denis par les nuisances sonores du trafic ferroviaire.

L'étude de l'IAURIF ne donne pas une vision exhaustive du bruit des transports terrestres en Île-de-France. Destinée à identifier les secteurs d'intervention prioritaires (les points noirs), elle ne rend pas compte des zones grises où le bruit, sans constituer une gêne aiguë, est responsable d'une nette dégradation du paysage sonore. Un travail à l'échelle communale allongerait notablement le kilométrage des voies bruyantes. L'évaluation du bruit ferroviaire est très approximative du fait de l'indisponibilité de données topographiques précises au voisinage des voies ferrées. Dans le dénombrement des populations exposées, les espaces publics extérieurs n'ont pas été pris en compte.

DES SOLUTIONS ONÉREUSES

La lutte contre le bruit est engagée. Les solutions techniques existent mais elles sont onéreuses. On sait isoler les logements, construire des écrans acoustiques ou encore traiter les routes avec des revêtements moins bruyants (comme l'enrobé « drainant » qui recouvre l'autoroute A6 à la sortie de Paris depuis l'été 1995). Dans le cadre du contrat de plan 1994-98, l'État et la région Île-de-France ont prévu de consacrer 1,2 milliard de francs pour la seule lutte contre le bruit.

Ces sommes semblent cependant tout à fait insuffisantes pour répondre au besoin. Pour la seule petite couronne, selon la direction régionale de l'équipement, il faudrait quatre milliards de francs pour traiter les 160 000 logements soumis en façade à un bruit supérieur à 70 dB. Pour éviter que les habitations et les espaces publics soient invivables, la loi sur le bruit met l'accent sur la prévention. Elle préconise la limitation du bruit des nouvelles infrastructures de transports terrestres à 60 dB le jour et 55 dB la nuit, et interdit la construction de logements dans les zones voisines des voies de communication terrestres et aériennes sans isolation acoustique adaptée. Au-delà de la loi, seule une action volontaire et concertée des acteurs ayant la maîtrise de l'urbanisme et des transports est susceptible à terme de faire régresser cette nuisance.

1. Pour mesurer l'exposition au bruit au cours d'une période de la journée (entre 8 heures et 20 heures par exemple), on calcule la moyenne des niveaux de bruit sur cette période. L'indicateur utilisé est appelé Leq (level equivalent) qui signifie niveau équivalent ou moyen.

Leq de jour < 55 dB	:	zone blanche, gêne nulle ou faible
55 dB < Leq de jour < 65 dB	:	zone grise, gêne moyenne
Leq de jour > 65 dB	:	zone noire, gêne importante

■ *L'agglomération de Paris continue de s'agrandir*

L'agglomération urbaine centrale englobe Paris, la petite couronne et une partie de chaque département de la grande couronne. En 1990, elle regroupe 9,3 millions d'habitants (87 % de la population d'Île-de-France) sur 2 575 km[2]. Son extension se poursuit. Dans la période récente, les espaces naturels et agricoles régionaux ont disparu au rythme moyen de 0,2 % par an, essentiellement au profit de la création des villes nouvelles et de l'extension des franges de l'agglomération centrale.

Paris intra-muros reste l'une des villes occidentales les plus densément peuplées. Mais sa part dans la population régionale ne cesse de diminuer, au profit de l'agglomération. Celle-ci, au sens INSEE du terme (398 communes), continue à s'étendre et couvre aujourd'hui 20 % du territoire régional. C'est dans cet espace que vivent près de neuf Franciliens sur dix.

À l'extérieur de cette zone centrale, les villes gagnent du terrain. Moins de 4 % des Franciliens vivent en 1990 sur ce territoire qui couvre pourtant 60 % de l'Île-de-France. Enfin, le dynamisme démographique de la région se diffuse surtout à quatre départements qui lui sont immédiatement contigus : l'Oise, l'Eure, L'Eure-et-Loir et le Loiret. Ceux-ci se détachent du reste du Bassin parisien par leur croissance importante et du fait de l'influence accrue de la région-capitale sur leur économie (déplacements domicile-travail quotidiens,...).

Les 660 kilomètres d'autoroutes et de voies rapides ont complété en trente ans un réseau ferré centenaire et centré presque exclusivement sur Paris. Le développement de ces deux réseaux contribue à structurer l'extension urbaine de l'Île-de-France. La politique d'équipement régionale met l'accent sur le polycentrisme avec les villes nouvelles et les liaisons par rocade qui s'ajoutent aux axes radiaux plus anciens. Cela n'est pas sans conséquence sur l'environnement avec notamment le compartimentage des massifs forestiers.

Les transports et la santé des Franciliens

■ *Pollution de l'air et santé des populations*

L'impact de la pollution de l'air sur la santé des populations urbaines est reconnu. Des études épidémiologiques, de plus en plus nombreuses de par le monde, en témoignent et tout particulièrement en Île-de-France. Aujourd'hui, respirer en ville et notamment à Paris peut rendre malade, aggraver une pathologie et jouer un rôle sur la mortalité. Les études récentes confirment l'existence d'une population à risque : enfants dont le développement des alvéoles pulmonaires se poursuit jusqu'à l'âge de trois ans, personnes âgées, sujets atteints de maladies respiratoires.

Les principales données de l'étude ERPURS menée au niveau régional au début des années 90 mettent en évidence un lien entre les niveaux moyens de pollution couramment observés en agglomération parisienne et les indicateurs sanitaires. Ainsi, pour une augmentation de 100 $\mu g/m^3$ des niveaux de pollution, on observe une augmentation de la mortalité journalière totale non accidentelle entre 5 % et 7 %, des hospitalisations entre 5 % et 20 %, des visites de SOS-médecins entre 5 % et 60 %, des arrêts de travail entre 15 % et 25 %. Parmi ces résultats, on peut noter une corrélation entre l'augmentation des concentrations en particules fines en SO_2, en O_3 et, dans une moindre mesure, en NO_2, et la mortalité pour causes respiratoires ou coronariennes.

■ *L'automobile, première responsable*

Aujourd'hui le secteur des transports est le premier responsable des émissions de CO, de NOx et de COV (respectivement 90 %, 80 % et 60 %) en Île-de-France. 47 % des ménages possèdent une voiture et 23 % deux ou plus (35 % en grande couronne). En 1991, on dénombrait 357 voitures pour 1 000 Franciliens, aujourd'hui il y a plus de 4 millions de voitures particulières pour l'ensemble de l'Île-de-France, dont plus d'un million de véhicules diesel. Cependant, les ménages franciliens sont parmi les moins motorisés des pays industrialisés et le moins aussi que le reste des Français. En petite couronne, le taux de motorisation varie sensiblement entre départements riche (92 : Hauts-de-Seine) et pauvre (93 : Seine-Saint-Denis). La liberté de se déplacer est inégalement répartie. On trouve ici l'indice d'une ségrégation à laquelle la politique de la ville et du développement social des quartiers cherche à remédier.

Les progrès faits au niveau des émissions des moteurs sont compensés par l'augmentation du trafic et, pour certains polluants, par la diésélisation croissante du parc automobile.

La pollution en oxydes d'azote et en ozone est loin d'être maîtrisée sur l'agglomération parisienne, même si les niveaux atteints ne sont pas aussi élevés qu'à Milan ou Athènes. Depuis quelques années en Île-de-France, les émissions de NOx et de COV ont tendance à croître, sans que l'on puisse déceler une évolution significative de leur teneur dans l'air. Le suivi de la teneur en ozone est trop récent et son évolution trop liée aux variations climatiques pour en déduire une tendance à l'échelle régionale.

Toutes sources confondues (transports, industries, chauffage, secteur de l'énergie,...) en 1990, l'Île-de-France est en tête des régions françaises pour l'importance de ses émissions de CO_2, COVNM et SO_2 ; elle est en deuxième position pour le CO, le N_2O et le NOx. Elle est la première région pour les émissions totales de gaz à effet de serre.

Une utilisation intensive et une qualité médiocre des ressources en eau

■ *Un système sous forte contrainte*

L'eau de la Seine, de ses affluents et de ses nappes constitue une ressource indispensable pour les millions d'habitants de la région Île-de-France, qui dépendent d'elle pour l'alimentation en eau potable. Les ressources en eau, nécessaires aussi pour les usages industriels et les usages agricoles (irrigation des cultures), sont ainsi très fortement sollicitées dans la région-capitale. Aujourd'hui, un peu plus de la moitié de la population de la région est alimentée en eau potable à partir d'eau de surface.

Près de 1,7 million de m^3/jour sont produits à partir de la Seine (56 %), de la Marne (33 %) et de l'Oise (8 %). Une partie de l'eau alimentant la capitale provient par ailleurs de sources situées pour certaines hors de la région, cette eau étant acheminée par 600 kilomètres d'aqueducs. Les eaux souterraines ne desservent que le tiers de la population. Compte tenu de la qualité médiocre des eaux superficielles, il a été nécessaire de mettre en œuvre des moyens techniques de traitement importants pour assurer une eau potable de qualité.

L'existence d'importants barrages réservoirs en amont de la région a permis de s'affranchir progressivement des variations importantes de débit du fleuve, assurant ainsi, même en période d'étiage, un approvisionnement suffisant des usines de fabrication d'eau potable. En revanche, en raison de leur vulnérabilité, les ressources superficielles sont sujettes à des variations parfois importantes et brutales de leur qualité. À cet égard, la capacité maximale des quatre barrages réservoirs en amont sur la Seine, la Marne, l'Aube et l'Yonne (835 millions de mètres cubes) est insuffisante pour annuler une grande crue hivernale de la Seine à Paris (3 à 10 milliards de mètres cubes).

■ *Les rejets dans l'eau*

Les habitants de Paris et de la petite couronne sont en quasi-totalité reliés à une station d'épuration. Les rejets dans les milieux aquatiques après traitement s'élèvent à 9,3 millions d'équivalents-habitant et, se concentrent pour une très large part sur une portion limitée de la Seine ou de ses affluents proches. Les rejets urbains par temps de pluie provoqués par la prédominance des réseaux unitaires d'assainissement contribuent au dérèglement de l'équilibre biologique des cours d'eau.

Les rejets de polluants d'origine industrielle sont pour leur part inférieurs aux rejets d'origine urbaine. C'est particulièrement vrai pour les paramètres responsables de l'eutrophisation des cours d'eau : matières organiques, matières en suspension, azote ammoniacal et organique, phosphates. Les principaux rejets industriels de métaux toxiques pour le milieu aquatique sont en baisse constante. Les rejets de matières oxydables de l'industrie ont baissé de 16 % en dix ans de 1981 à 1991 et les rejets de matières toxiques de 55 % sur la même période.

■ *Les conséquences pour la qualité de l'eau et des milieux*

Du fait de l'ampleur de ces rejets, de la forte densité des usages de l'eau en région parisienne rapportée à son débit modéré, la qualité des eaux de la Seine n'est pas satisfaisante en particulier à l'aval de la capitale. Les rejets organiques et ammoniacaux (NH_4) notamment, en s'oxydant, consomment des quantités importantes d'oxygène. La survie de la faune aquatique est en danger dans un milieu appauvri en oxygène pendant certaines périodes de l'année. La situation est moyenne ou mauvaise pour plus de 50 % des points de mesure en 1989 et en 1993 en ce qui concerne les matières organiques et oxydables. Concernant le phosphore, elle est mauvaise ou très mauvaise pour 40 % des points de mesure en 1989 et un peu plus de 30 % en 1993. Par ailleurs, les lieux de baignade autorisés sont rares.

Une proportion réduite de la population se voit distribuer une eau potable non conforme aux normes de qualité. Environ 10 % des habitants sont desservis par une eau de qualité bactériologique variable – ayant occasionnellement présenté des signes de pollution pour la plupart accidentelle. Les cas pouvant réellement poser problème sont en fait concentrés dans neuf communes et concernent 4 000 personnes. Par ailleurs, moins de 0,3 % de la population est desservie par une eau dont la teneur en nitrates est supérieure à 50mg/l. 20 % reçoivent une eau dépassant les 25 mg/l, valeur guide issue de la législation communautaire. La proportion se réduit. Mais les risques demeurent en permanence, nécessitant une surveillance étroite des installations.

Importation massive des matériaux de carrières et gravières

Même si elle produit l'essentiel (61 %) du gypse français, l'Île-de-France reste la première région consommatrice de matériaux en France. De 1983 à 1990, cette consommation a connu une forte tendance à la hausse, passant de 25 millions de tonnes à 39,1 millions de tonnes. Depuis 1991, la tendance s'inverse nettement avec la réduction de l'activité des secteurs du bâtiment et des travaux publics. L'exploitation des carrières en Île-de-France compte 180 sites d'où divers matériaux sont extraits, la plupart du temps à ciel ouvert. Environ 70 % des sites produisent des granulats (sables, graviers, roches dures) pour les besoins de la construction de logements, d'équipements collectifs ou d'infrastructures.

L'Île-de-France ne couvre que 55 % de ses besoins en sables et graviers. Pour satisfaire sa demande en granulats, la région Île-de-France fait donc largement appel à l'importation, constituée pour la plus grande partie de matériaux d'origine alluvionnaire. Les régions limitrophes (la Haute-Normandie pour près de 57 % des importations, mais également les régions Picardie, Centre et Bourgogne) participent à cet approvisionnement. Les granulats représentent de ce fait, en volume, de 20 % à 25 % du trafic routier total et de 12 % à 15 % en tonnes/kilomètres. L'importance de ce trafic n'est pas sans incidence au plan de l'environnement : consommation de carburants, pollutions, nuisances pour les populations...

■ *Gestion des ressources de matériaux alluvionnaires et préservation des milieux aquatiques*

En Île-de-France, la production de granulats naturels s'exerce aujourd'hui en quasi-totalité dans les départements de la Seine-et-Marne, des Yvelines, de l'Essonne et du Val-d'Oise, l'épuisement des gisements et le développement de l'urbanisation ayant conduit à la disparition des exploitations dans les départements de la petite couronne.

Les principaux bassins de production desservant la région sont aujourd'hui constitués par les grandes vallées alluviales qui traversent l'Île-de-France : la Marne, la Seine en amont de Paris – la Bassée – auxquelles on peut également associer la vallée de l'Yonne, la Seine en aval de Paris, la vallée de l'Oise, dans les départements limitrophes qui livrent parfois 50 % de leur production à la région Île-de-France.

Compte tenu de ses effets sur le patrimoine naturel et paysager, notamment aquatique, l'exploitation des gisements de sable et graviers alluvionnaires est aujourd'hui limitée. D'autres paramètres jouent également un rôle : le développement de l'urbanisation qui conduit à la stérilisation des gisements, les conflits d'intérêt avec les autres formes d'occupation des sols, notamment l'utilisation des eaux souterraines pour l'alimentation en eau potable, ou encore l'agriculture.

L'exportation des déchets

Soixante mille tonnes en 1988, 200 000 en 1990, plus de 500 000 en 1993... Les ordures ménagères débordent des frontières d'Île-de-France. 10 % des 5 millions de tonnes produites chaque année par les Franciliens sont aujourd'hui mis en décharge dans les régions voisines. Un total déjà très important auquel il convient d'ajouter une part considérable des 5 millions de tonnes de déchets industriels banals (DIB) produits par les entreprises.

Un constat qui résume à lui seul la situation préoccupante du traitement des déchets dans la région Île-de-France : les capacités d'élimination sont trop faibles. Les usines d'incinération sont trop peu nombreuses et vieillissantes et les décharges menacées de saturation. En 2015, en tablant prudemment sur une augmentation de 1 % par an, c'est plus de 10 millions de tonnes qu'il faudra éliminer selon le pronostic du schéma directeur d'Île-de-France. Même si le programme Éco-Emballages et les collectes sélectives remplissent leurs objectifs en valorisant un tiers des tonnages, l'Île-de-France devra traiter au moins 6,5 millions de tonnes d'ordures ménagères en 2015.

Depuis bien longtemps, les décharges d'ordures ménagères ne constituent plus le mode de traitement préférentiel des déchets ménagers en Île-de-France. La difficulté de créer des décharges dans une zone fortement urbanisée et l'opposition que suscite l'envoi des déchets dans une autre région ont en effet conduit à faire un usage important de l'incinération. Trois décharges ont été ainsi fermées entre 1989 et 1994.

■ *Saturation des décharges*

À l'heure actuelle, 50 % des déchets ménagers sont incinérés dans une des seize usines franciliennes et 7 % sont compostés. Le reste, soit encore 2 millions de tonnes, partent directement en décharge.

Toutes les décharges d'Île-de-France sont aujourd'hui menacées de saturation. Seize décharges contrôlées de classe 2 étaient en activité en 1989, douze sont encore ouvertes en 1994. Après celle de Triel-sur-Seine (Yvelines), les décharges de Saint-Loup-de-Naud et de Férolles-Attilly, qui accueillaient jusqu'alors les déchets de Paris, toutes deux situées en Seine-et-Marne, ont respectivement fermé en 1990 et 1991. Quant à celle de Vert-le-Grand (Essonne), son autorisation est prolongée, le temps de faire la jonction avec l'usine d'incinération prévue pour 1996. De plus, le centre d'enfouissement technique de classe 1 de Villeparisis, qui acceptait des ordures ménagères parisiennes, a cessé de les accueillir en 1990.

Du coup, la mise en décharge en Île-de-France a baissé. De 2 millions de tonnes en 1988, elle est passée à 1,6 million en 1993. Le surplus est envoyé hors de la région, en contradiction avec le principe de proximité.

■ *Des déchets industriels spéciaux mieux maîtrisés*

Pour éliminer ses déchets industriels, la région Île-de-France est dotée d'une importante capacité d'élimination. La quasi-totalité des filières de traitement est représentée dans les centres collectifs de la région. Vingt-trois établissements, dont quinze en grande couronne, traitent des déchets industriels spéciaux. Certains, comme le centre de traitement de Limay dans les Yvelines, sont parmi les plus importants d'Europe.

L'Île-de-France a une capacité largement excédentaire pour le stockage des déchets ultimes, avec deux décharges de classe 1 (Villeparisis et Guitrancourt). Globalement, la région traite annuellement 650 000 tonnes provenant pour moitié seulement de sa propre production et pour un tiers du reste du Bassin parisien. C'est un aspect pour lequel l'Île-de-France apporte une prestation aux autres régions. Ainsi, alors que 85 % des déchets produits en Île-de-France sont éliminés dans la région, plus de 50 % des déchets reçus dans les centres d'élimination franciliens proviennent d'autres régions françaises, majoritairement du Bassin parisien. Cela est particulièrement vrai pour les décharges de classe 1, peu nombreuses sur le territoire national et difficiles à créer.

Les risques industriels

L'industrie en Île-de-France est très diversifiée : mécanique, électronique, informatique, aéronautique, imprimerie... Il n'y a cependant pas de grandes plates-formes ou de complexes sidérurgiques ou chimiques, comme dans certaines régions et le nombre des très grands établissements tend à diminuer.

En dehors des rejets de polluants, les problèmes liés à l'activité industrielle sont constitués par les risques : du fait de la forte densité de la région, les zones industrielles et les zones résidentielles sont très souvent imbriquées. C'est, par exemple, le cas de la vallée de la Seine dans les Yvelines. Le nombre d'établissements type Seveso (dix-neuf) est inférieur à celui des grandes régions industrielles françaises.

LANGUEDOC-ROUSSILLON

Une exceptionnelle diversité de milieux

De la Camargue aux Cévennes, du Roussillon aux sommets du Carlit, le Languedoc-Roussillon est un vaste amphithéâtre où se rencontrent les paysages les plus variés. Reliefs et géologie, influences climatiques méditerranéennes, atlantiques ou continentales expliquent l'exceptionnelle variété de milieux, une des plus larges de France.

919 zones naturelles d'intérêt écologique, faunistique et floristique ont été inventoriées : fonds marins et falaises de la côte rocheuse des Albères, cordon dunaire, étangs et zones humides de l'ensemble du littoral sableux de la Petite Camargue au Roussillon, montagnes méditerranéennes sèches et vallées quartziques du Gard et de l'Hérault, ripisylves des fleuves et rivières méditerranéennes (Rhône, Gard, Hérault, Aude...), pelouses, chaos et falaises dolomitiques de la région des Grands Causses, forêts et milieux rupestres des reliefs pyrénéens (Canigou, chaîne du Puigmal, Madresmont Coronat, Carlit). Sans oublier des zones très particulières : dune perchée de la falaise de Leucate, empreintes de dinosaures de Saint-Laurent-de-Trèves, grottes à chiroptères du Minervois, écailles d'Anduze...

La région abrite environ 3 000 espèces de plantes (4 500 sont inventoriées en France), dont 40 protégées. Elle accueille 173 espèces d'oiseaux nicheurs, 164 espèces d'oiseaux hivernant et 69 espèces de mammifères terrestres.

La montagne lozérienne reste une « réserve de nature » et d'espace avec le parc national des Cévennes. Le littoral pour sa part s'étend sur 230 kilomètres de la Camargue à la frontière espagnole, avec 40 000 hectares de lagunes littorales. Il est exceptionnel en termes de richesses écologiques. Il est cependant sujet à l'érosion (en croissance depuis 1982) à un niveau qui est préoccupant sur de larges portions du linéaire côtier. Le Conservatoire du littoral y est propriétaire de près de 6 700 hectares d'espaces naturels. Chacun des milieux représentatifs de ce littoral (dunes, landes, garrigues, prairies humides, prés salés, roselières, boisements) est présent au travers des 35 sites acquis.

■ *Un tiers du territoire en forêt*

En Languedoc-Roussillon, la forêt couvre un tiers du territoire, deux fois plus qu'il y a un siècle. Le taux de boisement de 34 % est nettement supérieur à la moyenne française (25,9 %). La forêt continue de gagner du terrain, au rythme de 1,1 % par an, du fait de l'exode rural, de la réduction de l'usage de bois de feu et des programmes de reboisement réalisés par l'État.

Languedoc-Roussillon

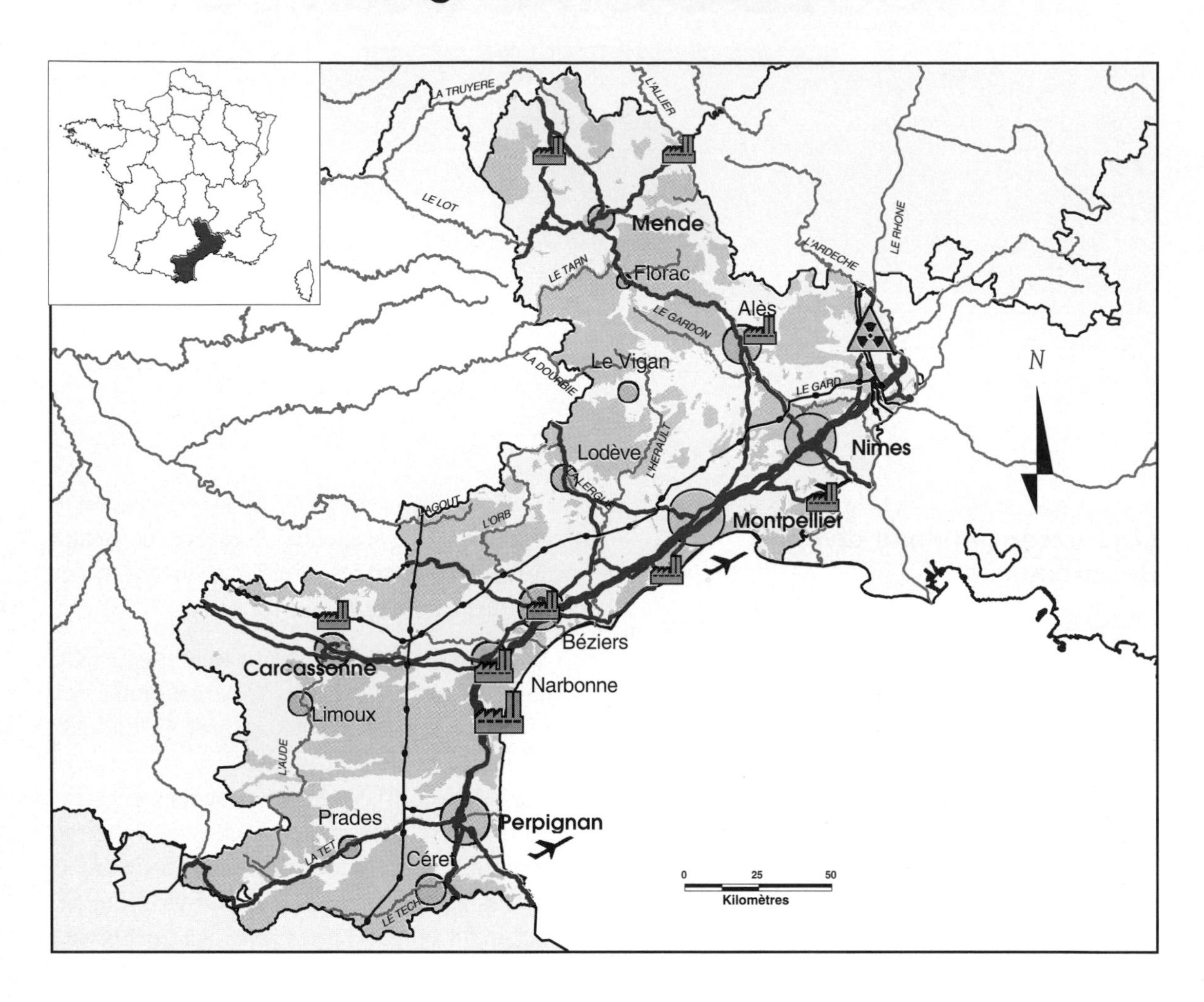

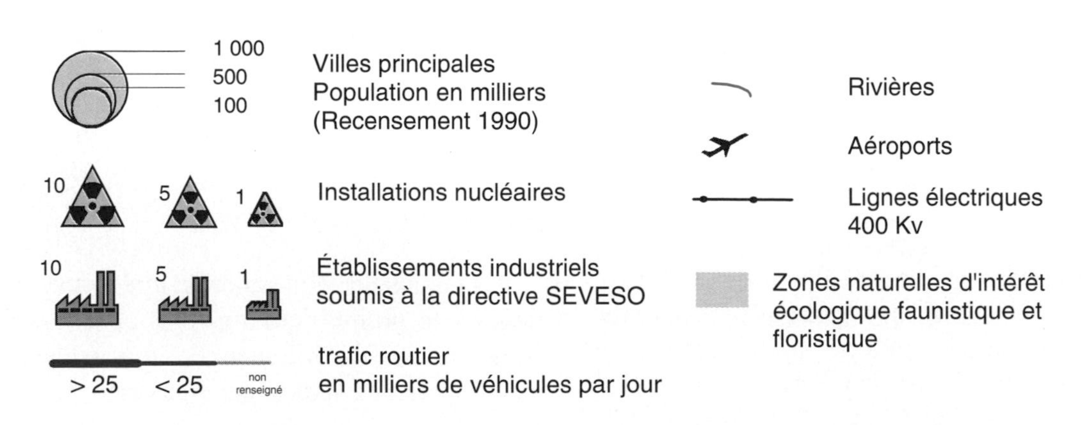

sources : MELTT/SETRA ; EDF Production Transport 1996 ; INSEE ; IFEN ; ministère de l'Environnement ; ministère de l'Industrie ; Muséum national d'histoire naturelle.

LES PRINCIPAUX INDICATEURS ENVIRONNEMENTAUX

INDICATEURS	VALEUR RÉGIONALE	VALEUR NATIONALE	UNITÉ	ANNÉE
TERRITOIRE				
• Types d'occupation des sols :				
- naturelle	65,2	38,2	%	1994
- agricole	29,2	54,4	%	1994
- artificielle	5,5	7,4	%	1994
• Pression urbaine	56,5	77	hab. urbain/km^2	1990
• Taux de boisement	34,1	26,3	%	Dernier inventaire
MILIEUX NATURELS FAUNE FLORE				
• ZNIEFF 1	5,4	8	% sup. régionale	1996
• ZNIEFF 2	40,7	21,1	% sup. régionale	1996
• Réserves naturelles	15 930	132 045	ha	1995
• Zones de protection spéciale (directive Oiseaux)	101 820	707 000	ha	1995
EAU				
• Qualité physico-chimique des eaux superficielles (rivières). Observations classées en catégories très bonne et bonne :				
- matières organiques et oxydables	68	56	%	1993
- phosphore	57	60	%	1993
- nitrates	100	83	%	1993
• Qualité des eaux de baignade en eau douce :				
- points de surveillance conformes aux normes de la directive européenne	89,2	87,3	%	1993
ATMOSPHÈRE, AIR				
• Part de la région LANGUEDOC-ROUSSILLON dans la contribution française :				
- à l'accroissement de l'effet de serre	2,9	100	%	1990
- à la formation des pluies acides	2,1	100	%	1990
DÉCHETS MÉNAGERS ET ASSIMILÉS				
• Taux de valorisation énergétique et organique	8,2	29,9	%	1993
• Taux de mise en décharge	76	60,9	%	1993
ÉNERGIE				
• Production d'énergie primaire	785	99 885	Ktep	1992
• Nombre de réacteurs de production d'électricité	/	59	Nbre	1994
RISQUES TECHNOLOGIQUES				
• Nombre d'installations Seveso	13	346	Nbre	1994
• Autres installations potentiellement dangereuses	74	691	Nbre	1994
TRANSPORTS TERRESTRES				
• Densité des routes nationales (routes et autoroutes)	6,7	6,6	km pour 100 km^2	1993
• Parcours journalier moyen sur les routes nationales	11,6	8,1	100 millions de véhicules/km	1992
• Distance moyenne domicile/travail	7,5	8,1	km	1990
• Points noirsdus au bruit :				
- route	52	1 414	Nbre	1991
- rail	8	248	Nbre	1991
SOCIÉTÉ				
• Associations agréées de protection de l'environnement	46	1 434	Nbre	1991

Les paysages forestiers sont riches : en basse altitude, essentiellement chênes verts et pins d'Alep et quelques chênes blancs, descendants de la forêt originelle. De 300 à 900 mètres, le chêne blanc est très présent sur les sols calcaires, le châtaignier et le pin maritime se partageant les sols siliceux. Enfin, au-dessus de 900 mètres, le hêtre et divers résineux (pin sylvestre, pin à crochets, sapin, épicéa...) se répartissent l'espace non agricole.

Près de 74 % des forêts sont privées, le plus souvent très morcelées. La forêt publique se partage à peu près également entre terrains domaniaux (d'État) et forêts des collectivités. En Languedoc-Roussillon comme dans tout le bassin méditerranéen, l'incendie est la principale agression subie par la forêt : environ 5 000 hectares d'arbres ont été brûlés en moyenne par an au cours des vingt dernières années.

TERRITOIRE	Cinq départements :	Aude, Gard, Hérault, Lozère, Pyrénées-Orientales
	Superficie totale :	27 375,7 km^2 (5 % sup. française)
	Superficie communes urbaines :	5 059,6 km^2 (18,5 % sup. régionale)
	Densité 1994 :	80 hab./km^2
POPULATION	Population totale 1990 :	2 114 985 (3,7 % de la pop. française) estimation 1994 : 2 200 925
	Population urbaine 1990 :	546 011 (73,1 % pop. régionale)
	Quatre principales agglomérations :	Montpellier, Perpignan, Nîmes, Alès (29,4 % de la pop. régionale)
	Pyramide des âges 1994 :	– 25 ans : 31,3 % + 60 ans : 24 %
COMPTES ÉCONOMIQUES	Produit intérieur brut (PIB) 1992 :	201 547 millions F (2,9 % PIB français)
	PIB/hab 1992 :	92 829 F
EMPLOI	Emploi total 1992 :	710 656 (3,2 % emploi total français)
	Agriculture :	7,3 % emploi total régional
	Industrie :	11,9 % / /
	Bâtiment, génie civil et agric. :	7,7 % / /
	Commerce, transport et télécom. :	13,5 % / /
	Autres services :	59,6 % / /
	Taux de chômage 1994 :	16,3 % (145 685 chômeurs)
LOGEMENT	Résidences principales 1990 :	827 204
	dont logements collectifs :	35,4 %
	Résidences secondaires 1990 (1) :	271 784
AGRICULTURE	SAU 1993 :	1 017 milliers d'ha (3,6 % SAU nationale)
	dont terres labourables :	25 %
	Nbre d'exploitations 1993 :	51 069
	Superficie moyenne 1993 :	19,9 ha
INDUSTRIE	Nbre d'établissements 1995 :	11 918, dont – 10 sal. : 10 708, + 500 sal. : 10
	Principaux secteurs industriels (effectifs salariés 1993) :	IAA, produits minéraux, équipements mécaniques, équipements électriques et électroniques

Sources : INSEE, SCEES.

(1) Les résidences secondaires comprennent également les logements occasionnels.
NB : les pourcentages sont calculés par rapport à la France métropolitaine.

Un fort déséquilibre entre espaces urbains et ruraux

Le territoire régional a connu au cours des vingt dernières années de profondes mutations, inscrites dans ses paysages : une forte diminution des terres agricoles (– 4,9 %), une urbanisation rapide et souvent mal maîtrisée et un développement considérable du tourisme lié à l'héliotropisme sur le littoral. La croissance des surfaces artificielles (+ 22,9 %), incluant celle des surfaces en bâtis (+ 51,2 %), a été de 1982 à 1990 la plus importante observée dans les régions françaises.

En dépit d'une très forte croissance démographique (+ 9,8 % entre 1982 et 1990) assurée à 90 % par l'excédent migratoire, la région n'est, en valeur relative, guère plus peuplée qu'elle ne l'était à la fin du XIXe siècle : 3,8 % de la population française en 1872 et 3,7 % en 1990. Longtemps terre d'exode, la région voit sa population croître à nouveau depuis les années 60. En effet, les habitants quittent moins la région qu'auparavant. Les nouveaux migrants sont composés notamment d'adeptes du « retour à la terre », de retraités et de jeunes ménages d'actifs qui veulent choisir leur cadre de vie en même temps que leur lieu de travail.

Le peuplement de la région est très inégal et les contrastes s'accentuent. La densité moyenne de 77 hab./km^2 masque des écarts de 1 à 10, variant de 130 hab./km^2 dans l'Hérault à 14 hab./km^2 en Lozère. Le territoire régional est ainsi découpé en deux espaces : d'un côté, le littoral et la vallée du Rhône, de l'autre l'arrière-pays. Le littoral et la vallée du Rhône connaissent un développement important. Les pôles urbains ont étendu leur influence avec une expansion démographique intense sur les dernières décennies. Cet espace abrite les grandes villes régionales : Montpellier, Nîmes, Perpignan, Béziers et Narbonne. L'arrière-pays, essentiellement composé de régions montagneuses ou de piémonts, est en recul démographique. Les zones de montagne se vident. La Lozère a pour sa part perdu 2 % de sa population de 1982 à 1990.

■ *La périurbanisation et la continuité de l'armature urbaine*

Le Languedoc-Roussillon, pays agricole et montagnard (60 % du territoire sont classés en zone de montagne), présente cependant un des plus forts taux de population urbaine (73,1 %). Le développement rapide des villes de la plaine se traduit, dans certains secteurs, par la formation d'une quasi-conurbation continue. Cette urbanisation conquérante a modifié les relations ville-campagne. La périurbanisation et la « rurbanisation » mal maîtrisées sont devenues en Languedoc-Roussillon un phénomène de grande ampleur, accentué par la croissance des stations touristiques littorales.

■ *Concentration des réseaux et du trafic routiers sur un espace réduit*

Le réseau de routes nationales et départementales est très dense : plus de 18 000 kilomètres de routes sillonnent la région. Le réseau autoroutier quant à lui, de près de 400 kilomètres aujourd'hui, devrait augmenter encore avec la mise en service complète de l'autoroute A75 qui relie Clermont-Ferrand à la Méditerranée. Les infrastructures les plus récentes relient les grandes agglomérations régionales, les régions limitrophes et la péninsule Ibérique au reste de l'Europe. Ces infrastructures et l'extension de l'urbanisation se traduisent notamment par une consommation de l'espace agricole, accompagnée d'opérations de remembrement. Les haies et arbres épars ont diminué de 33,3 % en dix ans. À l'opposé, de 1982 à 1992, l'occupation du sol en routes et parkings s'est accrue de 13,2 %.

L'augmentation du trafic routier avec son lot de nuisances – 52 points noirs de bruit routier ont été identifiés dans la région – est considérable. Pour le seul trafic interrégional de marchandises, les expéditions à partir de la région sont passées de 6,5 millions de tonnes en 1979 à 10 millions de tonnes en 1989, auxquelles s'ajoutent 51,1 millions de tonnes de trafic intrarégional. Le rôle de la voie ferrée en est amoindri, malgré l'organisation d'un trans-express régional pour les voyageurs et l'arrivée du TGV.

Avec ses 230 kilomètres de côtes et ses infrastructures portuaires – ports de Sète, de Port-la-Nouvelle ou de Port-Vendres –, la région est ouverte sur les grands espaces maritimes. Le canal du Rhône à Sète constitue une voie de transport relativement importante. Près de 200 000 tonnes y ont transité en 1993. Infrastructures de transport et d'échanges, les canaux se révèlent aussi des supports de développement touristique (canal du Midi).

Les conséquences de la déprise agricole

Longtemps activité principale, l'agriculture – qui juxtapose petits exploitants et grandes propriétés – n'occupe plus que 7,3 % des actifs en 1992. Le vignoble, unifiant une grande partie des paysages de la région, est présent dans 65 % des exploitations. Il n'occupe plus que 367 000 hectares au lieu de 436 000 en 1970. La tendance actuelle est, avec le développement de l'irrigation (8 % de la superficie agricole utilisée sont irrigués, en croissance de 15,9 % de 1988 à 1993), à une diversification par la production de fruit, de légumes, d'oléagineux et de céréales. Les cultures annuelles ont augmenté de 12,8 % de 1982 à 1990.

Les hautes terres connaissent une agriculture sylvo-pastorale en difficulté, même si certaines zones d'élevage comme la Margeride, la Cerdagne ou le Capcir enregistrent un renouveau.

Friches, jachères, vignes arrachées, forêts embroussaillées, les signes de la déprise agricole sont visibles dans toute la région. Depuis la crise viticole jusqu'aux mesures plus récentes de la PAC, les campagnes subissent d'importantes mutations traduites par une évolution visible des paysages : abandon progressif des territoires agricoles, fermeture des paysages par embroussaillement puis développement des forêts. Les conséquences environnementales de ces modifications dépassent le simple aspect esthétique.

Ainsi, la disparition des surfaces dégagées (par le pâturage ou grâce aux cultures) handicape fortement l'aigle de Bonelli dans sa recherche de proies, au point de menacer l'espèce. L'embroussaillement des sous-bois et des landes favorise le risque d'incendies de forêt. Enfin, la disparition de paysages agricoles typiques entraîne celle d'un patrimoine difficilement remplaçable, celui qui fait aujourd'hui pour une large part le succès du tourisme culturel et rural.

Un tourisme intensif

L'espace littoral du Languedoc-Roussillon a longtemps été perçu comme répulsif : on fuyait le bord de mer, ses marais, ses étangs et ses moustiques. Aujourd'hui, la côte languedocienne est fortement urbanisée sur près de la moitié du littoral (*voir encadré*). Elle accueille près de trente infrastructures portuaires dont quatre ports de commerce et une huitaine de stations balnéaires, pour la plupart créées *ex nihilo* en l'espace de seulement quelques années. La densité des résidences secondaires s'élève à 145 par kilomètre carré en 1990, avec une croissance de 55 % depuis 1982.

En 1965, 525 000 touristes fréquentaient le littoral pendant les mois d'été. En 1990, ce chiffre s'élève à plus de 5 millions. Le Languedoc-Roussillon se place au deuxième rang pour la densité touristique, derrière la région Provence-Alpes-Côte d'Azur. L'aménagement du littoral a aggravé les déséquilibres régionaux entre littoral et intérieur. Le tourisme et les aménagements qui lui sont liés se sont intensifiés dans l'espace littoral au détriment de la préservation du milieu naturel et des autres activités. En contrepartie, au-delà des coupures vertes esquissées par le schéma d'aménagement, des procédures de classement de sites ont été mises en œuvre et l'acquisition d'espaces littoraux par le Conservatoire du littoral a été développée.

QU'IL EST BEAU MON LIDO !

À l'embouchure de l'Aude, l'étang de Vendres (prononcez Vindres) étend ses vastes étendues de roseaux. Subtil milieu d'équilibre où se rencontrent eaux salées et douces, l'endroit est d'une grande richesse faunistique et floristique. Il est aussi merveilleusement placé à égale distance de Béziers et de Narbonne, voisin de l'autoroute A9, et n'est séparé de la Méditerranée que par un mince cordon sableux qui forme l'une des plus jolies, mais aussi l'une des plus désertes, plages du Languedoc.

UN LONG CORDON DE SABLE

L'époque de la construction des grandes stations balnéaires du Languedoc est bien révolue. La mission Racine a débuté en 1964 et, désormais, Port-Barcarès, Cap-d'Agde, la Grande-Motte font figure de « vieilles » cités. Si ces aménagements lourds empêchent aujourd'hui la construction de villes nouvelles, le long cordon de sable qui s'étend de la Camargue aux Pyrénées (70 % de la côte est sableuse) continue de susciter la convoitise. D'où une politique d'achat de terrain au long cours, menée par le Conservatoire du littoral. Il s'agit d'éviter qu'on ne construise n'importe quoi.

Entre Argelès-sur-Mer (Pyrénées-Orientales) et le Grau-du-Roi (Gard) court un cordon sableux qui n'existait pas au XVIe siècle. Les étangs littoraux et les zones humides qui résultent de ce trait de côte issu des courants, de l'élévation du niveau de la mer, du vent et du soleil, sont à la fois des zones de nichage pour les oiseaux, des pouponnières à daurades et à loups, des roselières rares pour le milieu méditerranéen. Entre les grandes stations touristiques, l'enjeu est donc de préserver ces espaces lagunaires en se portant acquéreur de chaque parcelle mise en vente. On estime à 18 000 hectares les surfaces à protéger.

UN PUZZLE FONCIER

Dans les Pyrénées-Orientales, les extensions urbaines des villages de l'intérieur (Canet-Plage, Argelès-Plage, Sainte-Marie-Plage) et la station de Port-Barcarès ont mangé beaucoup d'espace. Les terrains libres sont rares et doivent désormais être préservés. Le Conservatoire y a acquis 1 100 hectares. L'Aude possède trois districts paysagers remarquablement conservés : l'étang de Salses-Leucate, les salins et étangs de Lapalme, l'ensemble lagunaire de Bages-Sigean. Le Conservatoire possède 2 000 hectares. Dans l'Hérault, outre l'étang de Vendres, cinq autres espaces naturels remarquables se succèdent : les espaces dunaires des Orpelliaires, le secteur d'Agde, le bassin de Thau et sa zone conchylicole, les étangs palavasiens, et l'étang de l'Or qui annonce la Camargue. Le Conservatoire du littoral y possède 3 000 hectares, mais toute la côte est entièrement couverte par des zones de préemption décidées par le Conseil général. Dans le Gard enfin, la Petite Camargue constitue la plus grande roselière méditerranéenne. La plage de l'Espiguette, près du Grau-du-Roi, est menacée par une surfréquentation estivale. Le Conservatoire du littoral possède ici 500 hectares. Par-tout, le Conservatoire gère ces 6 600 hectares en collaboration avec les collectivités locales et territoriales.

Il reste encore beaucoup à faire pour que la protection de ce milieu soit totale. Les acquisitions du Conservatoire ne sont pas continues tout au long du littoral, mais forment plutôt un puzzle qu'il s'agit de reconstituer patiemment au gré des ventes. Dans un premier temps, le Conservatoire va constituer un réseau d'espaces littoraux dont le foncier est homogène. Ce n'est pas une mince affaire, vu l'extrême morcellement de la propriété du sol dans cette région. Puis, les terrains aux marges devront également être achetés pour éviter la « cabanisation », c'est-à-dire l'installation de petites maisons provisoires qui deviennent vite permanentes (la cabane est une tradition tout au long de la côte). C'est ainsi que devrait évoluer l'étang de Vendres où le Conservatoire a acquis la plage et une partie de la zone humide. Pour gérer le milieu et la fréquentation humaine, il faudra tout acheter. Tous les ans, quinze millions de francs sont ainsi consacrés aux acquisitions.

Mais la saturation des plages, totale durant l'été, pousse à l'utilisation des espaces fragiles telle l'embouchure de l'Aude et menace de pollution les étangs. De son côté, la qualité des eaux de baignade n'est pas très bonne sur le littoral languedocien, où seulement 76,2 % des points de surveillance respectent les exigences de la directive européenne en 1993.

Trop d'eau ou pas assez d'eau : maîtriser la ressource

La majeure partie des régions méditerranéennes reçoit moins de 600 millimètres de précipitations annuelles. Mais plus que leur faible importance, c'est leur irrégularité mensuelle et annuelle qui pose problème. L'été est marqué d'une aridité prolongée. Les effets de cette sécheresse sont encore accentués par la chaleur de l'été et le vent. Variables selon les saisons, les précipitations le sont aussi selon les années, ce qui rend encore plus nécessaire la maîtrise de l'eau.

Le système hydrographique de la région comporte un nombre important de bassins versants de faible superficie. En effet, sur les trente et un bassins recensés, la majorité a une étendue inférieure à 1 000 km² et la longueur des plus grands cours d'eau dépasse rarement 100 kilomètres.

■ *Inondations et sécheresse*

L'hydrologie des cours d'eau méditerranéens est marquée par une extrême irrégularité et par d'importants phénomènes paroxysmaux tels que les crues. Celles-ci présentent fréquemment un caractère violent lié à des précipitations intenses, souvent de durée limitée. Le ruissellement provenant des hauts bassins versants pentus se trouve brusquement ralenti en arrivant dans les basses plaines, provoquant une montée rapide des eaux et des inondations catastrophiques.

Par exemple, le Gardon, rivière languedocienne qui prend sa source dans les Cévennes, a eu le 30 septembre 1958 un débit de 5 000 m³/s, soit plus du double de la plus forte crue de la Seine. En 1958 à Quissac, la montée du niveau des eaux du Virdoule a été de 4,5 mètres en 45 minutes. Outre les conséquences humaines et matérielles causées quand des villes comme Nîmes sont atteintes, des trombes d'eau aussi violentes ont sur les sols un énorme pouvoir érosif.

De son côté, la sécheresse estivale est d'autant plus préjudiciable qu'elle coïncide avec les périodes de grosse consommation domestique en eau et de forte évapotranspiration. Les prélèvements en eau se sont accrus, du fait d'un recours important à l'irrigation, de l'urbanisation des basses plaines et de l'implantation de grandes zones touristiques fortement consommatrices d'eau (en moyenne 200 litres par jour et par personne).

La gestion du « trop peu d'eau » a fait l'objet d'aménagements hydrauliques considérables depuis longtemps dans la région, visant à transférer de l'eau sur longue distance : création du canal royal du Languedoc à la fin du XVIIe siècle, projets d'utilisation de l'eau du canal du Midi à des fins agricoles dès la fin du XVIIe siècle. En 1828, le canal du Rhône à Sète est venu compléter la communication entre le bassin atlantique et la vallée du Rhône. Tous ces équipements lourds ont permis l'irrigation et ont facilité l'alimentation en eau potable et industrielle.

Ce régime hydrographique particulier a aussi des conséquences importantes sur la qualité des eaux et provoque souvent une forte eutrophisation en période d'étiage, particulièrement aggravée par des aménagements modifiant l'écosystème (imperméabilisation des bassins versants...). Il en résulte des perturbations chroniques physico-chimiques et microbiologiques, surtout en période estivale. Par ailleurs, l'alimentation des stations balnéaires du littoral pose problème en été. À titre d'illustration, la consommation d'eau de l'agglomération d'Agde peut varier de 49 000 m³/jour en janvier à 234 000 m³/jour en août.

En ce qui concerne les agglomérations de plus de 10 000 habitants, le taux de collecte des eaux usées (74 %) et le taux de dépollution

(56 %) situent la région au-dessus de la moyenne française. L'épuration des eaux usées en période estivale, avec les fortes variations de population liées au développement touristique de l'ensemble des communes du littoral, complique fortement le problème de la maîtrise des effluents.

■ *Une eau potable hors norme pour 17 000 habitants*

90 % de l'eau d'alimentation proviennent des ressources souterraines. De par l'absence de surfaces très étendues consacrées aux grandes cultures ou à l'élevage intensif comme dans le nord ou l'ouest de la France, la région n'est pas parmi les plus touchées par les pollutions d'origine agricole. Pourtant des signes de cette pollution commencent à apparaître dans l'eau distribuée aux usagers. Pour les nitrates par exemple, dix-neuf communes, soit 17 000 habitants, ont une eau dont la teneur dépasse le seuil de 50 mg/l fixé par l'UE. Les zones les plus touchées sont les plaines maraîchères et arboricoles et les zones de polyculture intensive.

Activités industrielles et risques pour l'environnement

La région Languedoc-Roussillon est peu industrialisée, les rejets de l'industrie y sont donc, comparativement à d'autres régions, relativement limités. Industries agroalimentaires, installations classées au titre de la directive Seveso et mines apparaissent comme les activités les plus dommageables pour l'environnement, ou présentant des risques.

■ *Le problème du traitement des effluents vinicoles*

Avec 340 000 hectares de vignes, le Languedoc-Roussillon possède le quart du vignoble français. La viticulture produit des effluents dont le traitement pose actuellement un problème majeur. Leur rejet dans les cours d'eau, lorsqu'il est direct et sans épuration, se traduit par une baisse de la quantité d'oxygène dans le milieu et entraîne rapidement un déséquilibre de l'écosystème. La pollution générée par l'industrie du vin est significative : dans la région, elle représente 35 % de la pollution organique totale rejetée d'origine industrielle.

■ *Mines et environnement*

Le sous-sol de la région a été dans le passé largement exploité pour extraire divers types de minerais : or, charbon, minerais non ferreux, uranium, bauxite... Pour nombre d'entre elles, ces mines sont maintenant fermées ou en régression. Les problèmes d'environnement proviennent donc aujourd'hui largement des séquelles de ces exploitations (traitement des déchets, contamination des sols...) : elles peuvent être très importantes localement, comme par exemple autour de la mine de Salsigne, avec les résidus et pollutions contenant de l'arsenic et autres métaux lourds.

■ *Les risques industriels*

En matière de risques technologiques, la région comporte treize entreprises relevant de la directive Seveso, mais aussi soixante-quatorze autres installations industrielles classées comme potentiellement dangereuses. Enfin, si elle n'a pas de centrale nucléaire de production d'électricité, la région accueille depuis de nombreuses années le site de Marcoule, où ont été développés notamment des réacteurs de recherche (en particulier Phénix, 250 MW) et diverses autres installations de la filière de l'uranium (mine, filière du combustible...).

LIMOUSIN

Paysages et milieux : la région nature

Le Limousin, malgré sa modeste superficie, possède un patrimoine naturel diversifié. Les conditions physiques et l'évolution des activités humaines ont façonné les paysages marqués par le bocage, la forêt, les vallées encaissées parcourues par des rivières rapides. Les vallées, les gorges sauvages et les tourbières restent encore nombreuses et constituent un élément essentiel du patrimoine naturel. Ces paysages naturels abritent des espèces animales et végétales variées.

L'inventaire des richesses écologiques, faunistiques et floristiques a permis d'identifier 241 sites dans la région couvrant 6,7 % du territoire. Plusieurs grands types de milieux sont représentés, dont les superficies peuvent être fort différentes, allant de quelques ares à plusieurs milliers d'hectares : le plateau de Millevaches, avec encore de grandes surfaces de landes et de tourbières, les rivières aux gorges profondes et sauvages (Creuse, Vienne, Vézère, Dordogne) abritant des rapaces exceptionnels (aigle botté, faucon pèlerin, grand-duc...), les étangs anciens aux ceintures de végétation diversifiées (étangs des Landes, de la Chaume, du Rischauveron...), certains lacs de retenue, les affleurements de serpentinite de la Haute-Vienne et de la Corrèze, les plus grands massifs forestiers d'origine ancienne et souvent peuplés d'essences feuillues (forêts de la Cubesse, de Drouille...), les affleurements calcaires du bassin de Brive (vallée sèche de la Couze, pelouses calcaires d'Ayen, de Saint-Robert...).

Le Limousin comporte plus de 10 000 kilomètres de rivières et d'eau vive, abritant truites, ombres ou saumons, et 4 000 hectares de lacs et plans d'eau. Les lacs artificiels se sont souvent bien intégrés dans le paysage, à l'image des plans d'eau de Saint-Pardoux et de Vassivière. Cependant, certains de ces aménagements ont entraîné des destructions du milieu et des disparitions d'espèces.

■ *Une forêt qui se développe*

Le Limousin est la sixième région française par son taux de boisement. La forêt recouvre 33 % du territoire régional. Ce taux n'était que de 11 % au début du siècle. La forte présence de l'arbre est en effet relativement récente. Elle est due aux nombreux reboisements réalisés aux dépens des landes et des friches. Une véritable révolution paysagère a eu lieu au XXe siècle : une vague forestière a occupé les hautes terres à l'est d'une ligne Bourganeuf-Tulle et les landes de bruyère ont commencé à disparaître.

Limousin

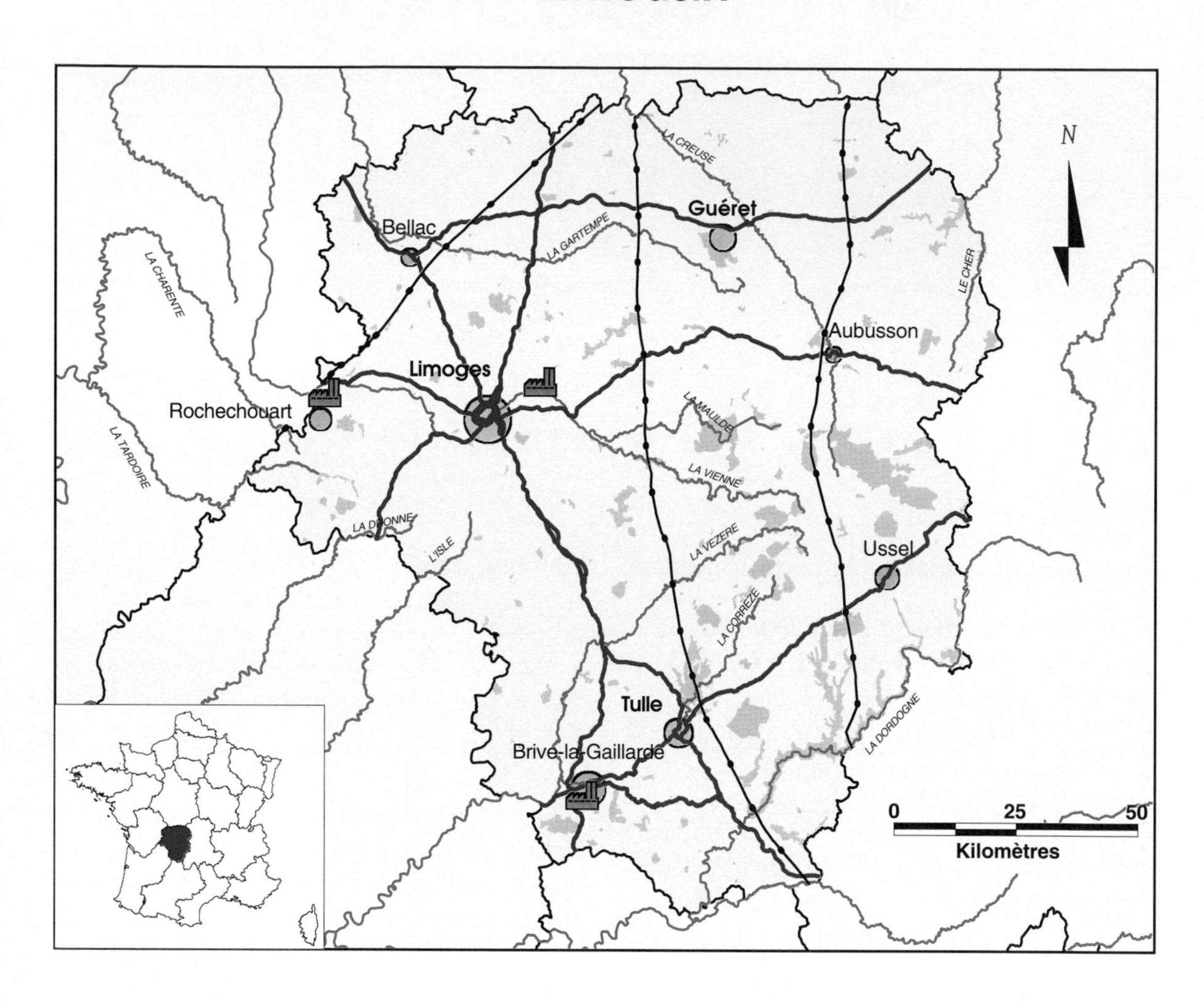

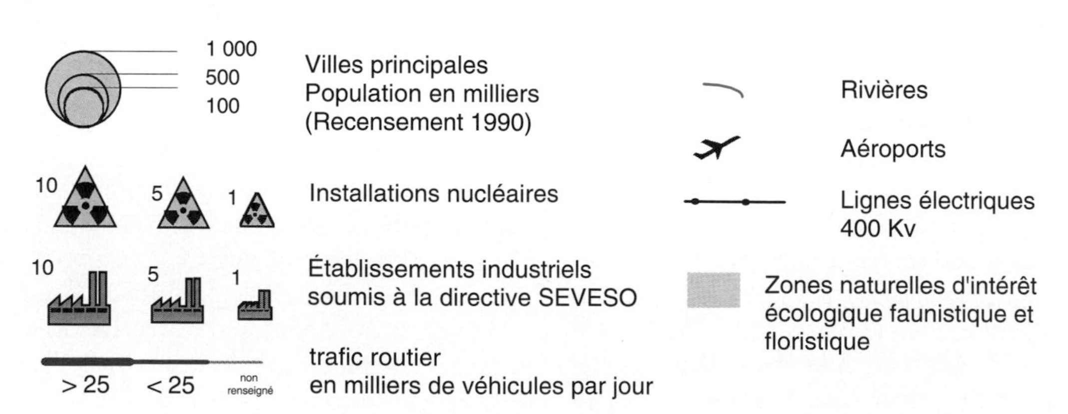

sources : MELTT/SETRA ; EDF Production Transport 1996 ; INSEE ; IFEN ; ministère de l'Environnement ; ministère de l'Industrie ; Muséum national d'histoire naturelle.

LES PRINCIPAUX INDICATEURS ENVIRONNEMENTAUX

INDICATEURS	VALEUR RÉGIONALE	VALEUR NATIONALE	UNITÉ	ANNÉE
TERRITOIRE				
• Types d'occupation des sols :				
- naturelle	42,9	38,2	%	1994
- agricole	51,6	54,4	%	1994
- artificielle	5,5	7,4	%	1994
• Pression urbaine	21,9	77	hab. urbain/km²	1990
• Taux de boisement	33,2	26,3	%	Dernier inventaire
MILIEUX NATURELS FAUNE FLORE				
• ZNIEFF 1	1	8	% sup. régionale	1996
• ZNIEFF 2	6	21,1	% sup régionale	1996
• Réserves naturelles	/	132 045	ha	1995
• Zones de protection spéciale (directive Oiseaux)	/	707 000	ha	1995
EAU				
• Qualité physico-chimique des eaux superficielles (rivières). Observations classées en catégories très bonne et bonne :				
- matières organiques et oxydables	47	56	%	1993
- phosphore	97	60	%	1993
- nitrates	100	83	%	1993
• Qualité des eaux de baignade en eau douce :				
- points de surveillance conformes aux normes de la directive européenne	94,8	87,3	%	1993
ATMOSPHÈRE, AIR				
• Part de la région LIMOUSIN dans la contribution française :				
- à l'accroissement de l'effet de serre	1,8	100	%	1990
- à la formation des pluies acides	1,5	100	%	1990
DÉCHETS MÉNAGERS ET ASSIMILÉS				
• Taux de valorisation énergétique et organique	57,6	29,9	%	1993
• Taux de mise en décharge	40	60,9	%	1993
ÉNERGIE				
• Production d'énergie primaire	506	99 885	Ktep	1992
• Nombre de réacteurs de production d'électricité	/	59	Nbre	1994
RISQUES TECHNOLOGIQUES				
• Nombre d'installations Seveso	3	346	Nbre	1994
• Autres installations potentiellement dangereuses	4	691	Nbre	1994
TRANSPORTS TERRESTRES				
• Densité des routes nationales (routes et autoroutes)	5	6,6	km pour 100 km²	1993
• Parcours journalier moyen sur les routes nationales	4,8	8,1	100 millions de véhicules/km	1992
• Distance moyenne domicile/travail	7	8,1	km	1990
• Points noirs dus au bruit :				
- route	28	1 414	Nbre	1991
- rail	0	248	Nbre	1991
SOCIÉTÉ				
• Associations agréées de protection de l'environnement	34	1 434	Nbre	1991

Depuis un-demi siècle, les bois et les forêts ont gagné partout, en particulier sur les hauts plateaux. Les grands massifs boisés, peu nombreux, sont surtout présents dans les régions montagneuses et sont constitués essentiellement de résineux, la plupart de création récente.

La couverture forestière, assez dense, se compose aujourd'hui majoritairement d'une futaie de feuillus – chênes, châtaigniers – et de plantations de résineux. Durant les années 60 et 70 une régression des feuillus, de la châtaigneraie limousine en particulier, a été opérée au profit des résineux. Seulement 4 % de la forêt du Limousin est publique et la forêt privée est très morcelée. Les produits de l'exploitation forestière sont à quasi-égalité entre feuillus et résineux.

Une population qui continue de diminuer

Le Limousin a, après la Corse, la plus faible densité régionale française : 43 habitants au km^2 au recensement de 1990, soit moins de la moitié de la moyenne nationale. La partie montagneuse de la région figure parmi les zones les moins peuplées de France, avec moins de 10 habitants au kilomètre carré.

La région a le plus fort pourcentage de diminution de sa population. Elle en a perdu le quart depuis le début du siècle. Ce dépeuplement séculaire était traditionnellement dû à l'exode rural et à l'émigration vers d'autres régions. Il fut stoppé à partir de 1962 par l'inversion du solde migratoire. Le dépeuplement a repris à partir de 1975 et s'accélère depuis 1982 en raison du déficit naturel car le solde migratoire reste positif, y compris vers les régions rurales les moins actives. La Creuse est le département le plus touché par cette dépopulation.

■ *Une concentration urbaine stoppée*

Un petit peu plus de la moitié de la population vit dans des villes. Le Limousin fait partie des quatre régions avec un taux de population urbaine en diminution : moins 1 % entre les deux recensements. Depuis les années 60, la population se concentre autour de Limoges et le long de la nationale 89 en Corrèze, avec l'ensemble Brive-Tulle. L'agglomération de Limoges avec 170 000 habitants réunit à elle seule le cinquième de la population régionale.

L'axe Limoges-Brive s'oppose au « désert limousin », même si la région demeure très rurale. L'armature urbaine est de taille réduite, plus particulièrement dans la Creuse. Seules quatre villes ont entre 10 000 et 20 000 habitants : Saint-Junien, Tulle, Guéret et Ussel, et il n'y a aucune ville de taille moyenne entre Brive (50 000 habitants) et Limoges (133 000 habitants). Le mouvement de concentration urbaine est aujourd'hui stoppé et toutes les villes ont perdu des habitants. La perte est supérieure à l'effet de desserrement vers la périphérie.

Une agriculture plutôt respectueuse de l'environnement

Les Limousins qui vivent de l'agriculture constituent 16 % de la population active et cette proportion approche les 30 % dans la Creuse. Mais la région a perdu en un siècle neuf emplois agricoles sur dix. En se modernisant, l'agriculture a modifié l'espace, accroissant les superficies de prairies, faisant disparaître une partie de la maille bocagère, abandonnant des terres à la friche ou à la reconversion forestière. Le Limousin perd actuellement au moins sept cents exploitations chaque année. Ce mouvement risque de se poursuivre puisqu'il y a actuellement trois départs à la retraite pour une installation. La disparition de nombreuses exploitations signifie notamment des difficultés pour le maintien des haies, et plus largement l'abandon de l'entretien de certains types de paysages.

Le territoire limousin est occupé à 51,6 % par l'agriculture en 1994. La superficie toujours en herbe occupe 35 % du territoire régional. En 1990, les prairies couvrent 42,5 % du territoire.

Elles ont connu une diminution de leur superficie de 4,9 % depuis 1982. Les cultures annuelles, très minoritaires, recouvrent 8,4 % de la surface régionale. Elles ont par contre connu une légère augmentation de 7,5 % sur la même période.

En un peu plus de cent ans, l'agriculture limousine est passée de la polyculture vivrière à l'élevage, essentiellement un élevage extensif sur prairies permanentes. La région possède le premier troupeau de race à viande de l'Union européenne, composé pour les deux tiers de bétail de race limousine : 90 % des exploitations s'y consacrent en priorité. 51 % de la superficie agricole utilisée sont destinés aux bovins pour la viande, 25 % aux ovins pour le lait et la viande.

Avec peu de remembrements, peu d'intrants chimiques et peu d'élevages intensifs, l'agriculture limousine n'a pas eu d'effets destructeurs majeurs sur l'environnement. La part de l'agriculture dans les pollutions par les matières azotées par exemple est faible. Les apports d'engrais minéraux sont peu élevés et peu de surfaces sont

TERRITOIRE	Trois départements :	Corrèze, Creuse, Haute-Vienne
	Superficie totale :	16 942,3 km^2 (3,1 % sup. française)
	Superficie communes urbaines :	1 285, 2 km^2 (7,6 % sup. régionale)
	Densité 1994 :	42,4 hab./km^2
POPULATION	Population totale 1990 :	722 850 (1,3 % de la pop.française)
		estimation 1994 : 719 192
	Population urbaine 1990 :	371 399 (51,4 % pop. régionale)
	Quatre principales agglomérations :	Limoges, Brive-la-Gaillarde, Tulle, Guéret
		(37,2 % de la pop. régionale)
	Pyramide des âges 1994 :	– 25 ans : 27,7 %
		+ 60 ans : 28,2 %
COMPTES ÉCONOMIQUES	Produit intérieur brut (PIB) 1992 :	68 472 millions F (1 % PIB français)
	PIB/hab 1992 :	95 237 F
EMPLOI	Emploi total 1992 :	270 900 (1,2 % emploi total français)
	Agriculture :	10,6 % emploi total régional
	Industrie :	19,9 % / /
	Bâtiment, génie civil et agric. :	6,6 % / /
	Commerce, transport et télécom. :	11 % / /
	Autres services :	51,9 % / /
	Taux de chômage 1994 :	9,9 % (29 963 chômeurs)
LOGEMENT	Résidences principales 1990 :	290 900
	dont logements collectifs :	27 %
	Résidences secondaires 1990 (1) :	53 113
AGRICULTURE	SAU 1993 :	880 milliers d'ha (3,1 % SAU nationale)
	dont terres labourables :	34 %
	Nbre d'exploitations 1993 :	23 049
	Superficie moyenne 1993 :	38,2 ha
INDUSTRIE	Nbre d'établissements 1995 :	4 004, dont – 10 sal. : 3 297, + 500 sal. : 3
	Principaux secteurs industriels (effectifs salariés 1993) :	IAA, bois et papier, composants électriques et électroniques, produits minéraux

Sources : INSEE, SCEES.

(1) Les résidences secondaires comprennent également les logements occasionnels.
NB : les pourcentages sont calculés par rapport à la France métropolitaine.

laissées nues au cours de l'année. Des surfaces importantes sont en herbe, ce qui limite le ruissellement des eaux et favorise leur infiltration. En outre, les terres sont fertilisées par des engrais organiques (fumiers, lisiers) potentiellement moins polluants que des engrais minéraux. De plus, les systèmes d'élevage en milieu de moyenne montagne imposent des systèmes d'exploitation extensifs. Les densités de bétail à l'hectare y sont basses, ce qui réduit globalement la pression sur l'environnement.

Les richesses en eau

■ *Ressources hydrauliques et hydroélectricité*

La région est un véritable château d'eau pour les régions environnantes du fait d'une pluviométrie élevée bien qu'irrégulière, auquel s'approvisionnent le Cher, la Vienne, la Dordogne et leurs affluents. Le réseau hydrographique, alimenté par une multitude de sources et des eaux de ruissellement, en provenance principalement du plateau de Millevaches, y est de bonne qualité. Plusieurs affluents de la Garonne et de la Loire prennent naissance dans la montagne limousine mais la région ne possède que les cours supérieurs de ces rivières ; elles ont un débit irrégulier avec de fortes crues accentuées par les fortes pentes.

Très tôt, les hommes ont cherché à maîtriser cette eau pour irriguer ou pour disposer d'une source d'énergie. Précipitations, fortes pentes et vallées en gorge ont permis l'établissement de centrales hydroélectriques. Toute création d'installation hydroélectrique sur un cours d'eau engendre des modifications notables du milieu aquatique, notamment du régime hydraulique, avec des conséquences écologiques sur une portion plus ou moins longue de la rivière. La production d'électricité en Limousin est faible par rapport à la production nationale, du fait de la géographie de la région et des débits des rivières, comparés aux grands massifs des Alpes ou des Pyrénées. Cependant, cette production est supérieure à la consommation régionale. En 1994, la région compte trente-cinq barrages intéressant la sécurité publique.

■ *Des eaux superficielles essentiellement polluées par l'agroalimentaire*

Le développement de l'élevage s'est traduit parallèlement par une croissance des industries agroalimentaires sur la région (laiteries, abattoirs, conserveries, charcuteries, salaisonneries). Les usines et ateliers se sont implantés sur les lieux de production et sont très disséminés sur le territoire. Leurs rejets chargés en matières organiques affectent souvent les petits cours d'eau. À l'amont des bassins et malgré les traitements pratiqués, la pollution résiduelle reste dispersée, parfois importante au regard de la capacité d'auto-épuration de certain cours d'eau à faible débit d'étiage.

Ces industries sont venues s'ajouter à des industries traditionnelles plus anciennes et assez polluantes comme les papeteries et les mégisseries. Le Limousin fait ainsi partie des quatre régions françaises connaissant une augmentation des rejets nets en matières oxydables de l'industrie de 1981 à 1991 (+ 2 %). De même, la qualité des eaux superficielles du point de vue des matières organiques et oxydables s'est dégradée de 1989 à 1993 : les pourcentages de points de mesure de la qualité des eaux de bonne ou très bonne qualité sont passés de 95 % à 47 %. Pour cette dernière année, 9 % des points de mesure témoignent d'une qualité très mauvaise. Toutefois, la qualité des eaux de baignade est conforme à 94,8 % aux normes sanitaires, ce qui représente le meilleur taux pour les eaux douces en 1994.

La pollution domestique résulte le plus souvent d'une absence ou d'un mauvais fonctionnement des stations d'épuration. Ce phénomène se fait principalement sentir au niveau des agglomérations moyennes ou grandes. Si les villes et les principaux bourgs du Limousin sont équipés de collecteurs et de stations d'épuration, beaucoup reste à faire encore pour assainir correctement hameaux et villages. Le taux de dépollution de 54 % des agglomérations de plus de 10 000 habitants est néanmoins supérieur à la moyenne nationale.

■ *Les étangs accumulent les polluants*

Les étangs sont particulièrement nombreux en Limousin. La grande majorité d'entre eux, de création récente, ne présente que peu d'intérêt biologique et contribue à la dégradation des petits cours d'eau. Les étangs sont particulièrement fragiles comme tout milieu fermé. Ils constituent des accumulateurs de matières diverses : déchets naturels ou artificiels (matières organiques, engrais, pesticides...). Ces apports extérieurs entraînent une modification des équilibres biologiques et physico-chimiques. Le réchauffement des eaux, l'augmentation de l'évaporation, la diminution de la teneur en oxygène dissous, mais aussi l'introduction d'espèces indésirables, le colmatage des frayères lors des vidanges sont autant d'impact directs ou indirects sur le milieu en aval. Les effets sont d'autant plus sensibles que la grande majorité des étangs de la région est située sur des ruisseaux classés en première catégorie piscicole.

■ *De nombreuses sources*

L'alimentation en eau de la région s'effectue soit par ruissellement soit par une multitude de sources résultants de l'infiltration et de l'accumulation des eaux souterraines dans les couches superficielles du sol. Ces eaux sont généralement très peu minéralisées, légèrement agressives et bactériologiquement bonnes. Toutefois, des pollutions ponctuelles d'origine agricole – bétail, culture – peuvent y être décelées.

Le débit global de ces sources, correspondant au débit d'étiage des cours d'eau, est de l'ordre de 30 000 litres/seconde. Les difficultés de mobilisation de cette ressource importante mais assez dispersée expliquent des contraintes d'utilisation en période de fort étiage. Il est apparu en outre que les mesures de protection des points de captage ne sont pas toujours respectées – absence de clôture, périmètres coupés par le passage d'animaux, ouvrages inaccessibles –, ce qui peut présenter des risques pour la qualité de l'eau distribuée, en particulier dans les petites installations.

Des pollutions et des risques industriels non négligeables

■ *Faible efficacité de la maîtrise des pollutions industrielles*

Avec sa faible densité démographique et économique, les pollutions industrielles sont diluées dans l'espace régional et la pression en matière d'environnement apparaît relativement faible, en particulier quand on la compare aux autres régions françaises. Ainsi, la production de déchets industriels spéciaux ou les pollutions toxiques des eaux sont largement inférieures aux moyennes nationales.

Mais lorsqu'ils sont rapportés aux emplois ou aux habitants, les chiffres concernant les indicateurs de pollutions sont plus contrastés. La production de déchets industriels spéciaux et les niveaux de pollution industrielle des eaux par emploi sont presque toujours supérieurs aux moyennes nationales. Rapportées au nombre d'habitants, les pollutions de l'eau par les matières organiques, les matières en suspension et l'azote sont supérieures aux moyennes nationales. Ces résultats sont le reflet d'une région assez peu peuplée, mais où l'agriculture est importante et les activités émettrices de matières organiques – IAA, papiers/cartons – comparativement nombreuses. Ils reflètent aussi probablement un retard de certains secteurs d'activité du Limousin en matière de protection de l'environnement : industries extractives, papiers/cartons, IAA, industries minérales, tanneries (*voir encadré*).

LES RESTES DE LA MINE D'OR DU CHÂTELET

Du passé industriel de la mine d'or du Châtelet ne restait officiellement pas grand-chose : un vieux laboratoire cerné par les mauvaises herbes, des kilomètres de galeries souterraines et des tonnes de remblais. De 1905 à 1955, les mineurs ont extrait du sous-sol de la commune de Budelière (Creuse) 585 000 tonnes de minerai produisant plus de 10 tonnes d'or. Quand les mines ont fermé par manque de rentabilité, les locaux ont été repris par une société de recherche dans le traitement des minerais qui a abandonné le site au début des années 70.

Vingt ans plus tard, le passé refait surface. Dans le cadre des études d'accompagnement du barrage de Chambonchard sur le haut Cher, des chercheurs s'aperçoivent que les eaux d'un affluent, la Tardes, présentent d'anormales teneurs en arsenic. La Tardes traverse le site des mines du Châtelet. Les premières visites montrent vite que l'ancien carreau a été abandonné sans protection. Stationnent ici des remblais miniers (les haldes) plus ou moins fortement pollués.

POLLUTION PAR L'ARSENIC

Le site recèle 3 000 tonnes de résidus d'une teneur en arsenic supérieure à 30 %, 30 000 tonnes d'une teneur comprise entre 1 % et 30 % et 275 000 à 325 000 tonnes d'une teneur inférieure à 1 %. La liste n'est pas close car divers matériaux et sols pollués n'ont pu être réellement analysés et quantifiés. Par ailleurs, selon les experts[1] qui ont mené des investigations sur le site, des déchets et résidus sont enfouis dans les galeries de la mine. Les teneurs en arsenic proviennent des opérations de traitement du minerai. L'arsenic est en effet présent naturellement dans le minerai à une concentration excédant les 55 mg/kg définissant le seuil d'intervention selon les normes hollandaises (la France n'a pas de norme fixée). Pour obtenir un or pur, il faut donc le séparer des autres composés du minerai (arsenic, fer, silice, etc.). Aux mines du Châtelet, le procédé de traitement du minerai par attaque à l'acide cyanhydrique était utilisé. Les déchets les plus pollués sont les résidus de cyanuration des suies issues du grillage du minerai, l'arsenic étant volatil à haute température. Pendant son exploitation, la mine a aussi fortement pollué l'air. Les premiers laveurs de gaz ont été installés en 1911.

Bien que des apports souterrains, liés à la forte teneur naturelle en arsenic dans le sol, parviennent au fond de la vallée, l'effet des haldes sur la qualité des eaux de la Tardes a été facilement mis en évidence. La teneur en arsenic passe de 5 microgrammes par litre en amont du site à 15 microgrammes en aval dans la retenue de Rochebut, des mesures cependant inférieures au seuil de potabilité de 50 microgrammes par litre. Dans les eaux stagnantes au droit du site, les teneurs dépassent plusieurs milligrammes par litre. Les alluvions baignant à la base des haldes contiennent plusieurs centaines de milligrammes par kilo. Les sédiments dans le lit de la rivière peuvent atteindre jusqu'à 865 milligrammes par kilo, soit bien au-dessus de la teneur naturelle dont la valeur maximale est de 75 milligrammes par kilo. L'arsenic migre dans la rivière par érosion des haldes sous l'effet de la pluie ou des crues de la Tardes.

La rivière draine également les eaux souterraines polluées de la nappe alluviale qui baigne le pied des remblais.

RÉHABILITATION : LES OPTIONS

Quatre scénario de réhabilitation des mines d'or du Châtelet ont été envisagés. La première hypothèse recommande la mise en sécurité du site. Les bâtiments seraient démolis, les puits de mine obturés, les haldes recouvertes d'une couverture végétale et le site bordé d'une digue de protection. Le deuxième scénario préconise le confinement du site avec une couverture étanche, une digue de protection et un mur de confinement. Troisième scénario, les haldes seraient évacuées pour être traitées hors site dans un complexe industriel spécialisé. Enfin, quatrième option : il s'agit d'une valorisation des résidus miniers qui contiennent encore plus de 2 000 kilos d'or. Ce projet nécessiterait toutefois une étude préalable de faisabilité et une caractérisation détaillée des teneurs en or des haldes.

La première hypothèse, la moins chère, est néanmoins évaluée à 10 millions de francs. L'évacuation et le traitement hors site coûteraient plus de 100 millions de francs. Le choix parmi ces différentes solutions est actuellement suspendu à des examens plus précis sur le contenu des haldes et à une étude de faisabilité de l'extraction de l'or résiduel. Cependant, un avant-projet sommaire des travaux pour réaliser un confinement sur place après stabilisation des déchets les plus concentrés en arsenic sera établi en 1996. Le coût de réparation devrait être à la charge de la collectivité puisque le site est déclaré « orphelin » depuis 1994. L'ancien exploitant de la mine et propriétaire des terrains, la Société minière et métallurgique du Châtelet, est en effet en liquidation judiciaire. Un syndic est actuellement à la recherche d'un repreneur.

1. BRGM (Bureau de recherches géologiques et minières) et BURGEAP.

■ *La fermeture des mines d'uranium de Bessines et les séquelles de l'exploitation*

Le Limousin, et plus particulièrement le département de la Haute-Vienne, a été pendant plus d'un demi-siècle un des principaux sites d'extraction d'uranium de la COGEMA. Première étape du cycle du combustible nucléaire, une usine de concentration de ce minerai (la plus importante de l'Union européenne) a fonctionné durant trente-cinq années, produisant plus de 27 000 tonnes d'uranium sur le site de Bessines-sur-Gartempe. Les mines ont fermé les unes après les autres, mettant fin à l'activité de l'usine en 1993.

Après démantèlement et réaménagement du site, un projet d'entreposage d'oxyde d'uranium appauvri a obtenu une autorisation préfectorale en début d'année 1996. Outre l'usage de résidus faiblement radioactifs de traitement du minerai comme matériaux de comblement des mines pendant l'exploitation, la reconversion du site pour stocker de l'uranium appauvri a suscité l'opposition d'une partie de la population, des représentants de collectivités locales et d'organismes d'expertise privés comme la CRII-RAD. Le problème de la maîtrise des effets sur l'environnement présents et futurs issus de ces trente-cinq années d'activités minières et industrielles demeure, comme reste à arbitrer les règles de la surveillance des sites. Certains considèrent que ces installations doivent être classées comme installation nucléaire de base, avec la rigueur de surveillance qui en découle.

LORRAINE

Les richesses naturelles

La Lorraine dispose de milieux naturels et de paysages variés et de qualité. 680 zones naturelles d'intérêt écologique, faunistique et floristique (ZNIEFF) ont été inventoriées. Certaines présentent un intérêt remarquable, de niveau national voire international : étangs de la Woëvre, étang de l'Est mosellan, vallée de la Moselle « sauvage » entre Bayon et Gripport, hautes chaumes et tourbières vosgiennes, pelouses calcaires de Montenach.

La montagne vosgienne avec ses tourbières de cirques glaciaires, sa hêtraie subalpine et ses vastes chaumes d'altitude, le plateau lorrain et ses nombreux étangs propices à l'hivernage et à la nidification d'une grande diversité d'oiseaux, la vallée de la Meuse et ses reliefs de côtes où se développe une flore de milieux secs, la dépression de la Woëvre où les marais succèdent aux prairies humides, les espaces forestiers de l'Argonne que la Lorraine partage avec la région Champagne-Ardenne, sont autant de régions naturelles caractéristiques de la diversité des paysages lorrains.

Toutefois, des sites remarquables ont été dégradés ou ont disparu du fait de l'extension de l'urbanisation, du développement des infrastructures routières, de l'intensification agricole, de l'implantation d'industries, de la création de lacs artificiels, ou de l'exploitation de carrières et de gravières.

Enfin, la Lorraine possède sur son territoire trois parcs naturels régionaux, dont deux sont communs avec l'Alsace. À titre d'exemple, le parc naturel régional de Lorraine formé de deux blocs distincts (une partie de la Woëvre et des Hauts de Meuse, un morceau du pays des Étangs) constitue, par l'abondance de ses forêts et de ses milieux aquatiques, un véritable poumon pour la région et pour les zones urbaines proches.

Outre les paysages identifiés comme remarquables, les paysages courants recèlent d'importantes richesses qui méritent également d'être mises en valeur, notamment pour la qualité du cadre de vie des habitants : paysages ruraux traditionnels avec leurs prés, vergers, alignements d'arbres, massifs boisés...

Le deuxième massif forestier français

Les espaces boisés représentent 36 % du territoire régional. La Lorraine a un des plus importants massifs forestiers français, après les Landes en Aquitaine. Selon la nature du sol et les climats locaux, elle présente des peuplements variés : hêtraies, chênaies, charmaies, sapinières, forêts de pins...

Lorraine

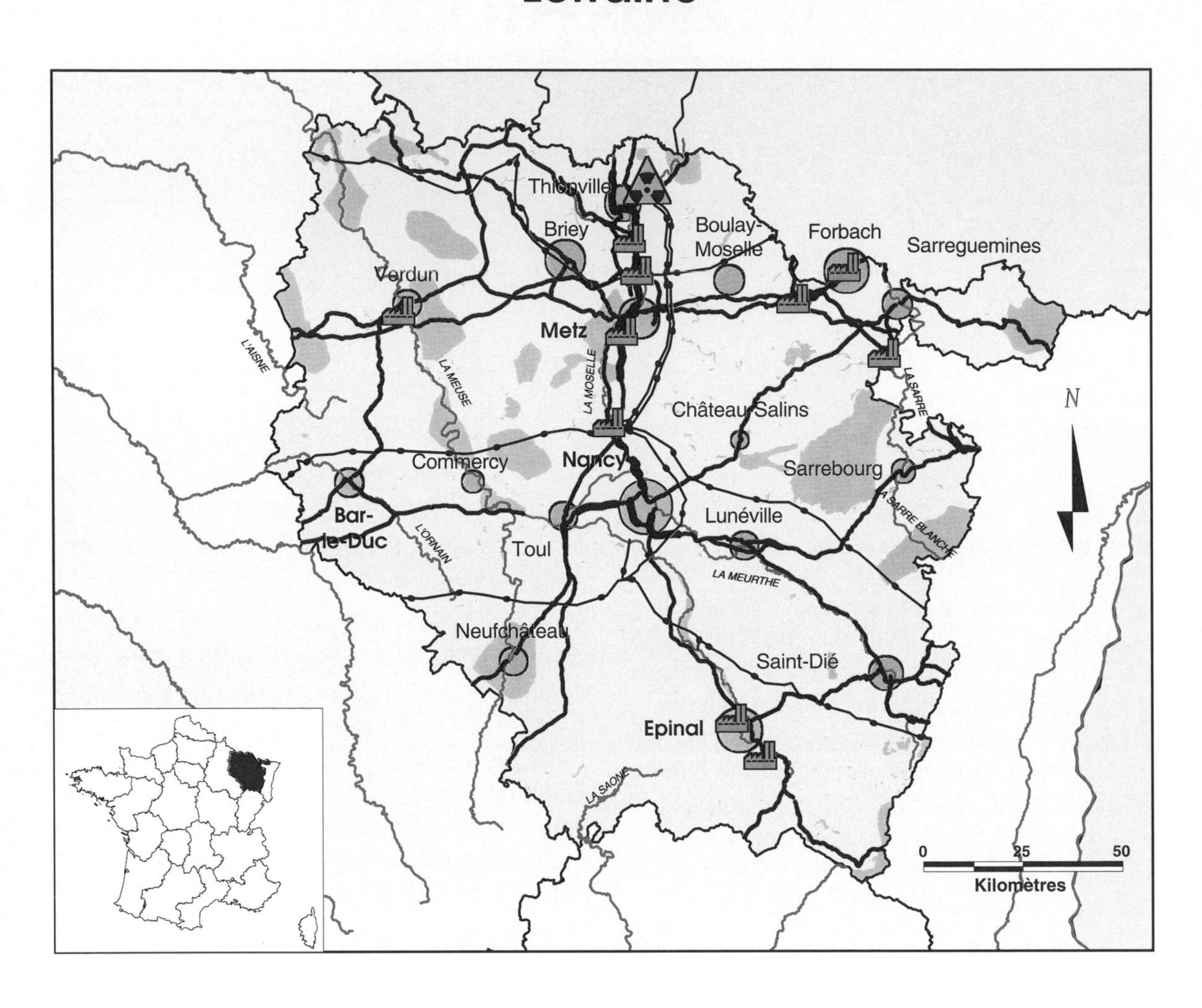

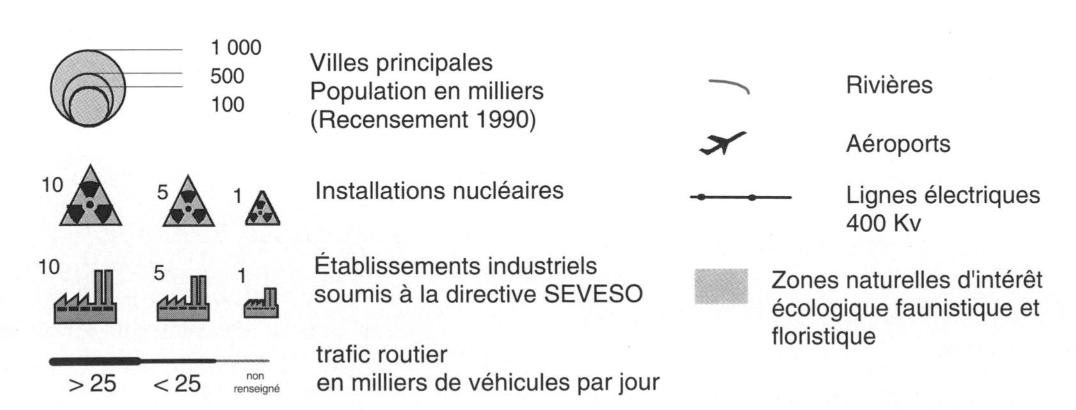

sources : MELTT/SETRA ; EDF Production Transport 1996 ; INSEE ; IFEN ; ministère de l'Environnement ; ministère de l'Industrie ; Muséum national d'histoire naturelle.

LES PRINCIPAUX INDICATEURS ENVIRONNEMENTAUX

INDICATEURS	VALEUR RÉGIONALE	VALEUR NATIONALE	UNITÉ	ANNÉE
TERRITOIRE				
• Types d'occupation des sols :				
- naturelle	39,9	38,2	%	1994
- agricole	53,6	54,4	%	1994
- artificielle	6,4	7,4	%	1994
• Pression urbaine	70,5	77	hab. urbain/km^2	1990
• Taux de boisement	35,8	26,3	%	Dernier inventaire
MILIEUX NATURELS FAUNE FLORE				
• ZNIEFF 1	2	8	% sup. régionale	1996
• ZNIEFF 2	10,3	21,1	% sup. régionale	1996
• Réserves naturelles	1 570	132 045	ha	1995
• Zones de protection spéciale (directive Oiseaux)	1 610	707 000	ha	1995
EAU				
• Qualité physico-chimique des eaux superficielles (rivières). Observations classées en catégories très bonne et bonne :				
- matières organiques et oxydables	42	56	%	1993
- phosphore	32	60	%	1993
- nitrates	99	83	%	1993
• Qualité des eaux de baignade en eau douce :				
- points de surveillance conformes aux normes de la directive européenne	86,4	87,3	%	1993
ATMOSPHÈRE, AIR				
• Part de la région LORRAINE dans la contribution française :				
- à l'accroissement de l'effet de serre	7,3	100	%	1990
- à la formation des pluies acides	6,3	100	%	1990
DÉCHETS MÉNAGERS ET ASSIMILÉS				
• Taux de valorisation énergétique et organique	51,1	29,9	%	1993
• Taux de mise en décharge	71,8	60,9	%	1993
ÉNERGIE				
• Production d'énergie primaire	11 935 dont 60 % d'origine nucléaire	99 885	Ktep	1992
• Nombre de réacteurs de production d'électricité	4	59	Nbre	1994
RISQUES TECHNOLOGIQUES				
• Nombre d'installations Seveso	10	346	Nbre	1994
• Autres installations potentiellement dangereuses	28	691	Nbre	1994
TRANSPORTS TERRESTRES				
• Densité des routes nationales (routes et autoroutes)	8	6,6	km pour 100 km^2	199
• Parcours journalier moyen sur les routes nationales	9	8,1	100 millions de véhicules/km	1992
• Distance moyenne domicile/travail	7,7	8,1	km	1990
• Points noirs dus au bruit :				
- route	16	1 414	Nbre	1991
- rail	2	248	Nbre	1991
SOCIÉTÉ				
• Associations agréées de protection de l'environnement	25	1 434	Nbre	1991

Depuis la fin du XIXe siècle dans les Vosges ainsi qu'en Moselle, l'évolution de la structure des peuplements s'est faite en faveur de la futaie (qui représente 58 % des superficies boisées) pour répondre aux besoins en bois de l'industrie. Cette évolution touche désormais les taillis et taillis sous futaie de Meuse et de Meurthe-et-Moselle. Le reboisement en résineux est, pour sa part, pratiqué depuis trente ans.

L'exploitation de la ressource forestière est importante. Avec 6 % de la surface boisée nationale, la région assure plus de 10 % de la production française de bois d'œuvre et 8 % du bois d'industrie. La Lorraine est ainsi au premier rang des régions françaises pour la production de bois de feuillus (23 % de la production nationale de hêtre, 11 % de celle du chêne) et au deuxième rang après l'Aquitaine pour la production de résineux (sapins, épicéas).

TERRITOIRE	Quatre départements :	Meuse, Meurthe-et-Moselle, Moselle, Vosges
	Superficie totale :	23 547,4 km^2 (4,3 % sup. française)
	Superficie communes urbaines :	4 298,3 km^2 (18,2 % sup. régionale)
	Densité 1994 :	97 hab./km^2
POPULATION	Population totale 1990 :	2 305 726 (4,1 % de la pop. française) estimation 1994 : 2 297 530
	Population urbaine 1990 :	1 661 202 (72 % pop. régionale)
	Quatre principales agglomérations :	Nancy, Metz, Thionville, Hagondange-Briey (33,2 % de la pop. régionale)
	Pyramide des âges 1994 :	– 25 ans : 35,1 % + 60 ans : 18,8 %
COMPTES ÉCONOMIQUES	Produit intérieur brut (PIB) 1992 :	234 754 millions F (3,3 % PIB français)
	PIB/hab 1992 :	102 228 F
EMPLOI	Emploi total 1992 :	794 587 (3,6 % emploi total français)
	Agriculture :	3,3 % emploi total régional
	Industrie :	26,2 % / /
	Bâtiment, génie civil et agric. :	6,7 % / /
	Commerce, transport et télécom. :	11,2 % / /
	Autres services :	52,6 % / /
	Taux de chômage 1994 :	11,1 % (106 004 chômeurs)
LOGEMENT	Résidences principales 1990 :	841 715
	dont logements collectifs :	37,9 %
	Résidences secondaires 1990 (1) :	40 473
AGRICULTURE	SAU 1993 :	1 122 milliers d'ha (4 % SAU nationale)
	dont terres labourables :	57 %
	Nbre d'exploitations 1993 :	20 498
	Superficie moyenne 1993 :	54,7 ha
INDUSTRIE	Nbre d'établissements 1995 :	9 511, dont – 10 sal. : 7 371, + 500 sal. : 46
	Principaux secteurs industriels (effectifs salariés 1993) :	travail des métaux, IAA, équipements mécaniques, automobile

Sources : INSEE, SCEES.

(1) Les résidences secondaires comprennent également les logements occasionnels.
NB : les pourcentages sont calculés par rapport à la France métropolitaine.

Cette sylviculture, fortement rationalisée depuis la fin des années 60, pose quelques problèmes, comme par exemple la dégradation de la qualité des sites dans certaines vallées vosgiennes couvertes par la monoculture d'épicéas dans les massifs boisés privés, et les boisements en pins noirs d'Autriche de pelouses calcaires auparavant riches en fleurs ou en insectes. Cette évolution des massifs forestiers est par ailleurs responsable du déclin brutal du grand tétras ou grand coq de bruyère, par suite de la diminution rapide de la superficie occupée par de vieilles futaies ouvertes, et de la disparition des zones de tranquillité dans le massif vosgien.

Des espaces urbains denses dans un territoire à dominante rurale

Pour une densité moyenne de 97 habitants au kilomètre carré, la population lorraine est très inégalement répartie. Si certaines zones rurales en voie de désertification n'atteignent pas 20 habitants au kilomètre carré, les régions industrielles et urbaines peuvent dépasser la densité de 300 habitants au kilomètre carré. La Lorraine est l'une des rares régions françaises, avec le Limousin, à avoir perdu des habitants depuis 1975.

Sa population urbaine (72 % de la population régionale) est concentrée sur deux grands axes : Nancy-Metz-Thionville et le long de la frontière allemande. Deux agglomérations urbaines se sont ainsi développées : au nord, celle de Metz-Thionville et de l'ancien bassin sidérurgique, avec plus de 500 000 habitants, et au sud, l'agglomération de Nancy-Toul-Lunéville avec 400 000 habitants. La répartition de l'espace régional entre la France et l'Allemagne, de 1871 à 1918, a favorisé l'émergence de deux métropoles régionales distantes de 60 kilomètres seulement. Le nombre de villes moyennes est comparativement faible.

Le tissu urbain est parfois assez spécifique, là où l'industrie lourde a suscité la formation d'espaces mêlant usines, cités ouvrières, villages et villes anciennes, marquant le paysage comme dans d'autres régions au long passé industriel.

Dans l'ensemble, les zones périphériques de la région (la Meuse, les Vosges de l'Ouest et la région de Sarrebourg) sont à dominante rurale. Elles sont confrontées, comme nombre de régions françaises, à l'exode rural et au vieillissement de la population.

La transformation et l'intensification de l'agriculture

Malgré le recul de l'emploi agricole (en 1992, il représente 3,3 % des emplois régionaux), la concentration des exploitations et le léger resserrement de l'espace agricole face au reboisement et à l'urbanisation, les paysages agricoles restent très présents et occupent 55 % du territoire.

Le paysage rural reflète l'évolution des structures agraires. Le remembrement a transformé le parcellaire traditionnel « en lanières » en un « openfield en mosaïque » avec de vastes parcelles regroupées en blocs de culture. Le changement affecte davantage le plateau barrois (région de Bar-le-Duc), la plaine argileuse de la Woëvre et le Pays Haut.

Suite à la mise en place des quotas laitiers européens de 1984, l'agriculture lorraine, jusqu'alors fortement axée sur l'élevage laitier, a fait l'objet d'une reconversion par la voie d'une réduction du cheptel bovin et d'une transformation importante des prairies en terres arables.

Réduction des prairies, extension des terres labourables et développement du drainage favorisent le retour aux labours pratiqués dans de grandes exploitations et le développement de la culture du blé, du colza, du maïs fourrage. Par contre, les superficies en herbe se maintiennent dans les Vosges, zone agro-climatique favorable, où dominent des petites et moyennes exploitations orientées vers l'élevage. En 1993, avec l'entrée en vigueur de la nouvelle politique agricole commune, la jachère a fait son apparition dans le paysage lorrain.

Les friches et les pollutions industrielles

■ *Les séquelles d'un riche passé industriel*

La Lorraine est une ancienne région industrielle composée de plusieurs bassins économiques, dominés depuis le XIXe siècle et jusqu'à ces dernières années par des mono-activités : l'industrie textile dans les vallées vosgiennes, la sidérurgie et les mines de fer entre Metz et Thionville et autour de Nancy, l'extraction de charbon et les industries dérivées dans le bassin houiller, à l'est du département de la Moselle.

Les crises successives de ces secteurs d'activités ont laissé depuis les années 60 de nombreux sites abandonnés et pollués, souvent situés au cœur des agglomérations. Toutefois, les friches industrielles ne sont pas toutes répertoriées comme sites pollués.

En 1994, en dehors des anciennes usines à gaz, la Lorraine compte 49 sites pollués sur les 653 inventoriés en France. Beaucoup de ces sites s'étendent sur quelques dizaines ou centaines d'hectares très dégradés et pollués.

En 1985, l'importance du problème a conduit l'État et les collectivités locales à mettre en place, avec l'aide de la Communauté européenne, une politique visant à reconquérir et à réhabiliter ces espaces laissés à l'abandon, qui marquent fortement l'environnement. 3 700 hectares de friches ont été traités ou sont en cours de traitement, ce qui a par ailleurs permis de développer un savoir-faire organisationnel et technique aujourd'hui valorisé à l'extérieur de la région. Cependant, un premier bilan réalisé en 1991 a montré que, même réhabilitées et faute de moyens financiers, certaines friches industrielles lorraines restent contaminées.

■ *Pollution de l'air et de l'eau*

Malgré ces tendances, les quatre industries de base de la Lorraine (charbon, mines de fer, sidérurgie et textile) occupent toujours une place importante dans ces secteurs en France. Les pressions exercées sur la qualité de l'air et de l'eau restent donc significatives, malgré les fermetures de sites et les efforts entrepris là où l'activité demeure.

En 1990, les rejets de polluants dans l'atmosphère placent la région parmi les plus émettrices de France : 8,8 % des émissions françaises pour le SO_2 (quatrième rang), 6 % pour les NOx (sixième rang), 7,6 % pour le CO_2 (cinquième rang), et 10,1 % pour le méthane (premier rang). La Lorraine contribue ainsi à hauteur de 7,4 % à la production de gaz à effet de serre (elle est au quatrième rang après l'Île-de-France, le Nord-Pas-de-Calais et Rhône-Alpes). C'est en particulier en Moselle, autour de la plateforme de Carling et dans la vallée entre Metz et Thionville que les rejets dans l'air sont les plus importants.

Compte tenu de la structure d'activité spécifique de la région, la production d'électricité (localisée sur cinq sites) et l'industrie participent de façon conséquente à la pollution de l'air. La part du secteur des transports est faible comparativement à sa contribution au niveau national.

Toutefois, ces émissions de polluants sont en net recul entre 1985 et 1990, sauf en matière de transports du fait de l'accroissement du parc automobile. La baisse notable des émissions du secteur industriel est à attribuer essentiellement à la diminution de consommation de combustibles fossiles, liée aux arrêts de certaines installations, aux modifications apportées à quelques unités et à la poursuite des efforts en matière de maîtrise de l'énergie.

Malgré l'importance des émissions régionales, les effets sur la qualité de l'air n'atteignent pas ceux observés dans des régions telles que l'Île-de-France ou l'Alsace.

En ce qui concerne les polluants dans l'eau, les rejets de l'industrie ont très fortement baissé ; ils ont été divisés par deux pour les matières oxydables et ont diminué de 60 % pour les rejets toxiques entre 1981 et 1991. La forte réduction d'activité de certains secteurs a joué dans ce domaine un rôle important. Les rejets organiques de la plate-forme de Carling sont passés de 12 tonnes par jour à 2 tonnes par jour en dix ans et les rejets en ammonium ont évolué de 8 tonnes par jour à 0,3 tonne par jour durant la même période. La sidérurgie a pour sa part depuis cinq ans baissé de 30 % ses rejets de DCO et de plus de 80 % ses flux en MES, NH_4 et phénol.

Qualité des eaux : des menaces sur les rivières et l'eau potable

■ *Eaux superficielles : une qualité globalement peu satisfaisante*

En 1991, près de la moitié des rivières de Lorraine souffrent d'une dégradation de leur qualité en raison essentiellement des rejets domestiques et industriels. La Meuse (siège de proliférations brutales et importantes d'algues microscopiques qui lui donnent une coloration brune caractéristique), les rivières du plateau lorrain, la Seille et le cours aval de la Moselle sont particulièrement touchés par l'eutrophisation. Le massif vosgien, moins sensible, est beaucoup moins touché. L'intensification de l'agriculture n'est pas pour sa part sans effet sur la qualité des eaux superficielles et souterraines. Les nappes peu profondes ou karstiques sont sensibles à la pollution par les nitrates d'origine agricole, ce qui a conduit à classer en zones vulnérables 25 % du territoire régional. L'élevage dans les hauts bassins contribue à la dégradation des cours d'eau à faible débit.

La qualité de l'eau des cours d'eau est plutôt moyenne en ce qui concerne les matières organiques et oxydables : 47 % des points de mesure sont classés moyens en 1993. Pour le phosphore, elle est considérée comme mauvaise ou très mauvaise pour environ 35 % des points de mesure. Les secteurs les plus critiques sont le haut bassin de la Meuse, l'ensemble du bassin de la Sarre, son affluent l'Albe, la Nied, la Seille, le cours aval de la Moselle et le Madon. Les nitrates sont présents en quantité significative sur l'ensemble des cours d'eau. Cependant, la situation est plus critique sur les rivières du plateau lorrain, la haute Meuse et le plateau de la Woëvre où la pollution est notable.

Par ailleurs, la contamination de l'eau et de ses sédiments par des métaux lourds est importante dans certains secteurs : Meuse aval, Chiers, Orne, Fentsch, Rosselle, Sarre aval. Les soudières de Meurthe-et-Moselle sont à l'origine de rejets en chlorure de calcium dans la Meurthe, qui viennent s'ajouter à une forte salinité naturelle. Cette pollution affecte en aval la Moselle jusqu'à son confluent avec le Rhin. La mise en service de bassins de modulation a permis de diviser globalement par trois les concentrations totales en rivières. Les efforts importants de modulation entrepris ces dernières années (gestion centralisée, rehaussement des bassins, récupération des fuites) contribue sensiblement à l'amélioration de la qualité du milieu, en particulier en période d'étiage.

■ *Les pressions sur les eaux souterraines*

La ressource en eaux souterraines subit des pressions essentiellement liées aux activités minières, industrielles, et urbaines. Dans le bassin houiller, la nappe des grès vosgiens est fortement sollicitée par l'exhaure des mines de charbon (pompage des eaux d'infiltration qui envahissent les galeries de mines), mais aussi par les prélèvements utilisés pour l'alimentation de la plate-forme de Carling et en eau potable des collectivités (200 000 habitants). Cette nappe voit localement sa minéralisation augmenter, ce qui nécessite des aménagements importants et une gestion rigoureuse pour assurer l'équilibre entre les différents usages de l'eau. L'eau est présente à tous les stades de l'exploitation du charbon (transport hydrolique, remblayage, lavage du charbon,...). Les houillères du bassin lorrain sollicitent trop la nappe de grès vosgien potabilisable et contribuent à la polluer en y déversant des eaux contaminées (chlorures, micro-polluants). Par ailleurs, l'exploitation des mines de fer a complétement bouleversé le milieu souterrain et les écoulements superficiels (*voir encadré*).

L'EAU REMPLIT LES PUITS... DE MINES

Progressivement, la Crusnes, la Moulaine, la Chiers, l'Alzette, l'Othain, l'Orne débitent de moins en moins d'eau et on annonce la disparition probable du ruisseau de la Vallée. Les rivières et ruisseaux de l'ancien bassin minier lorrain ne supportent décidément pas la fermeture des puits de mine. L'exploitation des mines de fer et leur abandon progressif provoquent en effet un phénomène important de vases communicants. L'eau envahit désormais les galeries souterraines au lieu d'être pompée et de réalimenter les rivières comme au temps des mineurs. L'alimentation en eau de 300 000 personnes et le milieu naturel sont aujourd'hui menacés.

VASES COMMUNICANTS

De ce bassin ferrifère de plusieurs centaines de kilomètres carrés, on a exploité un volume de 300 à 500 millions de mètres cubes de roche et de minerai de fer. En pleine activité, les mineurs ont extrait jusqu'à 50 millions de tonnes par an de « minette ». Le filon se trouvait en dessous de l'immense nappe phréatique du Dogger, d'une étendue estimée à 5 500 km^2, contenant 50 milliards de mètres cubes d'eau. Les mineurs ont donc toujours travaillé dans un milieu très humide. Tous les ans, on pompait 200 millions de mètres cubes d'eau envahissant les galeries qu'on renvoyait dans les rivières ou dans le circuit d'eau potable. Le jour où l'exploitation s'est arrêtée, les mines ont été naturellement inondées et mises en communication, ce qui a conduit à la formation de trois grands bassins hydrauliques (Nord, Centre et Sud), où les eaux se rassemblent vers les points les plus bas. En conséquence, nombre de rivières qui prennent naissance dans les régions plus élevées, voient leurs sources se tarir. Une simulation faite par l'Agence de l'eau Rhin-Meuse montre que, si rien n'était entrepris pour aménager les sorties des réservoirs souterrains, le débit d'étiage pourrait fortement se réduire pour certaines rivières et augmenter pour quelques autres.

QUALITÉ COMPROMISE

Pendant l'exploitation, vingt millions de mètres cubes d'eau d'exhaure ont servi tous les ans à l'alimentation de 300 000 personnes. Il faut s'attendre à une dégradation de la qualité des eaux en raison d'un phénomène naturel : l'eau se charge en sulfates au contact de la pyrite des parois des galeries. Déjà, de fortes augmentations des teneurs en sulfates et en sodium sont observées. Leur élimination est une question de patience puisqu'il faudra attendre le renouvellement des eaux souterraines.

Face à cette situation, l'alimentation en eau potable du secteur a été redéployée progressivement. Il a fallu modifier les points de captage et construire de nouvelles unités de traitement, pour un montant global estimé à 270 millions de francs. On a également procédé à des pompages temporaires pour accélérer le renouvellement de l'eau et son amélioration qualitative. Au titre des mesures compensatoires prévues par la loi sur l'eau de 1992, l'exploitant minier a dû équiper cinq points de pompage pour le soutien des débits des cours d'eau estimés nécessaire au milieu naturel. Il a fallu également effectuer des travaux dans les mines pour limiter soit les transferts d'eau, soit les débits afin de ne pas aggraver les écoulements en crue. Ces actions ponctuelles nécessitent désormais un plan global, d'autant plus que les sociétés minières ont cessé leurs activités. Il s'agit de trouver des solutions pour le long terme. Un schéma d'aménagement et de gestions des eaux (SAGE) a donc été prioritairement mis en œuvre sur tout le bassin minier. Ce SAGE couvre une superficie de 2 500 km^2, concerne 257 communes pour 380 000 habitants sur les trois départements de la Meuse, de la Meurthe-et-Moselle et de la Moselle.

■ *L'alimentation en eau potable*

Entre 1990 et 1994, le pourcentage de la population concernée par une eau non conforme à la valeur limite de 50 mg/l de nitrates a pratiquement doublé en passant de 0,30 % à 0,53 %. En revanche, pour les paramètres bactériologiques, le taux de non-conformité, représenté par plus de 30 % d'analyses non conformes, concernait 4,4 % de la population et 251 unités de distribution en 1990 et 3,3 % de la population et 227 unités de distribution en 1994.

■ *L'assainissement des collectivités locales*

La Lorraine est dans une situation moyenne en ce qui concerne la lutte contre les pollutions domestiques de l'eau. En 1993, le taux de collecte des eaux usées des agglomérations de plus de 10 000 habitants est de 59 % (la moyenne française est de 65 %) et le taux de dépollution est de 45 %. Aujourd'hui, l'effort porte en matière d'assainissement sur la collecte des eaux usées, la limitation des déversements par temps de pluie et le traitement de l'azote et du phosphore, en référence à la directive européenne sur les eaux usées et au plan d'action Rhin.

La gestion des déchets dans une région frontalière

La gestion des déchets industriels ou ménagers est rendue plus complexe en région Lorraine du fait de sa position frontalière, proche notamment de l'industrie allemande, et de la disponibilité d'espaces comparativement peu densément peuplés. La tendance de régions voisines à considérer la Lorraine comme pouvant accueillir et stocker les déchets de diverses natures oblige à une grande rigueur dans la gestion de ce secteur. De fait, le niveau d'équipement de la région dans ce domaine n'est pas satisfaisant : 71,8 % des déchets ménagers partent en décharge, 74 % des déchets industriels répertoriés sont stockés, alors que 20 % font l'objet d'une valorisation.

La Lorraine est, avec 12 % des déchets industriels répertoriés des producteurs, la troisième région française, après le Nord-Pas-de-Calais et Rhône-Alpes. De plus, elle reçoit des déchets des pays voisins : en 1994, un peu moins de 74 000 tonnes de déchets générateurs de nuisances ont été importées. Parmi ceux-ci, 10 400 tonnes ont été placées en décharge de classe 1 et 63 600 tonnes ont subi une incinération ultérieure en cimenterie ou dans un centre d'incinération hors région. En 1994, le secteur de la sidérurgie avec 2,4 millions de tonnes est à l'origine de 80 % de la production régionale de déchets industriels spéciaux. Environ 80 % de ce flux essentiellement constitué de laitiers et de scories est entre autres valorisé en technique routière, les 20 % restants sont stockés sur le lieu de production. Pour les 400 000 tonnes de déchets industriels spéciaux en provenance des autres secteurs d'activité, 23 % sont stockés en centre d'enfouissement technique collectif ou interne, le reste est traité ou valorisé.

La région dispose de deux décharges de classe 1. Le centre d'enfouissement technique de Jeandelaincourt a reçu, en 1994, 63 400 tonnes de déchets dont 15 800 tonnes importées. Le centre d'enfouissement technique de Laimont a reçu 37 300 tonnes de déchets dont 3 900 tonnes importées, soit une réduction de moitié par rapport à 1993.

Une production d'énergie diversifiée

Jusqu'en 1986, avant la mise en service de la centrale nucléaire de Cattenom, la Lorraine produisait relativement peu d'électricité et sa production énergétique restait exclusivement charbonnière. Depuis, la production électrique régionale a presque quadruplé. La Lorraine, aujourd'hui largement excédentaire, a fourni, en 1992, 44 milliards de kWh d'électricité, soit 10 % de la production nationale. La centrale nucléaire de Cattenom est l'une des plus importantes de France, avec quatre tranches de 1 300 MW. Un barrage situé en amont permet de réalimenter la Moselle lorsque son débit est insuffisant pour le refroidissement de la centrale ou lorsque l'équilibre thermique de la rivière est altéré.

Au fur et à mesure de son recul en France, la production charbonnière se concentre en Lorraine. Avec 7,4 millions de tonnes de charbon produites en 1993, la région assure plus des deux tiers de la production nationale.

Deux grandes centrales thermiques à charbon, Blénod-les-Pont-à-Mousson (d'une puissance de 1 000 MW) et la Maxe près de Metz (500 MW), font l'objet de travaux d'amélioration vis-à-vis de l'environnement, en particulier dans le domaine de la concentration moyenne en poussière rejetée, de la réduction des oxydes d'azote (NOx) et de la désulfuration.

Si elle produit beaucoup d'énergie, la Lorraine figure aussi (notamment du fait de cette structure industrielle) parmi les régions les plus consommatrices. Alors qu'elle abrite 4,3 % de la population, ses besoins correspondent à 5,5 % de l'énergie totale consommée en France.

Coopération transfrontalière et environnement

La dimension transfrontalière est une réalité quotidienne des enjeux environnementaux entre la Lorraine, l'Allemagne et le Luxembourg. Les installations charbonnières et chimiques de la plate-forme de Carling-Saint-Avold ou la centrale nucléaire de Cattenom, par exemple, ont un voisinage autant allemand que français. La gestion des déchets se place aussi de plus en plus à un niveau interrégional. Les importations vers la Lorraine sont dues à des différences juridiques ou économiques, ou favorisées par des différences de pratiques.

La Lorraine est concernée principalement par deux bassins hydrographiques, ceux de la Meuse et la Moselle-Sarre qui sont partagés, d'une part, avec la région Champagne-Ardenne, la Belgique et les Pays-Bas et, d'autre part, avec le Luxembourg et les *Länder* de la Sarre et de Rhénanie-Palatinat. La gestion de l'eau dans ces bassins fait l'objet d'une coopération internationale qui ne cesse de se renforcer ainsi qu'en témoigne la création en 1995 de la Commission internationale pour la protection de la Meuse, à l'instar de ses aînés qui existent sur le Rhin et la Moselle-Sarre. Alors que les activités au sein de ces instances s'étaient jusqu'alors cantonnés aux problèmes qualitatifs, les inondations catastrophiques de ces dernières années les conduisent maintenant à étudier des plans de prévention des inondations à l'échelle de la totalité des bassins hydrographiques.

MIDI-PYRÉNÉES

Un patrimoine naturel riche et encore préservé

■ *Une région aux « pays » et paysages très variés*

Organisée autour de la moyenne Garonne, couvrant l'essentiel du versant français des Pyrénées centrales et une grande partie du sud du Massif central, la région Midi-Pyrénées est la plus vaste région de France. Son climat est sous l'influence océanique, méditerranéenne et montagnarde. Elle offre une grande variété de paysages et de milieux naturels qui accueillent une faune et une flore variées et spécifiques.

Elle présente un environnement de qualité relativement préservée et un patrimoine naturel riche : grands massifs forestiers, tels ceux des Pyrénées ou de la Montagne Noire, forêts riveraines et bras morts de la Garonne ou de l'Adour, étangs de l'Armagnac et du Ségala rouergat, tourbières de l'Aubrac, du Lévezou, des monts de Lacaune ou du plateau de Lannemezan, pelouses sèches des Causses du Quercy et de l'Aveyron, cirques glaciaires, gorges calcaires comme celles de la Frau, de la Jonte ou de la Dourbie, vastes réseaux karstiques tel celui de l'Arbas...

Cette diversité et la richesse des milieux sont illustrées notamment par plus de 1 450 zones naturelles d'intérêt écologique, faunistique et floristique particulier de l'inventaire ZNIEFF.

La région Midi-Pyrénées comprend plus de 20 000 kilomètres de rivières et 10 000 hectares de lacs naturels ou artificiels. Elle est une des régions les plus boisées de France. La forêt occupe en effet plus du quart de son territoire, avec cependant de fortes disparités départementales. Environ 80 % des espaces boisés sont constitués de feuillus et la futaie y est bien représentée. Durant les dix dernières années, plus de 1 400 hectares ont été en moyenne reboisés chaque année, avec l'aide du Fonds forestier national, dont les deux tiers en résineux.

Le parc national des Pyrénées occidentales, créé en 1967, s'étend sur 47 500 hectares. Parc de haute montagne, adossé à son équivalent sur le versant espagnol (parc national d'Ordesa en Aragon), il abrite une faune remarquable : ours bruns, isards, lynx boréal, grand tétras, grands rapaces. Il conserve un patrimoine écologique d'intérêt national (lacs, faune, flore) qui représente un des atouts touristiques de la région et inclut des sites majeurs : Pont d'Espagne, cirque de Gavarnie.

Midi-Pyrénées

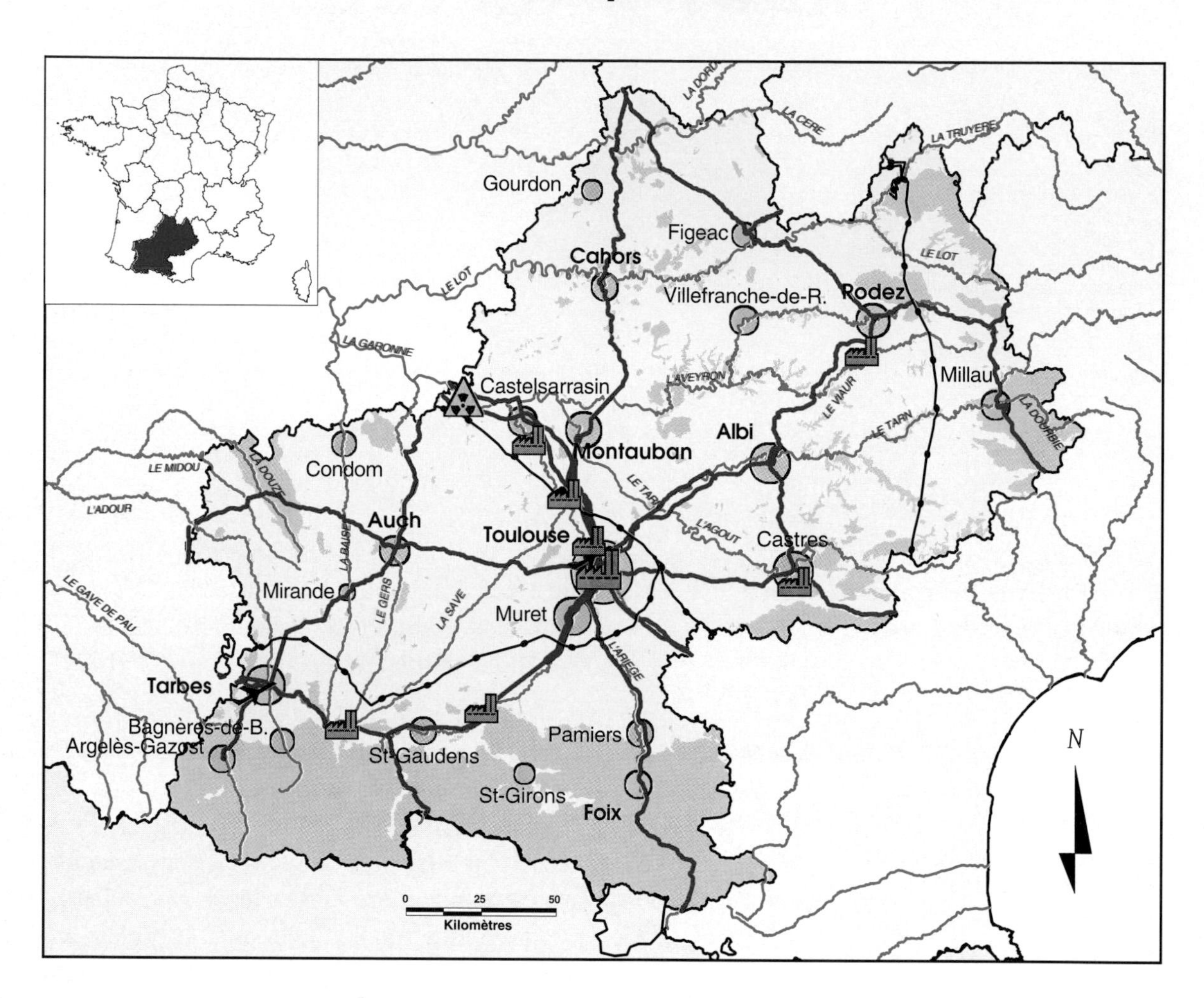

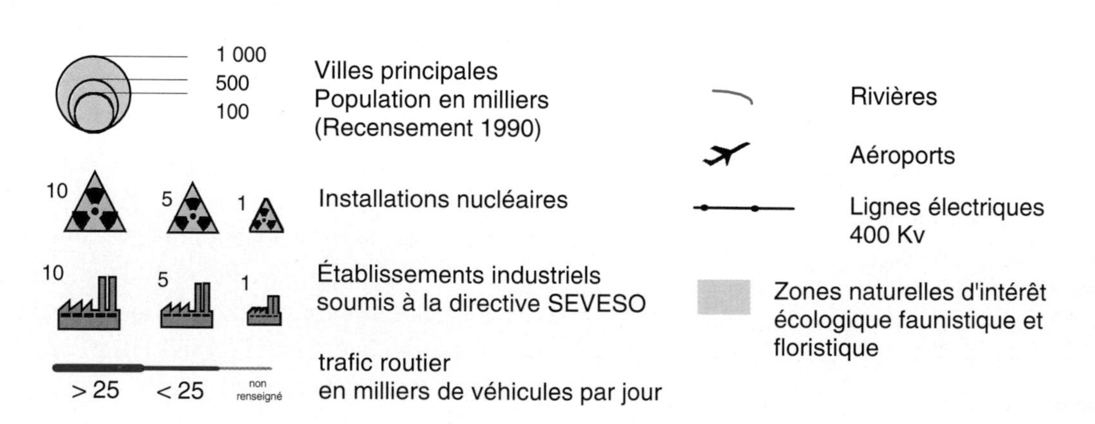

sources : MELTT/SETRA ; EDF Production Transport 1996 ; INSEE ; IFEN ; ministère de l'Environnement ; ministère de l'Industrie ; Muséum national d'histoire naturelle.

LES PRINCIPAUX INDICATEURS ENVIRONNEMENTAUX

INDICATEURS	VALEUR RÉGIONALE	VALEUR NATIONALE	UNITÉ	ANNÉE
TERRITOIRE				
• Types d'occupation des sols :				
- naturelle	41,2	38,2	%	1994
- agricole	53	54,4	%	1994
- artificielle	5,7	7,4	%	1994
• Pression urbaine	32,7	77	hab. urbain/km²	1990
• Taux de boisement	26,3	26,3	%	Dernier inventaire
MILIEUX NATURELS FAUNE FLORE				
• ZNIEFF 1	13,2	8	% sup. régionale	1996
• ZNIEFF 2	23,4	21,1	% sup. régionale	1996
• Réserves naturelles	2 310	132 045	ha	1995
• Zones de protection spéciale (directive Oiseaux)	3 000	707 000	ha	1995
EAU				
• Qualité physico-chimique des eaux superficielles (rivières). Observations classées en catégories très bonne et bonne :				
- matières organiques et oxydables	82	56	%	1993
- phosphore	80	60	%	1993
- nitrates	98	83	%	1993
• Qualité des eaux de baignade en eau douce :				
- points de surveillance conformes aux normes de la directive européenne	92,5	87,3	%	1993
ATMOSPHÈRE, AIR				
• Part de la région MIDI-PYRÉNÉES dans la contribution française :				
- à l'accroissement de l'effet de serre	5,0	100	%	1990
- à la formation des pluies acides	4,5	100	%	1990
DÉCHETS MÉNAGERS ET ASSIMILÉS				
• Taux de valorisation énergétique et organique	18,2	29,9	%	1993
• Taux de mise en décharge	76,3	60,9	%	1993
ÉNERGIE				
• Production d'énergie primaire	4 234 dont 36,7 % d'origine nucléaire	99 885	Ktep	1992
• Nombre de réacteurs de production d'électricité	2	59	Nbre	1994
RISQUES TECHNOLOGIQUES				
• Nombre d'installations Seveso	10	346	Nbre	1994
• Autres installations potentiellement dangereuses	18	691	Nbre	1994
TRANSPORTS TERRESTRES				
• Densité des routes nationales (routes et autoroutes)	4,2	6,6	km pour 100 km²	1993
• Parcours journalier moyen sur les routes nationales	12,9	8,1	100 millions de véhicules/km	1992
• Distance moyenne domicile/travail	8,2	8,1	km	1990
• Points noirs dus au bruit :				
- route	69	1 414	Nbre	1991
- rail	4	248	Nbre	1991
SOCIÉTÉ				
• Associations agréées de protection de l'environnement	63	1 434	Nbre	1991

Le parc naturel régional des Grandes Causses a été créé le 6 mai 1995 sur 94 communes de l'Aveyron. Il s'ajoute au parc du Haut Languedoc, qui s'étend sur la zone de transition des climats atlantique et méditerranéen, ce qui lui confère une extraordinaire diversité de paysages et de milieux.

■ *Une région exposée à tous les risques naturels*

Comme Rhône-Alpes, la région Midi-Pyrénées est exposée à l'ensemble des risques naturels : les avalanches qui concernent 72 communes des Pyrénées, les mouvements de terrain pour 367 communes essentiellement dans les Pyrénées et dans une moindre mesure le Massif central, les séismes avec 923 communes concernées dans les trois départements des Pyrénées, les inondations et les crues torrentielles dans une grande partie des villes de la région avec 1 142 communes concernées, enfin les feux de forêts qui touchent 863 communes.

Une tendance à la banalisation des paysages et à la destruction de milieux d'intérêt

Les milieux naturels caractéristiques de Midi-Pyrénées sont aujourd'hui l'objet de pressions qui à long terme conduisent à une banalisation des paysages et à la destruction progressive des milieux d'intérêt.

Les Pyrénées, autrefois très peuplées, ont vu leur population permanente décroître. Le milieu a su conserver une diversité et une richesse remarquables. Mais le développement du tourisme de masse, des équipements de loisirs, l'extension des stations de ski, des pistes forestières et les grands aménagements, notamment routiers, menacent l'intégrité de ce massif.

Des grandes vallées alluviales de la Garonne et de ses affluents, seules quelques zones « reliques » se sont maintenues au milieu d'une agriculture de plus en plus intensive : c'est le cas des zones humides (bras morts, massifs ou forêts au bord des cours d'eau ...) situées le long de la Garonne. L'extension du maïs a été tempérée par les risques d'inondation du printemps. La culture du peuplier s'est développée, ainsi que l'extraction de granulats. Cette extraction, aujourd'hui interdite dans le cours moyen de la Garonne, a provoqué la disparition de plusieurs îlots de haute valeur biologique et de forêts riveraines alluviales. La situation dans les coteaux du Gers et du Lauragais est similaire à celle des grandes vallées fluviales : seules quelques zones « reliques » subsistent.

Entre 1982 et 1990, la surface des sols artificialisés n'a cessé d'augmenter, de 20 % au total. L'extension de l'habitat périurbain dans les plaines alluviales se fait souvent au détriment des milieux humides ou des terres à forte valeur agricole.

■ *Les mutations de l'espace agricole*

Midi-Pyrénées est une région de tradition agricole. Sa surface agricole utilisée est la plus importante de France et la part de sa population agricole est le double de la moyenne nationale. Tournée depuis longtemps vers la polyculture et l'élevage, la région est connue pour ses produits de terroir. Cependant, d'importantes mutations de l'espace agricole se traduisent par des modifications significatives des paysages.

La surface agricole utilisée diminue aujourd'hui faiblement mais au bénéfice quasi exclusif de l'urbanisation et des infrastructures routières. La spécialisation des espaces agraires et forestiers se poursuit. Le développement des cultures d'été (maïs, tournesol et soja) laisse la terre à nu au moment des pluies printanières, qui conduisent à l'érosion des sols. La culture du maïs occupe désormais une part importante du lit mineur des cours d'eau au détriment des prairies permanentes et des autres cultures ; les peupleraies constituent souvent le boisement riverain des cours d'eau.

Les Causses du Quercy et de l'Aveyron, emblématiques du sud du Massif central, ont vu les cultures fortement régresser depuis un siècle – le vignoble a disparu lors de la crise du phylloxera – au profit de l'élevage. S'y maintiennent les espèce rares de la faune et de la flore inféodées aux pelouses sèches. Ce paysage se tranforme actuellement du fait soit de boisements naturels, là où les surfaces pâturées régressent, soit de boisements volontaires comme ceux réalisés massivement dans la Montagne Noire. Les gorges calcaires du Tarn, de la Jonte, de la Dourbie constituent des milieux très particuliers où se concentrent, lorsque c'est possible, à la fois les cultures et une grande partie de l'attrait touristique.

La réforme de la politique agricole commune de l'Union européenne a donné à la jachère une place de plus en plus importante parmi les superficies cultivées. Elle occupe désormais 18 000 hectares environ, soit 7 % de la surface

TERRITOIRE	Huit départements :	Ariège, Aveyron, Gers, Haute-Garonne, Hautes-Pyrénées, Gers, Lot, Tarn-et-Garonne
	Superficie totale :	45 347, 9 km^2 (8,3 % sup. française)
	Superficie communes urbaines :	5 093,8 km^2 (11,2 % sup. régionale)
	Densité 1994 :	55 hab./km^2
POPULATION	Population totale 1990 :	2 430 663 (4,3 % de la pop. française) estimation 1994 : 2 476 303
	Population urbaine 1990 :	1 480 822 (60,9 % pop. régionale)
	Quatre principales agglomérations :	Toulouse, Tarbes, Albi, Montauban (34,8 % de la pop. régionale)
	Pyramide des âges 1994 :	– 25 ans : 30,4 % + 60 ans : 23,9 %
COMPTES ÉCONOMIQUES	Produit intérieur brut (PIB) 1992 :	250 312 millions F (3,6 % PIB français)
	PIB/hab. 1992 :	101 647 F
EMPLOI	Emploi total 1992 :	932 351 (4,3 % emploi total français)
	Agriculture :	9,4 % emploi total régional
	Industrie :	17,9 % / /
	Bâtiment, génie civil et agric. :	7,2 % / /
	Commerce, transport et télécom. :	11,6 % / /
	Autres services :	53,9 % / /
	Taux de chômage 1994 :	11,5 % (122 947 chômeurs)
LOGEMENT	Résidences principales 1990 :	931 900
	dont logements collectifs :	29,2 %
	Résidences secondaires 1990 (1) :	142 876
AGRICULTURE	SAU 1993 :	2 342 milliers d'ha (8,3 % SAU nationale)
	dont terres labourables :	67 %
	Nbre d'exploitations 1993 :	73 000
	Superficie moyenne 1993 :	32,1 ha
INDUSTRIE	Nbre d'établissements 1995 :	14 651, dont – 10 sal. : 12 392, + 500 sal. : 22
	Principaux secteurs industriels (effectifs salariés 1993) :	IAA, construction navale-aéronautique et ferroviaire, équipements mécaniques, travail des métaux

Sources : INSEE, SCEES.

(1) Les résidences secondaires comprennent également les logements occasionnels.
NB : les pourcentages sont calculés par rapport à la France métropolitaine.

agricole utilisée. La friche (landes ou forêts de feuillus) continue de gagner du terrain dans les zones pauvres ou montagneuses.

La taille moyenne des exploitations de la région s'accroît et s'accompagne d'une suppression des « obstacles à la mécanisation » : talus, fossés, haies, bosquets. Parallèlement, dans les Pyrénées mais aussi dans les Causses de Quercy et les ségalas du Tarn et de l'Aveyron, la déprise agricole se traduit par une régression des zones cultivées, des villages qui se dépeuplent et par la disparition de nombreuses exploitations, à un rythme deux fois plus rapide que dans le reste de la France.

■ *Le développement du réseau des infrastructures*

L'une des autres causes du bouleversement important des paysages est le développement du réseau routier. Longtemps considérée comme enclavée et à l'écart des grands axes européens de circulation, la région a vu sa situation se modifier rapidement ces dernières années.

Depuis 1975, avec le développement du programme autoroutier national et sous l'impulsion de l'élargissement de la Communauté européenne à l'Espagne et au Portugal, les transports terrestres ont fait l'objet d'aménagements importants.

Aujourd'hui, les autoroutes et les voies express représentent 3,5 % du réseau français et devraient atteindre 5 % en l'an 2000. De grands aménagements sont en effet programmés pour les prochaines années, traversant parfois les zones naturelles de la région. Midi-Pyrénées devrait accueillir 10 % du kilométrage des autoroutes à construire en France.

Bien que l'essentiel du trafic routier et ferroviaire avec l'Espagne passe aux extrémités de la chaîne des Pyrénées, par le Perthus ou le Pays basque, l'aménagement de tunnels routiers, dans le val d'Aran (Viella, 1948) puis en vallée d'Aure (Aragnouet-Bielsa, 1976) et depuis 1994 dans le Puymorens, illustre la pression croissante des infrastructures transfrontalières sur les Pyrénées, milieu fragile.

■ *Une région à fort potentiel touristique*

Midi-Pyrénées est une région d'accueil touristique important qui repose sur des ressources et richesses très diversifiées : sites prestigieux, espace rural, stations de ski, stations thermales (elle est la deuxième région de France dans ce domaine), ainsi que patrimoine naturel et bâti.

Ce patrimoine naturel est un atout pour le développement d'un tourisme vert qui complète les ressources issues de l'agriculture, en particulier dans le Massif central et les Pyrénées. La région est d'ailleurs la deuxième de France pour l'hébergement rural.

Mais le tourisme de masse dans certaines zones (montagne ou stations touristiques) n'est pas sans poser des problèmes de durabilité. Gavarnie ou le Pont d'Espagne, mondialement connus, attirent chaque année près d'un million de visiteurs. Leur préservation nécessite un soin attentif. Passé la période de forte croissance du tourisme de neige, l'entretien ou la rénovation des infrastructures qu'elle a suscitées demeure un problème à long terme.

Un développement urbain concentré sur Toulouse

Entre 1962 et 1990, la région a connu une croissance démographique soutenue mais très inégalement répartie dans l'espace. Dans une région à très faible densité de population (55 hab./km²), c'est en effet la métropole toulousaine qui a absorbé l'essentiel de cette croissance.

Toulouse rassemble aujourd'hui 650 000 habitants, avec son agglomération, soit un peu plus du quart de la population régionale et le tiers des emplois. Les autres ensembles urbains sont dix fois plus petits (Tarbes, Albi, Montauban...). Le reste de l'urbanisation se limite à une quinzaine de villes moyennes et à une centaine de gros bourgs.

Depuis 1962 s'affirme ainsi très nettement une zone de forte densité s'organisant en étoile autour de la métropole régionale et englobant dans sa sphère d'influence de nombreuses villes proches, petites et moyennes. L'espace régional périphérique correspond à un vaste territoire à faible densité d'habitation, avec 10 à 20 habitants au kilomètre carré dans les cantons ruraux.

L'aire métropolitaine n'a cessé de s'étendre avec le développement considérable des échanges quotidiens domicile-travail entre Toulouse et sa zone d'influence (entrées et sorties ont augmenté de 30 % à 50 % en huit ans), comme de banlieue à banlieue (+ 70 % en dix ans). Les couloirs de peuplement se développent en étoile, suivant les vallées de la Garonne, de l'Ariège ou du Tarn ou les axes routiers vers Auch, Castres ou Castelnaudary.

Une ressource en eau sous tension

■ *Inondations, sécheresse et besoins croissants*

Les fortes variations dans l'espace et dans le temps des précipitations et la géographie de la région se traduisent par un débit des rivières très contrasté. La Garonne à Toulouse, par exemple, écoule 30 m^3 par seconde en étiage sévère et 6 000 m^3 par seconde en crue exceptionnelle. Du fait de la présence d'activités et d'habitations dans les zones à risque, les inondations génèrent régulièrement d'importants dommages, malgré les procédures d'alerte (*voir encadré*).

De son côté, la demande croissante en eau pour l'agriculture, due plus particulièrement au développement très rapide dans les années 80 de l'irrigation des cultures l'été, menace d'épuisement les réserves hydrauliques naturelles. En période estivale, l'irrigation représente ainsi environ 80 % de la consommation en eau de Midi-Pyrénées (50 hectares de maïs irrigués correspondent à la consommation annuelle de 1 500 habitants). Un programme de développement des ressources en eau, de soutien des étiages à partir de barrages existants et de maîtrise des prélèvements a été engagé. À l'irrigation s'ajoutent les besoins des autres activités économiques et des populations.

■ *Des eaux superficielles de qualité médiocre*

Trois grands types de pollution touchent actuellement les eaux de la région : pollution microbienne, pollution par les toxiques et eutrophisation. Les volumes de rejets polluants ou toxiques dans l'eau ne sont pas très élevés compte tenu de la population globalement peu dense et d'un développement industriel limité. Ils conduisent néanmoins à une qualité de l'eau médiocre et à des niveaux de pollution aiguë lors des étiages sévères pendant la période estivale.

Malgré les travaux de lutte contre la pollution des eaux, en particulier de la part des industriels, et la construction de nombreuses réserves en eau pour réguler l'utilisation de la ressource, les résultats enregistrés dans les 80 points d'analyse des eaux superficielles de la région demeurent médiocres : concentration trop importante en ammoniac, en composés phosphorés, en métaux, en phénols et en cyanures principalement.

La pollution est localisée principalement en une vingtaine de points noirs. Les rejets toxiques (métaux) sont liés en particulier à des industries anciennes ou à des mines aujourd'hui arrêtées.

■ *La pollution par les nitrates*

Les nappes alluviales des fleuves et les petits cours d'eau des coteaux centraux de Midi-Pyrénées sont touchés par un excès de nitrates provenant des cultures intensives. Il existe d'ailleurs une corrélation entre l'irrigation et l'accroissement des teneurs en nitrates. La politique de création d'équipements hydrauliques de grande taille et de lacs d'irrigation alimentés par les rivières ou les nappes phréatiques témoigne d'une agriculture productiviste et de l'usage toujours important des intrants chimiques.

La teneur de certaines eaux destinées à la consommation alimentaire dépasse parfois la

LES CRUES MISES EN MÉMOIRE

La Garonne et ses affluents doivent être surveillés comme le lait sur le feu. Leurs crues sont rapides et violentes. Le relief de ce bassin hydrographique de 60 000 km^2 (soit plus du dixième de la superficie de la France) explique de formidables variations de hauteur d'eau et de débit. La chaîne des Pyrénées au sud, les contreforts du Massif central au nord constituent deux bords de cuvette extrêmement pentus. La forme en éventail du bassin amène par ailleurs les rivières à se nourrir mutuellement et à déborder toutes ensembles. Les eaux se propagent vite et les délais de prévision sont très courts. C'est sur le Tarn que ces crues sont les plus désastreuses, avec, comme en mars 1930, des niveaux pouvant dépasser dix mètres à Montauban.

On ne peut empêcher la pluie de tomber et les rivières de déborder. Reste donc à améliorer les systèmes d'alerte et surtout à garder en mémoire l'ampleur des crues exceptionnelles pour éviter de bâtir dans les zones inondables. C'est l'objectif de la « cartographie informative des zones inondables en Midi-Pyrénées ».

UN PHÉNOMÉNE IMPRÉVISIBLE

Malgré les progrès techniques accomplis en matière de mesure des pluies, les hydrologues rencontrent des difficultés pour prévoir la montée des eaux. Le bassin de la Garonne est constitué de trois sous-bassins (Tarn, Lot et Garonne amont) et d'une multitude de micro-bassins qui justifieraient un réseau de collecte pluviométrique de plus de 500 stations. Même avec un tel équipement, l'évaluation du débit à la sortie du bassin serait relativement grossière, puisqu'il est très difficile de prévoir, avec la quantité de pluie tombée, le débit des rivières. La pente très marquée du lit de la Garonne explique par ailleurs les vitesses de propagation de l'eau. Les délais de prévision ne dépassent pas six heures à Toulouse. Le réseau automatique de collecte des données, installé depuis 1980 et géré par la DIREN Midi-Pyrénées, a fait malgré tout d'énormes progrès dans la rapidité d'annonce des crues grace à l'utilisation de nouveaux traitements (modèles de prévision des crues, images radar...).

UN RISQUE CONNU DE TOUS

Les débordements majeurs laissent des traces, sur le terrain et dans les archives. Mais la mémoire en est très souvent occultée. Même les effets d'une crue décennale finissent par se faire oublier au point que l'inondation est un risque souvent minoré quand il s'agit de construire routes, maisons, usines. Les directives de l'État et le schéma directeur d'aménagement et de gestion des eaux (SDAGE) du bassin Adour-Garonne proposent de pérenniser les souvenirs. L'opération consiste à tracer, sur la base des cartes IGN au 1/25 000, les limites des plus hautes eaux connues grâce aux informations hydrologiques, aux archives historiques et administratives, aux repères de crues et aux données de terrain telles les photos aériennes. Le financement est inscrit au contrat de plan État-région (1994-1998) pour un montant de 12 millions de francs. Quand le travail sera terminé, en 1998, 800 planches, au format A3 pour qu'elles soient aisément reproductibles, auront été réalisées pour les 6 500 kilomètres de rivières midi-pyrénéennes. Une mise sur support informatique (SIG) facilitera son exploitation.

Les limites de crues seront ainsi clairement connues du grand public comme des élus et de l'administration. Les zones à risque seront identifiées et pourront faire l'objet de procédures spéciales en cas de projets d'aménagement. Une meilleure connaissance du risque inondation permettra également de déterminer les zones d'épandage qui favorisent l'étalement des eaux. Pour être bien surveillée et bien gérée, la Garonne doit d'abord être crainte et respectée.

norme de 50 mg/l en Haute-Garonne (90 % de l'eau potable consommée dans l'agglomération toulousaine provient de la Garonne), dans le Tarn et les Hautes-Pyrénées.

Pollutions et risques industriels

■ *Un développement industriel comparativement peu important*

La région Midi-Pyrénées, relativement peu industrialisée, est de ce fait moins exposée que d'autres aux pollutions et aux risques. Trois activités dominent : la construction électronique, la construction aéronautique et spatiale et le textile-habillement.

Dix entreprises sont considérées comme particulièrement sensibles du point de vue des risques industriels, en raison de la nature et de la quantité des produits qu'elles manipulent. Elles relèvent de la réglementation dite « Seveso ». Elles appartiennent pour l'essentiel au secteur de la chimie, les autres sont des dépôts d'hydrocarbures. À cela s'ajoute la centrale nucléaire de Golfech en Tarn-et-Garonne.

Toutefois, parmi les industries traditionnelles, la mégisserie ou tannage du cuir, localisée dans le Tarn, constitue une activité particulièrement polluante. Parmi les produits utilisés figure le chrome qui a été pendant longtemps rejeté directement dans les rivières, faisant par exemple du Dadou l'une des cinq rivières les plus polluées de France. Malgré les efforts récents mis en œuvre pour traiter ces effluents, le problème de gestion des boues chargées en chrome demeure une préoccupation importante.

■ *Une production d'énergie essentiellement hydraulique et nucléaire*

La production régionale d'énergie primaire, essentiellement à travers la production électrique, représente en 1992 près de 5 % de la production nationale. L'accroissement récent de la production résulte de la montée en puissance à partir de 1991 de la centrale nucléaire de Golfech. En 1991 et 1992, la production totale d'électricité a ainsi presque doublé par rapport à 1990, du fait aussi d'une bonne hydroélectricité en 1992. Aussi cette production d'électricité est-elle désormais supérieure à la consommation régionale, après avoir été sensiblement inférieure.

Le potentiel énergétique du réseau hydrographique est largement exploité. La région Midi-Pyrénées assure environ 15 % de la production française d'électricité hydraulique. C'est dans les Pyrénées que les centrales sont les plus nombreuses, mais celles qui autorisent les puissances et la production les plus élevées sont localisées dans le Massif central. Avec soixante-neuf barrages intéressant la sécurité publique, la région Midi-Pyrénées se situe en tête des régions françaises.

Les énergies nouvelles et renouvelables (essentiellement la biomasse et le bois) représentent, avec 0,45 million de TEP, une part notable du bilan de la production régionale. Les autre sources de production primaire, essentiellement les bassins miniers de Carmaux et de Decazeville, sont en baisse progressive d'activité, comme les centrales thermiques (Albi).

Les enjeux de la gestion des déchets

■ *Pas de décharge appropriée (de classe I) pour les déchets industriels*

En 1990, la région a produit environ 93 000 tonnes de déchets industriels répertoriés. Avec quatre centres seulement, les capacités de traitement de déchets spéciaux sont très limitées. Midi-Pyrénées doit ainsi faire appel à des centres de traitement extérieurs à la région.

Faute de disposer d'une décharge de classe 1 (ou centre de stockage des déchets ultimes), les déchets industriels spéciaux de la région doivent ainsi parcourir en moyenne 300 kilomètres pour être accueillis dans les centres disponibles. L'Observatoire régional des déchets industriels en Midi-Pyrénées, mis en place en 1993, est chargé notamment de préparer le plan d'élimination de ces déchets qui comprend la réalisation d'un centre de traitement et de stockage des déchets ultimes (CTSDU).

■ *Trois quarts des déchets ménagers en décharge*

Si en 1989, 90 % seulement de la population bénéficiait d'un ramassage régulier des déchets ménagers, les systèmes de collecte en place à ce jour permettent l'enlèvement régulier de la quasi-totalité des 3 300 tonnes de déchets ménagers et assimilés quotidiennement produits dans la région.

En matière de traitement, l'effort des collectivités locales s'est développé au cours des vingt dernières années. Tous traitements confondus, le taux de population bénéficiant d'une installation de traitement est passé de 43,7 % en 1975 à 73 % en 1985 et 90 % en 1990. Ce dernier chiffre masque une situation contrastée selon les départements. Certains départements utilisaient fin 1993 bon nombre de décharges brutes, ou décharges gérées de façon peu satisfaisante, d'autres connaissent des difficultés dues à un manque de capacité de leurs centres.

Environ un quart des déchets est incinéré, le reste étant accueilli en décharge ; 73 décharges autorisées étaient recensées en 1993 ; depuis, ce nombre a sensiblement décru. Bon nombre de décharges brutes ont été fermées et réhabilitées. Pour l'incinération, trois unités seulement sont aux normes et deux d'entre elles, les plus importantes, récupèrent l'énergie. Toutefois, l'incinération avec récupération d'énergie, sous forme d'électricité ou de vapeur, reste comparativement très faible. Par ailleurs, de nombreuses décharges génèrent des problèmes de pollution des sols et des eaux.

La collecte sélective et la valorisation des déchets restent encore faible. Seule la collecte du verre ménager s'est développée, mais le rendement reste modeste (12,8 kg/hab./an pour une moyenne nationale de 19,4 kg/hab./an).

NORD-PAS-DE-CALAIS

L'espace régional et ses richesses naturelles

La diversité des territoires

La région Nord-Pas-de-Calais se compose de plusieurs territoires : au sud, les plateaux et collines de l'Artois et du Cambrésis, campagnes ouvertes, céréalières ; à l'est, les bocages herbagers de l'Avesnois, de la Thiérache et du Hainaut ; à l'ouest, le Boulonnais ; au nord, la plaine flamande (Flandre intérieure parcourue de très larges vallées souvent marécageuses, Flandre maritime gagnée sur la mer depuis le Ve siècle) et l'ex-bassin minier, facilement repérable par la disposition en croissant des espaces urbanisés. Ceux-ci traduisent l'intense activité qui a régné dans ce secteur et qui a provoqué, par vagues successives, une densification de la population.

En terme d'occupation de l'espace, les cultures agricoles sont très largement majoritaires, tandis que les espaces artificiels représentent, avec 11 % de la superficie du territoire, une proportion élevée et que, au contraire de la plupart des régions françaises, les espaces boisés n'occupent que 7 % du territoire régional. Ainsi, avec à peine 0,6 % des surfaces forestières françaises pour 8 % de la population, le Nord-Pas-de-Calais est la région la moins boisée de France. Souvent situées à proximité de grandes agglomérations, les forêts sont, de plus, soumises à une forte fréquentation.

Un patrimoine naturel diversifié

Malgré son histoire industrielle et son haut degré d'urbanisation, avec ses bocages, ses forêts, ses parcs naturels et ses réserves d'oiseaux, mais aussi ses plages, ses dunes et ses falaises, la région dispose de zones naturelles riches : Avesnois, Artois ou Boulonnais. L'inventaire du patrimoine de la région Nord-Pas-de-Calais s'exprime notamment par l'identification de zones naturelles d'intérêt écologique, faunistique et floristique (les ZNIEFF). Aujourd'hui, 321 ZNIEFF sont ainsi recensées. La région Nord-Pas-de-Calais comporte un parc naturel régional en trois parties : le parc de la plaine de la Scarpe et de l'Escaut, le parc du Boulonnais et le parc de l'Audomarois. Un quatrième est en projet dans l'Avesnois et une cinquième zone de parc est à l'étude dans la Flandre intérieure et la vallée de la Lys.

La région abrite 48 espèces de mammifères, 270 variétés d'oiseaux, 18 d'amphibiens et reptiles, mais aussi 1 400 sortes de plantes sur les 5 000 répertoriées et existantes en France, qui cohabitent avec les quatre millions d'habitants de la région.

Nord-Pas-de-Calais

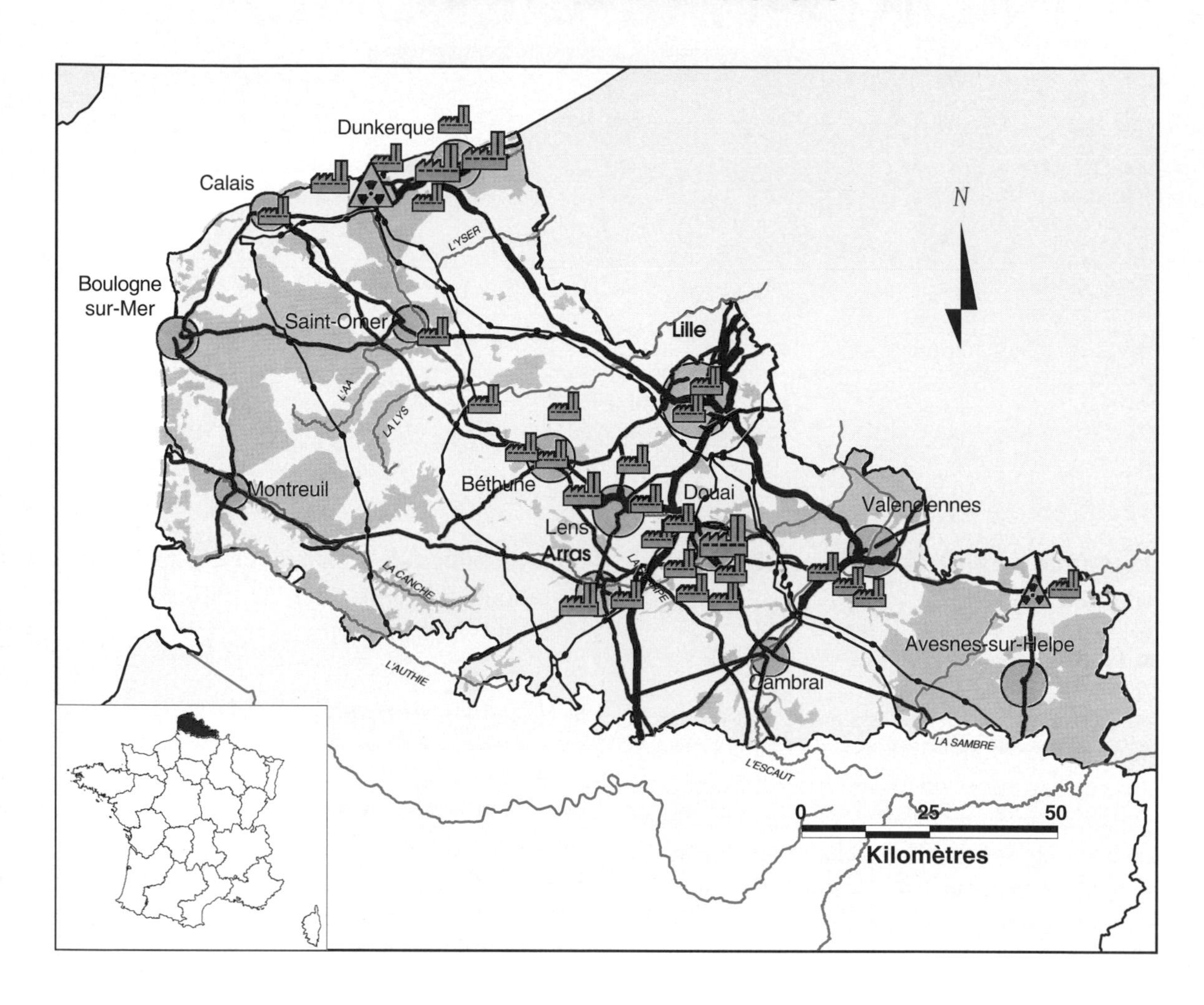

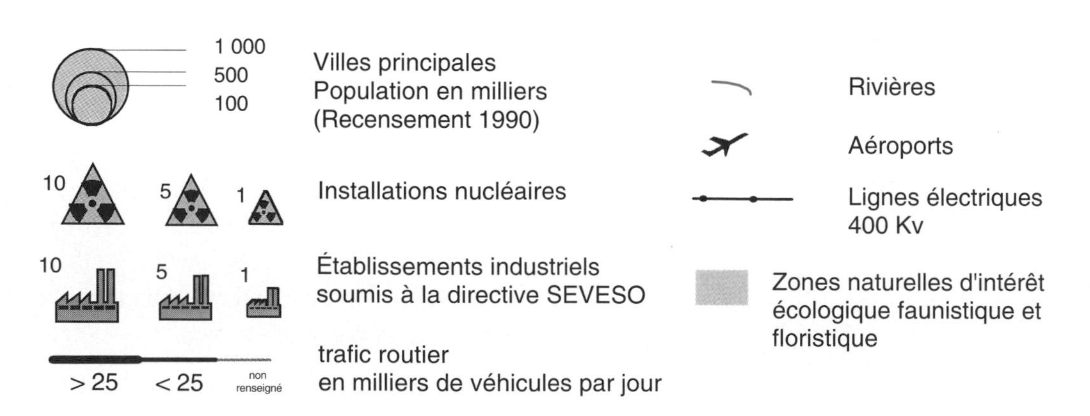

sources : MELTT/SETRA ; EDF Production Transport 1996 ; INSEE ; IFEN ; ministère de l'Environnement ; ministère de l'Industrie ; Muséum national d'histoire naturelle.

LES PRINCIPAUX INDICATEURS ENVIRONNEMENTAUX

INDICATEURS	VALEUR RÉGIONALE	VALEUR NATIONALE	UNITÉ	ANNÉE
TERRITOIRE				
• Types d'occupation des sols :				
- naturelle	12	38,2	%	1994
- agricole	74,4	54,4	%	1994
- artificielle	13,4	7,4	%	1994
• Pression urbaine	275,2	77	hab. urbain/km²	1990
• Taux de boisement	6,6	26,3	%	Dernier inventaire
MILIEUX NATURELS FAUNE FLORE				
• ZNIEFF 1	15,3	8	% sup. régionale	1996
• ZNIEFF 2	25,7	21,1	% sup. régionale	1996
• Réserves naturelles	980	132 045	ha	1995
• Zones de protection spéciale (directive Oiseaux)	14 660	707 000	ha	1995
EAU				
• Qualité physico-chimique des eaux superficielles (rivières). Observations classées en catégories très bonne et bonne :				
- matières organiques et oxydables	17	56	%	1993
- phosphore	17	60	%	1993
- nitrates	76	83	%	1993
• Qualité des eaux de baignade en eau douce :				
- points de surveillance conformes aux normes de la directive européenne	71,4	87,3	%	1993
ATMOSPHÈRE, AIR				
• Part de la région NORD-PAS-DE-CALAIS dans la contribution française :				
- à l'accroissement de l'effet de serre	7,5	100	%	1990
- à la formation des pluies acides	8	100	%	1990
DÉCHETS MÉNAGERS ET ASSIMILÉS				
• Taux de valorisation énergétique et organique	7,2	29,9	%	1993
• Taux de mise en décharge	54,8	60,9	%	1993
ÉNERGIE				
• Production d'énergie primaire	7 663 dont 100 % d'origine nucléaire	99 885	Ktep	1992
• Nombre de réacteurs de production d'électricité	6	59	Nbre	1994
RISQUES TECHNOLOGIQUES				
• Nombre d'installations Seveso	40	346	Nbre	1994
• Autres installations potentiellement dangereuses	15	691	Nbre	1994
TRANSPORTS TERRESTRES				
• Densité des routes nationales (routes et autoroutes)	12,6	6,6	km pour 100 km²	1993
• Parcours journalier moyen sur les routes nationales	9,8	8,1	100 millions de véhicules/km	1992
• Distance moyenne domicile/travail	7,1	8,1	km	1990
• Points noirs dus au bruit :				
- route	63	1 414	Nbre	1991
- rail	38	248	Nbre	1991
SOCIÉTÉ				
• Associations agréées de protection de l'environnement	21	1 434	Nbre	1991

Cet inventaire se complète de richesses atypiques telles que celles des terrils, car ces montagnes d'un genre particulier, parfois en état de combustion, peuvent voir pousser des espèces méditerranéennes ou même tropicales.

Ce bilan plutôt favorable ne doit pas cacher les risques de dégradation ou de destruction. Certaines des espèces concernées méritent la plus grande attention car elles se raréfient. Les biotopes qui leur conviennent sont trop peu nombreux, d'autres ont disparu ou sont en voie de disparition : la loutre, le grand butor, la vipère péliade, le lycopode.

Une région fortement urbanisée

■ *Une urbanisation de longue date*

Avec près de 4 millions d'habitants, soit 7 % de la population française, regroupés sur 2,3 % du territoire national, et 320 habitants au kilomètre carré, le Nord-Pas-de-Calais a la plus forte

TERRITOIRE	Deux départements : Superficie totale : Superficie communes urbaines : Densité 1994 :	Nord, Pas-de-Calais 12 414 km^2 (2,3 % sup. française) 4 775,6 km^2 (38,4 % sup. régionale) 322 hab./km^2
POPULATION	Population totale 1990 : Population urbaine 1990 : Quatre principales agglomérations : Pyramide des âges 1994 :	3 965 058 (7 % de la pop. française) estimation 1994 : 3 996 325 3 416 033 (86,1 % pop. régionale) Lille, Valenciennes, Lens, Béthune (47,4 % de la pop. régionale) – 25 ans : 38,7 % + 60 ans : 17,5 %
COMPTES ÉCONOMIQUES	Produit intérieur brut (PIB) 1992 : PIB/hab 1992 :	388 547 millions F (5,5 % PIB français) 97 638 F
EMPLOI	Emploi total 1992 : Agriculture : Industrie : Bâtiment, génie civil et agric. : Commerce, transport et télécom. : Autres services : Taux de chômage 1994 :	1 280 634 (5,9 % emploi total français) 3,3 % emploi total régional 23,9 % / / 6,4 % / / 13,2 % / / 53,2 % / / 16 % (249 754 chômeurs)
LOGEMENT	Résidences principales 1990 : dont logements collectifs : Résidences secondaires 1990 (1) :	1 388 156 20,8 % 56 646
AGRICULTURE	SAU 1993 : dont terres labourables : Nbre d'exploitations 1993 : Superficie moyenne 1993 :	864 milliers d'ha (3,1 % SAU nationale) 77 % 23 074 37,4 ha
INDUSTRIE	Nbre d'établissements 1995 : Principaux secteurs industriels (effectifs salariés 1993) :	13 221, dont – 10 sal. : 9 617, + 500 sal. : 62 travail des métaux, IAA, textile, équipements mécaniques

Sources : INSEE, SCEES.

(1) Les résidences secondaires comprennent également les logements occasionnels.
NB : les pourcentages sont calculés par rapport à la France métropolitaine.

densité des régions de province. Avec plus de 85 % de sa population dans les villes, elle a un des plus fort taux d'urbanisation de France, après l'Île-de-France et la région Provence-Alpes-Côte d'Azur.

Le pourcentage de la population régionale qui habite les communes urbaines est stabilisé depuis presque trente ans, au contraire de la plupart des régions françaises. Ce taux dépassait 50 % en 1880 et atteignait déjà 83 % au recensement de 1963.

Cette population est répartie en plusieurs pôles urbains sur l'ensemble du territoire régional. La zone urbaine centrale est constituée par l'aire métropolitaine polarisée autour de Lille, comprenant au sud la partie la plus importante de l'ancien bassin minier de Béthune à Douai. Cette zone s'inscrit dans un cercle de 50 à 60 kilomètres, s'articulant autour de deux grands axes : d'ouest en est l'ancien bassin minier, du sud au nord l'axe Arras-Lille. Les principales agglomérations sont Lille-Roubaix-Tourcoing, quatrième agglomération française et ses 960 000 habitants, et les villes de Lens, Béthune-Bruay, Douai et Arras.

Deux vallées complètent cet ensemble : la vallée de l'Escaut, avec Valenciennes comme pôle urbain, et la vallée de la Sambre. Sur le littoral, on distingue, de part et d'autre du cap Gris-Nez, deux concentrations de population : la zone de la plaine littorale de Calais à Dunkerque et le Boulonnais et le sud de la Côte d'Opale, de Boulogne-sur-Mer à Berck. Entre la métropole et le littoral, se dessine une zone intermédiaire autour des ensembles urbains de la région Flandres-Lys et de l'agglomération de Saint-Omer.

■ *Un territoire rural plutôt densément peuplé*

Entre les zones urbaines s'étendent une série de zones rurales aux caractéristiques contrastées. Les communes les plus rurales se situent au sud de la région. À l'inverse, la densité des communes rurales intercalées entre les agglomérations de l'aire urbaine centrale ou autour d'elle est très rarement inférieure à 200 habitants au kilomètre carré. De fait, comme ailleurs en Europe du Nord-Ouest, les densités d'habitation à la campagne ne tombent que très rarement en dessous de 100 habitants au kilomètre carré.

Une région carrefour pour les réseaux d'infrastructures

Par sa situation frontalière, sa façade maritime, ses infrastructures (route, mer, rail et air ou centres d'échanges multimodaux) et la proximité de régions fortement peuplées de l'Europe du Nord-Ouest, le Nord-Pas-de-Calais se présente comme un important carrefour de réseaux de communications. Celles-ci sont naturellement un atout considérable pour le développement économique et social. Mais les trafics engendrés sont et peuvent être sources de nuisances et de problèmes environnementaux importants si une gestion globale des déplacements des biens et des personnes n'est pas maîtrisée.

Les efforts en faveur des transports en commun ou le développement des transports combinés de marchandises sont des exemples de réponses à long terme à certains de ces enjeux environnementaux. Le développement de l'interconnexion des modes de transport s'est notamment traduit dans la région par une forte croissance en tonnage du transport combiné : elle atteignait, sur le site de Lille-Saint-Sauveur par exemple, + 160 % entre 1982 et 1992, dont + 77 % en rail-route et + 290 % en conteneurs.

■ *Un réseau autoroutier dense et des flux routiers en forte hausse*

Le Nord-Pas-de-Calais est une des régions de France les plus dotées en infrastructures autoroutières (3,8 km/km^2). Une faible partie du territoire est située à plus de 15 kilomètres d'un échangeur routier. Une des premières autoroutes françaises mises en service dans les années 60, l'A1 sur l'axe Paris-Lille, et ses extensions vers le littoral et vers la Belgique constituent l'« épine dorsale » de ce réseau et expliquent son rôle international. Récemment élargie à 2 fois 3 ou 2 fois 4 voies, elle doit faire face à un trafic en progression constante, comme « passage obligé » pour les transporteurs routiers assurant la liaison entre l'Île-de-France (et, par prolongement, le sud de la France ou de l'Europe) et l'Europe du Nord et du Nord-Ouest.

Au cours des années 80, le trafic routier sur les grandes infrastructures a fortement augmenté dans la région (plus 70 % entre 1976 et 1992), en particulier pour le trafic des poids lourds qui représente une part très importante des flux sur les autoroutes.

■ *Des transports collectifs urbains et interurbains développés*

Le Nord-Pas-de-Calais possède l'un des taux d'urbanisation les plus élevés et un tissu dense d'agglomérations urbaines. Les flux de transport de voyageurs générés sont très importants, notamment à l'occasion des déplacements domicile-travail, par l'interaction de ces différentes zones urbaines.

Liaisons ferroviaires du Transport express régional (TER), qui couvrent l'ensemble du territoire, réseaux de transports urbains dans plus de douze agglomérations ou ensembles urbains, métro et tramways dans la métropole lilloise témoignent de la place occupée par les transports collectifs dans ces déplacements quotidiens. Ils permettent de contenir la tendance au « tout véhicule individuel » et de satisfaire les besoins des personnes qui ne disposent pas d'une voiture (le taux d'équipement des ménages est, dans la région, inférieur de 5 points à la moyenne nationale).

Un important tissu industriel

Le tissu d'entreprises a fortement évolué depuis vingt ans, mais la région reste une des plus industrialisées de France. La mutation industrielle s'est globalement effectuée depuis la mono-industrie (charbon, acier, textile) vers une industrie plus diversifiée : production d'électricité nucléaire, sidérurgie, aluminium, raffinerie, construction mécanique, verre, mais aussi tout un tissu d'industries nouvelles, comme les industries agroalimentaires qui représentent 12 % de l'emploi industriel régional.

La modernisation de l'appareil industriel, les politiques mises en œuvre et les technologies employées concourent à limiter les pressions de ce secteur productif sur l'environnement, mais ces pressions demeurent toujours importantes : rejets de polluants, production de déchets, prélèvement de ressources, risques industriels. La région comporte notamment une centrale nucléaire de six tranches de 900 MW. Elle héberge quarante installations industrielles soumises à la directive Seveso, ce qui en fait la troisième région française à cet égard. Elle est la première région pour le volume des déchets industriels avec 20 % des quantités produites en France annuellement. Ces déchets industriels sont, par ailleurs, comparativement peu valorisés.

Mais la restructuration industrielle a surtout laissé des marques importantes dans le paysage, sous forme de terrains industriels abandonnés et de pollution des sols. Le Nord-Pas-de-Calais détient en effet, avec 10 000 hectares concernés, la moitié des friches industrielles recensées en France. L'arrêt de l'extraction de charbon, le transfert de la sidérurgie vers le littoral dunkerquois au début des années 80, les mutations des autres industries expliquent l'ampleur du phénomène (*voir encadré*).

Émissions de polluants et qualité de l'air

Le Nord-Pas-de-Calais est une des premières régions pour l'émission de plusieurs polluants de l'air, dont l'origine est soit industrielle, soit urbaine. Il contribue pour 7,5 % à l'émission des gaz à effet de serre du pays et 8 % des gaz contribuant aux pluies acides.

UNE FORÊT SUR LES FRICHES

Le riche passé industriel et minier du Nord-Pas-de-Calais ne se laissera pas facilement oublier. La région compte 10 000 hectares de friches industrielles répartis sur environ 1 000 sites, soit la moitié des friches recensées sur le territoire national. Usines, terrils, chevalets de puits de mines, laminoirs, carreaux de mines témoignent d'une fin d'activité parfois brutale. Les Charbonnages n'existent plus, la sidérurgie s'est déplacée de Valenciennes au littoral dunkerquois, et le textile a connu une sévère récession. Les maires se retrouvent aujourd'hui avec d'immenses espaces vides en plein cœur de leur commune.

L'AVENIR DE LA FRICHE

La région a choisi de réhabiliter les sites, de leur redonner un environnement sain porteur d'avenir, de remodeler les paysages laissés par l'industrie. La doctrine a bien évolué en quinze ans. À la fin des années 70, avec les premiers signes de la désindustrialisation, on prêche la « remise à l'état zéro » pour permettre à d'autres activités d'occuper la place libre. Les friches sont donc proposées sur le marché foncier qui attend la reprise.

Dans le courant des années 80, la reprise se faisant attendre et les friches se multipliant, les collectivités locales commandent des études économiques, écologiques, paysagères. En 1990, l'Établissement public foncier (EPF) est créé et dirige désormais un programme d'envergure de réhabilitation, avec l'objectif avoué de changer l'image de marque très polluée de la région. À elles seules, l'activité minière et l'industrie lourde ont produit 7 800 hectares de friches.

UN LABORATOIRE ÉCOLOGIQUE

Le travail de réhabilitation est long et minutieux. Il faut cinq ans pour voir verdir un terril. Une première phase d'études s'intéresse à la situation géographique de la friche, à son passé industriel, aux voies d'accès, aux risques de pollution des sols, à sa richesse faunistique et floristique. À partir de l'état initial, l'EPF définit les objectifs. Faut-il décontaminer ou non le site ? Et, si oui, qui va payer[1] ? Doit-on planter des arbres, conserver « pour mémoire » les bâtiments, aménager le site en parc de loisirs, envisager, *via* l'intercommunalité, la création d'une zone d'activité ? Dans le cadre du contrat de plan État-région 1989-1993, l'EPF a engagé la reconquête de 1 550 hectares pour une somme de 220 millions de francs, soit un coût d'environ 15 francs le mètre carré. Le contrat de plan 1994-1998 ambitionne de traiter 3 000 hectares.

Les travaux de réhabilitation ont donné lieu à quelques surprises. Sur la terre ingrate des terrils, les paysagistes voient avec surprise s'acclimater le bouleau blanc, l'érable, le frêne ou le cornouiller et se développer une végétation spontanée présentant parfois un réel intérêt biologique. Certains terrils hébergent des végétaux rares et inattendus, comme les orchidées. Par la variété et l'ampleur des sites à réhabiliter, la région Nord-Pas-de-Calais est un véritable laboratoire écologique. Cette région devrait ainsi réparer une injustice. Considéré comme un « pays noir », le Nord-Pas-de-Calais est en réalité à 75 % une zone agricole, contre 61 % au niveau national. La forêt, il est vrai, ne représente que 7 % de la surface de la région, contre 27 % dans le reste de la France. La réhabilitation des friches industrielles devrait légèrement corriger ce déficit.

1. Désormais, après cessation d'activité, le dernier exploitant d'un site industriel est tenu par la loi de remettre en état ce site. Si ce dernier occupant n'existe plus ou n'est pas solvable, les frais de dépollution sont alors pris en charge par l'État *via* l'Agence de l'environnement et de la maîtrise de l'énergie (ADEME).

Les quantités de polluants émises chaque année par l'industrie sont importantes. À titre d'exemple, dans le Nord-Pas-de-Calais, la pollution par l'anhydride sulfureux est la plus importante, avec 160 000 tonnes, soit 12,5 % des émissions françaises. Cinq gros établissements industriels représentent 50 % des émissions de SO_2 dans la région. Toutefois, la récession économique, la politique d'économie d'énergie et les investissements des entreprises se sont traduits par une diminution importante des rejets de SO_2 : les émissions s'élevaient à 400 000 tonnes par an en 1979, ce qui représente une diminution de 60 % en un peu plus de dix ans.

La structure des émissions est, dans certains domaines, en forte évolution. Par exemple, la pollution par les oxydes d'azote due à l'industrie et au résidentiel est en régression, par contre la part de l'automobile et des transports en général est en augmentation.

Les conséquences de ces forts niveaux d'émissions de polluants de l'air sont importantes sur le milieu naturel et la santé humaine. La disparition de certaines espèces de lichens a été répertoriée. Ces espèces particulièrement sensibles au SO_2 ont disparu des zones les plus polluées et la carte de leur disparition recouvre celle des zones de plus forte concentration en SO_2. Dans la région, on constate par ailleurs une surmortalité due aux maladies respiratoires par rapport à la moyenne nationale. Les zones où cette surmortalité est la plus évidente sont les zones industrielles .

La ressource en eau, problème central

La région Nord-Pas-de-Calais dispose de ressources en eau limitées, soumises à fortes pressions tant en ce qui concerne les prélèvements que les pollutions anciennes ou actuelles. Les rivières ont des débits assez faibles, ce qui n'est pas sans poser aussi des problèmes importants de qualité de la ressource en eaux de surface ou eaux souterraines, et cela malgré les efforts déjà réalisés, notamment par les industries.

Ainsi, deux types principaux de pollution sont caractéristiques de la région. Une pollution historique, particulièrement difficile à traiter, se traduit par la présence de métaux lourds dans les sédiments des cours d'eau. Une pollution récente est liée à la présence de plus en plus fréquente dans l'eau des organochlorés et organophosphorés.

■ *Un recours très important aux ressources du sous-sol*

Dépourvue de cours d'eau abondants, la région fait appel aux réserves souterraines dans une proportion qui représente les trois quarts de ses besoins pour l'agriculture, l'industrie ou les ménages. Près de 95 % de la population de la région est ainsi alimentée par une eau d'origine souterraine. La nappe de la craie alimente une très grande part des besoins de la région. Très vulnérable aux pollutions du sol et du sous-sol, elle est menacée de surexploitation et exposée aux pollutions industrielles et domestiques. Certains forages ont été abandonnés en raison de teneurs excessives en sulfates et en nitrates. Les pollutions héritées des anciens sites industriels font encourir des risques de diffusion des polluants dans les eaux souterraines, notamment dans le pays minier.

■ *Une qualité de l'eau globalement médiocre*

Compte tenu de la géographie de la ressource (relations étroites entre l'eau souterraine et les rivières) et de l'importance des activités humaines, la pollution de tous les aquifères est préoccupante. La carte de la qualité des eaux, analysée à partir des principaux paramètres de pollution (matières organiques, azotées et phosphatées, oxygène dissous...), traduit une médiocrité sur l'ensemble du réseau hydrographique, voire une mauvaise qualité dans les sous-régions industrielles. Là, précisément, les nappes alluviales, plus vulnérables et les bas débits estivaux, amoindris par les prélèvements, accusent les plus fortes concentrations en sels dissous, notamment en nitrates.

En ce qui concerne les matières organiques et oxydables, plus de 50 % des points de mesure en 1993 sont classés en catégorie mauvaise. Pour le phosphore, ce taux est de 63 % en catégories mauvaise et très mauvaise.

Pour 5,7 millions d'équivalents-habitant de pollution de l'eau produite par les collectivités locales de plus de 10 000 habitants (exprimée sur la base des matières oxydables), seulement 50 % sont raccordés à des stations d'épuration. Le taux de dépollution est de seulement 37 %, largement inférieur à la moyenne nationale. La plupart des stations de la région ne traitent ni le phosphore ni l'azote. Les efforts de l'industrie ont cependant été importants. Bien qu'il existe de nombreuses disparités entre secteurs d'activité ou entre usines de la même branche, on peut considérer que les effluents industriels sont épurés aujourd'hui à 75 % (contre 5 % à 10 % en 1968).

■ *Teneur en nitrates des eaux distribuées*

En 1990, 84 % de la population du Nord reçoit une eau de qualité satisfaisante, dont la teneur est inférieure au niveau guide (soit 25 mg/l). Les unités de distribution d'eau potable qui délivrent une eau de teneur plus élevée, et notamment au-dessus de 40 mg/l, se rencontrent dans le Cambrésis et ponctuellement dans l'Avesnois et le Valenciennois. Dans le Pas-de-Calais, on observe de fortes teneurs dans le bassin minier et dans l'arrondissement d'Arras. Environ 200 000 personnes dans ces deux zones consomment une eau dont la teneur dépasse 50 mg/l. Dans ce département, la nappe exploitée est polluée durablement. Cependant, des solutions techniques existent, telles que recherche d'eau et transfert, mais elles sont coûteuses et n'aboutiront pas totalement à court terme.

Un littoral sous des pressions fortes et multiples

La façade maritime du Nord-Pas-de-Calais a joué depuis toujours un rôle stratégique pour les échanges, le commerce et l'industrie, toutes activités qui entrent en conflit avec les espaces naturels et leurs richesses. Le littoral du département du Nord est aujourd'hui urbanisé à 80 % : les dunes du Clipon et environ 24 kilomètres de côte ont été « consommés » par le complexe industrialo-portuaire. Vers la frontière belge, reste le sanctuaire naturel des dunes Marchand, du Perroquet et de Leffrinckoucke. Le Pas-de-Calais, en revanche, a pu préserver de grands espaces « sauvages » et 60 % des rivages qui ont gardé une vocation agricole ou naturelle.

Le tourisme est devenu une branche « maîtresse » de l'économie régionale. Environ 16 000 personnes en vivent, principalement sur le littoral de Calais à Berck. À l'horizon de l'an 2000, le tunnel sous la Manche doit permettre de confirmer cette vocation touristique européenne. Il y a cependant en même temps un danger de disparition lente des espaces naturels, « étouffés » par une fréquentation touristique intense. En revanche, des espaces naturels durablement protégés et entretenus constitueront un « capital nature » dont les communes du littoral et leurs habitants toucheront longtemps les dividendes.

L'action de protection de ces richesses a été largement engagée. Soustraits à la spéculation, 6 500 hectares de dunes, falaises, forêts, prés salés ont été placés en zone de préemption. Un tiers a déjà été acquis par le Conservatoire du littoral, les départements et l'Office national des forêts. Un réseau de réserves naturelles protégeant les sites d'intérêt national ou international va se constituer.

Les ressources marines du littoral sont aussi importantes. La pêche côtière, l'élevage de coquillages et de poissons et le tourisme représentent autant d'activités subordonnées pour une très large part à la qualité du milieu marin. À cet égard, la lutte contre les pollutions urbaines sur le littoral reste une priorité. Les rejets chargés en bactéries présentent un risque sanitaire, en particulier pour la conchyliculture. Le traitement des eaux usées sur le littoral exige encore des investissements très lourds.

PAYS DE LA LOIRE

Un patrimoine riche et diversifié sur un espace naturel qui se restreint

De sa façade maritime à l'Anjou, du Marais poitevin aux collines du Maine, parcourue par les vallées de la Loire et de ses nombreux affluents, la région des Pays de la Loire présente une grande diversité de milieux naturels et de paysages. 840 zones naturelles d'intérêt écologique faunistique et floristique (les ZNIEFF) ont pu être recensées et décrites. Toutefois, la part des espaces naturels, c'est-à-dire ni agricoles, ni artificialisés, dans le territoire régional est, avec 15,4 % en 1994, une des plus faibles de France après le Nord-Pas-de-Calais et la Basse-Normandie.

Le littoral de la région comporte une série de milieux remarquables : vastes dunes de Vendée à la flore originale, marais salants de la presqu'île guérandaise et de Noirmoutier, vasière de la baie de Bourgneuf et de l'anse de l'Aiguillon, avec parfois une diversité exceptionnelle d'espèces, comme dans le secteur Talmont/Jard-sur-Mer, où se trouvent en particulier des formations de chênes verts. À l'arrière de cette frange littorale s'étendent de vastes zones humides de valeur internationale : marais Poitevin, marais Breton, lac de Grandlieu, Brière. Mais un certain nombre de marais littoraux ont été aménagés et drainés pour l'élevage et les cultures légumières et horticoles.

Dans l'intérieur des terres, les milieux sont également riches : quelques tourbières, surtout en Mayenne et en Loire-Atlantique, recèlent de rares espèces à distribution nordique ; certains massifs forestiers sont remarquables, comme ceux de Vouvant-Mervent, Fontevrault, Bercé, Sillé-le-Guillaume, La Charnie. De riches zones humides longent les vallées de la Loire, de l'Huisne, du Loir. Des pelouses rases, sur schistes ou sur calcaires, se situent aux environs d'Ancenis, d'Angers, dans les vallées du Layon et du Rutin... De nombreuses petites vallées encaissées sont pittoresques et variées. Enfin, la région comporte 18 000 kilomètres de rivières et de nombreux plans d'eau.

Quatre parcs naturels régionaux ont été créés dans la région et couvrent environ 7 300 km^2 (certains s'étendent pour partie sur les régions limitrophes) : au nord le parc Normandie-Maine, à l'ouest le parc de Brière et au sud le marais Poitevin, également connu sous le nom évocateur de Venise verte. Le quatrième, le parc « Loire-Anjou-Touraine », situé entre les villes de Tours et d'Angers, a été créé au printemps 1996.

Pays-de-la-Loire

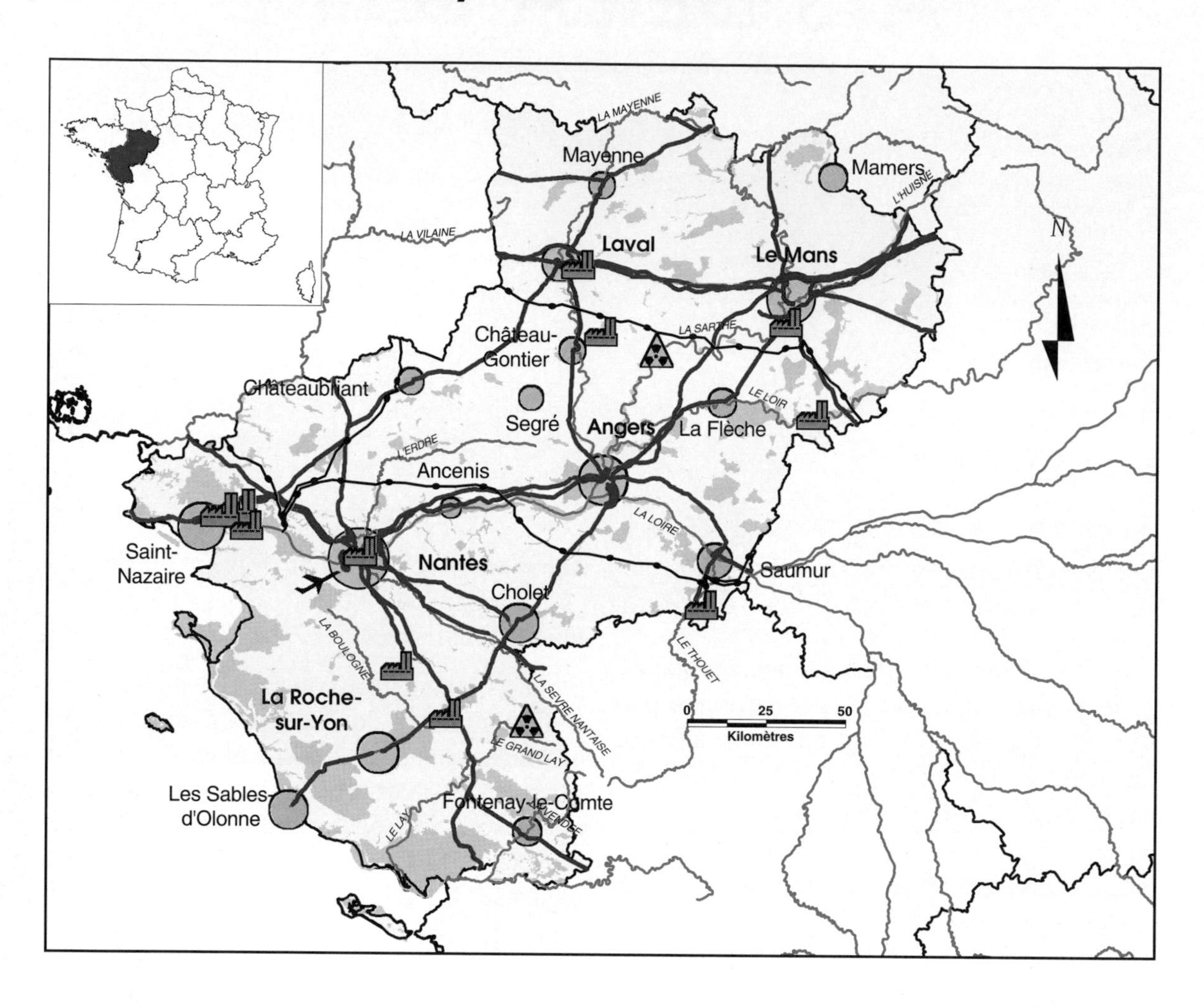

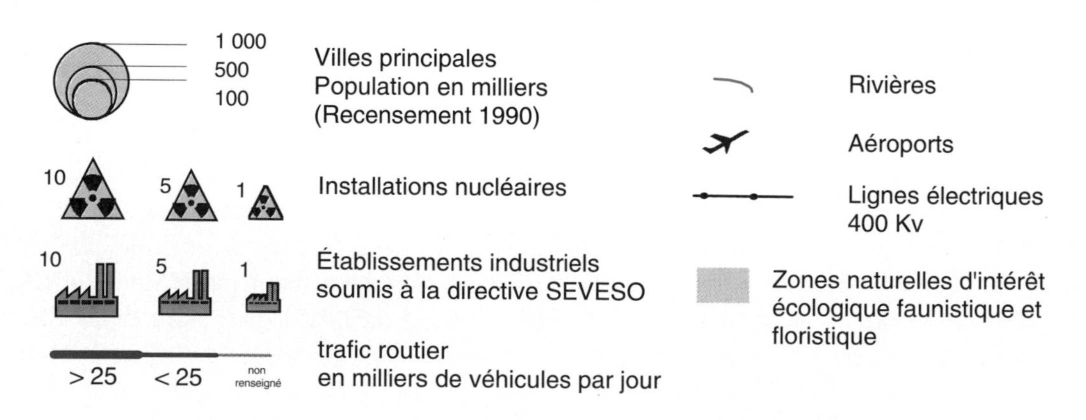

sources : MELTT/SETRA ; EDF Production Transport 1996 ; INSEE ; IFEN ; ministère de l'Environnement ; ministère de l'Industrie ; Muséum national d'histoire naturelle.

LES PRINCIPAUX INDICATEURS ENVIRONNEMENTAUX

INDICATEURS	VALEUR RÉGIONALE	VALEUR NATIONALE	UNITÉ	ANNÉE
TERRITOIRE				
• Types d'occupation des sols :				
- naturelle	15,4	38,2	%	1994
- agricole	75,2	54,4	%	1994
- artificielle	9,2	7,4	%	1994
• Pression urbaine	59,6	77	hab. urbain/km^2	1990
• Taux de boisement	9,1	26,3	%	Dernier inventaire
MILIEUX NATURELS FAUNE FLORE				
• ZNIEFF 1	6,1	8	% sup. régionale	1996
• ZNIEFF 2	13,3	21,1	% sup. régionale	1996
• Réserves naturelles	2 950	132 045	ha	1995
• Zones de protection spéciale (directive Oiseaux)	36 200	707 000	ha	1995
EAU				
• Qualité physico-chimique des eaux superficielles (rivières). Observations classées en catégories très bonne et bonne :				
- matières organiques et oxydables	33	56	%	1993
- phosphore	24	60	%	1993
- nitrates	63	83	%	1993
• Qualité des eaux de baignade en eau douce :				
- points de surveillance conformes aux normes de la directive européenne	92,3	87,3	%	1993
ATMOSPHÈRE, AIR				
• Part de la région PAYS DE LA LOIRE dans la contribution française :				
- à l'accroissement de l'effet de serre	7,3	100	%	1990
- à la formation des pluies acides	8,4	100	%	1990
DÉCHETS MÉNAGERS ET ASSIMILÉS				
• Taux de valorisation énergétique et organique	32,1	29,9	%	1993
• Taux de mise en décharge	66,1	60,9	%	1993
ÉNERGIE				
• Production d'énergie primaire	5	99 885	Ktep	1992
• Nombre de réacteurs de production d'électricité	/	59	Nbre	1994
RISQUES TECHNOLOGIQUES				
• Nombre d'installations Seveso	13	346	Nbre	1994
• Autres installations potentiellement dangereuses	29	691	Nbre	1994
TRANSPORTS TERRESTRES				
• Densité des routes nationales (routes et autoroutes)	5,9	6,6	km pour 100 km^2	1993
• Parcours journalier moyen sur les routes nationales	14,4	8,1	100 millions de véhicules/km	1992
• Distance moyenne domicile/travail	7,6	8,1	km	1990
• Points noirs dus au bruit :				
- route	51	1 414	Nbre	1991
- rail	2	248	Nbre	1991
SOCIÉTÉ				
• Associations agréées de protection de l'environnement	107	1 434	Nbre	1991

La région des Pays de la Loire est une des régions les moins boisées de France et fait partie des quatre régions au taux de boisement inférieur à 10 %. Toutefois, l'arbre est présent dans ce paysage autrefois essentiellement bocager. Mais sa physionomie a été profondément modifiée, et la présence du bocage fortement réduite au cours des trente dernières années, en raison de remembrements importants. L'espace couvert par les haies et arbres épars a ainsi diminué de 14 % de 1982 à 1990.

Le patrimoine naturel régional a subi de nombreuses atteintes du fait de l'urbanisation, de l'industrialisation, des grands travaux d'aménagement, de l'extension du tourisme et du développement de l'agriculture intensive. Le territoire artificialisé, c'est-à-dire « stérilisé » par le bitume ou le béton, a connu une forte croissance de 1982 à 1990 (+ 23 %), croissance en particulier due à l'expansion des routes et parkings (+ 23,4 %, taux le plus élevé du pays). Les remembrements au titre des grands ouvrages

TERRITOIRE	Cinq départements :	Loire-Atlantique, Maine-et-Loire, Mayenne, Sarthe, Vendée
	Superficie totale :	32 081,7 km^2 (5,9 % sup. française)
	Superficie communes urbaines :	6 403,3 km^2 (19,9 % sup. régionale)
	Densité 1994 :	97 hab./km^2
POPULATION	Population totale 1990 :	3 059 112 (5,4 % de la pop. française) estimation 1994 : 3 132 006
	Population urbaine 1990 :	1 912 729 (62,5 % pop. régionale)
	Quatre principales agglomérations :	Nantes, Angers, Le Mans, Saint-Nazaire (33 % de la pop. régionale)
	Pyramide des âges 1994 :	– 25 ans : 35,6 % + 60 ans : 20 %
COMPTES ÉCONOMIQUES	Produit intérieur brut (PIB) 1992 :	322 188 millions F (4,6 % PIB français)
	PIB/hab. 1992 :	103 757 F
EMPLOI	Emploi total 1992 :	1 162 620 (5,3 % emploi total français)
	Agriculture :	9,1 % emploi total régional
	Industrie :	23,9 % / /
	Bâtiment, génie civil et agric. :	7,3 % / /
	Commerce, transport et télécom. :	10,7 % / /
	Autres services :	49 % / /
	Taux de chômage 1994 :	12,7 % (174 093 chômeurs)
LOGEMENT	Résidences principales 1990 :	1 123 174
	dont logements collectifs :	24,4 %
	Résidences secondaires 1990 (1) :	174 351
AGRICULTURE	SAU 1993 :	2 195 milliers d'ha (7,8 % SAU nationale)
	dont terres labourables :	71 %
	Nbre d'exploitations 1993 :	67 070
	Superficie moyenne 1993 :	32,7 ha
INDUSTRIE	Nbre d'établissements 1995 :	14 815, dont – 10 sal. : 11 456, + 500 sal. : 47
	Principaux secteurs industriels (effectifs salariés 1993) :	IAA, habillement-cuir, équipements mécaniques, équipements ménagers

Sources : INSEE, SCEES.

(1) Les résidences secondaires comprennent également les logements occasionnels.
NB : les pourcentages sont calculés par rapport à la France métropolitaine.

publics (tels que les voies routières et autoroutes, le réseau de TGV) ont été particulièrement développés ces dernières années.

Une croissance continue de la population depuis vingt-cinq ans

Depuis 1968, la population régionale n'a cessé de s'accroître à un rythme assez soutenu. Dépassant la barre des 3 millions d'habitants (c'est la cinquième région française), les Pays de la Loire représentent 5,4 % de la population nationale. Néanmoins, depuis 1982, l'accroissement de la population se ralentit fortement et s'aligne sur la tendance nationale avec un taux de croissance annuelle de + 0,54 %.

La densité de la région, proche de la moyenne nationale, cache de fortes disparités, la population étant concentrée dans les principales agglomérations, le long de l'estuaire et sur le littoral. Le tiers de la population vit dans le département de la Loire-Atlantique. En dehors de l'agglomération du Mans, deux zones constituent les principaux pôles d'attraction de la région : l'arc littoral de l'estuaire de la Loire au sud de la Vendée et la vallée de la Loire. Celle-ci, traversant la région d'est en ouest, abrite trois des principaux pôles urbains, Angers, Nantes et Saint-Nazaire, qui regroupent plus du quart de la population ligérienne. De leur côté, les campagnes continuent à se dépeupler, en particulier celles de la Mayenne et de la Sarthe.

La région est cependant moyennement urbanisée (62,5 % de la population habite une commune urbaine) mais cette urbanisation est assez concentrée, avec quatre villes de plus de 100 000 habitants : Angers et Le Mans, agglomérations de l'intérieur, Saint-Nazaire et Nantes, les deux agglomérations de l'estuaire. La Loire-Atlantique compte 80 % de citadins et Nantes regroupe la moitié des habitants du département. La présence du train à grande vitesse a partiellement inséré Le Mans dans la zone d'influence forte de la région parisienne, la plaçant à moins d'une heure de la capitale, alors que pour atteindre Nantes, pourtant plus proche, une heure et quart est nécessaire. Le temps structure ces déplacements plutôt que la distance.

■ *Une urbanisation presque continue du littoral par le tourisme*

La région des Pays de la Loire est la sixième région touristique de France, essentiellement grâce au tourisme balnéaire favorisé par les plages sableuses et la douceur du climat. C'est, pour moitié, un tourisme de résidences secondaires, ce qui a contribué à une urbanisation presque continue du littoral.

Le pôle touristique du nord de l'estuaire de la Loire, le plus ancien, est centré sur La Baule, première station touristique régionale. En Loire-Atlantique au mois d'août, la population du département est multipliée par trois, avec environ 220 000 personnes sur un littoral qui offre cent trente-trois kilomètres de côtes dont soixante-huit de plages. Le littoral est aujourd'hui urbanisé à 86 % et certains espaces naturels sont menacés. Sur le littoral se concentrent 72 % des résidences secondaires du département. Leur nombre (43 000) a augmenté de près de 20 % au cours des années 80. En arrière des côtes rocheuses, des zones agricoles tombent en déshérence et voient fortement évoluer l'occupation du sol sous forme de mitage par l'urbanisation et par le camping-caravaning.

Le pôle touristique vendéen, plus récent, centré sur les stations des Sables-d'Olonne et de Saint-Jean-de-Monts, est aujourd'hui devenu le plus important. Il bénéficie de plus de deux cent cinquante kilomètres de côte, dont cent quarante de plages de sable fin. Son ensoleillement de 2 500 heures par an est le plus important de toute la façade atlantique, avec celui de la Charente-Maritime. Disposant de 571 000 lits touristiques, la Vendée est, après le Var et ses 800 000 lits, le deuxième département de France pour sa capacité d'accueil.

L'île d'Yeu et surtout l'île de Noirmoutier, reliée depuis longtemps au continent par un pont, sont pour leur part soumises à une pression touristique très élevée. Des développements très significatifs de l'urbanisation, entre 1977 et 1995, à partir de bourgs existants, mettent en péril l'intégrité des zones naturelles.

Les polluants des élevages et l'intensification de la grande culture

Avec 86 000 exploitations agricoles, la région des Pays de la Loire fait partie des principales régions agricoles françaises. Le territoire occupé par l'agriculture couvre 78 % de la région. L'agriculture régionale est tournée vers la production animale pour les deux tiers de la superficie. Premier producteur national de viande bovine, deuxième pour les productions de lait, de porcs ou de volailles, les trois quarts des livraisons agricoles de la région sont d'origine animale. De ce fait, la « pression azotée » issue des déjections animales, avec une quantité moyenne utilisée dans la région de 76 kilogrammes par hectare, était en 1989 la deuxième du pays après la Bretagne (160 kilogrammes par hectare).

L'estimation des volumes d'effluents d'élevage s'établit autour de 15 millions de tonnes par an. Des actions sont engagées par les agriculteurs, incités en cela par les pouvoirs publics et l'Agence de l'eau Loire-Bretagne, pour réduire les pollutions de cette source. La région émet par ailleurs 9,9 % du méthane rejeté en France, provenant principalement de l'élevage, et 12,2 % des émissions d'ammoniac.

Prairies et cultures annuelles occupent en 1990 plus de 35 % du territoire. La région est la première en France pour la superficie en prairies, mais celles-ci ont connu une forte diminution (de 19 % entre 1982 et 1990). Par contre, les cultures annuelles ont connu une forte augmentation (de 21 %), ce qui témoigne d'une extension des zones de grandes cultures (céréales notamment) et d'une intensification de l'usage agricole des sols.

Les conditions climatiques régionales favorables permettent aux agriculteurs du Val de Loire de développer des productions à forte valeur ajoutée : vin, fruits, cultures maraîchères, horticulture. Par ailleurs, la région est la deuxième en France pour les superficies en agriculture biologique.

Quant au secteur de l'agroalimentaire, important dans la région, qui transforme ces productions agricoles, la dispersion géographique des déchets, leur faible valorisation économique et les difficultés techniques de traitement posent des problèmes d'élimination délicats.

Conflits d'usage dans les milieux aquatiques sur le littoral

La région des Pays de la Loire possède 500 kilomètres de côtes. Elle s'insère dans le plus vaste ensemble de marais du littoral français, qui s'étend sur environ 205 000 hectares, entre l'estuaire de la Vilaine au nord et celui de la Gironde au sud. Ses caractéristiques physiques et biologiques et l'existence de zones abritées (la région comprend deux estuaires et deux baies) font des Pays de la Loire un des plus importants centres de production de cultures marines de France.

L'aquaculture est constituée de 9 000 concessions représentant 1 600 hectares de domaine public maritime, 360 hectares de marais littoraux, 360 kilomètres de bouchots à moules, exploités par plus de 1 800 entreprises. La conchyliculture traditionnelle, l'ostréiculture et la mytiliculture prédominent. L'espace littoral est rare et la compétition entre de nombreuses activités concurrentes en matière d'aménagement et d'occupation des sols est importante : pressions touristiques et urbanistiques, plaisance, pêche, reprise de l'activité salicole en 1988 et 1989. Divers problèmes de pollution et de qualité de l'eau sont également à mentionner.

■ *La qualité sanitaire des eaux littorales reste préoccupante*

Les résultats enregistrés en 1994 confirment une amélioration sensible de la qualité des eaux de baignade sur le littoral (95,6 % conformes) due aux efforts des communes dans l'épuration des eaux usées. En revanche, la qualité sanitaire des eaux est préoccupante dans les zones récréatives de ramassage des coquillages en période touristique. Les résultats d'analyses disponibles sur les vingt-quatre sites suivis depuis 1986 par la DDASS montrent que plus de 60 % des gisements naturels de coquillages du littoral de Loire-Atlantique sont de mauvaise qualité. Certaines zones sont touchées par l'eutrophisation des eaux littorales, l'ensemble des rejets nutritifs (pollutions de type agricole, urbain ou industriel) favorisant le développement des algues.

La gestion de l'eau dans les marais pose parfois des problèmes entre les zones aquacoles et les zones agricoles, les besoins de ces activités en eau de mer ou en eau douce étant incompatibles. Par ailleurs, les réseaux hydrauliques des marais adaptés à la saliculture ne sont pas utilisables en l'état pour l'aquaculture.

Les enjeux environnementaux d'une grande région industrielle et urbaine

La croissance de la population, sa concentration sur les grandes villes, dans la vallée de la Loire et sur le littoral, le développement économique régional, l'importante activité des transports, de l'agriculture et de l'industrie génèrent des pollutions et des nuisances importantes. Le développement de l'urbanisation et surtout l'importance de l'activité industrielle dans la basse vallée de la Loire et dans l'estuaire concentrent les pressions sur un territoire restreint et créent des problèmes de conflits d'usage des espaces et de dégradation des milieux (*voir encadré*).

■ *Les rejets de polluants industriels dans l'eau ne baissent pas*

Cinq secteurs industriels se partagent la responsabilité de la majeure partie des rejets dans les cours d'eau. L'agroalimentaire engendre d'importants flux de matières organiques (paramètres DCO). La mécanique et les traitements de surface (la région compte environ 80 établissements significatifs dont plus d'un tiers dans le seul département de Loire-Atlantique) sont responsables de la quasi-totalité des rejets toxiques, des métaux lourds notamment. La chimie et l'industrie du pétrole, concentrées essentiellement en basse Loire, rejettent dans l'eau des hydrocarbures, des sels azotés ou phosphorés (pour les usines d'engrais notamment), ou certaines substances telles que le phénol, le plomb... L'industrie papetière, fortement représentée dans la Sarthe, est à l'origine de flux organiques conséquents. L'industrie du cuir et du textile, très implantée dans le Choletais, est génératrice de pollutions organique et toxique.

Les rejets de matières oxydables dans l'eau de l'industrie sont restés inchangés dans la région entre 1981 et 1991, contrairement à la plupart des régions françaises (la baisse a été en moyenne de 22 %) ; les rejets de matières toxiques ont baissé de 19 % dans la région, mais là encore à un rythme très inférieur à celui de la plupart des régions, puisque la baisse a été en moyenne de 39 % pour la France.

■ *Une qualité des eaux des rivières plutôt médiocre*

La qualité de l'eau des rivières est loin d'être satisfaisante. Concernant les matières organiques et oxydables, elle s'est détériorée entre 1989 et 1993, les points de mesure de qualité mauvaise ou très mauvaise passant de 9 % à 20 %. Ils passent aussi de 13 % à 18 % pour le phosphore, alors que les niveaux de qualité moyenne en nitrates passent de 7 % à 35 % sur la même période.

Cependant, les efforts de dépollution des collectivités locales ne sont pas négligeables avec, pour les agglomérations de plus de 10 000 habitants, un taux de dépollution de 56 % (calculé pour la pollution oxydable), alors que la moyenne nationale est de 45 %.

UN ESTUAIRE SOUS PRESSION

Zones industrielles, raffineries, supertankers, usines, villes, mais aussi mulets, saumons, tadornes de Belon et hérons cendrés cohabitent dans l'estuaire de la Loire. Sur les derniers bords de Loire avant l'océan, le port de Nantes-Saint-Nazaire et ses 15 000 emplois voisine de trop près avec 18 000 hectares de zones humides d'une valeur ornithologique internationale. Sans compter les chasseurs et pêcheurs, autres utilisateurs des berges qui ont leurs intérêts à protéger.

UN ESTUAIRE ARTIFICIALISÉ

L'administration du Port autonome n'est pas habituée à se voir réclamer des comptes environnementaux. Depuis le début du siècle, l'industrie façonne l'estuaire au gré de ses besoins sans avoir été fortement contestée. De 1900 à 1915, on a creusé un chenal pour faire remonter les bateaux jusqu'à Nantes. De 1915 à 1930, on a créé en amont de Nantes un bassin à marée afin d'emmagasiner une plus grande quantité d'eau à chaque marée et avoir ainsi de l'eau dans l'estuaire toute l'année. Les bras de Loire sont comblés avec les sables extraits dans le fleuve. De 1930 à 1940, la Loire est corsetée dans des digues en pierre. De 1975 à 1985, la création d'un port méthanier et l'accroissement des tirants d'eau des pétroliers déchargeant à Donges, près de Saint-Nazaire, obligent à creuser le chenal encore plus profond. Actuellement, on extrait tous les ans 6 millions de mètres cubes de sable pour maintenir la navigabilité de l'estuaire. La Loire, « dernier fleuve sauvage d'Eu-rope », se termine en zone industrielle.

Les effets de ces aménagements sur le milieu naturel se font aujourd'hui très fortement sentir. À force de creuser, la marée rentre désormais jusqu'à plus de cent kilomètres à l'intérieur des terres. L'eau salée arrive l'été jusqu'à Nantes, et on pêche parfois des maquereaux à vingt kilomètres de la mer. L'augmentation considérable du volume d'eau emmagasiné à chaque marée accroît la vitesse du courant. Conséquence : le bouchon vaseux qui marque la limite entre eaux salées et eaux douces est très compact, abaissant la qualité de l'eau. Pauvre en oxygène, il interdit en période de basses eaux aux poissons migrateurs comme le mulet de rentrer dans le fleuve. Enfin, l'endiguement des rives a coupé les zones humides de l'estuaire, provoquant un assèchement de certains marais. L'ensemble de ces phénomènes se traduisent par un appauvrissement de la richesse biologique et une augmentation des contraintes pour les espèces migratrices (oiseaux, poissons). La profonde transformation de l'estuaire perturbe également le bon fonctionnement des activités économiques : l'agriculture en raison de la salinisation des sols, la conchyliculture très dépendante de la qualité de l'eau...

UN AVENIR PARTAGÉ

Entre le Port autonome, inquiet de l'avenir de ses zones industrielles, et les environnementalistes, le débat a été rude avant que le plan « Loire grandeur nature », adopté le 4 janvier 1994, ne vienne fixer les priorités et trancher entre protection de la nature et développement économique. Le projet de zone de protection spéciale (ZPS)[1] impose un classement de site d'environ 6 000 hectares sur les anciennes îles de la Loire et les prairies humides du sud du fleuve, deux réserves conventionnelles dont l'une, la vasière du banc de Bilho, juste en face du port méthanier, sera gérée par le Port autonome. Le marais de Liberge, près de Donges, bénéficie par ailleurs d'un arrêté de biotope. De plus, le Conservatoire du littoral, compétent sur les estuaires depuis 1995, devrait acquérir à terme 3 000 hectares de zones humides. Le Port autonome ne se voit pas interdire l'extension de ses zones portuaires. Mais ces travaux sont accompagnés d'opérations de restauration des milieux naturels comme l'entretien des vasières et la reconstitution de leurs liens hydrauliques avec le fleuve. Après un siècle d'histoire à sens unique, l'estuaire de la Loire s'essaie enfin à la cohabitation entre milieux naturels et industrie.

1. En application de la directive Oiseaux, chaque État membre doit désigner en « zone de protection spéciale » les territoires les plus appropriés à la conservation des oiseaux sauvages. Dans ces ZPS doivent être définies des mesures de protection adéquates garantissant la pérennité des populations d'oiseaux et de leurs habitats.

Émissions de polluants dans l'atmosphère, une contribution significative aux pluies acides

Du fait de sa structure industrielle dominée par les secteurs de l'énergie (centrale thermique, raffinerie...) et de la chimie, mais aussi du fait de sa population, de l'activité des transports et de l'agriculture, les Pays de la Loire sont la première région de France contributrice aux pluies acides et la quatrième région pour l'effet de serre. La centrale thermique EDF de Cordemais est encore aujourd'hui la première source d'émissions industrielles en France pour le SO_2 et le NOx. Des travaux de dépollution sont actuellement en cours (construction d'une tour de désulfuration). Deux établissements (centrale EDF, raffinerie ELF) représentent à eux seuls plus de 92 % des émissions de SO_2 de la région.

Une région bien équipée pour l'élimination des déchets industriels spéciaux

La région des Pays de la Loire est, à la différence de nombre de régions françaises, bien équipée en centres de stockage de déchets industriels ultimes (Champteussé-sur-Baconne, Saint-Cyr-des-Gâts et Changé-les-Laval), ce qui la place d'ailleurs en position d'importateur par rapport aux régions limitrophes. Elle dispose aussi de capacités d'incinération, de traitement physico-chimique et d'un centre de décontamination des PCB. La région a accueilli dans ces différents sites 113 000 tonnes de déchets en 1993, dont 41 % sont stockés et 32 % sont traités par évapo-incinération. Seulement 40 % des déchets accueillis sont originaires des Pays de la Loire, le reste provenant pour la quasi-totalité des autres régions du Grand Ouest.

Traitement des ordures ménagères : les conséquences du tourisme et des vieilles installations

La production régionale d'ordures ménagères s'établit autour de 320 kilogrammes par habitant et par an. Les deux départements côtiers subissent de fortes variations saisonnières, dues à la fréquentation touristique ; ainsi, le secteur de Saint-Jean-de-Monts en Vendée enregistre une fluctuation dans sa production d'ordures ménagères de 1 à 5 en kilogrammes par habitant et par jour entre le mois de janvier et le mois de juillet ! Le même phénomène s'observe en Loire-Atlantique, dont la production annuelle moyenne s'élève à 318 kilogrammes par habitant, mais dépasse 500 kilogrammes par habitant en zone littorale. Il existe également dans la région plus de trois cents décharges de résidus urbains exploitées sans autorisation, appelées décharges brutes. Elles accueillent gravats et encombrants, déchets verts et parfois même des huiles de vidange.

En 1994, 66 % des déchets ménagers et assimilés finissent en décharge sans traitement préalable et 32 % font l'objet d'une valorisation. La région dispose de dix usines d'incinération pour les déchets ménagers. Chaque année, 392 000 tonnes d'ordures ménagères y sont incinérées. Un effort important de mise en conformité aux prescriptions de l'arrêté du 25 janvier 1991 (traitement des fumées notamment) devra être mené puisque les plus anciennes usines d'incinération (ce sont les plus nombreuses) ont entre quinze et vingt ans et ne sont, de ce fait, pas complètement en conformité avec la récente loi.

Risques industriels

Treize établissements industriels relèvent de la directive Seveso. On y rencontre les trois types de risques : émanation de gaz toxiques nocifs pour l'homme et l'environnement (ex. : l'ammoniac), risques d'explosion liée à la manipulation de produits explosifs ou au stockage de gaz liquéfié (raffinerie, centre emplisseur de gaz), incendie (raffinerie, terminal méthanier). La zone de Donges-Montoir-de-Bretagne en basse Loire concentre, à elle seule, six des treize sites Seveso de la région.

D'autres installations, au nombre de vingt-neuf, sans être du même type que celles évoquées ci-dessus, sont potentiellement dangereuses. Au total, la région comprend 5 591 installations classées pour la protection de l'environnement soumises à autorisation, ce qui la place au deuxième rang en France, derrière la Bretagne.

PICARDIE

Un patrimoine naturel relativement riche

Située entre l'Île-de-France et le Nord-Pas-de-Calais, deux territoires fortement urbanisés, la Picardie reste une région à dominante rurale avec un patrimoine naturel relativement riche. 483 zones naturelles d'intérêt écologique faunistique et floristique couvrant près de 20 % du territoire régional ont été recensées. L'inventaire prend en compte des milieux variés : baie de Somme, massifs dunaires du Marquenterre, marais arrière-littoraux, tourbière alcaline de Sacy-le-Grand, tourbière acide de Cessières, landes de Versigny, pelouses calcicoles de la vallée de la Somme, prairies humides de la haute vallée de l'Oise, grands massifs forestiers du sud de l'Oise et de l'Aisne...

La frange littorale constitue un site de nidification et une halte exceptionnelle pour les oiseaux : l'avocette, le tadorne de Belon et le bruant des neiges côtoient en baie de Somme la plus importante colonie française de phoques veaux marins. Les tourbières et les marais représentent les derniers refuges d'une faune rare, comme le butor étoilé ou le triton crêté, tandis que les massifs forestiers accueillent les populations de grands cervidés. Enfin, les pays de bocage, les prairies inondables et les coteaux calcaires abritent de nombreuses espèces menacées (râle des genêts, lézard vert...).

Les espaces boisés, bien que gagnant en superficie depuis le début du siècle, sont relativement peu importants. Le taux de boisement de la Picardie, 15 % de la superficie régionale, se situe en retrait de la moyenne nationale (25,7 %), la Somme se distinguant avec un taux de 8,5 %, soit l'un des plus faibles du territoire métropolitain. Avec une forte concentration dans l'Aisne et au sud de l'Oise, où elles forment un massif continu de Chantilly à Ermenonville, les forêts picardes comptent toutefois parmi les ensembles forestiers de plaines les plus remarquables de France. Proches de Paris, ces grandes forêts autrefois forêts royales pour plusieurs d'entre elles, sont aujourd'hui très fréquentées par les touristes et les visiteurs le week-end (*voir encadré*).

■ *Le remarquable intérêt écologique du littoral picard*

La façade maritime picarde, sur une faible longueur d'un peu plus de 53 kilomètres, présente un remarquable intérêt écologique et paysager. La côte est marquée par les vallées de l'Authie et de la Somme, qui s'ouvrent sur la mer par de vastes estuaires. Autour de ces vallées, quatre types de paysages et de sites constituent un grand écosystème de près de 9 000 hectares.

Picardie

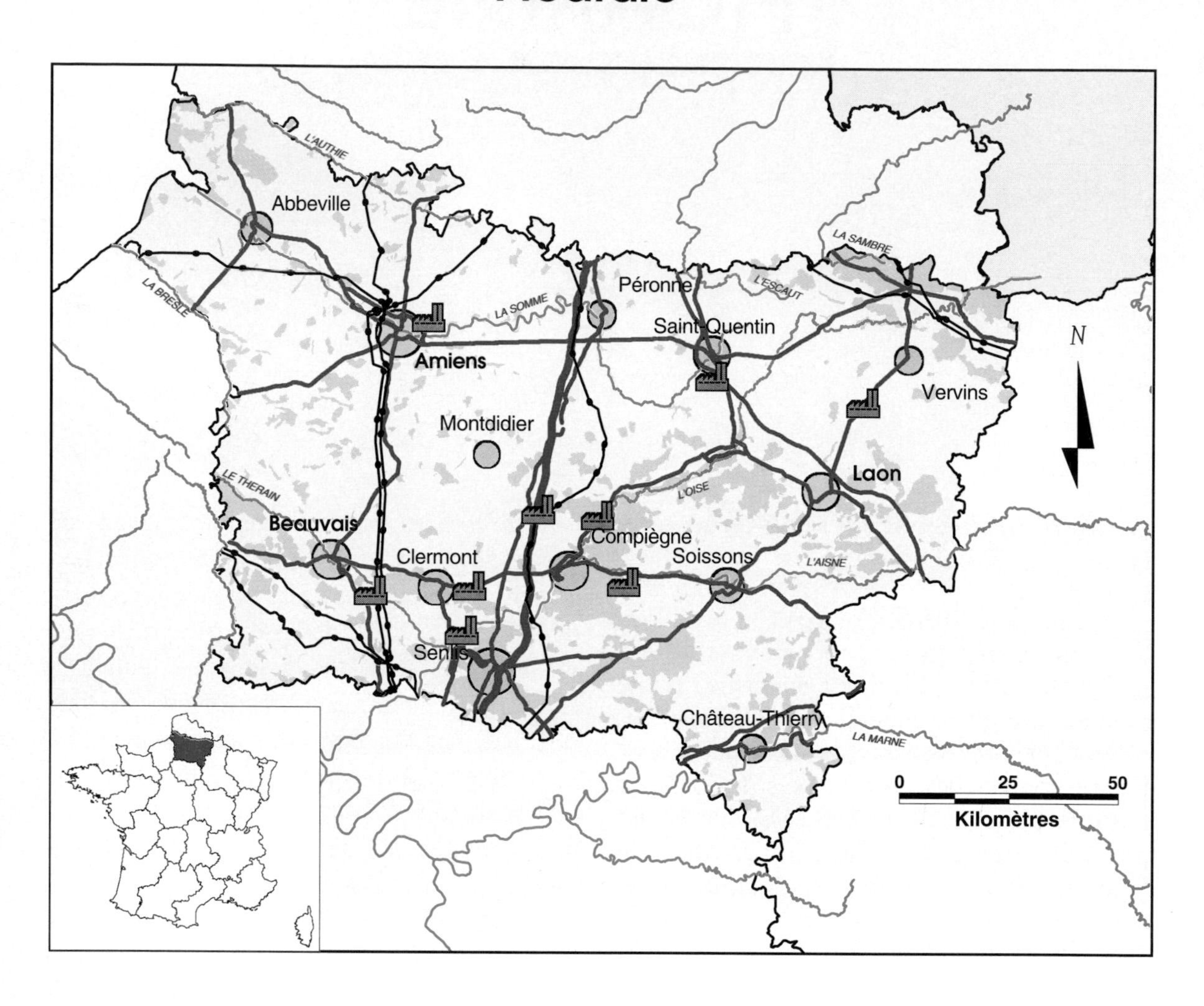

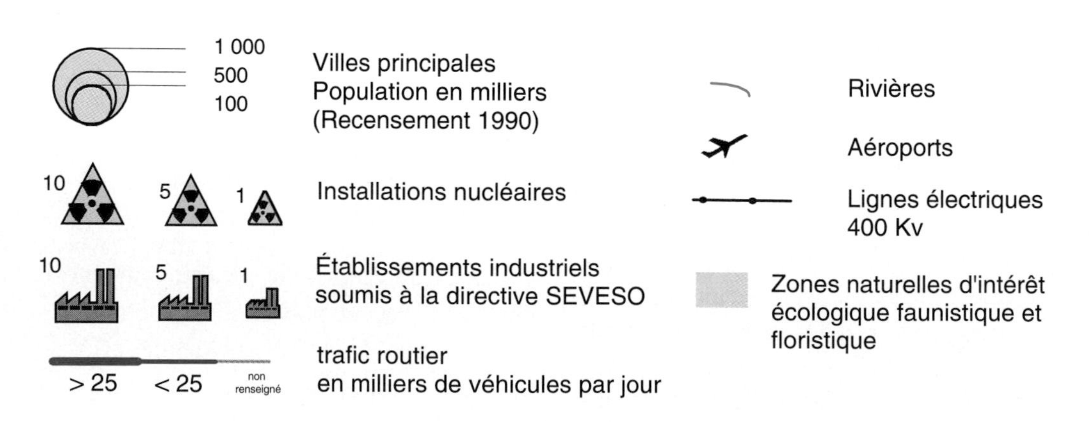

sources : MELTT/SETRA ; EDF Production Transport 1996 ; INSEE ; IFEN ; ministère de l'Environnement ; ministère de l'Industrie ; Muséum national d'histoire naturelle.

LES PRINCIPAUX INDICATEURS ENVIRONNEMENTAUX

INDICATEURS	VALEUR RÉGIONALE	VALEUR NATIONALE	UNITÉ	ANNÉE
TERRITOIRE				
• Types d'occupation des sols :				
- naturelle	19,2	38,2	%	1994
- agricole	73,3	54,4	%	1994
- artificielle	7,3	7,4	%	1994
• Pression urbaine	56,9	77	hab. urbain/km^2	1990
• Taux de boisement	15,3	26,3	%	Dernier inventaire
MILIEUX NATURELS FAUNE FLORE				
• ZNIEFF 1	16,1	8	% sup. régionale	1996
• ZNIEFF 2	4,3	21,1	% sup. régionale	1996
• Réserves naturelles	3 340	132 045	ha	1995
• Zones de protection spéciale (directive Oiseaux)	15 050	707 000	ha	1995
EAU				
• Qualité physico-chimique des eaux superficielles (rivières). Observations classées en catégories très bonne et bonne :				
- matières organiques et oxydables	36	56	%	1993
- phosphore	37	60	%	1993
- nitrates	100	83	%	1993
• Qualité des eaux de baignade en eau douce :				
- points de surveillance conformes aux normes de la directive européenne	80	87,3	%	1993
ATMOSPHÈRE, AIR				
• Part de la région PICARDIE dans la contribution française :				
- à l'accroissement de l'effet de serre	3,1	100	%	1990
- à la formation des pluies acides	3,3	100	%	1990
DÉCHETS MÉNAGERS ET ASSIMILÉS				
• Taux de valorisation énergétique et organique	2,8	29,9	%	1993
• Taux de mise en décharge	88,8	60,9	%	1993
ÉNERGIE				
• Production d'énergie primaire	3	99 885	Ktep	1992
• Nombre de réacteurs de production d'électricité	/	59	Nbre	1994
RISQUES TECHNOLOGIQUES				
• Nombre d'installations Seveso	9	346	Nbre	1994
• Autres installations potentiellement dangereuses	22	691	Nbre	1994
TRANSPORTS TERRESTRES				
• Densité des routes nationales (routes et autoroutes)	7,6	6,6	km pour 100 km^2	1993
• Parcours journalier moyen sur les routes nationales	9,3	8,1	100 millions de véhicules/km	1992
• Distance moyenne domicile/travail	11,2	8,1	km	1990
• Points noirs dus au bruit :				
- route	92	1 414	Nbre	1991
- rail	2	248	Nbre	1991
SOCIÉTÉ				
• Associations agréées de protection de l'environnement	31	1 434	Nbre	1991

DES FORÊTS GRIGNOTÉES PAR LA VILLE

Zone tampon entre la Picardie et l'Île-de-France, les forêts de Chantilly, d'Halatte et d'Ermenonville vivent difficilement leur voisinage avec la capitale. Ce « massif des trois forêts » est convoité à ses lisières par les constructeurs de résidences, découpé par les grandes voies de communication, fatigué par le piétinement de promeneurs de plus en plus nombreux. La pression parisienne est extrêmement forte. Si aucune mesure de prévention n'est prise pour sauvegarder l'intégrité territoriale et écologique de ces massifs forestiers, ceux-ci deviendront des bois périurbains, puis des parcs boisés périurbains.

PRESSION URBAINE

Ces forêts ne sont pas naturelles. Elles ont été exploitées dès l'origine au nom du roi de France pour chauffer Paris et lui fournir du bois de construction. Halatte, Chantilly et Ermenonville ont connu d'immenses coupes claires pendant la Première Guerre mondiale qui expliquent encore aujourd'hui les centaines d'hectares de futaies constituées d'arbres de même espèce et de même âge. Les forestiers s'attachent aujourd'hui à remettre de l'ordre dans des forêts qui, après le sacrifice du début du siècle, ont été sous-exploitées pendant des décennies.

Ce pourrait être une affaire interne à traiter entre gestionnaires forestiers et bûcherons si les promeneurs n'étaient pas aussi nombreux. Chantilly reçoit en effet quatre millions de visiteurs par an, Ermenonville deux millions et Halatte un million. Ces promeneurs sont souvent occasionnels et viennent pour les jonquilles du printemps ou les champignons de l'automne. La plupart du temps, ils ne s'éloignent guère de plus de 200 mètres des grandes allées forestières. Minoritaires sont ceux qui font de la randonnée à travers les sentiers du massif.

Ces visiteurs de la fin de semaine reprochent souvent aux forestiers ces plans de coupe qui nécessitent de déboiser des pans entiers de forêt pour la régénérer. Cette vision d'une nature sacralisée se heurte aux réalités d'une saine gestion patrimoniale. D'autant que l'affluence humaine est elle aussi source de déséquilibres environnementaux. Ainsi, le piétinement des bords des chemins provoque l'érosion des sols, notamment dans les endroits sableux très fragiles comme en forêt d'Ermenonville. Pour combler le fossé entre gestionnaires et promeneurs, le massif s'est doté d'aires de repos où sont installés des panneaux pédagogiques sur la vie de la forêt. Ces aires permettent aussi de concentrer l'essentiel des flux humains sur des endroits bien limités.

DE LA FORÊT AU PARC

La pression urbaine s'exerce également sur les lisières de l'ensemble du massif. Le développement de la région de Roissy et de la vallée de l'Oise, l'accroissement continu de Paris et sa banlieue cernent au plus près les limites des trois forêts. Or, les constructions en bordure extrême de site sont préjudiciables à l'équilibre écologique des orées. Ces implantations accélérant par ailleurs le morcellement de l'espace naturel. Le massif des trois forêts ne résistera à la pression urbaine que s'il garde la cohérence de ses 20 000 hectares. D'où l'idée de préserver non seulement la forêt mais également ses abords en imposant une bande de 100 à 500 mètres non constructible. Ce sont sur ces lisières que se situent les enjeux les plus délicats entre le développement des communes et la préservation de l'espace naturel.

Les forêts de Chantilly et d'Ermenonville sont certes classées. Mais elles sont aussi en première ligne d'une extension urbaine continue, nécessitant une gestion globale de la région. Ce n'est pas encore le cas. En discussion depuis plus de dix ans, le projet de parc naturel régional n'a pas encore abouti.

Le massif du Marquenterre qui s'étend sur plus de 4 000 hectares est un ensemble dunaire qui connaît peu d'équivalent en Europe. Les estuaires de la Somme et de l'Authie couvrent plusieurs dizaines de kilomètres carrés et sont situés sur les grandes voies européennes de migration de l'avifaune. Le patrimoine floristique et faunistique y est reconnu d'intérêt international : 65 % des espèces d'oiseaux européens sont présents en baie de Somme. C'est l'un des seuls sites du littoral français où le phoque veau marin est présent en permanence. Dans la région des Bas-Champs, le Hable d'Ault est une vaste zone humide constituée de marais et de prairies, particulièrement importante sur le plan écologique, très morcelée sur le plan foncier, menacée d'envahissement par la mer. Quant aux falaises de craie d'Ault et de Mers, d'une hauteur de 60 mètres, elles annoncent les paysages littoraux de Seine-Maritime.

■ *Un patrimoine naturel menacé*

Le patrimoine naturel picard demeure néanmoins fragile : le morcellement, voire la disparition des biotopes par l'extension du tissu urbain et des infrastructures, l'intensification de l'agriculture et le développement des carrières sont les principales causes de la disparition des espèces. Les milieux naturels les plus remarquables constituent un ensemble d'îlots de plus en plus isolés et exposés. Certains d'entre eux, de faible taille et insérés au sein de territoires banalisés, sont particulièrement menacés. C'est notamment dans le sud de l'Oise, avec l'extension de la mégalopole parisienne, et sur le littoral que la dégradation des ressources naturelles est la plus significative. Enfin, certains milieux et paysages se font plus rares du fait, entre autres, de l'assèchement des zones humides, de la conversion des prairies, de l'arasement des haies et de la disparition des ceintures vertes autour des villages.

Ces modifications des milieux engendrent la régression et parfois la disparition d'espèces animales et végétales. Ainsi, parmi les cinquante et une espèces d'orchidées recensées en Picardie au début de ce siècle, sept ont disparu. Depuis 1967, treize plantes ont disparu de Picardie (gesse maritime, orchis punaise…). Ainsi encore, le phoque veau-marin ne subsiste qu'en très petit nombre en baie de Somme alors qu'il y était autrefois abondant.

La pression urbaine de l'agglomération parisienne

La Picardie possède une densité de population (90 hab./km^2) inférieure à la moyenne nationale (100 hab./km^2). Relativement moins peuplée que les régions environnantes, la région picarde est parfois perçue comme une réserve d'espace pour l'agglomération parisienne toute proche. Cela implique une forte pression foncière et provoque une urbanisation diffuse.

Alors qu'au siècle dernier les densités les plus élevées se situaient dans le Santerre et le Vermandois, c'est aujourd'hui le sud de la région qui est concerné et ce déséquilibre s'accentue. La partie sud des départements de l'Oise et de l'Aisne est soumise à une pression urbaine importante liée à la proximité de Paris. L'Oise en particulier, qui ne représente pourtant que 40 % de la population régionale, recueille plus de 90 % de la croissance démographique enregistrée par la Picardie depuis 1982.

Si la région ne possède pas de grandes métropoles (une seule ville, Amiens, compte plus de 100 000 habitants) et n'a qu'un faible taux de population urbaine, elle compte une forte densité de villes moyennes. La tendance récente est au développement des unités urbaines les plus importantes alors que la population des villes moyennes diminue, parfois très sensiblement (– 2,8 % pour Creil-Ville entre 1982 et 1990).

La forte empreinte des transports routiers sur le territoire

La Picardie, à l'instar des autres régions françaises, mais peut-être plus que d'autres par sa situation entre la mégalopole parisienne et le nord de l'Europe, connaît une politique de développement des grandes infrastructures illustrant la dynamique majoritaire en France, la « vision routière », au détriment des autres modes de transport terrestre : rail et voies d'eau. De 1982 à 1993, le réseau autoroutier picard s'est accru de 70 %. Le tissu des autoroutes (A16 et A29) et des voies rapides s'est ainsi fortement développé. Néanmoins, les autres modes de transport terrestre ne sont pas totalement absents de la région puisque les dernières années ont vu la construction de l'axe TGV Paris-Lille-Calais-Londres. Par ailleurs, la mise au gabarit européen des canaux reliant l'Oise à la Moselle (projet Seine-Est) et au réseau fluvial du Nord (projet Seine-Nord) est à l'étude.

Ainsi, de multiples axes de transport traversent la Picardie et un nombre important d'entre eux sont des radiales convergeant sur Paris, qu'il s'agisse des voies d'eau, des autoroutes, des voies ferrées et même des anciennes routes

TERRITOIRE	Trois départements :	Aisne, Oise, Somme
	Superficie totale :	19 399,4 km^2 (3,5 % sup. française)
	Superficie communes urbaines :	3 069 km^2 (15,8 % sup. régionale)
	Densité 1994 :	96 hab./km^2
POPULATION	Population totale 1990 :	1 810 687 (3,2 % de la pop. française)
		estimation 1994 : 1 858 095
	Population urbaine 1990 :	1 102 916 (60,9 % pop. régionale)
	Quatre principales agglomérations :	Amiens, Creil, Saint-Quentin, Compiègne (21,6 % de la pop. régionale)
	Pyramide des âges 1994 :	– 25 ans : 37 %
		+ 60 ans : 17,5 %
COMPTES ÉCONOMIQUES	Produit intérieur brut (PIB) 1992 :	186 741 millions F (2,7 % PIB français)
	PIB/hab. 1992 :	101 436 F
EMPLOI	Emploi total 1992 :	628 559 (2,9 % emploi total français)
	Agriculture :	6,2 % emploi total régional
	Industrie :	27,6 % / /
	Bâtiment, génie civil et agric. :	6,4 % / /
	Commerce, transport et télécom. :	10,7 % / /
	Autres services :	49,1 % / /
	Taux de chômage 1994 :	13 % (104 371 chômeurs)
LOGEMENT	Résidences principales 1990 :	636 659
	dont logements collectifs :	22,3 %
	Résidences secondaires 1990 (1) :	57 971
AGRICULTURE	SAU 1993 :	1 351 milliers d'ha (4,8 % SAU nationale)
	dont terres labourables :	87 %
	Nbre d'exploitations 1993 :	20 032
	Superficie moyenne 1993 :	67,4 ha
INDUSTRIE	Nbre d'établissements 1995 :	7 543, dont – 10 sal. : 5 565, + 500 sal. : 39
	Principaux secteurs industriels (effectifs salariés 1993) :	travail des métaux, chimie-caoutchouc-plastiques, IAA, équipements industriels

Sources : INSEE, SCEES.

(1) Les résidences secondaires comprennent également les logements occasionnels.
NB : les pourcentages sont calculés par rapport à la France métropolitaine.

royales. Les trains de banlieue desservent Paris à partir de Méru, Creil ou Crépy-en-Valois. Plus de la moitié de la population picarde habite à moins de 100 kilomètres de Paris et une part importante des habitants travaille en région parisienne. Cette géographie des voies de circulation contribue ainsi au renforcement de l'attractivité majoritairement exercée par la région Île-de-France et ne facilite pas une dynamique plus équilibrée de la région.

Les effets de ces infrastructures sur l'environnement sont multiples : destruction localisée des ressources, effets de coupure considérables, notamment sur le plan de la circulation des animaux (grands cervidés) mais aussi des hommes, altération des paysages, effets induits très forts tels que les remembrements (56 000 hectares ont été remembrés en 1987 suite aux grands ouvrages, dont 33 000 hectares en liaison avec l'A26 dans l'Aisne), ouverture de très nombreuses carrières par suite des besoins en granulats liés à ces infrastructures et au développement de la région parisienne. La Picardie produit essentiellement des granulats issus des carrières en eau et de la silice. Les bassins de production des granulats se localisent principalement dans les vallées de l'Aisne, de l'Oise, de la Bresle et du Thérain et sur le littoral picard. Parmi les nuisances, le bruit est une préoccupation importante des riverains des grandes infrastructures. Lors d'un recensement mené au niveau national, 92 points noirs de bruit ont été recensés en 1995 dans la région, ce qui la place parmi les cinq régions françaises les plus touchées

L'uniformisation et la dégradation des paysages dues à la grande culture mécanisée

La faiblesse des pentes, la fertilité des sols, la très grande taille des exploitations, la proximité de grands centres de consommation, d'industries et de capitaux ont concouru au développement précoce de la grande culture dans la région. L'espace picard reste voué à l'agriculture (76,2 % contre 56,2 % pour la France entière). Cette grande culture domine partout sauf en Thiérache, dans le pays de Bray où le bocage l'emporte et sur les marges océaniques, en Vimeu et Marquenterre où la prairie occupe l'essentiel des terres. Toutefois, la prairie a subi en région picarde une forte régression (– 22 % de 1982 à 1990).

La taille des exploitations est double de la moyenne française : de 40 hectares en 1979, elle est passée à 67 hectares en 1993. Les exploitations de plus de 100 hectares occupent 52 % de la SAU et bien plus encore dans le Vexin, le Valois, le Multien, le Soissonnais, le Laonnois, le Saint-Quentinois. La taille des exploitations est plus modeste dans l'Ouest picard, les zones d'élevage et surtout la Thiérache.

La production végétale de la région est très importante. Les rendements agricoles sont parmi les plus élevés de France. La Picardie n'est dépassée pour le blé que par la région Centre. La région est la première du pays pour la betterave à sucre, l'orge, la pomme de terre industrielle, les légumes de plein champ ; la deuxième pour les endives. L'augmentation de la productivité du travail agricole s'est accompagnée d'un exode rural puissant (- 38 % d'agriculteurs en quinze ans) et d'une perte de savoir-faire traditionnels, facteur d'entretien de milieux « naturels » (par exemple, la disparition progressive de l'élevage ovin itinérant...). Le passage d'une société agricole traditionnelle à un système agro-industriel a conduit, dans certains cas, à une gestion trop intensive de l'espace.

L'agriculture picarde a donc été marquée par une intensification et une spécialisation croissantes et poussées. Sa consommation d'engrais s'élève à 300 kilogrammes par hectare et par an contre 200 kilogrammes en moyenne en France. Les remembrements se sont accompagnés de suppressions massives de haies et de talus. L'érosion récente des sols est une conséquence des pratiques agricoles mal adaptées. Elle peut se traduire par des inondations et des coulées boueuses. Des volumes croissants de terre sont entraînés vers les milieux aquatiques (rivières, marais) de plus en plus saturés.

L'application de la nouvelle politique agricole commune (PAC) affecte de manière conséquente les paysages de la région. Les principaux changements concernent la réorganisation des espaces cultivés avec la conversion des prairies en cultures, qui accompagnent l'arrachage des haies dans les pays bocagers et le développement des cultures de substitution au titre de la jachère industrielle (colza, lin...). En 1993, près de 17 000 hectares ont ainsi été consacrés aux cultures destinées aux biocarburants, dont 55 % pour produire l'ester méthylique de colza.

Ces processus ont conduit à une uniformisation et à une dégradation des paysages agraires, ainsi qu'à leur appauvrissement biologique, tandis que les ressources en eau sont progressivement polluées par les engrais (nitrates, phosphates...) et les pesticides. Globalement, les mutations agricoles ont entraîné une aggravation des pollutions diffuses.

Une ressource en eau suffisante mais fragile

La Picardie bénéficie d'une pluviométrie abondante (600 à 1 000 mm en moyenne annuelle). Excepté en Thiérache, le sous-sol est propice au stockage des eaux grâce à la craie et aux sables tertiaires. La région dispose globalement de ressources en eau suffisantes pour satisfaire aux demandes des différentes catégories d'utilisateurs. Le réseau hydrographique particulièrement sensible se compose, au nord, d'un plateau calcaire avec des nappes souterraines abondantes mais vulnérables et, au sud, d'un réseau hydrographique très développé dont l'eau superficielle est prélevée et traitée pour alimenter en eau potable la région parisienne.

Les problèmes relatifs à la gestion des eaux concernent essentiellement le maintien de la qualité de la ressource, qui devient problématique pour la distribution pérenne d'une eau potable dans certaines communes de la région.

■ *Des eaux souterraines polluées par les nitrates*

Les eaux souterraines représentent la quasi-totalité de l'alimentation en eau potable de la Picardie. Depuis les années 70, une évolution inverse entre les prélèvements industriels et ceux des réseaux d'alimentation en eau potable s'opère : une réduction d'environ 50 % des prélèvements industriels a été contrebalancée par un accroissement du même ordre pour l'eau potable.

L' eau souterraine est menacée par les pollutions diffuses agricoles et les rejets des eaux usées industrielles et domestiques. Depuis quelques années, l'évolution des teneurs en nitrates dans les nappes est devenue préoccupante. La présence de nitrates est due à différents rejets liés aux activités agricoles (excédents d'engrais et effluents d'élevage) mais aussi urbaines et industrielles. Quatre-vingts ne répondent pas aux normes réglementaires. Si, dans la Somme, la situation est relativement favorable, elle est plus préoccupante dans l'Oise et surtout dans l'Aisne.

■ *Des eaux superficielles de qualité médiocre*

Les eaux superficielles et les milieux aquatiques en Picardie sont d'une qualité très moyenne et des points noirs subsistent sur certaines rivières. Les efforts de lutte contre la pollution menés depuis plus de vingt ans par les industriels et les collectivités locales n'ont pas été négligeables. Cependant, on s'est attaqué aux pollutions les plus faciles à éliminer, à savoir les pollutions carbonées et les matières en suspension. Les cours d'eau doivent aujourd'hui supporter une pollution croissante en azote et en phosphore, accompagnée d'une pollution par les métaux lourds, les matières organiques et les produits phytosanitaires.

Des objectifs de qualité ont été fixés afin que les rivières puissent satisfaire les multiples usages de l'eau (usages domestiques, agricoles, industriels et ludiques). Or, la moitié des rivières de Picardie ne répondent pas à ces objectifs. La tendance générale est aujourd'hui à la médiocrité : la faible et très lente évolution positive observée est souvent contrecarrée par des aggravations localisées ou par des pollutions épisodiques d'origine accidentelle ou pluviale. En outre, le nombre de tronçons de rivière d'excellente qualité diminue.

La pollution due aux rejets des collectivités locales apparaît comme l'élément principal de détérioration de la qualité de l'eau. Le réseau d'assainissement collectif présente un certain nombre de faiblesses concernant notamment sa fiabilité et sa performance pour l'azote et le phosphore, la collecte et la prise en compte de l'introduction d'eaux parasitaires. Avec un taux d'assainissement de 53 % dans ses agglomérations de plus de 10 000 habitants, la région fait cependant un peu mieux que la moyenne des régions françaises (45 %). De leur côté, les industries rejettent aujourd'hui un peu moins de matières oxydables qu'hier (- 15 % de 1981 à 1991, quand la moyenne française est de – 22 %) et autant de matières toxiques qu'hier (+ 2 % de 1981 à 1991, quand la moyenne française est de – 39 %).

■ *Inquiétude pour les eaux littorales*

La Picardie possède une façade maritime s'étendant sur 70 kilomètres en Manche orientale. Les études menées en 1993 sur le littoral confirment l'amélioration de la qualité des eaux de baignade pour les plages autorisées. Elles soulignent cependant la persistance d'une pollution bactérienne dans l'estuaire de la Somme et sur quelques points de la côte. Ces problèmes ont entraîné la fermeture de certaines plages, les normes de qualités des eaux de baignade fixées par l'UE n'étant que très partiellement respectées.

En ce qui concerne la conchyliculture, aucun gisement ne respecte les normes de salubrité. La qualité des eaux du littoral est affectée par la présence de germes pathogènes qui entraînent un déclassement des zones de baignade et conchylicoles. Les coquillages ramassés dans les secteurs insalubres des baies de Somme et d'Authie ne peuvent d'ailleurs être consommés qu'après un passage en station de purification.

■ *Les inondations : principal risque naturel en Picardie*

Près de 20 % des communes picardes connaissent des risques d'inondation. Ces risques sont importants dans les vallées de l'Oise et de l'Aisne. Le réseau hydrographique picard est peu dense et peu ramifié à l'exception du Nord-Est (Thiérache). Les comportements hydrographiques sont assez contrastés entre la Somme, dont la régularité du débit est remarquable, et l'Oise, où les écarts entre crues et étiages sont relativement grands. Le nombre de communes reconnues sinistrées au titre des inondations s'élève à 489 en 1993 et 433 en 1994.

Les capacités de traitement des déchets

En 1993, le recours à la mise en décharge des déchets ménagers sans traitement ni valorisation particulière est presque systématique (88,8 %). C'est la situation la plus mauvaise en France après l'Auvergne, alors que les objectifs de la loi de 1992 sur les déchets ménagers obligent à moyen terme à valoriser la totalité des déchets ménagers et à n'entreposer en décharge que des déchets ultimes.

La majeure partie des déchets industriels spéciaux était, en 1993, traitée et stockée à l'extérieur de la région. La Picardie ne dispose pas de centres d'enfouissement de classe 1.

Des risques technologiques dans les zones urbanisées

La Picardie compte neuf établissements relevant de la directive Seveso sur les risques technologiques majeurs. Ceux-ci concernent notamment le stockage de substances chimiques inflammables, explosibles ou toxiques. Ces risques sont renforcés par la localisation de ces sites dans les vallées fortement urbanistiques (zone périurbaine parisienne et axe de communication).

POITOU-CHARENTES

La richesse du patrimoine naturel

Depuis les hautes terres du Confolentais situées aux confins occidentaux du Massif central jusqu'aux vasières littorales largement ouvertes sur l'océan, des sables de la Dioublé saintongaise annonçant les grandes landes de Gascogne aux plateaux calcaires charentais, la région Poitou-Charentes recèle une grande diversité de milieux naturels.

Carrefour d'influences climatiques et géologiques ici adoucies, le Poitou-Charentes apparaît comme une région de transition où de multiples terroirs ont pu se différencier au cours des siècles, terroirs nés d'une longue interaction entre l'homme et le milieu : Saintonge crayeuse, brandes de Montmorillonais, gâtine des Deux-Sèvres, groies charentaises et poitevines...

771 zones naturelles d'intérêt écologique, faunistique et floristique (les ZNIEFF) ont été répertoriées. Des types de milieux très divers y sont présents : vallées rocheuses du Thouarsais, vasières et prés salés charentais, prairies alluviales inondables de la Charente, tourbières des landes de Montendre, plateaux calcaires de l'Angoumais, falaises de l'estuaire de la Gironde, chênaies-charmaies du Poitou, rives d'étangs.

Le littoral, élément majeur du patrimoine naturel

Avec ses 364 kilomètres de frange côtière, de la baie de l'Aiguillon à l'estuaire de la Gironde en comptant les îles, le Poitou-Charentes possède une façade maritime qui représente un élément majeur du patrimoine naturel régional. Cette fragile frange littorale est constituée d'une mosaïque de milieux tout au long de ses côtes sableuses (sur 163 km), de ses marais littoraux (134 km) et de ses côtes rocheuses (67 km).

L'originalité de cette côte tient aussi à la présence de grandes îles – les îles de Ré et d'Oléron – qui ménagent entre elles et le continent deux mers intérieures : le pertuis d'Antioche et le pertuis breton.

La côte continentale, qui s'étend sur 155 kilomètres, est largement découpée par les estuaires : Sèvre niortaise, Charente, Seudre et Gironde. Ce découpage et l'amplitude des marais ont créé de larges estrans et vasières fournissant des éléments nutritifs nécessaires aux activités de pêche et de conchyliculture. Ils constituent également le premier maillon d'une chaîne alimentaire qui est à l'origine de l'abondance de l'avifaune du littoral.

Poitou-Charentes

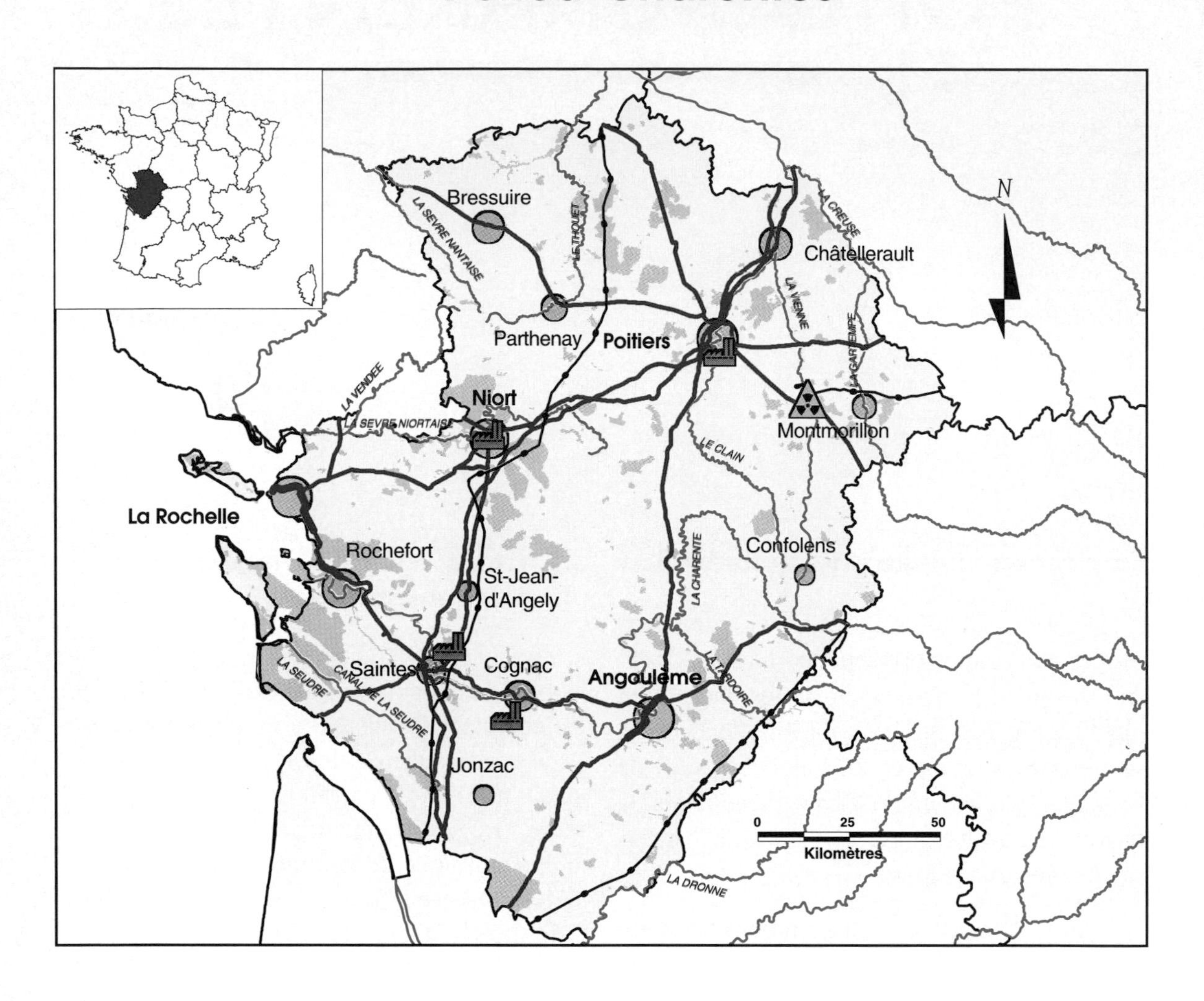

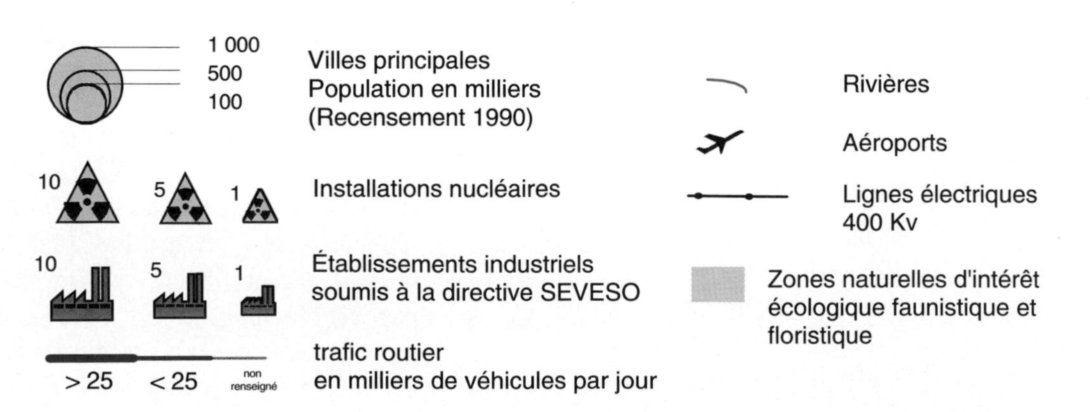

sources : MELTT/SETRA ; EDF Production Transport 1996 ; INSEE ; IFEN ; ministère de l'Environnement ; ministère de l'Industrie ; Muséum national d'histoire naturelle.

LES PRINCIPAUX INDICATEURS ENVIRONNEMENTAUX

INDICATEURS	VALEUR RÉGIONALE	VALEUR NATIONALE	UNITÉ	ANNÉE
TERRITOIRE				
• Types d'occupation des sols :				
- naturelle	18,2	38,2	%	1994
- agricole	74,1	54,4	%	1994
- artificielle	7,6	7,4	%	1994
• Pression urbaine	31,5	77	hab. urbain/km²	1990
• Taux de boisement	14,4	26,3	%	Dernier inventaire
MILIEUX NATURELS FAUNE FLORE				
• ZNIEFF 1	5,8	8	% sup. régionale	1996
• ZNIEFF 2	8,9	21,1	% sup. régionale	1996
• Réserves naturelles	7 200	132 045	ha	1995
• Zones de protection spéciale (directive Oiseaux)	61 040*	707 000	ha	1995
EAU				
• Qualité physico-chimique des eaux superficielles (rivières). Observations classées en catégories très bonne et bonne :				
- matières organiques et oxydables	60	56	%	1993
- phosphore	64	60	%	1993
- nitrates	65	83	%	1993
• Qualité des eaux de baignade en eau douce :				
- points de surveillance conformes aux normes de la directive européenne	81,4	87,3	%	1993
ATMOSPHÈRE, AIR				
• Part de la région POITOU-CHARENTES dans la contribution française :				
- à l'accroissement de l'effet de serre	3	100	%	1990
- à la formation des pluies acides	2,9	100	%	1990
DÉCHETS MÉNAGERS ET ASSIMILÉS				
• Taux de valorisation énergétique et organique	25,8	29,9	%	1993
• Taux de mise en décharge	60,6	60,9	%	1993
ÉNERGIE				
• Production d'énergie primaire	28	99 885	Ktep	1992
• Nombre de réacteurs de production d'électricité	2**	59	Nbre	1994
RISQUES TECHNOLOGIQUES				
• Nombre d'installations Seveso	4	346	Nbre	1994
• Autres installations potentiellement dangereuses	10	691	Nbre	1994
TRANSPORTS TERRESTRES				
• Densité des routes nationales (routes et autoroutes)	5,3	6,6	km pour 100 km²	1993
• Parcours journalier moyen sur les routes nationales	10,4	8,1	100 millions de véhicules/km	1992
• Distance moyenne domicile/travail	7,4	8,1	km	1990
• Points noirs dus au bruit :				
- route	80	1 414	Nbre	1991
- rail	8	248	Nbre	1991
SOCIÉTÉ				
• Associations agréées de protection de l'environnement	34	1 434	Nbre	1991

* Y compris les zones en commun avec d'autres régions.

** Les deux réacteurs de Civaux sont en phase de construction et ne sont pas en activité.

Les vasières et les prés salés se découvrant à chaque marée constituent pour leur part un des traits les plus marquants de la physionomie des côtes charentaises. Ils sont un milieu d'élection pour de très nombreuses espèces d'oiseaux qui utilisent les vasières, tant au cours de leur migration que durant leur hivernage.

Les côtes sableuses ou milieux dunaires sont caractérisés par une flore originale comptant plusieurs plantes endémiques du littoral français. Les forêts littorales constituent sur le plan biologique un réservoir d'une richesse exceptionnelle. Ainsi la forêt de la Coubre possède une flore très particulière d'origine méditerranéenne qui, malgré quelques ressemblances avec la forêt landaise, présente de nombreux traits originaux qui en font un « monument naturel » unique en France. Les côtes rocheuses sont comparativement peu développées, par rapport notamment au littoral breton. Si leur intérêt pour la faune est

TERRITOIRE	Quatre départements :	Charente, Charente-Maritime, Deux-Sèvres, Vienne
	Superficie totale :	25 809,5 km^2 (4,7 % sup. française)
	Superficie communes urbaines :	2 955,2 km^2 (11,4 % sup. régionale)
	Densité 1994 :	63 hab./km^2
POPULATION	Population totale 1990 :	1 595 109 (2,8 % de la pop. française) estimation 1994 : 1 625 396
	Population urbaine 1990 :	810 482 (50,8 % pop. régionale)
	Quatre principales agglomérations :	Poitiers, Angoulême, La Rochelle, Niort (23,6 % de la pop. régionale)
	Pyramide des âges 1994 :	– 25 ans : 31,4 % + 60 ans : 24,2 %
COMPTES ÉCONOMIQUES	Produit intérieur brut (PIB) 1992 :	157 960 millions F (2,2 % PIB français)
	PIB/hab. 1992 :	97 864 F
EMPLOI	Emploi total 1992 :	570 928 (2,6 % emploi total français)
	Agriculture :	10,7 % emploi total régional
	Industrie :	19,7 % / /
	Bâtiment, génie civil et agric. :	7,1 % / /
	Commerce, transport et télécom. :	12,1 % / /
	Autres services :	50,4 % / /
	Taux de chômage 1994 :	12,8 % (86 528 chômeurs)
LOGEMENT	Résidences principales 1990 :	611 728
	dont logements collectifs :	15,5 %
	Résidences secondaires 1990 (1) :	92 219
AGRICULTURE	SAU 1993 :	1 783 milliers d'ha (6,3 % SAU nationale)
	dont terres labourables :	79 %
	Nbre d'exploitations 1993 :	42 696
	Superficie moyenne 1993 :	41,7 ha
INDUSTRIE	Nbre d'établissements 1995 :	8 397, dont – 10 sal. : 6 918, + 500 sal. : 19
	Principaux secteurs industriels (effectifs salariés 1993) :	IAA, bois et papier, équipements mécaniques, habillement-cuir

Sources : INSEE, SCEES.

(1) Les résidences secondaires comprennent également les logements occasionnels.
NB : les pourcentages sont calculés par rapport à la France métropolitaine.

faible, leur richesse botanique en fait des milieux d'une valeur écologique exceptionnelle.

Les zones humides constituent le milieu le plus menacé

Les zones humides, pour plusieurs d'entre elles d'un intérêt écologique exceptionnel d'ordre international (migration des oiseaux), sont un des milieux les plus riches de la région par la diversité de leurs habitats et de leurs espèces. Plus du quart des plantes protégées en Poitou-Charentes appartient à ce type de milieu. L'inventaire régional des ZNIEFF, où les zones humides représentent 29 % des zones de type 1, reflète bien leur grande importance dans le patrimoine biologique régional.

Les fleuves et rivières qui alimentent certaines zones humides sont touchés, en certains points de leur cours, par une dégradation de leur qualité liée aux rejets d'eaux usées urbaines, aux effluents agricoles... Ce sont principalement les changements de pratiques agricoles qui ont conduit et conduisent encore à la transformation de prairies submersibles en champs de culture intensive

Ils ont modifié et, ce faisant, altéré le « fonctionnement » hydrologique des écosystèmes aquatiques (drainage, fossés, etc.). Des interventions contractuelles, réglementaires, etc. tentent, non sans mal, de contrôler les phénomènes. Les barrages régulateurs de crues, le remblaiement du lit majeur ou leur remplacement par des plantations de peupliers ont contribué aussi à la disparition ou à l'appauvrissement des prairies alluviales. Les marais et tourbières, très localisés dans l'ensemble de la région où ils ne couvrent que des surfaces infimes, sont menacés par le drainage et l'assèchement en vue de leur mise en culture (céréales et sylviculture).

La dynamique naturelle de la végétation, avec l'envahissement progressif par les arbustes depuis l'abandon des parcours extensifs, est aussi localement une cause de dégradation de certains marais (marais de Lizonne en Charente, marais de Cravans en Charente-Maritime, marais de Plidoux dans les Deux-Sèvres). Les étangs et plans d'eau souffrent du passage de plus en plus fréquent d'une utilisation traditionnelle extensive à une exploitation intensive, qui se traduit par des pratiques très dommageables pour la qualité biologique des milieux : élimination de la végétation aquatique par épandage d'herbicides, modification de la qualité de l'eau par des apports d'engrais, suppression des fluctuations naturelles de niveau, destruction des ceintures de végétation périphériques. Les marais littoraux font l'objet, depuis la crise de l'élevage bovin apparue vers la fin des années 70, d'une reconversion en cultures céréalières intensives après drainage, qui détruit leur valeur biologique tant pour la flore que pour la faune.

La superficie des prairies naturelles humides du marais Poitevin continue à diminuer. En 1973, ces prairies occupaient 60 000 hectares, en 1990 seulement 25 000. Le rythme de destruction s'est, depuis, accéléré et en 1996 le marais est encore drainé, en particulier pour développer l'agriculture intensive (maïsiculture notamment).

Une forêt modeste mais riche

Avec un taux de boisement de 14,4 %, la forêt occupe une place modeste en région Poitou-Charentes, par rapport à la situation moyenne de la France (25,7 %). Toutefois, les milieux forestiers recèlent une grande diversité, qui tient à la variété des sols et surtout aux influences de type subméditerranéen ou submontagnard. Leur rencontre contribue à la présence d'espèces spécifiques.

Les menaces principales pesant sur ce milieu sont la destruction par extension de l'urbanisation en zone périurbaine, le remembrement pour les formations linéaires en milieu rural, ou le remplacement des bois aux essences originellement diverses par des monocultures (de résineux le plus souvent). Cette évolution réductrice pour la diversité biologique concerne particulièrement le sud de la Charente-Maritime, où les plantations de pins maritimes supplantent de plus en plus la chênaie-pinède mixte d'origine, et dans l'est de la Charente où des peuplements de pins de Douglas viennent remplacer des chênaies-hêtraies d'un grand intérêt biologique.

Qualité des milieux littoraux et ostréiculture

L'exploitation des ressources du littoral (qui incluaient autrefois l'élevage extensif dans les marais, les marais salants...) se concentre aujourd'hui essentiellement sur l'ostréiculture et la conchyliculture. Cette activité économique est très sensible, pour des raisons sanitaires, à la pollution des milieux aquatiques.

La côte a été régularisée par des cordons dunaires et par des polders construits dès le XVIIIe siècle de part et d'autre des estuaires : Marais charentais et poitevin. Elle abrite environ 500 kilomètres de bouchots, 2 800 hectares de parcs sur le domaine public de Marennes-Oléron et 3 000 hectares de « jardins » où s'affinent les « claires » et les « spéciales de claire ». Les marais salants, qui couvraient 4 000 hectares en Charente-Maritime à la veille de la Première Guerre mondiale, sont aujourd'hui abandonnés. Les zones basses et abritées de l'estuaire de la Seudre et d'Oléron se consacrent à l'ostréiculture et fournissent la moitié de la production françaises d'huîtres creuses. Le label Marennes-Oléron a valeur nationale. La production annuelle d'huîtres dépasse 50 000 tonnes, celle des moules atteint 12 000 tonnes.

Tourisme et littoral

Le caractère fortement attractif du littoral charentais en fait un des pôles majeurs du tourisme sur la façade atlantique. Le tourisme balnéaire est ancien, favorisé par le climat, les plages et les îles. Les stations sont familiales avec de nombreuses résidences secondaires, des campings et des établissements à vocation sociale. Le littoral sud, le plus proche de l'autoroute et de Bordeaux, est le plus fréquenté.

Les campings accueillent 40 % des vacanciers. L'hôtellerie est peu développée. Les résidences secondaires enregistrent moins de 5 % des séjours mais elles constituent 60 % des logements des îles et du littoral. Leur nombre s'est accru de 36 % entre les deux derniers recensements (1982 et 1990).

La Charente-Maritime est devenue un des départements touristiques parmi les plus importants. La presqu'île d'Arvert et les îles accueillent environ 70 % des touristes, en particulier depuis que ces dernières sont aujourd'hui reliées au continent. Elles reçoivent certains jours chacune plus de 200 000 estivants alors que l'île de Ré n'a que 12 000 habitants permanents et l'île d'Oléron un peu plus de 17 000.

Les effets sur l'environnement de la fréquentation touristique

Les conséquences des infrastructures et de la fréquentation touristique sont de diverses natures : extension de l'urbanisation, dégradation de la végétation, dérangement de la faune sauvage...

L'urbanisation et la pratique du camping-caravaning dans les arrière-dunes (surtout à Ré et Oléron) font partie des principaux facteurs de dégradation des milieux dunaires. Le piétinement excessif en certains points d'accès aux plages, les dispersions de décharges sauvages sont également des conséquences de la surfréquentation de certains secteurs du littoral. Leur impact sur la végétation et sur la faune peut être dommageable pour la qualité globale du milieu.

Si les forêt littorales sont dans l'ensemble moins fragiles que les dunes, elles restent néanmoins vulnérables à certaines atteintes induites également par le tourisme. Des projets immobiliers remettent en cause leur vocation de milieu naturel et de forêt de protection (La Palmyre, bois d'Avail à Oléron). Par la nature de leurs essences, elles restent d'autre part très sensibles aux incendies en période sèche.

Les falaises et les pelouses sèches qui les surmontent sont victimes des mêmes phénomènes : piétinement excessif (pointe de Chassiron), urbanisation non contrôlée, auxquels viennent s'ajouter des pratiques agricoles néfastes (labour jusqu'au bord de la falaise, épandage de pesticides).

■ *Les îles sous pression*

Les grandes îles, dont le charme résidait très largement dans l'isolement et le maintien d'un certain mode de vie, sont désormais reliées au continent par des ponts. Oléron et Ré sont ainsi « victimes » de leur succès : spéculation foncière, surpopulation et sous-équipement estival, pressions des hébergements temporaires, encombrements et surfréquentation facilités par l'accès routier.

Pendant la période estivale, la situation est critique du point de vue de la surpopulation pour le cadre de vie des habitants et pour l'environnement. Du 14 juillet au 25 août, près de 150 000 véhicules accèdent à l'île de Ré par le pont, transportant leur lot de visiteurs, qui se répartissent sur ses 8 500 hectares. Depuis l'ouverture du pont, plus de 300 résidences secondaires sont bâties chaque année. L'île a d'ores et déjà dépassé le taux d'urbanisation prévu pour l'an 2000.

Un espace urbain polynucléaire

Le Poitou-Charentes est une région rurale avec une densité faible (63 hab./km^2) très inférieure à la moyenne nationale. Le taux de population urbaine est de 60,9 %. L'armature urbaine s'est développée autour de villes moyennes selon quatre grands axes : la Charente (Angoulême, Cognac, Saintes, Rochefort), l'axe routier Châtellerault-Poitiers-Niort, le littoral atlantique (La Rochelle, Rochefort, les îles de Ré et d'Oléron, Royan) et le nord des Deux-Sèvres (Bressuire, Thouars).

En dehors de ces axes, les territoires sont faiblement peuplés. De nombreux cantons campagnards ont ainsi vu passer leur densité de population en dessous de 25 habitants au kilomètre carré, entre 1982 et 1990.

Une agriculture assez diversifiée et plutôt intensive

La région reste encore largement rurale. L'agriculture est une des bases de la richesse régionale : 11,5 % des emplois appartiennent en 1993 au secteur primaire, soit deux fois la moyenne nationale. Toutefois, une large proportion des campagnes continue de se dépeupler de façon importante au profit des villes et des espaces périurbains. L'agriculture occupe en 1994 près des trois quarts du territoire régional, proportion très supérieure à la moyenne nationale de 51 %. La région est connue pour ses produits laitiers, son cognac, ses huîtres, spécialisation à haute valeur ajoutée. Elle produit aussi des céréales et des oléagineux.

De 1982 à 1990, les superficies en cultures annuelles et cultures pérennes (respectivement 45,1 % et 21,9 %) ont connu une forte augmentation de plus de 20 %, tandis que les surfaces en prairies poursuivent leur décroissance de manière encore plus forte avec une baisse de 27,4 % sur cette même période. Les céréales qui dominent la production régionale occupent encore d'importantes surfaces dans la Vienne et en Charente-Maritime, mais reculent devant les oléagineux.

L'intensité de l'agriculture est moyennement élevée dans la région. Les cultures intensives se sont développées avec l'usage des engrais – la pression azotée s'élève à 139 kg/ha, y compris les effluents d'élevage, pour une moyenne nationale de 129 kg/ha – et les superficies irriguées représentent 8,9 % de la SAU, pour une moyenne nationale de 5,2 %.

Le vignoble de Cognac centré sur la Charente fournit la première ressource agricole, 80 % de la production sont exportés. L'élevage, activité dominante, est en recul : bovins pour la viande en Gâtine et dans le Confolentais, mais surtout élevage de vaches laitières tourné vers la production de beurre. La région est par ailleurs le premier producteur de lait de chèvre.

Le recul de l'élevage s'est fait au profit des cultures de céréales et d'oléoprotéagineux. Ce développement a été favorisé par l'introduction du tournesol qui est devenu la troisième culture régionale après le blé et le maïs.

À proximité des villes, sur le littoral et dans les îles, l'agriculture est souvent en conflit avec d'autres activités. La côte charentaise et les marais sont des lieux où s'exprime avec le plus d'intensité l'opposition entre l'agriculture et les autres utilisateurs du territoire. Des désaccords demeurent entre ceux qui drainent pour transformer les prés en parcelles de grandes cultures et ceux qui, plus en aval, vivent de la conchyliculture et reçoivent les pollutions chimiques de l'amont (*voir encadré*).

Les ressources en eau

■ *Une demande en eau toujours croissante*

La région connaît des précipitations irrégulières dans le temps et dans l'espace. 80 % de la superficie régionale sont constitués de terrains sédimentaires avec des nappes souterraines importantes et vulnérables. La région est partagée entre plusieurs bassins hydrographiques : le bassin de la Loire, le bassin de la Charente, le bassin de la Dordogne, les bassins côtiers, soit près de 10 000 kilomètres de cours d'eau. Les débits sont peu importants et connaissent de fortes variations pendant l'année et d'une année sur l'autre. En dehors de tout prélèvement, la plupart des rivières du Poitou-Charentes sont déficitaires en été une année sur cinq. Même hors année sèche, du fait des prélèvements actuels, le débit minimal n'est pas respecté pour la majorité des cours d'eau de la région (1987-1988). Les faibles débits d'été sont plus fréquents du fait de l'augmentation de la consommation en eau, liée à l'irrigation, au développement urbain et aux consommations des touristes.

C'est la très forte croissance de l'irrigation et des prélèvements en nappe et en rivière pour l'agriculture qui exacerbe une situation de pénurie, à l'origine de nombreux conflits d'usage (eau potable, pêche). Depuis 1970 où elle s'étendait sur environ 8 000 hectares, l'irrigation n'a cessé de se développer pour atteindre en 1993 une superficie de près de 150 000 hectares.

■ *La qualité des eaux*

De 1989 à 1993, la qualité des eaux superficielles pour les matières organiques et oxydables s'est dégradée pour les points de très bonne qualité, dont la proportion est passée de 21 % à 0 %. En 1993, la majorité des points est de qualité bonne (60 %) ou moyenne (38 %). 10 % des points de mesure témoignent d'une qualité mauvaise ou très mauvaise pour le phosphore et 35 % des points sont d'une qualité moyenne pour les nitrates cette même année.

En 1994, les eaux de baignade en mer sont non conformes à la directive européenne pour 10,8 % des points de mesure et ce chiffre s'élève à 18,6 % pour les baignades en eau douce, valeur un peu supérieure à la moyenne nationale.

Le taux de dépollution des agglomérations de plus de 10 000 habitants est de 62 % en 1993, bien supérieur à la moyenne nationale (45 %). La région figure ainsi parmi les trois meilleures régions françaises dans ce domaine. La quasi-totalité des villes littorales disposent de réseaux de collecte et de traitement de leurs eaux usées, mais certains campings ne sont pas desservis et des stations d'épuration ne sont pas encore aux normes européennes, en particulier pour répondre aux pointes estivales.

Les rejets nets en matières oxydables des industries sont relativement faibles comparativement

LA GESTION CONFLICTUELLE DES MARAIS

Deuxième zone humide française derrière la Camargue, les marais de Charente-Maritime connaissent peu ou prou les mêmes difficultés que le delta du Rhône : assèchement des réseaux hydriques, recul des zones naturelles et des prairies d'élevage devant l'agriculture intensive et l'artificialisation des sols. La situation est cependant plus complexe en Poitou-Charentes. Ici, le conflit n'oppose pas seulement les agriculteurs et les aménageurs aux environnementalistes. Les ostréiculteurs de Marennes et les chasseurs font également usage de ce milieu sensible avec des intérêts divergents.

Entre les pointes rocheuses des îles de Ré et d'Oléron, les marais sont parcourus par des canaux construits par l'homme pour gérer les apports en eau. C'est donc un milieu artificiel à l'équilibre fragile. Situés sur le littoral ou au fond des vallées de fleuves comme la Charente ou la Seudre, les 80 000 hectares des marais doux sont gérés en eau douce. Ils peuvent être desséchés, c'est-à-dire qu'ils ne sont pas reliés à un fleuve où à la mer et ne reçoivent que de l'eau de pluie. Les marais mouillés sont à l'inverse inondés par les crues des rivières. Ils servent l'été de réserve d'eau douce pour les marais desséchés. Les marais salés (20 000 hectares) sont parcourus par l'onde des marées. Ce sont d'anciens marais salants souvent transformés en parc à huîtres et en viviers à poissons.

UNE ÉPONGE HIVERNALE

Auparavant, les marais étaient recouverts d'eau d'octobre à mai. L'eau douce s'écoulait progressivement dans la mer. Cette sorte d'« éponge hivernale » a perdu son rôle à partir des années 70 quand on a drainé, labouré et mis en culture des terres qui ne sont donc plus inondées l'hiver. Les pluies s'évacuent alors rapidement vers la mer, provoquant des chocs d'eau douce pour les huîtres et les moules des zones conchylicoles. Plus grave, l'agriculture intensive utilise des engrais et des pesticides qui polluent les parcs à huîtres. En 1989, le conflit a débouché sur un « protocole d'aménagement et de gestion des marais littoraux ». Le texte définit clairement une liste de produits phytosanitaires moins nocifs pour le milieu marin, impose la création de bassins de lagunage et de décantation pour retenir les eaux et les argiles après les pluies, tente d'éviter les chocs d'eau douce en créant des exutoires éloignés des parcs ostréicoles. Les pouvoirs publics s'engagent par ailleurs à n'apporter des financements qu'aux projets agricoles respectueux du protocole. Sept ans plus tard, le conflit n'est cependant pas complètement désamorcé. Les milieux ostréicoles affirment que le texte n'est qu'à moitié respecté.

UN BOVIN POUR DEUX HECTARES

La mise en culture du marais choque également les scientifiques qui font observer que les zones humides recèlent une faune et une flore très riches. Aux cultures intensives, les environnementalistes préfèrent un entretien des prairies grâce à l'élevage extensif. Problème : avec un bovin pour deux hectares, un élevage n'est pas économiquement viable. En 1991, un nouveau « protocole d'aménagement et de gestion concertés des marais » définit le site comme une zone exceptionnelle dont l'intérêt écologique est lié à la présence d'agriculteurs capable d'entretenir le paysage. Désormais, des « groupes cantonaux » examinent l'impact des projets d'aménagement sur l'environnement. Les drainages récents des prairies naturelles, notifiées en zone de protection spéciale (ZPS)[1] en 1991, mettent en évidence la fragilité du système protocolaire face à des initiatives d'aménagement particulier et la nécessité d'une transcription réglementaire du protocole.

Un autre conflit n'a pas encore trouvé sa solution. Il oppose les chasseurs aux autres utilisateurs du marais. La « tonne » est un affût qui sert à la chasse au gibier d'eau. La pratique hérisse d'autant plus les naturalistes que les tonnes ont tendance à devenir des résidences de fin de semaine sans dispositifs de traitement des eaux et des déchets. Mais les ostréiculteurs reprochent également aux chasseurs de vider et remplir leurs plans d'eau sans jamais les prévenir et les agriculteurs remarquent que le remplissage des tonnes en août, juste avant la saison de chasse, vide parfois leurs propres marais.

1. En application de la directive Oiseaux, chaque État membre doit désigner en « zone de protection spéciale » les territoires les plus appropriés à la conservation des oiseaux sauvages. Dans ces ZPS doivent être définies des mesures de protection adéquates garantissant la pérennité des populations d'oiseaux et de leurs habitats.

aux autres régions. Toutefois, ils ont connu de 1981 à 1991 une croissance de 8 %. La région Poitou-Charentes fait partie des quatre régions françaises pour lesquelles ces rejets ont augmenté. Par contre, les rejets en matières toxiques ont connu une diminution dc 43 %, soit un niveau proche de la moyenne des régions françaises.

Les déchets ménagers et les déchets industriels

La collecte des ordures ménagères est assez bien maîtrisée dans l'ensemble de la région. 97 % de la population bénéficie d'une collecte. Le traitement apparaît toutefois nettement insuffisant. La mise en décharge reste majoritaire (60,6 %) par rapport à la récupération de chaleur (18,9 %) qui ne se fait que dans la moitié des unités d'incinération. Les problèmes concernent l'existence de nombreuses décharges sauvages, de décharges communales non autorisées et la saturation rapide des décharges autorisées.

Compte tenu de sa faible industrialisation, la région ne produit qu'un faible volume de déchets industriels. Cependant, les centres collectifs de traitement des déchets spéciaux sont éloignés. La région ne dispose que d'une seule installation autorisée à incinérer certains déchets spéciaux et n'a pas de décharge de classe 1, où peuvent être acheminés les déchets non traitables et les résidus ultimes des déchets traités. Cette situation entraîne un risque important lors du transport de ces déchets et un surcoût financier non négligeable.

Industrie et risques

Sans ressources énergétiques et minières, le Poitou-Charentes est resté, comme beaucoup de régions de l'Ouest, à l'écart de l'industrialisation lourde du XIXe siècle. Seules quatre installations sont soumises à la directive Seveso, qui permet de contrôler les installations les plus dangereuses. La région entrera dans le groupe des régions « nucléaires » avec la centrale nucléaire de Civaux, dont la mise en service de la première tranche est prévue courant 1997.

PROVENCE-ALPES-CÔTE D'AZUR

Une très importante diversité biologique

La région Provence-Alpes-Côte d'Azur présente une mosaïque d'ensembles paysagers et une très grande diversité de milieux. Constituée au nord et à l'est par les Alpes, dont les sommets définissent la frontière avec l'Italie, bordée au sud par la Méditerranée, elle associe caractères méditerranéens et montagnards. L'occupation naturelle du territoire (ni agricole, ni artificielle) couvre 74,7 % de l'espace régional, ce qui place la région au deuxième rang après la Corse en pourcentage, mais au premier rang en superficie.

La moitié du territoire régional se situe à une altitude comprise entre 500 m et 3 500 m ; un quart seulement est composé de plaines alluviales (Rhône, Durance) ou littorales. 475 zones naturelles d'intérêt écologique, faunistique et floristique (ZNIEFF) ont été recensées. Les secteurs caractérisés par leur intérêt biologique remarquable (ZNIEFF 1) couvrent 25,7 % du territoire régional. De fait, Provence-Alpes-Côte d'Azur a une responsabilité particulière pour maintenir la diversité biologique. Elle accueille notamment trois parcs nationaux et trois parcs naturels régionaux, une zone Ramsar et deux « réserves de la biosphère ».

C'est la région de France la plus riche en espèces végétales et animales. La diversité des microclimats contribue à cette richesse tout autant que celle des sols. Trois grands ensembles dominent : la Provence calcaire, celle de la garrigue, du thym et de la lavande ; la Provence siliceuse, celle du maquis, de la bruyère et de l'arbousier ; et plus au nord, enfin, les Alpes du Sud au climat sec et aux larges amplitudes thermiques. Le paysage de la région est ainsi marqué par des contrastes importants. La diversité des massifs alpins où alternent les reliefs puissants et escarpés des hautes montagnes cristallines côtoie : une zone intermédiaire aux reliefs friables, puis les collines de marnes et de calcaire riches en fossiles. La Camargue (une des plus grandes zones humides d'Europe) voisine avec la Crau (seule steppe d'Europe de l'Ouest). Le calcaire blanc et déchiqueté des Calanques de Marseille s'oppose à la côte bleue et au massif siliceux vert sombre des Maures. Les forêts du Var tranchent avec les garrigues austères des Bouches-du-Rhône. Enfin, les grandes villes (Marseille, Toulon, Nice) jouxtent l'urbanisation touristique la plus dense (Côte d'Azur) et d'importantes zones industrielles (Fos, Berre).

La région héberge également des ensembles naturels de superficie plus réduite mais dont la renommée mondiale est tout aussi incontestable.

Provence-Alpes-Côte d'Azur

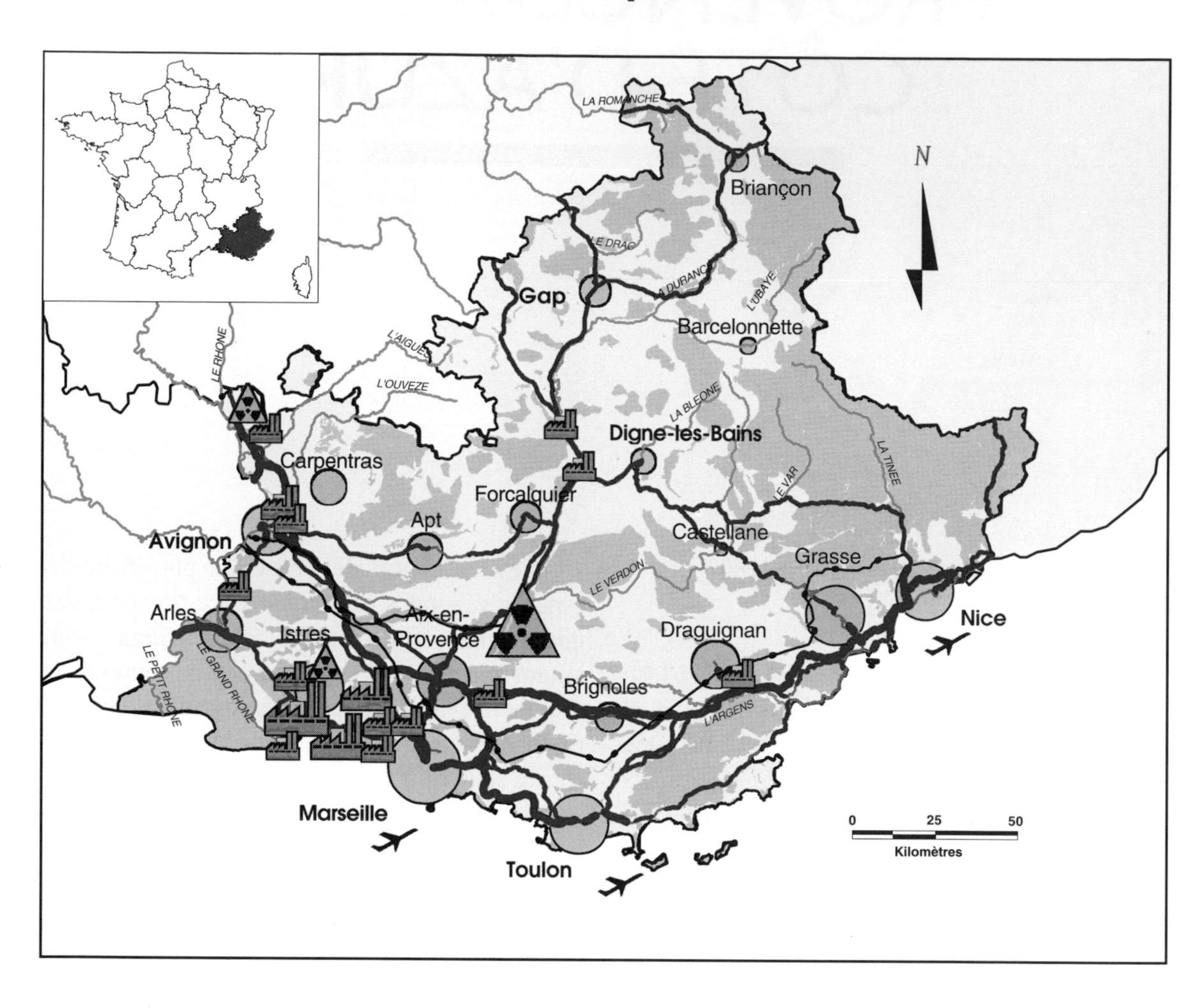

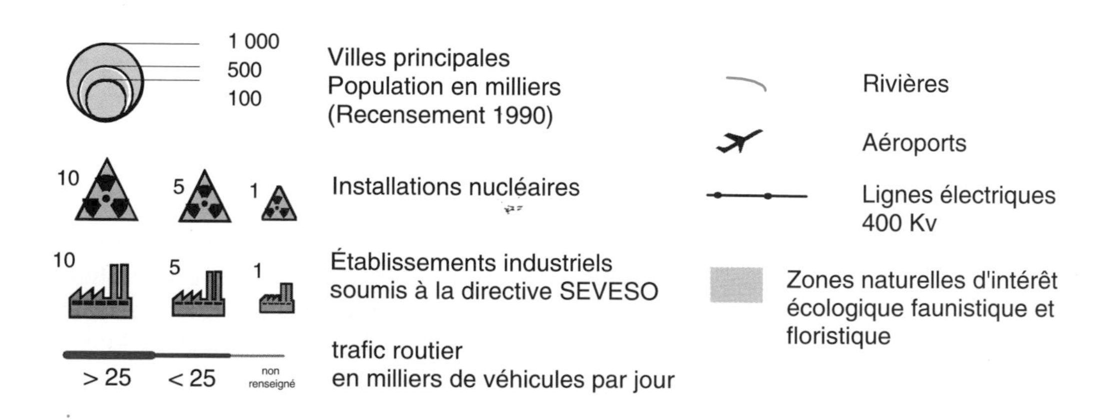

sources : MELTT/SETRA ; EDF Production Transport 1996 ; INSEE ; IFEN ; ministère de l'Environnement ; ministère de l'Industrie ; Muséum national d'histoire naturelle.

LES PRINCIPAUX INDICATEURS ENVIRONNEMENTAUX

INDICATEURS	VALEUR RÉGIONALE	VALEUR NATIONALE	UNITÉ	ANNÉE
TERRITOIRE				
• Types d'occupation des sols :				
- naturelle	74,7	38,2	%	1994
- agricole	18,3	54,4	%	1994
- artificielle	7	7,4	%	1994
• Pression urbaine	121,7	77	hab. urbain/km²	1990
• Taux de boisement	38,6	26,3	%	Dernier inventaire
MILIEUX NATURELS FAUNE FLORE				
• ZNIEFF 1	25,6	8	% sup. régionale	1996
• ZNIEFF 2	27,2	21,1	% sup. régionale	1996
• Réserves naturelles	15 340	132 045	ha	1995
• Zones de protection spéciale (directive Oiseaux)	210 760	707 000	ha	1995
EAU				
• Qualité physico-chimique des eaux superficielles (rivières). Observations classées en catégories très bonne et bonne :				
- matières organiques et oxydables	64	56	%	1993
- phosphore	83	60	%	1993
- nitrates	100	83	%	1993
• Qualité des eaux de baignade en eau douce :				
- points de surveillance conformes aux normes de la directive européenne	78,4	87,3	%	1993
ATMOSPHÈRE, AIR				
• Part de la région PROVENCE-ALPES-CÔTE D'AZUR dans la contribution française :				
- à l'accroissement de l'effet de serre	6,8	100	%	1990
- à la formation des pluies acides	8,1	100	%	1990
DÉCHETS MÉNAGERS ET ASSIMILÉS				
• Taux de valorisation énergétique et organique	22,4	29,9	%	1993
• Taux de mise en décharge	62,8	60,9	%	1993
ÉNERGIE				
• Production d'énergie primaire	3 613	99 885	Ktep	1992
• Nombre de réacteurs de production d'électricité	/	59	Nbre	1994
RISQUES TECHNOLOGIQUES				
• Nombre d'installations Seveso	38	346	Nbre	1994
• Autres installations potentiellement dangereuses	34	691	Nbre	1994
TRANSPORTS TERRESTRES				
• Densité des routes nationales (routes et autoroutes)	8,2	6,6	km pour 100 km²	1993
• Parcours journalier moyen sur les routes nationales	16,3	8,1	100 millions de véhicules/km	1992
• Distance moyenne domicile/travail	8,2	8,1	km	1990
• Points noirs dus au bruit :				
- route	106	1 414	Nbre	1991
- rail	10	248	Nbre	1991
SOCIÉTÉ				
• Associations agréées de protection de l'environnement	172	1 434	Nbre	1991

Ces espaces, comme les îles d'Hyères, les gorges du Verdon, le pic de Bure et la montagne de Céüze, les massifs de la Nerthe, du Ventoux, du Mercantour ou du Margareïs, le plateau de Caussols et celui de Valensole, sont souvent uniques en France.

Ce patrimoine naturel, qui subit de fortes pressions, a souvent été altéré, principalement sur le littoral et dans les grandes vallées alluviales.

L'étang de Berre concentre les richesses et les pressions

Vaste plan d'eau saumâtre relativement fermé, en communication avec la Méditerranée, l'étang de Berre, bien que fortement industrialisé sur ses rives, englobe des zones humides qui restent exceptionnelles. Les salins de Berre, les marais de Rognac, par exemple, offrent des paysages très variés abritant des plantes et des animaux menacés en France et en Europe. De nombreux oiseaux migrateurs y font halte : canards, hérons, aigrettes, sternes, échasses. Mais l'étang de Berre est aussi le réceptacle final de trois cours d'eau à régime méditerranéen marqué (l'Arc, la Touloubre et la Cadière) et surtout du canal de dérivation de la Durance, dont les eaux sont turbinées par EDF pour produire de l'électricité.

Le pourtour de l'étang de Berre a été, depuis une trentaine d'années, l'objet d'une urbanisation et d'une industrialisation intenses. Aujourd'hui, l'état écologique des milieux et le risque d'inondation sont très préoccupants. Les rives de l'étang de Berre et les rivières qui s'y jettent sont polluées par les rejets d'origine industrielle et domestique. Cette dégradation est aggravée par la disparition des forêts qui bordent marais et rivières. Sans elles, l'eau ne s'oxygène plus suffisamment et certains polluants ne sont plus éliminés naturellement.

Des forêts agressées

Le taux de boisement de la région, 38,55 %, est élevé et a progressé de 4 % depuis dix ans, malgré les incendies. La forêt de Provence-Alpes-Côte d'Azur, méditerranéenne et alpine, est à dominante de résineux (60 %). Cependant, les feuillus sont majoritaires dans le Var et le Vaucluse. Une partie, soit 62 500 hectares appartenant à l'État et aux communes, est soumise au régime forestier et gérée par l'Office national des forêts. Une faible partie de la production forestière est prélevée, dans la majorité en bois d'industrie et en bois de feu. L'espace naturel boisé régional fait l'objet de multiples agressions : maladies de certaines espèces, urbanisation et surtout incendies.

La forêt méditerranéenne, végétation « naturelle » de la Provence, n'existe plus qu'à l'état de lambeaux dégradés par une surexploitation humaine. Subsistent, sur sols siliceux, le maquis, association dense de bruyères, de pistachiers et de chênes-lièges, et, sur sols calcaires, la garrigue, formation herbacée composée de thym, de romarin, de lavande et de chênes kermès.

Toute la variété des risques naturels

Issue d'un passé géologique mouvementé, la région Provence-Alpes-Côte d'Azur cumule l'ensemble des risques naturels liés à sa situation tectonique (risque sismique), à sa configuration physique alpine (avalanches, glissements de terrain, crues torrentielles) et à ses conditions climatiques méditerranéennes (aridité, précipitations brutales et incendies de forêts).

En France, les Alpes sont la zone la plus exposée aux risques de mouvement de terrain en montagne. Situé à l'aval immédiat du village de Saint-Étienne-de-Tinée, dans l'arrière-pays niçois, le site de la Clapières fait l'objet d'une surveillance particulière. En effet, plusieurs dizaines de millions de mètres cubes de terre et de rochers présentent des risques de glissement.

Les six départements de la région sont tous soumis aux risques d'incendie de forêt et font partie de l'Entente interdépartementale qui regroupe quinze départements du sud-est de la France. Le risque d'incendie est aggravé par la déprise agricole et l'urbanisation diffuse. De 1980 à 1993, les feux de forêt ont détruit une moyenne de 10 740 hectares par an. Sur cette période, 30 % des surfaces brûlées en France se situent dans la région Provence-Alpes-Côte d'Azur.

Les crues dans la région ont essentiellement pour facteur déclenchant la présence de précipitations exceptionnelles, parfois associées au printemps à la fonte des neiges en zone de montagne. Mais une large partie des dommages, comme ceux occasionnés lors de la catastrophe de Vaison-la-Romaine en 1992, ont pour origine des lacunes dans l'entretien des ouvrages de protection, l'urbanisation et l'implantation mal contrôlée d'infrastructures dans les zones exposées, les techniques agricoles et les pratiques culturales qui ont pour effet d'accélérer

TERRITOIRE	Six départements :	Alpes-de-Haute-Provence, Hautes-Alpes, Alpes-Maritimes, Bouches-du-Rhône, Var, Vaucluse
	Superficie totale :	31 399,6 km^2 (5,7 % sup. française)
	Superficie communes urbaines :	8 749,3 km^2 (27,8 % sup. régionale)
	Densité 1994 :	140 hab./km^2
POPULATION	Population totale 1990 :	4 257 907 (7,5 % de la pop. française) estimation 1994 : 4 398 088
	Population urbaine 1990 :	3 821 573 (89,7 % pop. régionale)
	Quatre principales agglomérations :	Marseille, Nice, Toulon, Antibes (59,2 % de la pop. régionale)
	Pyramide des âges 1994 :	– 25 ans : 31,3 % + 60 ans : 22,8 %
COMPTES ÉCONOMIQUES	Produit intérieur brut (PIB) 1992 :	474 497 millions F (6,8 % PIB français)
	PIB/hab. 1992 :	108 925 F
EMPLOI	Emploi total 1992 :	1 496 044 (6,8 % emploi total français)
	Agriculture :	3,2 % emploi total régional
	Industrie :	13,2 % / /
	Bâtiment, génie civil et agric. :	8 % / /
	Commerce, transport et télécom. :	13,9 % / /
	Autres services :	61,7 % / /
	Taux de chômage 1994 :	15,5 % (279 342 chômeurs)
LOGEMENT	Résidences principales 1990 :	1 693 361
	dont logements collectifs :	58 %
	Résidences secondaires 1990 (1) :	396 870
AGRICULTURE	SAU 1993 :	633 milliers d'ha (2,2 % SAU nationale)
	dont terres labourables :	34 %
	Nbre d'exploitations 1993 :	33 958
	Superficie moyenne 1993 :	18,6 ha
INDUSTRIE	Nbre d'établissements 1995 :	23 944, dont – 10 sal. : 20 986, + 500 sal. : 22
	Principaux secteurs industriels (effectifs salariés 1993) :	construction navale-aéronautique et ferroviaire, chimie-caoutchouc-plastiques, travail des métaux

Sources : INSEE, SCEES.

(1) Les résidences secondaires comprennent également les logements occasionnels.
NB : les pourcentages sont calculés par rapport à la France métropolitaine.

le ruissellement et la défaillance des systèmes d'alerte. En 1993 et 1994, 203 et 572 communes ont été respectivement reconnues sinistrées au titre des inondations dans la région.

Une occupation du territoire inégale

■ *Un très fort taux d'urbanisation*

La répartition de la population est extrêmement contrastée dans la région. Le littoral et la vallée du Rhône supportent de très fortes densités (344 habitants/km^2 dans les Bouches-du-Rhône), de forts taux d'urbanisation, des grandes agglomérations et un système de transport très développé. De leur côté, les départements alpins sont peu peuplés, avec par exemple 19 habitants/km^2 dans les Hautes-Alpes. La très rapide évolution de l'économie agricole montagnarde a provoqué le départ des populations vers les plaines. Le tourisme a fait le reste, qui a transformé une côte formée de nombreux villages de pêcheurs en un espace périurbain quasi continu, que dominent maintenant plusieurs villes ou agglomérations de plus de 300 000 habitants.

Avec un taux d'urbanisation de 90 %, Provence-Alpes-Côte d'Azur est une région où l'aménagement urbain pose des problèmes d'autant plus difficiles à résoudre qu'ils concernent, pour une très large part, la zone littorale. Marseille, Nice et Toulon figurent parmi les neuf villes les plus peuplées de France. Depuis 1950, la croissance urbaine a été très forte, d'abord dans les villes-centres entre 1962 et 1968 ; puis dans les agglomérations et les communes périphériques depuis 1970. Entre 1982 et 1990, les centres des villes perdent des habitants au profit de leur banlieue ou de certaines communes offrant des croissances très fortes.

Les densités, la spéculation foncière et le manque d'espaces disponibles sont tels que l'arrière-côte subit, en de nombreux endroits, l'étalement de l'urbanisation et des zones pavillonnaires résidentielles. Les densités sont en augmentation constante dans la vallée de la Durance et dans la vallée du Rhône. Au contraire, l'arrière-pays fait face à une importante « déprise » rurale.

■ *Une urbanisation très dense du littoral et une forte pression touristique*

À l'exception de quelques espaces, l'urbanisation du littoral, de Fos à la frontière italienne est très dense. La population double pendant l'été. La pression humaine sur cette partie du territoire régional est en effet la plus forte du littoral métropolitain : 25 % des résidences secondaires du littoral français y sont construites. Durant la seule période 1982-1990, 30 % des logements édifiés sur le littoral français l'ont été dans la région, avec près de 13 % pour le seul département du Var. Les densités atteignent 900 habitants par kilomètre carré à Saint-Jean-Cap-Ferrat et Menton, 1 325 à Roquebrune-Cap-Martin, 2 382 à Cap-d'Ail. Aujourd'hui, 96 % du littoral des Alpes-Maritimes sont urbanisés. Sur l'ensemble de la région, qui compte 64 communes littorales, 79 ports de plaisance sont recensés, avec un record pour les Alpes-Maritimes dont la moyenne est de 1,75 port par commune. Il subsiste cependant des espaces naturels et des paysages remarquables sur ce littoral, notamment des Bouches-du-Rhône et du Var.

La montagne et la mer attirent près de 24 millions de touristes chaque année. Le nombre de nuitées enregistrées annuellement dans la région est de 240 millions. Provence-Alpes-Côte d'Azur est, après l'Île-de-France, la région la plus visitée du pays (*voir encadré*).

L'environnement littoral est ainsi menacé en raison de la densité d'urbanisation et de population, notamment durant l'été : pollution des eaux et des plages faute d'équipements suffisants ; pollutions transportées par le jeu du lessivage des sols imperméabilisés en milieu urbain lors des épisodes pluvieux ; destruction des paysages naturels par les incendies de forêts, mais aussi par les constructions parfois anarchiques et les emprises routières et la saturation de trafics et pollutions automobiles.

LES TOURISTES DANS LES ESPACES PROTÉGÉS

Les parcs naturels sont à la mode. Les Européens sont de plus en plus demandeurs de ces espaces vierges de tout aménagement et les comités régionaux et départementaux de tourisme fondent fréquemment leurs promotions sur ces régions préservées. Les trois parcs nationaux de la région Provence-Alpes-Côte-d'Azur illustrent chacun à leur façon certaines des évolutions actuelles dans la gestion de ces sites « victimes » de leurs succès. Port-Cros s'est trouvé de nouvelles ressources financières, le Mercantour cherche à contrôler ses accès, et le parc des Écrins aménage ses sites.

L'île de Port-Cros reçoit chaque année plusieurs centaines de milliers de visiteurs. L'île est fragile. Le milieu est sensible au piétinement des visiteurs, et les risques d'incendie imposent une surveillance draconienne. Il a fallu aménager des sentiers pédestres, construire des sanitaires et traiter les effluents, collecter et évacuer les déchets, mettre sur pied un réseau de surveillance contre les incendies. Tout cela coûte cher et grève les budgets normalement consacrés aux missions de protection et d'étude des milieux naturels. Pour éviter l'étranglement financier, une loi votée par le Parlement le 2 février 1995 permet désormais au parc national de lever une taxe acquittée par les passagers des bateaux se rendant sur l'île. Les aménagements sont ainsi logiquement payés par leurs utilisateurs.

Le parc national du Mercantour abrite le site archéologique de la vallée des Merveilles. Ce monument historique classé est connu pour ses milliers de gravures rupestres datant de l'âge de bronze. Le site est facilement accessible et, tous les ans, 50 000 personnes s'y rendent. Les passages répétés et le vandalisme ont incité la direction du parc national, le ministère de l'Environnement et le ministère de la Culture à contrôler et canaliser la fréquentation touristique. Les implantations d'hôtels et de refuges sur les voies d'accès resteront limitées. Sur le site même, la circulation est désormais restreinte. Les zones les plus sensibles sont interdites aux randonneurs en dehors des sentiers balisés. La visite n'est possible qu'avec des accompagnateurs formés et agréés par le parc. Une muséographie de plein air explique ce que l'archéologie sait de l'art rupestre. Loin d'indisposer, cet encadrement satisfait les visiteurs qui apprécient le caractère pédagogique des animations.

Le parc national des Écrins reçoit chaque été plus de 800 000 touristes dont deux tiers sont randonneurs ou alpinistes. Beaucoup se retrouvent au Pré de Madame-Carle, l'un des sites d'accès à la zone centrale du parc. L'endroit cumule les attraits d'un site prestigieux de haute montagne (1 800 mètres d'altitude) et un accès facile. De là, on peut parcourir aisément la frange inférieure du Glacier Blanc et entreprendre de nombreuses courses d'alpinisme dont un « 4 000 », le Dôme des Écrins, relativement facile. Seulement certains jours, on a compté jusqu'à 3 000 randonneurs et surtout un millier de voitures. Le parc national des Écrins et la commune de Pelvoux ont donc décidé d'aménager le site pour contenir les visiteurs sans les empêcher cependant de découvrir l'endroit, la loi ne permettant pas de limiter l'accès des véhicules. Pas question cependant d'installer d'immenses parkings bitumés. Pour installer une aire de stationnement de 700 places sur deux hectares, une placette pavée d'accueil des visiteurs et un point d'information du parc, il a été décidé d'utiliser principalement des matériaux locaux. Les pierres pour la pavage, les sables et graviers des voies de circulation sont issus du site. Les techniques de construction sont inspirées des techniques traditionnelles locales et de celles utilisées pour la restauration du monument. Il n'y a pas de béton, pas de ciment, pas de revêtement bitumeux. Tous ces équipements sont réversibles. Le site peut retrouver, sans intervention humaine lourde, son état naturel antérieur. Quoi qu'il arrive, le Pré de Madame-Carle servira bien aux

■ *Transport de marchandises : l'axe rhodanien saturé*

En Provence-Alpes-Côte d'Azur, le trafic de marchandises est essentiellement intrarégional (à 82 %). Il s'effectue quasi exclusivement par la route, qui représente 97 % du trafic. Le trafic interrégional, qui s'effectue surtout avec la région Rhône-Alpes par l'intermédiaire de l'axe rhodanien A7-A9, va en s'accentuant. Les 10 000 poids lourds par jour en moyenne annuelle correspondent à près de 14 000 poids lourds les jours ouvrables. Toutes les projections réalisées laissent présager une saturation généralisée de cet axe à l'horizon 2000-2010.

Une agriculture intensive et spécialisée

Avec seulement 18 % du territoire en superficie agricole et 3,2 % d'actifs dans le secteur primaire, la région Provence-Alpes-Côte d'Azur n'est pas très agricole. Elle a connu le plus fort pourcentage de diminution de son territoire agricole des régions françaises, soit – 7,9 % de 1982 à 1990, ce au profit essentiellement des sols artificialisés, dont la part s'est accrue de 21,5 % sur la même période, pour atteindre 8,2 %.

Désormais s'opposent dans la région une agriculture en voie de disparition dans les zones de l'arrière-pays et de montagne (élevage ovin notamment...) et une agriculture spécialisée, périurbaine, intensive en intrants et ayant recours massivement à l'irrigation (cultures sous serres autour de l'étang de Berre, floriculture dans les Alpes-Maritimes, fruits dans le Vaucluse...). Conditions techniques et contexte socio-économique ont donc fait disparaître la classique trilogie méditerranéenne « blé-vigne-olivier ». La culture en terrasses, du fait de la mécanisation, est de plus en plus abandonnée. Le développement de l'irrigation a bouleversé les paysages agricoles traditionnels. La répartition des exploitations par spécialisation témoigne des orientations agricoles régionales : la vigne et la polyculture occupent encore 26 % et 11 % des exploitations, les fruits 18 %, le maraîchage 12 % et les fleurs 7 %.

La déprise agricole, que traduisent les faibles densités des zones rurales, se manifeste par l'importance des forêts et broussailles qui gagnent du terrain dans toutes les zones d'altitude. Le retrait de l'activité agricole, la modification des pratiques pastorales signifient une profonde mutation écologique : fermeture des milieux et diminution de la diversité biologique, avec notamment la disparition des espèces de milieux ouverts aussi bien au niveau de la faune que de la flore. Seule une augmentation significative du cheptel des grands herbivores sauvages, mouflons, bouquetins, chamois, permettrait de mieux entretenir certains milieux. Le retour du loup est suivi avec intérêt par les scientifiques. Il est accompagné financièrement pour compenser les dégâts occasionnés aux troupeaux d'ovins.

Pollutions et qualité des eaux intérieures et littorales

Les principales causes de pollutions du littoral proviennent, en premier lieu, des industries et des villes et des apports des bassins versants, drainés par les rivières, les fleuves, les eaux de ruissellement et le lessivage des sols. Viennent ensuite les activités maritimes telles que le commerce, le transport et la pêche. À l'est de la région, la pollution d'origine industrielle issue du golfe de Gênes atteint immédiatement les côtes par le biais du courant ligure. Si cette pollution est accidentelle en ce qui concerne les hydrocarbures, elle est constante au niveau de la pollution de fond et des macro-déchets.

Quant à la pollution issue des activités de plaisance, elle demeure concentrée au niveau du port d'accueil, ce qui a pour effet d'y accumuler les nuisances. Auparavant, les ports de plaisance étaient peu équipés pour collecter, centraliser et évacuer déchets ménagers, huiles de vidange et autres produits parfois toxiques comme les peintures anti-salissures. Un effort considérable a été engagé et se poursuit en matière d'équipement pour l'assainissement des ports de plaisance.

Les efforts en matière de dépollution dans les villes ont été engagés assez tardivement dans la région. Provence-Alpes-Côte d'Azur fait partie des cinq régions françaises ayant un taux d'assainissement inférieur à 40 % dans les agglomérations de plus de 10 000 habitants. Par contre, les rejets nets des industries ont connu entre 1981 et 1991 une diminution de 50 % pour les matières toxiques et de 29 % pour les matières oxydables.

De 1989 à 1993, la tendance est à une amélioration de la qualité des eaux superficielles. Toutefois, en 1993, 15 % des points de mesure traduisent encore une qualité mauvaise ou très mauvaise respectivement pour les matières organiques et oxydables et 16 % pour le phosphore. En 1994, la qualité des eaux douces de baignade est non conforme pour 21,6 % des points de surveillance.

Une pollution photochimique importante

Des grandes villes, un réseau routier dense et une importante concentration industrielle, sur Fos-Berre notamment, concourent parfois à une mauvaise qualité de l'air dans la région. Celle-ci est aussi conditionnée par les caractéristiques climatiques locales bien spécifiques.

En particulier, la pollution photochimique se développe sous l'effet du soleil méditerranéen. Cette pollution irritante pour les voies respiratoires et pour les yeux s'accroît au fur et à mesure que les températures s'élèvent. Depuis l'été 1995, une directive européenne oblige à alerter les populations lors du dépassement des seuils fixés. Dans les Bouches-du-Rhône, le seuil d'information de la population, soit 180 µg/m^3, est atteint presque un jour sur trois en juillet-août.

Au cœur de Marseille, la pollution par les oxydes d'azote reste élevée et inchangée depuis dix ans. Mais même sur les zones de fort trafic, le seuil limite de l'UE est respecté. Des pointes persistent pourtant aux heures de circulation intense. Il faut compter également avec les poussières, qui ont comme particularité d'être le support d'autres polluants : les métaux lourds et les « hydrocarbures aromatiques polycycliques ». Tous ces polluants ne provoquent pas d'accidents aigus de santé mais ont une action plus insidieuse à terme par effet cumulatif.

Le secteur des transports, qui représente 75 % de la consommation pétrolière régionale, est responsable de 43 % des émissions de CO_2 et de 84 % de celles de NOx, particulièrement déterminantes pour la pollution photochimique.

Avec, 8,8 % des composés organiques volatils non méthaniques (COVNM) et 12,6 % du monoxyde de carbone (CO) émis en France, la région Provence-Alpes-Côte d'Azur est au premier rang des régions françaises. Elle est au deuxième rang pour les oxydes d'azote (NOx) avec 9,5 %, et pour les dioxydes de soufre (SO_2) avec 14,1 %. Elle est, de ce fait, au deuxième rang pour les émissions de polluants contribuant aux pluies acides. Pour les émissions de gaz contribuant à l'effet de serre, elle se situe au cinquième rang.

Les problèmes de déchets

Dans la région, 63 % des ordures ménagères sont stockés en décharges. La région compte 344 décharges brutes (utilisées par les communes mais sans autorisation) dont 258 encore en activité.

Bien que détenant 8,5 % des déchets industriels répertoriés en France en 1990, Provence-Alpes-Côte d'Azur n'a pas de décharge de classe 1 pour entreposer les déchets industriels spéciaux. Depuis la mise en service en 1980 du site de Bellegarde dans le Gard, certains déchets ni incinérables, ni détoxicables venant de la région y ont été admis. Le tonnage, après avoir atteint une pointe de 40 000 t/an en 1984-1986, a été ramené à 8 000 - 10 000 t/an au cours des toutes dernières années, du fait des menaces de comblement de ce seul site pour le sud de la France. Des réorientations de filières ont été opérées afin de ne diriger vers cette décharge que les déchets le justifiant : boues chargées en hydrocarbures, mais non incinérables, catalyseurs spéciaux, boues de traitement de surface.

Mais l'absence d'une décharge pour déchets ultimes, qui permettrait notamment d'accueillir la production des premiers résidus de neutralisation des gaz de combustion des incinérateurs d'ordures ménagères, a fait augmenter le tonnage venant de la région à plus de 17 000 tonnes en 1992.

Une forte exposition aux risques technologiques

Depuis les années 60, l'activité industrielle s'est concentrée autour de plusieurs secteurs : industries agroalimentaires, énergie, aéronautique, chimie de base et parachimie, plastiques, industrie du pétrole, métaux ferreux et non ferreux, électronique… Deux aires géographiques sont particulièrement concernées : un noyau principal autour de Marseille et de l'étang de Berre et la vallée du Rhône.

En matière de risques technologiques, Provence-Alpes-Côte d'Azur est l'une des trois régions les plus exposées du territoire national avec la basse Seine et Rhône-Alpes. La zone Fos-Berre, deuxième concentration française d'entreprises classées « Seveso » après l'estuaire de la Seine, accueille trente-deux des trente-huit sites Seveso de la région. Ces installations industrielles présentent des risques pour le milieu naturel et les zones urbanisées environnantes. Trente-quatre autres sites industriels, soumis à la législation sur les installations classées pour la protection de l'environnement, présentent également des risques technologiques importants.

Enfin, avec vingt et une installations nucléaires de base, Provence-Alpes-Côte d'Azur est la deuxième région « nucléaire » de France après Rhône-Alpes. Ces installations concernent essentiellement les activités de recherche et diverses étapes de la filière du combustible. La région n'a pas de centrale nucléaire. Les risques liés aux activités nucléaires à Marcoule (Languedoc-Roussillon) et à Pierrelatte (Rhône-Alpes), qui concernent directement Orange et Bollène dans le Vaucluse, proviennent également des installations implantées dans les régions limitrophes.

RHÔNE-ALPES

Un patrimoine naturel très riche

Avec les massifs du Mont-Blanc, de la Vanoise, de l'Oisan, les étangs de la Dombes ou du Forez, les hauts plateaux du Vercors, les grands lacs savoyards, les forêts du Pilat ou de Chartreuse, les gorges de l'Ardèche ou encore la forêt de Sâou, la région Rhône-Alpes bénéficie d'un patrimoine naturel exceptionnel. Près de la moitié du territoire régional est en zone de montagne (au-dessus de 600 m). Rhône-Alpes fait partie des cinq régions françaises dont l'occupation naturelle du territoire est supérieure à 50 %.

La région appartient à trois des grandes zones biogéographiques d'Europe de l'Ouest (continentale, alpine et méditerranéenne), ce qui explique la richesse de sa diversité biologique. 1 988 zones naturelles d'intérêt écologique faunistique et floristique couvrent 15,7 % du territoire en ZNIEFF 1 et 43,2 % en ZNIEFF 2. Elle compte deux parcs nationaux (la Vanoise et les Écrins), quatre parcs naturels régionaux (Pilat, Vercors, Chartreuse, Bauges) et quelques communes du parc naturel du Haut-Jura, plus de 170 sites classés dont le massif du Mont-Blanc, les gorges de l'Ardèche, une zone humide classée zone Ramsar et 25 réserves naturelles (dont 9 s'étendant sur 21 315 hectares en Haute-Savoie). La réserve des hauts plateaux du Vercors, dans l'Isère, couvre à elle seule 16 600 hectares.

Des milieux très divers sont présents dans la région. Les plus connus sont les milieux d'altitude avec leur flore et leur faune emblématique – chamois, bouquetins – et de vastes secteurs d'alpage et les forêts de moyenne montagne (Vercors, Bauges, Chartreuse...). La région comporte aussi, dans les plaines à l'ouest des grands massifs des Préalpes, des massifs forestiers remarquables par leur étendue : plateau de Chambarand, forêt de Bonnevaux.

La présence de l'eau sous des formes variées – cours d'eau, lacs – a favorisé l'installation d'un remarquable ensemble de zones humides : Val de Saône et ses prairies alluviales, ripisylve de la Loire, marais de Chautagne et de Lavours près du Rhône. Rhône-Alpes abrite les plus grands lacs naturels de France avec celui du Bourget et celui d'Annecy, sans compter une partie du Léman. La plupart des milieux humides sont étroitement associés à un mode de gestion traditionnel : étangs de la Dombes, de la plaine du Forez (pisciculture extensive avec alternance de culture et de mise en eau), prairies humides pour l'élevage dans le Val de Saône... De nombreux torrents, mais aussi d'importantes rivières présentent encore des cours sauvages avec de vastes zones de divagation du lit, zones de tressages, îlots, bras morts et toutes les zones humides associées (lônes du Rhône, ramières de la Drôme...).

Rhône-Alpes

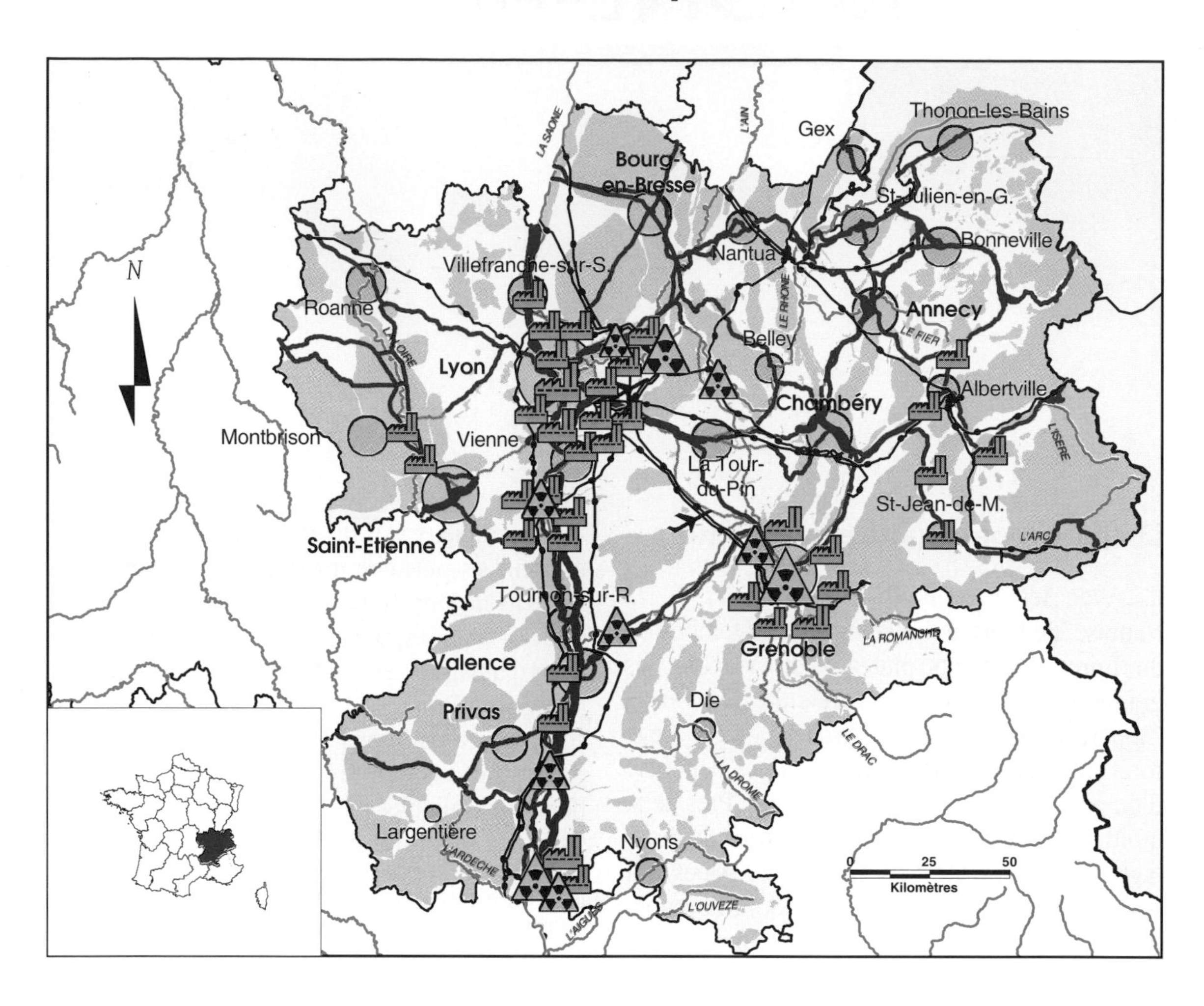

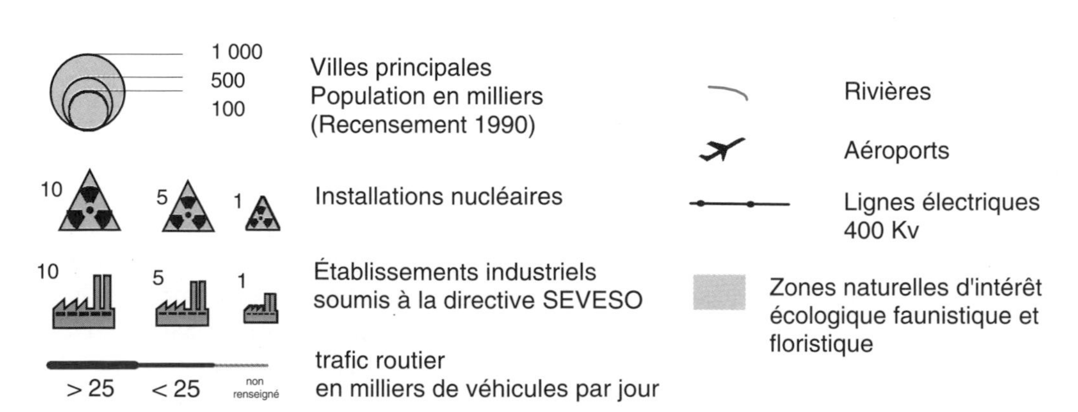

sources : MELTT/SETRA ; EDF Production Transport 1996 ; INSEE ; IFEN ; ministère de l'Environnement ; ministère de l'Industrie ; Muséum national d'histoire naturelle.

LES PRINCIPAUX INDICATEURS ENVIRONNEMENTAUX

INDICATEURS	VALEUR RÉGIONALE	VALEUR NATIONALE	UNITÉ	ANNÉE
TERRITOIRE				
• Types d'occupation des sols :				
- naturelle	56,9	38,2	%	1994
- agricole	35,8	54,4	%	1994
- artificielle	7,3	7,4	%	1994
• Pression urbaine	93,6	77	hab. urbain/km^2	1990
• Taux de boisement	33,2	26,3	%	Dernier inventaire
MILIEUX NATURELS FAUNE FLORE				
• ZNIEFF 1	15,7	8	% sup. régionale	1996
• ZNIEFF 2	43,2	21,1	% sup. régionale	1996
• Réserves naturelles	58 680	132 045	ha	1995
• Zones de protection spéciale (directive Oiseaux)	70 600	707 000	ha	1995
EAU				
• Qualité physico-chimique des eaux superficielles (rivières). Observations classées en catégories très bonne et bonne :				
- matières organiques et oxydables	55	56	%	1993
- phosphore	92	60	%	1993
- nitrates	100	83	%	1993
• Qualité des eaux de baignade en eau douce :				
- points de surveillance conformes aux normes de la directive européenne	89,6	87,3	%	1993
ATMOSPHÈRE, AIR				
• Part de la région RHÔNE-ALPES dans la contribution française :				
- à l'accroissement de l'effet de serre	7,4	100	%	1990
- à la formation des pluies acides	7,2	100	%	1990
DÉCHETS MÉNAGERS ET ASSIMILÉS				
• Taux de valorisation énergétique et organique	29,2	29,9	%	1993
• Taux de mise en décharge	62	60,9	%	1993
ÉNERGIE				
• Production d'énergie primaire	21 894 dont 70 % d'origine nucléaire	99 885	Ktep	1992
• Nombre de réacteurs de production d'électricité	15	59	Nbre	1994
RISQUES TECHNOLOGIQUES				
• Nombre d'installations Seveso	42	346	Nbre	1994
• Autres installations potentiellement dangereuses	143	691	Nbre	1994
TRANSPORTS TERRESTRES				
• Densité des routes nationales (routes et autoroutes)	8,7	6,6	km pour 100 km^2	1993
• Parcours journalier moyen sur les routes nationales	25,4	8,1	100 millions de véhicules/km	1992
• Distance moyenne domicile/travail	7,2	8,1	km	1990
• Points noirsdus au bruit :				
- route	175	1 414	Nbre	1991
- rail	11	248	Nbre	1991
SOCIÉTÉ				
• Associations agréées de protection de l'environnement	160	1 434	Nbre	1991

Rhône-Alpes compte ainsi plus de 12 000 ha d'étangs, près de 70 000 ha de plans d'eau (dont 3 000 ha de lacs d'altitude soit 30 % du patrimoine français) et 16 550 km de réseau hydrographique de première et deuxième catégorie, ainsi que 20 000 ha de marais, tourbières...

Des types de milieux très divers sont présents dans la région : massifs forestiers remarquables par leur étendue tels ceux de Chambarand ou de Bonnevaux, tourbières du Bugey ou des monts du Forez, formations riveraines des rivières, marais des vallées préalpines tels Chantagne et Lavours, cirques glaciaires, milieux rupestres, grottes...

De nombreux espaces naturels ont déjà été perdus sous l'effet de l'urbanisation, des grands travaux (infrastructures, aménagement du Rhône) ou de la monoculture céréalière (maïs en Val de Saône). D'autres leur ont été substitués, tels les lacs de barrage, les carrières et gravières

TERRITOIRE	Huit départements :	Ain, Ardèche, Drôme, Isère, Loire, Rhône, Savoie, Haute-Savoie
	Superficie totale :	43 698,2 km^2 (8 % sup. française)
	Superficie communes urbaines :	8 542,5 km^2 (19,5 % sup. régionale)
	Densité 1994 :	126 hab./km^2
POPULATION	Population totale 1990 :	5 350 701 (9,4 % de la pop. française) estimation 1994 : 5 516 578
	Population urbaine 1990 :	4 088 209 (76,4 % pop. régionale)
	Quatre principales agglomérations :	Lyon, Grenoble, Saint-Étienne, Annecy (39,3 % de la pop. régionale)
	Pyramide des âges 1994 :	– 25 ans : 35 % + 60 ans : 18,5 %
COMPTES ÉCONOMIQUES	Produit intérieur brut (PIB) 1992 :	653 908 millions F (9,3 % PIB français)
	PIB/hab. 1992 :	119 661 F
EMPLOI	Emploi total 1992 :	2 130 246 (9,7 % emploi total français)
	Agriculture :	3,6 % emploi total régional
	Industrie :	25,4 % / /
	Bâtiment, génie civil et agric. :	7,3 % / /
	Commerce, transport et télécom. :	11,4 % / /
	Autres services :	52,3 % / /
	Taux de chômage 1994 :	11,8 % (291 070 chômeurs)
LOGEMENT	Résidences principales 1990 :	2 014 595
	dont logements collectifs :	51,5 %
	Résidences secondaires 1990 (1) :	358 342
AGRICULTURE	SAU 1993 :	1 599 milliers d'ha (5,7 % SAU nationale)
	dont terres labourables :	42 %
	Nbre d'exploitations 1993 :	69 215
	Superficie moyenne 1993 :	23,1 ha
INDUSTRIE	Nbre d'établissements 1995 :	35 945, dont – 10 sal. : 27 955, + 500 sal. : 83
	Principaux secteurs industriels (effectifs salariés 1993) :	équipements mécaniques, travail des métaux, chimie-caoutchouc-plastiques, IAA

Sources : INSEE, SCEES.

(1) Les résidences secondaires comprennent également les logements occasionnels.
NB : les pourcentages sont calculés par rapport à la France métropolitaine.

qui, dans certaines conditions, peuvent néanmoins retrouver un potentiel biologique intéressant. D'une manière générale, la menace la plus forte porte sur les zones humides qui sont en cours de recensement et font l'objet d'une surveillance accrue.

■ *La deuxième superficie forestière française*

Avec 33 % de son territoire en forêt, soit 10 % de la superficie forestière française, Rhône-Alpes est la deuxième région française pour les superficies boisées après l'Aquitaine. 54 % sont composés de futaies et 75 % appartiennent au domaine privé. La forêt est fortement exploitée : le taux de prélèvement en résineux est de 68 % en 1994. La région est au deuxième rang après l'Aquitaine pour la production de bois d'œuvre et de sciage (10 % du bois d'œuvre et 11 % des volumes nationaux de bois de sciage).

Toute la gamme des risques naturels

La région Rhône-Alpes est une des seules régions de France exposées à l'ensemble des risques naturels et notamment aux feux de forêt, aux inondations, aux glissements de terrain et aux avalanches. En 1993 par exemple, 106 communes ont été reconnues sinistrées au titre des mouvement de terrain. Un site particulièrement sensible, les Ruines de Séchilienne dans l'Isère, fait l'objet d'une surveillance régulière. Par ailleurs, en 1994, 61 communes ont été touchées par un séisme.

En 1993, 1 119 communes ont été reconnues sinistrées au titre des inondations, ce qui place la région en tête des régions françaises cette année-là. La Saône se caractérise par des crues de plaine s'étendant sur plusieurs kilomètres, latéralement au lit de la rivière, provoquant des submersions qui durent parfois plusieurs semaines, avec une montée lente des eaux. Les crues torrentielles se retrouvent plutôt dans les Alpes et sur les affluents du Rhône et de la Saône. Elles sont souvent brutales : il ne s'écoule que quelques heures entre le début de la pluie et le paroxysme de la crue. Les débits sont très forts : les coefficients entre débits d'étiage et de crue sont multipliés par 1 000, voire 10 000, alors qu'ils ne dépassent pas 100 en crue de plaine. Leur extension géographique est limitée mais leur impact est souvent plus catastrophique sur le plan matériel et humain.

Près de 70 % de la population concentrée sur 10 % du territoire

Plus vaste que la Suisse et plus peuplée que le Danemark, Rhône-Alpes est la deuxième région française, tant par sa superficie que par sa population. La densité de la région est plus forte que la densité moyenne en France : 122 hab./km^2 contre 104. Cette population est répartie de manière très inégale sur le territoire : à une forte concentration dans les zones urbaines et le long des axes de communication s'opposent de grands espaces peu peuplés, qui coïncident le plus souvent avec les parties montagneuses. Près de 70 % de la population sont ainsi regroupés sur 10 % de la superficie du territoire régional. Entre les villes comme Lyon où la densité atteint 8 640 habitants au kilomètre carré et les campagnes reculées comme celles du Diois, où certains cantons ne dépassent pas 5 habitants au kilomètre carré, le contraste est très fort.

Une telle situation entraîne des déséquilibres territoriaux qui peuvent créer des problèmes à long terme dans certains espaces ruraux, en particulier les zones de montagne. Cependant, des nuances existent. En effet, tout oppose les Alpes du Nord, leur dynamique et la relative résistance de leurs peuplements, aux Alpes du Sud et au versant est du Massif central, en proie à la désertification. De plus, à l'intérieur de ces espaces, des différences subsistent entre des vallées à fort développement industriel et touristique, telles que l'Arve et la Tarentaise, et les secteurs à l'écart, notamment les pays de moyenne montagne enclavée. La désertification dans le sud de la région, en Ardèche et dans la Drôme, constitue également une source de problèmes potentiels pour l'environnement.

■ *Un des plus forts pôles de croissance urbaine de France*

Organisée autour d'une forte armature urbaine, la population de la région (5 351 000 habitants en 1990) représente plus de la moitié de celle de l'Île-de-France, ce qui situe Rhône-Alpes au premier rang des régions de province. Le développement urbain a été précoce dans les vallées et aux carrefours de circulation. C'est le plus fort pôle de croissance urbaine de France, avec la Côte d'Azur et la périphérie parisienne. Sept agglomérations ont plus de 100 000 habitants incluant notamment le tripôle Saint-Étienne/Lyon/Grenoble. La population urbaine, qui représente 76,4 % en 1990, est en augmentation de 6 % depuis 1982.

De fortes nuisances liées aux transports

Limitrophe de la Suisse et de l'Italie du Nord, proche de la Méditerranée, la région Rhône-Alpes connaît une situation très exposée du point de vue des nuisances liées aux transports. C'est en effet essentiellement par la vallée du Rhône que se font les principales liaisons entre la moitié nord de la France et le Midi, mais aussi entre les pays de l'Europe du Nord et les pays méditerranéens.

La région est parcourue par plus de 1 000 kilomètres d'autoroutes, soit 14 % du total national. La densité du réseau autoroutier est de 2,4 kilomètres pour 100 kilomètres carrés, ce qui place Rhône-Alpes au quatrième rang des régions françaises. Sur la base d'un réseau déjà assez développé, la croissance de ces infrastructures majeures de transport routier a été de 50 % depuis 1982. Le réseau routier s'organise principalement autour de l'agglomération lyonnaise, les vallées du Rhône et de la Saône, et en maillage dans les vallées alpines (*voir encadré*).

La région est desservie par 2 600 kilomètres de lignes ferroviaires, y compris les lignes TGV. Le TGV méditerranéen, en cours de réalisation dans la vallée du Rhône et vers Marseille, pourrait être prolongé jusqu'à Montpellier et plus tard Barcelone. Un TGV Lyon-Turin et un TGV Rhin-Rhône sont à l'étude. Ils créeraient ainsi dans la région un des grands carrefours du réseau des trains à grande vitesse en Europe. Par ailleurs, l'infrastructure en transports urbains ferrés est importante et diversifiée, notamment avec les réseaux de métro ou de tramway de Lyon, Grenoble et Saint-Étienne.

La région bénéficie en outre d'une intégration des divers réseaux de transports avec la mise en service de la desserte TGV de l'aéroport de Satolas en 1994 et par la liaison directe avec Roissy. Avec 4,2 millions de passagers en 1994, Satolas est le troisième aéroport national.

■ *Saturation, pollution et bruits*

Hors région parisienne, Rhône-Alpes concentre 40 % des encombrements routiers en France. Les percées alpines ou l'axe nord-sud connaissent souvent un degré de saturation préoccupant. Les transports de matières dangereuses posent d'importants problèmes, tant pour la circulation que le stationnement. Les difficultés de déplacement quotidien domicile-travail s'accentuent, notamment dans les grandes agglomérations. À court terme, certains axes et certaines villes ont tendance à se saturer et s'asphyxier.

La région contribue fortement aux émissions nationales de polluants atmosphériques : première région émettrice de NOx (9,9 % des émissions françaises) et de COVNM (8,8 %), dus respectivement pour 76 % et 48 % aux transports. La région est au troisième rang pour les émissions de CO_2 (8 % des émissions françaises) et au deuxième rang après Provence-Alpes-Côte d'Azur pour le CO (9 %). Rhône-Alpes est ainsi la troisième région contributrice aux

LE RÉSEAU AUTOROUTIER PÉNÈTRE LA MONTAGNE

Outre des souvenirs, ce qui reste de plus visible des jeux Olympiques de 1992 en Savoie, c'est l'autoroute qui relie Chambéry-Montmélian à Albertville et se prolonge vers Moutiers dans la vallée de la Tarentaise. Trois ans après l'inauguration de cet aménagement, les services du ministère de l'Équipement comme ceux de l'Environnement peuvent faire un premier constat sur l'impact de l'autoroute dans les vallées.

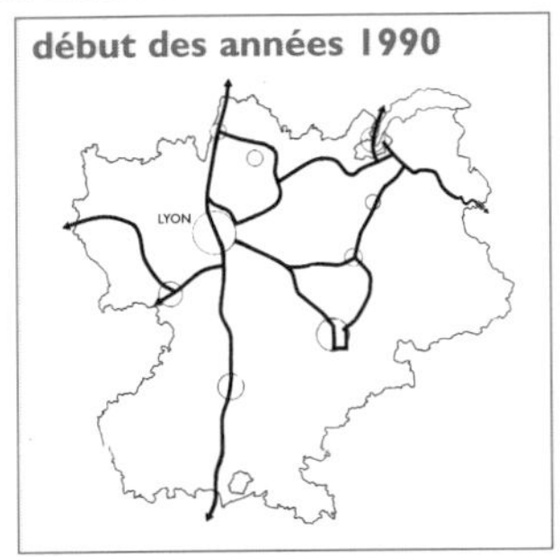

début des années 1990

La deux fois deux voies a accru le trafic dans la vallée de 1 500 véhicules/jour pour un trafic habituel de 16 000 véhicules/jour, soit une augmentation de 9 %. Ce sont les conducteurs de voitures particulières qui empruntent l'A43, l'A430 et leur prolongement par la RN90 jusqu'à Moutiers. Les deux tiers des poids lourds préfèrent rester sur la nationale.

AU SERVICE DU TOURISME

Les stations touristiques de la Tarentaise ont constaté une forte augmentation de la fréquentation à la journée. Avec l'autoroute, la clientèle locale et régionale peut facilement se rendre aux stations pour une journée de ski, d'autant que les relations par autocar sont fréquentes. Cette facilité d'accès aux pistes a fait stagner, voire baisser la fréquentation touristique de Chambéry, Albertville et Moutiers qui ne sont plus, pour les skieurs, que des villes de passage.

L'autoroute et la voie express ont reçu le « ruban d'or 1993» lors du deuxième palmarès des paysages routiers. Le jury avait notamment remarqué le travail d'insertion de l'autoroute dans la traversée d'Albertville. Les paysages de Savoie sont mis en valeur depuis l'autoroute. Une cinquantaine de points noirs paysagers, principalement des implantations industrielles, ont été traités notamment par des plantations d'arbres.

DES EFFETS SUR LE MILIEU

Reste qu'on ne fait pas passer une infrastructure de cette taille dans une vallée étroite sans dommages pour l'environnement. Ce sont les espaces naturels qui ont payé le plus lourd tribut au passage de l'autoroute malgré les précautions prises tant pour minimiser les pollutions des cours d'eau que pour protéger les zones humides. Les boisements alluviaux ont particulièrement souffert puisqu'il a été choisi un tracé sur la rive gauche de l'Isère qui épargnait l'espace agricole au détriment des milieux naturels. Par ailleurs, l'extraction de matériaux, l'augmentation des défrichements agricoles et la création de zones d'activités

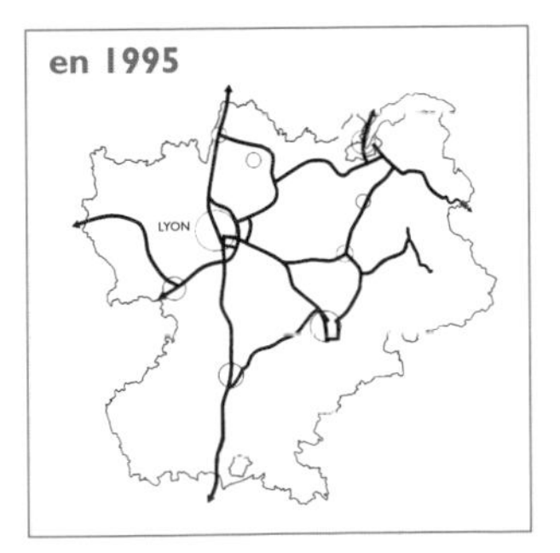

en 1995

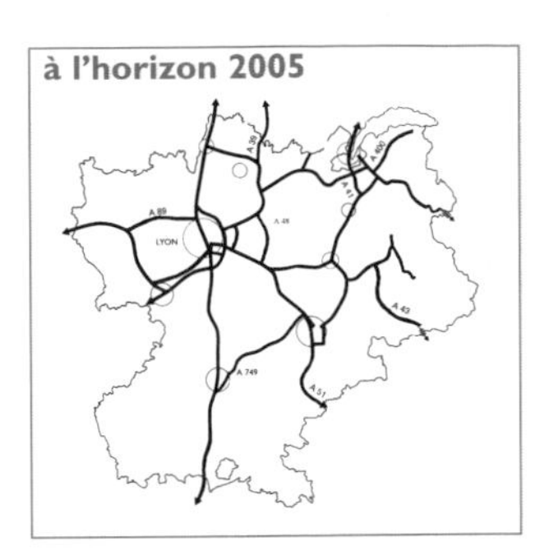

à l'horizon 2005

générées par la réduction des temps de transport ont contribué à artificialiser ces espaces.

Ces atteintes au milieu naturel ont obligé les aménageurs à mettre en œuvre des mesures compensatoires. Trois zones humides ont fait l'objet d'un arrêté de biotope et sont désormais totalement protégées. Il a fallu pour cela acheter des terrains, notamment dans le secteur des bassins Mollard, où l'acquisition de 15 hectares a facilité le classement du site. Les gravières ont également fait l'objet de réaménagements. Trois passages à gibiers ont été réalisés entre Montmélian et Albertville. L'effet de coupure de l'autoroute ne serait pas perceptible pour les animaux sauvages mais l'ouvrage a vraisemblablement accéléré la réduction de la biodiversité (oiseaux et batraciens), phénomène déjà engagé avec le développement des ré-seaux de drainage, de la polyculture et avec la création des zones industrielles.

La région Rhône-Alpes, qui compte 1 083 kilomètres d'autoroute, connaît actuellement la construction de l'A39 (Dole-Bourg-en-Bresse), de l'A404 (bretelle de raccordement d'Oyonnax), de l'A51 (Grenoble-Col du Fau) et de l'A43 en Maurienne. Deux autres autoroutes sont programmées : l'A41 (Villy-le-Peloux-Saint-Julien) et l'A400 (Annemasse-Thonon).

—— réseau autoroutier ou assimilé

gaz à effet de serre et la cinquième région pour les gaz responsables des pluies acides.

Des problèmes de pollution atmosphérique se posent dans les grandes villes, en particulier à Lyon ou à Grenoble, du fait de la proximité de sites industriels et de l'intensité du trafic routier et où le contexte géographique local joue aussi un rôle. Enfin, la région est après l'Île-de-France la plus touchée par les nuisances sonores, avec 175 points noirs routiers répertoriés en 1994.

Intensification de l'agriculture et pression des déjections animales

Plus d'un tiers du territoire régional est consacré à l'agriculture : vignobles, vergers et cultures maraîchères dans les vallées de la Saône et du Rhône, élevage hors sol et serres autour de l'agglomération lyonnaise, élevage bovin extensif sur les hautes terres. Les vins du Beaujolais, des Côtes du Rhône, le bœuf charolais, les fromages comme la tomme de Savoie, le reblochon et le bleu de Gex ont contribué à la renommée de l'agriculture régionale.

La région compte 70 000 exploitations en 1993, pour plus de 140 000 un quart de siècle auparavant. Les disparitions s'accélèrent : – 3 % par an au cours de la décennie 80 et une réduction de plus de 4 % par an au début des années 90. Ce sont près de 3 500 fermes en moins chaque année, mais une surface agricole qui reste relativement stable, la surface moyenne des exploitations ne cessant d'augmenter. Les prairies (qui couvrent 18,9 % du territoire) ont connu de 1982 à 1990 une diminution de 7,8 % ; les haies, arbres épars (3 % du territoire) ont diminué de 9,3 %, alors que sur la même période les cultures annuelles (qui occupent 12,1 %, du territoire) ont très légèrement augmenté.

Environ huit millions de tonnes de déjections animales sont recensées annuellement en Rhône-Alpes, ce qui représente l'équivalent des engrais minéraux consommés en terme de fertilisants. La pression est forte dans certaines zones d'élevage montagnard, où les surfaces d'épandage accessibles sont rares et dans les zones de la région où se pratique l'élevage hors-sol (en particulier d'élevage avicole dans la plaine de Valence) et localement en Ardèche, Haute-Savoie et dans l'Ain. De fait, Rhône-Alpes est la quatrième région pour les émissions de méthane, qui sont à 46 % d'origine agricole.

Tourisme et environnement en montagne

Deuxième région touristique après la région Provence-Alpes-Côte d'Azur, Rhône-Alpes a une densité touristique élevée, proche de la Corse avec 60 touristes au kilomètre carré. La durabilité à long terme de cette activité (tourisme de montagne d'été et d'hiver, tourisme rural, thermalisme) repose pour une très grande part sur la qualité de l'environnement.

Le massif alpin français abrite l'un des tout premiers domaines skiables du monde. C'est à ce titre qu'il a déjà accueilli trois fois les jeux Olympiques d'hiver : Chamonix en 1924, Grenoble en 1968 et Albertville en 1992. Les aménagements réalisés à cette dernière occasion en Savoie ont eu des impacts significatifs et pour certains irréversibles, sur la qualité des milieux, du fait notamment des déboisement, terrassements, et équipements (*voir encadré*). Ils ont permis aussi de répondre à certains problèmes anciens, notamment en matière de paysages et de traitement de l'eau dans les stations de Tarentaise.

La concentration touristique dans les stations de montagne s'exprime notamment en hiver par une augmentation considérable de la population, qui peut atteindre vingt à trente fois la population permanente. Cette fréquentation touristique pose des problèmes parfois aigus de protection de l'environnement, notamment en ce qui concerne la préservation de la faune et de la flore sauvages, l'élimination des déchets et la lutte contre la pollution de l'eau.

Ressource en eau et qualité des cours d'eau

Compte tenu de l'importance de la zone de montagne, le stock d'eau accumulé dans les lacs de montagne, auquel s'ajoutent les milliards de mètres cubes emmagasinés dans les glaciers ou les nappes souterraines, fait de Rhône-Alpes une région bien dotée en ressources en eau, avec 6 200 m^3 par habitant contre 4 050 m^3 pour la moyenne nationale.

Mais cette ressource abondante est menacée. Son exploitation s'est souvent faite sans prendre en compte suffisamment le milieu naturel (aménagements hydroélectriques des vallées alpines ou celui, plus récent, du Rhône).

De plus, en matière de ressources, plusieurs secteurs sont fortement pénalisés par l'étiage estival des cours d'eau des départements de la Drôme, de l'Ardèche et de la Loire qui obligent à trouver des solutions alternatives au pompage en rivière pour l'irrigation, l'alimentation en eau potable et l'usage industriel. L'étiage sévère hivernal des cours d'eau à régime nival ou glacière pose des problème pour l'eau potable et l'assainissement des stations de sports d'hiver.

La pollution des rivières et des lacs

L'urbanisation et l'industrialisation, par la concentration des rejets toxiques et organiques qu'elles entraînent, constituent un danger pour l'environnement et notamment pour les cours d'eau et les lacs de la région. Avec, en 1993, un taux de dépollution des agglomérations de plus de 10 000 habitants de seulement 37 %, la région figure parmi les cinq dernières régions, au même rang que le Nord-Pas-de-Calais.

De leur côté, les rejets nets des industries en matières oxydables, s'ils ont connu une diminution de 28 % de 1981 à 1991, placent néanmoins la région au premier rang en volume avec plus de 200 tonnes par jour. Pour les rejets industriels en matières toxiques, malgré une diminution de 57 % sur la même période, la région reste au troisième rang.

Un exemple de conflit d'usage : la rivière Drôme

Certaines années, la Drôme ne coule plus jusqu'à son confluent à cause des prélèvements excessifs, notamment pour irriguer les cultures céréalières de la basse Drôme et pour alimenter les canaux vers la Gervanne.

Les prélèvements dépassent ainsi les 2,5 m^3 par seconde, un seuil supérieur au niveau d'étiage, d'où l'assèchement en aval. De plus, dans le passé, l'extraction de granulats a aggravé la situation en favorisant l'érosion et l'abaissement du lit.

C'est pourquoi la rivière Drôme fait l'objet du premier schéma d'aménagement et de gestion de l'eau de Rhône-Alpes pour planifier les usages et préserver le milieu aquatique.

Pas de décharge de classe I pour les déchets industriels

La région Rhône-Alpes est la deuxième région de France pour la production de déchets industriels, en majeure partie générés par les industries chimique, mécanique et automobile. En dépit d'efforts répétés depuis plus de quinze ans, Rhône-Alpes ne dispose cependant toujours pas de centres de stockage pour les déchets ultimes. Aujourd'hui, 45 000 tonnes de ces déchets sont acheminées hors Rhône-Alpes, principalement vers les décharges de classe 1 de Pontailler-sur-Saône (Saône-et-Loire) et de Bellegarde (Gard) pour un coût allant de 500 à 1 500 francs la tonne, transport compris. Le traitement et l'élimination du reste, estimé à environ 50 000 tonnes, demeurent inconnus.

Compte tenu de sa population, Rhône-Alpes est la deuxième région après l'Île-de-France (9,3 % du volume national) pour la production de déchets ménagers, mais un pourcentage limité est valorisé et 62 % sont mis en décharge.

D'importants risques technologiques et industriels

La région détient un nombre significatif d'installations à haut niveau de risques liées aux activités industrielles – en particulier chimiques – et nucléaires.

■ *La première région nucléaire de France*

La région est la plus « nucléarisée » de France, avec trente et une installations nucléaires de base comprenant notamment quinze réacteurs nucléaires en activité. La plus importante de ces plates-formes est celle de Tricastin où sont exercées la quasi-totalité des activités du cycle nucléaire : enrichissement de l'uranium, fabrication et retraitement du combustible nucléaire, production d'énergie électrique, entreposage de déchets, recherche et expérimentation. Rhône-Alpes abrite cinq sites de centrales nucléaires réparties le long du Rhône. Elles produisent plus de 80 milliards de kWh chaque année, soit près du quart de la production d'électricité nucléaire nationale. Superphénix, le surgénérateur de Creys-Malville (Isère) mis en service en 1986, a, quant à lui, connu de longues phases d'arrêt, suite à plusieurs incidents. Ces périodes, qui ont atteint vingt mois en 1987-1988 et quatre années de juillet 1990 à juillet 1994, ont notamment été mises à profit pour remédier à ces défauts techniques et améliorer la maîtrise d'éventuels feux de sodium liquide. Ce réacteur avait été initialement conçu – compte tenu des perspectives du marché de l'uranium – pour la production de combustible nucléaire sous forme de plutonium et pour la production d'électricité. Ces objectifs n'ont pas été atteints et ce prototype industriel sera progressivement converti en réacteur consacré à la recherche et à la démonstration. Il ne sera plus exploité avec un objectif premier de production d'éléctricité. Utilisé en mode sous-générateur, ce réacteur consommera plus de plutonium qu'il n'en produira et servira donc d'incinérateur.

Cette forte implantation d'installations nucléaires se traduit par un bilan régional en 1995 qui a recensé 27 % des incidents français classés selon l'échelle internationale des incidents et accidents nucléaires.

■ *Les risques industriels dans les zones urbaines*

Avec 42 établissement Seveso et 143 autres installations potentiellement dangereuses, Rhône-Alpes est la région la plus exposée aux risques technologiques. Elle est le premier centre de production chimique français, avec 200 établissements (incluant la pharmacie) répartis sur trois grands pôles : au sud de Grenoble, dans la plaine de l'Ain et au sud de Lyon (le célèbre « couloir de la chimie » longé par l'autoroute du soleil et les voies ferrées entre Lyon et la Méditerranée).

L'absence dans le passé d'une prise en compte suffisante du risque technologique et l'extension incontrôlée de l'urbanisation ont laissé s'établir une trop grande proximité entre usines et habitations. En Rhône-Alpes, les exemples sont nombreux, particulièrement dans l'agglomération lyonnaise ou grenobloise. Tout le monde a encore en mémoire l'incendie de la raffinerie de Feyzin, en 1966. Plus récemment, en 1987, un violent incendie d'hydrocarbures, au port Édouard-Herriot (Lyon), a relancé le débat à propos de la sécurité des implantations industrielles en milieu urbain.

Par ailleurs, la région a enregistré, en 1994, 148 des 871 accidents industriels répertoriés en France. Enfin, avec 90 sites pollués recensés sur les 653 identifiés en France, la région se situe juste après le Nord-Pas-de-Calais.

■ *64 barrages intéressant la sécurité publique*

Du fait de ses caractéristiques géographiques et hydrologiques, Rhône-Alpes est une des principales régions pour les équipements hydroélectriques. Elle compte 64 barrages intéressant la sécurité publique. Plus de 27 milliards de kWh sont produits par les barrages des Alpes et du Rhône, soit 40 % de l'hydroélectricité française.

BIBLIOGRAPHIE GÉNÉRALE

OUVRAGES

AGENCE DE L'ENVIRONNEMENT ET DE LA MAÎTRISE DE L'ÉNERGIE
- *La Récupération et le Recyclage du verre en 1991.*
- *Sixième inventaire des installations de traitement, de transit ou de mise en décharge des déchets ménagers et assimilés en France*, hors série, 1995.
- *Inventaire national des flux de déchets industriels nécessitant un traitement spécial*, 1990 (année de référence de l'inventaire).

AGENCE NATIONALE POUR LA GESTION DES DÉCHETS RADIOACTIFS
- *Inventaire national des déchets radioactifs*, édition 1995.

AGOSTINI F. et *alii*
- *La Dynamique du mouvement associatif dans le secteur de l'environnement–État de la question et monographies régionales,* Crédoc, Décembre 1995.

BALESTE Marcel, BOYER Jean-Claude, MONTAGNÉ-VILLETTE Solange, GRAS Jacques, VAREILLE Claude
- *La France, 22 régions de programme,* Éditions Masson/Armand Colin, Paris, 1993.

COMMISSION DES COMMUNAUTÉS EUROPÉENNES, EUROSTAT, OFFICE STATISTIQUE DES COMMUNAUTÉS EUROPÉENNES, DIRECTION GÉNÉRALE DES POLITIQUES RÉGIONALES
- *Portrait des régions : France, Royaume-Uni, Irlande,* tome 2, 1993.

DIRECTIONS RÉGIONALES DE L'INSEE
- *Tableaux de l'économie dans les régions.*

FÉDÉRATION DES CHAMBRES SYNDICALES DE L'INDUSTRIE DU VERRE
- *Rapport d'activité 1994.*

GAMBLIN André (dir.)
- *La France dans ses régions,* tome 1 et tome 2, CUD et SEDES, Paris, 1994.

JOUVE Annie, STRAGIOTTI Pierre, FABRIES-VERFAILLIE Maryse
- *La France des régions,* Éditions Bréal, 1992.

MINISTÈRE DE L 'ENVIRONNEMENT
- *Recensement des sites et sols pollués,* 1994.

MINISTÈRE DE L'INDUSTRIE / DIRECTION DE LA SÛRETÉ DES INSTALLATIONS NUCLÉAIRES
- *Rapport d'activité 1994.*

MINISTÈRE DE L'INDUSTRIE / DIRECTION GÉNÉRALE DE L'ÉNERGIE ET DES MATIÈRES PREMIÈRES
- *Données énergétiques par région,* mars 1994.

MINISTÈRE DE L'INDUSTRIE, DES POSTES ET TÉLÉCOMMUNICATIONS ET DU COMMERCE EXTÉRIEUR
- *Les Investissements antipollution,* Sessi Statistiques, n°140, édition 1994-1995.

MINISTÈRE DU REDÉPLOIEMENT INDUSTRIEL ET DU COMMERCE EXTÉRIEUR / DIRECTION GÉNÉRALE DE L'ÉNERGIE ET DES MATIÈRES PREMIÈRES
- *L'Énergie dans les régions*, 1984.

OEST
- *Tableau de bord régional des transports,* décembre 1994.

SERROU M.
- *La Protection des riverains contre le bruit des transports terrestres,* avril 1995.

- *L'état de la France, édition 95-96,* Éditions La Découverte, Paris, 1995.

REVUES

ASSOCIATION ESPACES POUR DEMAIN
- *Espaces pour demain,* trimestriel.

ASSOCIATION POUR LES ESPACES NATURELS
- *Aménagement et nature - regards interdisciplinaires sur l'environnement,* trimestriel.

AGENCE DE L'EAU RHÔNE-MÉDITERRANÉE-CORSE
- *Eaux,* 3 numéros par an.

AGENCE DE L'EAU ADOUR-GARONNE
- *Adour Garonne,* trimestriel.

AGENCE DE L'EAU LOIRE-BRETAGNE
- *L'eau en Loire-Bretagne,* semestriel.

AGENCE DE L'EAU RHIN-MEUSE.
- *Rhin-Meuse Infos,* trimestriel.

AGENCE DE L'EAU SEINE-NORMANDIE
- *Confluences.*

AGENCE DE L'EAU ARTOIS-PICARDIE,
- *Contre-Courant,* 3 numéros par an.

LES CAHIERS DU CONSERVATOIRE DU LITTORAL, septembre 1996
- « Stratégies à long terme ».

- *Décision environnement,* Le magazine professionnel de l'environnement, mensuel.

MARESCA B.
- « L'environnement, une grande cause… locale », *Consommation et modes de vie,* n°105, février 1996.

- *Mer et littoral, l'observatoire économique et scientifique du littoral,* mensuel.

OFFICE NATIONAL DES FORÊTS
- *Arborescences,* bimensuel.

BIBLIOGRAPHIE RÉGIONALE

ALSACE

ADEME Alsace
• *L'Environnement en Alsace,* Strasbourg, 1994.

Conseil régional, Préfecture de la région/Ministère de l'Environnement / Direction de la nature et des paysages, DIREN, Muséum national d'histoire naturelle / Secrétariat faune-flore
• *Notre patrimoine naturel : Alsace,* Muséum national d'histoire naturelle, Paris, 1991.

Conseil régional, Préfecture de la région
• *L'Industrie alsacienne,* Strasbourg, 1993.

DRIRE
• *L'Énergie et l'Environnement en Alsace– l'état des lieux,* Strasbourg, juillet 1994.
• *L'activité de la DRIRE Alsace en 1994,* Strasbourg, 1995.
• *Espaces pour demain,* numéro spécial Alsace, 4e trimestre 1993.

INSEE Alsace
• *Chiffres pour l'Alsace,* trimestriel.

INSEE Alsace, Statistisches Amt des Kantons Basel-Stadt, Inter Mitarbeit der Region Vistschaftsstudie Nordwesteschweiz, Statistisches Landesamt Baden-Württenberg, Statistisches Landesamt Rheinland-Platz, Statistisches Amt des Kantons Basel-Landschaft
• *La Suisse du Nord-Ouest, l'Alsace, le Palatinat du Sud et le Bade : une région en route pour l'Europe,* 1992.

Préfecture du Haut-Rhin
• *Plan départemental de gestion des déchets ménagers et assimilés,* 1995.

SPPPI
• *Questions environnement,* n° 2, septembre 1995.

AQUITAINE

ADEME Aquitaine
• *Rapport d'activité 1994,* 1994.

Comité economique et social d'Aquitaine
• *Environnement et politique régionale : arguments et propositions,* 1990.

DRIRE, Agence de l'eau Adour-Garonne, Ministère de l'Industrie, Ministère de l'Environnement
• *Panorama Aquitaine, environnement et industrie,* 1993.
• *Panorama Aquitaine, environnement et industrie,* 1995.

Groupe d'études et de recherche en écologie appliquée / Université de Bordeaux I, Conseil régional, Secrétariat d'État à l'Environnement
• *L'État de l'environnement en Aquitaine,* 1989.

Pailhé Joël
• *L'Aquitaine, un modèle localisé,* Mappemonde, mars 1995.

AUVERGNE

Conseil économique et social d'Auvergne,
• « L'eau en Auvergne », session du 21 mars 1994, Clermont-Ferrand.

Conseil régional d'Auvergne, Ministère de l'Environnement /Direction de la nature et des paysages, DRAE, Muséum national d'histoire naturelle/ Secrétariat faune-flore, Secrétariat régional du patrimoine naturel, Écologie faune-flore Auvergne
• *Notre patrimoine naturel : Auvergne,* Clermont-Ferrand, 1989.

DRASS
• *Qualité des eaux de consommation en Auvergne. Bilan 1994,* Clermont-Ferrand, 1995.

INSEE Auvergne
• « Panorama économique de l'Auvergne », *Les Cahiers du point,* n° 51, Chamalières, avril 1993.

Préfecture de la région / INSEE Auvergne
• *Atlas Auvergne,* Chamalières, 1995.

BASSE-NORMANDIE

COGÉMA
• *Surveillance de l'environnement– établissement de La Hague,* mensuel, décembre 1995.

Comité économique et social de la région
• *Rapport sur les déchets en Basse-Normandie,* 1989.
• *L'Agriculture et l'Environnement en Basse-Normandie,* avis, 1991.

Conseil régional, Ministère de l'Environnement / Direction de la nature et des paysages, Muséum national d'histoire naturelle / Secrétariat faune-flore, DIREN
• *Notre patrimoine naturel : Basse-Normandie,* 1992.

EDF
• *Environnement - Production - Transport, en bref,* annuel, 1995.

Ministère des Affaires sociales, de la Santé et de la Ville, DRASS / Service santé-environnement
• *Les Nitrates dans les eaux distribuées en Basse-Normandie,* 1995.

Préfecture de région, Conseil régional
• *Tableau de bord de l'environnement Basse Normandie,* tome 1 : *L'Eau, l'Air,* tome 2 : *La Nature, l'Espace, l'Homme,* Caen, 1993.

BOURGOGNE

COMITÉ ÉCONOMIQUE ET SOCIAL DE BOURGOGNE
- « L'autre regard sur la région », session plénière du 27 juin 1990.

CONSEIL RÉGIONAL
- « La Bourgogne nature », *Paysages et milieux naturels, Faune sauvage et milieux forestiers,* Dijon, 1994-1995.

CONSERVATOIRE DES SITES NATURELS BOURGUIGNONS, DIREN, CONSEIL RÉGIONAL
- « Les milieux naturels de Bourgogne », *Patrimoine naturel de Bourgogne,* n° 1, 1994.

CONSERVATOIRE DES SITES NATURELS BOURGUIGNONS, WWF FRANCE, FÉDÉRATION DES CONSERVATOIRES RÉGIONAUX, DIREN, CONSEIL RÉGIONAL, CONSEIL GÉNÉRAL DE LA NIÈVRE, AGENCE DE L'EAU LOIRE-BRETAGNE
- « La Loire et l'Allier en Bourgogne », *Patrimoine naturel de Bourgogne,* n° 2, 1994.

DRASS BOURGOGNE, MINISTÈRE DES AFFAIRES SOCIALES, DE LA SANTÉ ET DE LA VILLE
- *État sanitaire des zones de baignade en eau douce dans la région Bourgogne–saison estivale 1994,* Dijon, mai 1995.

DRIRE
- *L'Environnement industriel en Bourgogne. Bilan 1991,* 1994.

OREB
- *L'Eau en Bourgogne,* 1996.

OREB, ADEME, CONSEIL RÉGIONAL, PRÉFECTURE DE LA RÉGION
- *Les Déchets en Bourgogne,* Dijon, février 1994.

BRETAGNE

AGENCE DE L'EAU LOIRE-BRETAGNE
- « L'alimentation en eau potable », *L'Eau en Loire-Bretagne,* n°55, 1995.
- « Eau 2000», supplément à *L'Eau en Loire-Bretagne,* n° 44 (décembre 1990), mars 1991.

COLLECTIF
- *Géographie et aménagement de la Bretagne,* Éditions Skol Vreizh, Morlaix, 1994.

CONSEIL RÉGIONAL
- *1994-1998 : un plan pour la Bretagne,* Rennes, 1994.

CORPEP BRETAGNE
- *Rapport 1992 de la cellule d'orientation pour la protection des eaux contre les pesticides,* 1993.

DIREN, CONSEIL RÉGIONAL, PRÉFECTURE DE RÉGION
- *Curieux de Nature, Patrimoine naturel de Bretagne,* Rennes, 1995.

INSEE BRETAGNE
- *Atlas de Bretagne,* Éditions Skol Vreizh, Morlaix, 1990.

CENTRE

- « L'environnement, un nouveau défi pour le Loiret », *La République du Centre,* supplément du 5 mars 1993.

CONSEIL RÉGIONAL
- *Région Centre, horizon 2015,* Orléans, 1991.
- *Guide de la nature et des paysages,* Orléans, 1995.

DRASS
- *La Qualité des eaux d'alimentation en région Centre. L'aqualité,* Orléans, 1994.

DURIEZ Patrick/CONSEIL RÉGIONAL
- *Promenade écologique en région Centre,* Éditions CRDP de la région Centre, Orléans, 1994.

INSEE CENTRE
- *Indicateurs de l'économie du Centre,* revue trimestrielle n° 13, Orléans, avril 1996.

MINISTÈRE DE L'ENVIRONNEMENT / DIRECTION DE LA NATURE ET DES PAYSAGES, DRAE, MUSÉUM NATIONAL D'HISTOIRE NATURELLE / SECRÉTARIAT FAUNE-FLORE
- *Notre patrimoine naturel : Centre,* Paris, 1989.

CHAMPAGNE-ARDENNE

CONSEIL RÉGIONAL
- « Inventaire du patrimoine naturel », *Cahiers régionaux de l'environnement,* 1990.

CONSEIL RÉGIONAL, MINISTÈRE DE L'ENVIRONNEMENT / DIRECTION DE LA NATURE ET DES PAYSAGES, DÉLÉGATION RÉGIONALE À L'ARCHITECTURE ET À L'ENVIRONNEMENT, MUSÉUM NATIONAL D'HISTOIRE NATURELLE / SECRÉTARIAT FAUNE-FLORE, COMITÉ SCIENTIFIQUE RÉGIONAL / UNION RÉGIONALE CHAMPAGNE-ARDENNE POUR LA NATURE ET L'ENVIRONNEMENT
- *Notre patrimoine naturel : Champagne-Ardenne,* 1989.

DRIRE
- *État de l'environnement industriel en Champagne-Ardenne,* décembre 1995.

PRÉFECTURE DE RÉGION, DIREN, CONSEIL RÉGIONAL, OBSERVATOIRE RÉGIONAL DE L'ENVIRONNEMENT
- *Repères pour l'environnement,* Châlons-sur-Marne, 1995.

CORSE

COLLECTIVITÉ TERRITORIALE DE CORSE
- *Plan de développement de la Corse,* Ajaccio, septembre 1993.

COLLECTIVITÉ TERRITORIALE DE CORSE, OFFICE DE L'ENVIRONNEMENT DE LA CORSE
- *Réflexions sur la problématique des incendies en Corse,* Corte, mars 1995.

DIREN
- *La Flore de Corse, un patrimoine à protéger,* Ajaccio.

DRAE
- *Tableau de bord de l'environnement corse,* 1989.

INSEE CORSE
- *Atlas de la Corse,* Ajaccio, 1993.

MINISTÈRE DE L'ENVIRONNEMENT / DIRECTION DE LA NATURE ET DES PAYSAGES, DIREN, MUSÉUM NATIONAL D'HISTOIRE NATURELLE / SECRÉTARIAT FAUNE-FLORE
- *Notre patrimoine naturel : Corse,* 1990.

FRANCHE-COMTÉ

CONSEIL RÉGIONAL, DIREN
• *Tableau de bord de l'environnement en Franche-Comté,* Besançon, 1989.

CPEPESC, RÉGION FRANCHE-COMTÉ
• *Prolifération des algues en Franche-Comté, plaquette.*

DIREN, RÉGION FRANCHE-COMTÉ
• *L'empreinte de l'eau en Franche-Comté, plaquette.*

DIREN, UNIVERSITÉ DE FRANCHE-COMTÉ
• *Éléments pour la constitution d'un tableau de bord de l'environnement en Franche-Comté,* Besançon, 1994.

DRIRE
• *L'Industrie et l'Environnement en Franche-Comté,* Besançon, 1993.
• *L'Eau et l'Industrie en Franche-Comté, cartographie des rejets d'effluents industriels, données 1990-1991,* Besançon, 1992.

FRANCE NATURE ENVIRONNEMENT, HAUTE-SAÔNE NATURE ENVIRONNEMENT
• *Les Points noirs relatifs à l'environnement, régions Bretagne et Franche-Comté,* Vesoul, 1995.

INSEE FRANCHE-COMTÉ
• *Visage industriel,* Besançon, 1995.

MINISTÈRE DE L'ENVIRONNEMENT / DIRECTION DE LA NATURE ET DES PAYSAGES, CONSEIL RÉGIONAL, DIREN, MUSÉUM NATIONAL D'HISTOIRE NATURELLE / SECRÉTARIAT FAUNE-FLORE, CENTRE UNIVERSITAIRE D'ÉTUDES RÉGIONALES,
• *Notre patrimoine naturel: Franche-Comté,* 1992.

HAUTE-NORMANDIE

CONSEIL ÉCONOMIQUE ET SOCIAL, CONSEIL RÉGIONAL
• *L'Interactivité et l'Attractivité des espaces urbains normands,* Rouen, juin 1994.

DRIRE
• *Rapport d'activité,* Rouen, 1994.

MINISTÈRE DE L'ENVIRONNEMENT / DIRECTION DE LA NATURE ET DES PAYSAGES, MUSÉUM NATIONAL D'HISTOIRE NATURELLE / SECRÉTARIAT FAUNE-FLORE, DIREN
• *Notre patrimoine naturel : Haute-Normandie,* juillet 1989.

OBSERVATOIRE RÉGIONAL DE L'ENVIRONNEMENT
• *Haute-Normandie, présentation physique,* mars 1986.

PRÉFECTURE DE RÉGION, DRIRE
• *L'Industrie et l'Environnement en Haute-Normandie –Évolution et bilan 1994,* 1994.

ÎLE-DE-FRANCE

DRASS, DDASS
• *La Qualité des eaux distribuées en Île-de-France, situation au 1er janvier 1992.*

DRIRE
• *Environnement et industries en Île-de-France,* 1995.

INSEE, IAURIF
• *Atlas des Franciliens, recensement de la population de 1990,* tome 1, 1991 ; tome 2, 1992.

SPI VALLÉE DE SEINE
• *L'Eau en vallée de Seine,* 1994.

IAURIF, ARENE
• « État de l'environnement en Île-de-France, ressources et patrimoine », *Les Cahiers de l'IAURIF* (octobre 1996).

LANGUEDOC-ROUSSILLON

AME, CONSEIL RÉGIONAL
• *La Lettre de l'environnement en Languedoc-Roussillon,* n° 2, 1er trim. 1994 ; n° 3, 2e trim. 1994 ; n° 4, 3e trim. 1994 ; n° 7, juillet 1995, Montpellier.
• *Effluents de caves vinicoles, quelle épuration ?,* Montpellier, 1994.

PRÉFECTURE DE LA RÉGION, CONSEIL RÉGIONAL, MINISTÈRE DE L'ENVIRONNEMENT / DIRECTION DE LA NATURE ET DES PAYSAGES, DRAE, MUSÉUM NATIONAL D'HISTOIRE NATURELLE/ SECRÉTARIAT FAUNE-FLORE, IARE
• *Notre patrimoine naturel : Languedoc-Roussillon,* Muséum national d'histoire naturelle, Paris, 1991.

PRÉFECTURE DE LA RÉGION, AME, CONSEIL RÉGIONAL
• *Prévenir les inondations en Languedoc-Roussillon, guide d'information,* janvier 1995.

LIMOUSIN

CONSEIL RÉGIONAL, CONSEIL ÉCONOMIQUE ET SOCIAL,
• « L'Environnement en Limousin », rapport n° 94-04, séance plénière du 4 octobre 1994.

CONSEIL RÉGIONAL, MINISTÈRE DE L'ENVIRONNEMENT / DIRECTION DE LA NATURE ET DES PAYSAGES, DRAE, MUSÉUM NATIONAL D'HISTOIRE NATURELLE / SECRÉTARIAT FAUNE-FLORE, SECRÉTARIAT RÉGIONAL DU PATRIMOINE NATUREL LIMOUSIN
• *Notre patrimoine naturel : Limousin,* mai 1989.

CONSEIL RÉGIONAL, DRAE, SECRÉTARIAT D'ÉTAT AUPRÈS DU PREMIER MINISTRE CHARGÉ DE L'ENVIRONNEMENT
• *Tableau de bord de l'environnement en Limousin,* 2e trim. 1989.

BIPE CONSEIL
• « Vulnérabilité des secteurs économiques du Limousin en matière d'environnement », *Les Cahiers de l'environnement en Limousin,* juin 1995.

DRIRE, MINISTÈRE DE L'INDUSTRIE, MINISTÈRE DES POSTES ET TÉLÉCOMMUNICATIONS, MINISTÈRE DU COMMERCE EXTÉRIEUR
• *L'Énergie en Limousin,* 1993.

LORRAINE

ADEME, DRIRE, Préfecture de région
• *La Pollution de l'air en Lorraine,* Metz, décembre 1993.

Comité économique et social de Lorraine
• « Pour une politique régionale de l'environnement », n° 90/5, séance plénière du 10 décembre 1990.

DRAE Lorraine
• *Les Milieux naturels protégés en Lorraine. Tableau de bord régional,* 1989.

DRIRE, Ministère de l'Environnement, Ministère de l'Industrie, Ministère des Postes et Télécommunications, Ministère du Commerce extérieur
• *Rapport d'activité 1994,* Metz, 1995.

Ministère de l'Environnement / Direction de la nature et des paysages, DRAE, Muséum national d'histoire naturelle / Secrétariat faune-flore
• *Notre patrimoine naturel : Lorraine,* Paris, 1991.

MIDI-PYRÉNÉES

• « L'environnement en Midi-Pyrénées », *Les Dossiers du SGAR,* décembre 1988.

Agence de l'eau Adour-Garonne
• « Agriculture et environnement », *Adour-Garonne,* hors série, automne 1994, Toulouse.

Association française pour la protection des eaux
• « Une agence pour l'eau », *L'Eau pure,* n° 107, 1994.

Chambre de commerce et d'industrie de Toulouse, EDF-GDF, ADEME, EDF Énergie Midi-Pyrénées, Conseil régional, CRITT Environnement
• *Industrie et environnement en Midi-Pyrénées,* Toulouse, mars 1995.

Conseil régional
• *Demain Midi-Pyrénées : projet d'aménagement régional,* Éditions Privat, Toulouse, 1993.

Conseil régional, Ministère de l'Environnement/Direction de la nature et des paysages, Muséum national d'histoire naturelle / Secrétariat faune-flore, AREMIP, DRAE, Comité régional d'inventaire Midi-Pyrénées
• *Notre patrimoine naturel: Midi-Pyrénées,*Toulouse, septembre 1991.

COPRAE
• *Livre blanc sur l'état de l'environnement en Midi-Pyrénées,* Toulouse, 1995.

DIREN, Agence régionale pour l'environnement, Ministère de l'Environnement, Conseil régional
• *Tableau de bord de l'environnement Midi-Pyrénées,* Toulouse, 1992.

Ministère de l'Environnement, DRIRE, Préfecture, ORDIMIP
• *Les Déchets industriels spéciaux : la situation au plan régional,* 1993.

ORS
• *La Santé observée. L'eau et la santé en Midi-Pyrénées,* Toulouse, 1993.

NORD-PAS-DE-CALAIS

DRIRE, Préfecture de la région, Ministères de l'Industrie et du Commerce extérieur
• *L'Énergie dans la région Nord-Pas-de-Calais.Chiffres clés,* Douai, 1993.

DIREN, Préfecture, Conseil régional
• *Tableau de bord de l'environnement,* publié dans le cadre du contrat de plan État/région 1984-1988, Lille.

ORS, CRESS, Écosystème, Conseil régional, Préfecture, DIREN, Ministère des Affaires sociales et de l'Intégration, Ministère de l'Économie, des Finances et du Budget, CICOM Nord-Pas-de-Calais, CRAM Nord-Picardie
• *Santé et environnement dans la région Nord-Pas-de-Calais,* juin 1992.

PAYS DE LA LOIRE

• « Pays de la Loire », *Mer et littoral, l'observatoire économique et scientifique du littoral,* numéro spécial, n°8, juin 1995.

Conseil régional, Comité économique social régional
• « L'avenir de la pêche et de l'aquaculture en Pays de la Loire », session des 22 et 23 octobre 1991, commission n° 5, Équipements généraux et Environnement.
• « Aménagement régional à long terme : enjeux – orientations – actions », session des 16 et 17 juin 1992, commission n° 1, Finances et Plan.
• « Les déchets : pour une politique volontariste », commission n° 5, Équipements généraux et Environnement, session du 16 et 17 juin 1994.

DRIRE, Ministère de l'Industrie, Ministère des Postes et Télécommunications, Ministère du Commerce Extérieur, Ministère de l'Environnement
• *L'Industrie des Pays de la Loire face aux défis de l'environnement,* Nantes, 1994.

Ministère de l'Environnement / Direction de la nature et des paysages, DIREN, Muséum national d'histoire naturelle / Secrétariat faune-flore
• *Notre patrimoine naturel : Pays de Loire,* 1994.

PICARDIE

Agence régionale pour l'environnement, Conseil régional
• « Assises régionales de l'environnement. Constats, synthèses », propositions, 21 et 22 novembre 1991.

Conseil régional, DIREN, Préfecture de région
• *L'Environnement en Picardie,* 1996.

Conseil régional, Agence régionale pour l'environnement
• *Diagnostic de l'environnement en Picardie,* novembre 1991.

DRAE Picardie, Conseil régional, Muséum national d'histoire naturelle / Secrétariat faune-flore, Conservatoire des sites naturels de Picardie, Secrétariat régional du patrimoine naturel Picardie, Ministère de l'Environnement / Direction de la nature et des paysages

- *Notre patrimoine naturel : Picardie*, 1991.

POITOU-CHARENTES

ADEME, Conseil régional

- *Guide des déchets en Poitou-Charentes,* Poitiers, 1994.
- *Les Déchets industriels en Poitou-Charentes. Chiffres clés,* Poitiers, 1995.

Préfecture de la région, DIREN

- *Tableau de bord de l'environnement Poitou-Charentes, document de travail,* Poitiers, 1994.

Ministère de l'Environnement / Direction de la protection de la nature, DRAE, Conseil régional

- *Notre patrimoine naturel : Poitou-Charentes*, 1988.

PROVENCE-ALPES-CÔTE D'AZUR

ADEME Provence-Alpes-Côte d'Azur

- « Guide méditerranéen de l'environnement, éco-acteurs, éco-industries », *lettre Sud Infos*, 1995.
- *Énergie et environnement*, 1993.

Conseil régional, Ministère de l'Environnement / Direction de la nature et des paysages, Muséum national d'histoire naturelle / Secrétariat faune-flore

- *Notre patrimoine naturel : Provence-Alpes-Côte d'Azur,* Paris, 1991.

DRIRE, Ministère de l'Environnement

- *Déchets industriels en Provence-Alpes-Côte d'Azur*, 1994.

Volot R., Delfino J.-P.

- *Les Colères de l'eau : deux siècles d'inondations en Provence-Côte d'Azur,* Édisud, Aix-en-Provence, 1995.

RHÔNES-ALPES

Conseil régional, Ministère de l'Environnement / Direction de la nature et des paysages, DRAE, Muséum national d'histoire naturelle / Secrétariat faune-flore, Secrétariat régional du patrimoine naturel Rhône-Alpes

- *Notre patrimoine naturel : Rhône-Alpes*, 1987.

Conseil régional

- « Schéma de développement et d'aménagement régional. Proposition du Conseil économique et social », session plénière du lundi 25 mai 1992.

Conseil régional, Conseil économique et social

- *«Les déchets en Rhône-Alpes : bilan de l'existant et propositions»,* assemblée plénière du mardi 7 juin 1994.

- « Jeux Olympiques d'hiver et environnement », *Aménagement et nature,* n° 103, automne 1991.

INDEX
ORGANISMES CITÉS

ADEME : Agence de l'environnement et de la maîtrise de l'énergie.

AEE : Agence européenne de l'environnement.

AME : Agence méditerranéenne de l'environnement.

ANDRA : Agence nationale pour la gestion des déchets radioactifs.

APSAD : Assemblée plénière des sociétés d'assurance dommages.

AREMIP : Association pour la recherche en environnement en Midi-Pyrénées.

ASPA : Association pour la surveillance de la pollution atmosphérique en Alsace.

BARPI : Bureau d'analyse des risques et pollutions industrielles *(ministère de l'Environnement, DPPR/ SEI).*

BRGM : Bureau de recherches géologiques et minières.

CEA : Commissariat à l'énergie atomique.

CELRL : Conservatoire de l'espace littoral et des rivages lacustres.

CEMAGREF : Centre national du machinisme agricole, du génie rural, des eaux et des forêts.

CEREN : Centre d'étude et de recherche économique sur l'énergie.

CITEPA : Centre interprofessionnel technique d'études de la pollution atmosphérique.

CNRS : Centre national de recherche scientifique.

COGÉMA : Compagnie générale des matières nucléaires.

COPRAE : Conseil permanent régional des associations d'environnement.

CRAM : Caisse régionale d'assurance maladie.

CRÉDOC : Centre de recherche pour l'étude et l'observation des conditions de vie.

CRII-RAD : Commission de recherche et d'information indépendantes sur la radioactivité.

CSP : Conseil supérieur de la pêche

DATAR : Délégation à l'aménagement du territoire et à l'action régionale *(ministère de l'Aménagement du territoire, Équipement, Transports).*

DDAF : Direction départementale de l'agriculture et de la forêt.

DDASS : Direction départementale des affaires sanitaires et sociales.

DE : Direction de l'eau *(ministère de l'Environnement).*

DERF : Direction de l'espace rural et de la forêt *(ministère de l'Agriculture, de la Pêche et de l'Alimentation).*

DGAD : Direction générale de l'administration et du développement *(ministère de l'Environnement).*

DGEMP : Direction générale de l'énergie et des matières premières *(ministère de l'Industrie).*

DIREN : Direction régionale de l'environnement.

DNP : Direction de la nature et des paysages *(ministère de l'Environnement).*

DPPR : Direction de la prévention des pollutions et des risques *(ministère de l'Environnement).*

DRAE : Délégation régionale à l'architecture et à l'environnement.

DRASS : Direction régionale des affaires sanitaires et sociales.

DRIRE : Direction régionale de l'industrie, de la recherche et de l'environnement.

DSIN : Direction de la sûreté des installations nucléaires *(ministère de l'Industrie).*

EDF : Électricité de France.

IARE : Institut des aménagements régionaux et de l'environnement.

IAURIF : Institut d'aménagement et d'urbanisme de la région Île-de-France.

IFEN : Institut français de l'environnement.

IFN : Inventaire forestier national

IFREMER : Institut français de recherche pour l'exploitation de la mer.

INRA : Institut national de la recherche agronomique.

INRETS : Institut national de recherche sur les transports et leur sécurité.

INSEE : Institut national de la statistique et des études économiques.

MNHN : Muséum national d'histoire naturelle.

OEST : Observatoire économique et statistique des transports.

OIE : Organisation internationale de l'eau.

OIP : Observatoire interrégional des politiques.

ONC : Office national de la chasse.

ONF : Office national des forêts.

ORDIMIP : Observatoire régional des déchets industriels en Midi-Pyrénées.

OREB : Observatoire régional de l'environnement de Bourgogne.

ORS : Observatoire régional de la santé.

OST : Observatoire des sciences et techniques.

SCEES : Service central des enquêtes et études stastitiques (*ministère de l'Agriculture, de la Pêche et de l'Alimentation*).

SEI : Service de l'environnement industriel (*ministère de l'Environnement, DPPR)*.

SESSI : Service des statistiques industrielles *(ministère de l'Industrie*).

SETRA : Service d'études techniques des routes et autoroutes (*ministère de l'Aménagement du territoire, Équipement, Transports).*

SGAR : Secrétariat général pour les affaires régionales.

SNCF : Société nationale des chemins de fer français.

UE : Union européenne.

INDEX
DES ABRÉVIATIONS

BNDE : Banque nationale des données sur l'eau.

CORINAIR : Coordination de l'information sur l'environnemnt dans le domaine de l'air.

CET : centre d'enfouissement technique.

CMS : combustibles minéraux solides.

CO : monoxyde de carbone.

CO_2 : gaz carbonique.

COV : composé organique volatil.

COVNM : composé organique volatil non méthanique.

DCO : demande chimique en oxygène.

DIB : déchets industriels banals.

DIS : déchets industriels spéciaux.

DOCUP : document unique de planification.

EIDER : ensemble intégré de descripteurs de l'environnement régional.

ha : hectare.

IAA : industrie agroalimentaire.

ICPE : installation classée pour la protection de l'environnement.

INB : installation nucléaire de base.

ITOM : inventaire des unités de traitement ou stockage des déchets ménagers.

***JO* :** *Journal officiel.*

MAB : *Man and biosphere.*

MES : matières en suspension.

MO : matières oxydables.

NOx : oxydes d'azote.

NO_2 : dioxyde d'azote.

O_3 : ozone.

PAC : politique agricole commune.

PCB : polychlorobiphényle.

PER : plan d'exposition aux risques naturels.

PIB : produit intérieur brut.

PPR : plan de prévention des risques naturels prévisibles.

PSS : plan de surfaces submersibles.

PZSIF : plan de zone sensible aux incendies de forêt.

RGA : recensement général de l'agriculture.

RP : recensement de la population.

SAGE : schéma d'aménagement et de gestion des eaux.

SAU : surface agricole utilisée.

SIG : système d'information géographique.

SO_2 : dioxyde de soufre.

tep : tonne équivalent pétrole.

TERUTI : enquête utilisation du territoire.

ZEAT : zone d'étude et d'aménagement du territoire.

ZNIEFF : zone naturelle d'intérêt écologique, faunistique et floristique.

ZPS : zone de protection spéciale.

LISTE DES CONSEILS RÉGIONAUX ET PRÉFECTURES

ALSACE

• CONSEIL RÉGIONAL
35, av. de la Paix
67000 Strasbourg
Tél. : 03 88 15 68 67
Fax : 03 88 15 68 15

• PRÉFECTURE DE RÉGION
Petit Broglie
5, place de la République
67073 Strasbourg Cedex
Tél. : 03 88 21 67 68
Fax : 03 88 25 64 98

AQUITAINE

• CONSEIL RÉGIONAL
14, rue François-de-Sourdis
33077 Bordeaux Cedex
Tél. : 05 56 90 53 90
Fax : 05 56 24 72 80

• PRÉFECTURE DE RÉGION
Esplanade Charles-de-Gaulle
37077 Bordeaux Cedex
Tél. : 05 56 90 60 60
Fax : 05 56 90 60 67

AUVERGNE

• CONSEIL RÉGIONAL
13 - 15, av. de Fontmaux - BP 60
63402 Chamalières Cedex
Tél. : 04 73 31 85 85
Fax : 04 73 36 73 45

• PRÉFECTURE DE RÉGION
18, bd Desaix - 63033 Clermont-Ferrand Cedex
Tél. : 04 73 98 63 63
Fax : 04 73 98 61 00

BASSE-NORMANDIE

• CONSEIL RÉGIONAL
Hôtel de région
Abbaye-aux-Dames
14000 Caen
Tél. : 02 31 06 98 98
Fax : 02 31 43 75 17

• PRÉFECTURE DE RÉGION
rue Saint-Laurent
14038 Caen Cedex
Tél. : 02 31 30 64 00

BOURGOGNE

• CONSEIL RÉGIONAL
17, bd de la Trémouille
21000 Dijon
Tél. : 03 80 44 33 00
Fax : 03 80 44 33 30

• PRÉFECTURE DE RÉGION
53, rue de la Préfecture - 21041 Dijon Cedex
Tél. : 03 80 44 64 00
Fax : 03 80 30 65 72

BRETAGNE

• CONSEIL RÉGIONAL
3, Contour de la Motte - BP 3166
35031 Rennes
Tél. : 02 99 02 82 22
Fax : 02 99 29 65 18

• PRÉFECTURE DE RÉGION
3, avenue de la Préfecture
35026 Rennes Cedex
Tél. : 02 99 02 82 22

CENTRE

• CONSEIL RÉGIONAL
Hôtel de région
9, rue Saint-Pierre-Lentin
45041 Orléans Cedex 1
Tél. : 02 38 54 12 12
Fax : 02 38 53 54 55

• PRÉFECTURE DE RÉGION
181, rue de Bourgogne
45042 Orléans Cedex 1
Tél. : 02 38 81 40 00
Fax : 02 38 53 32 48

CHAMPAGNE-ARDENNE

• CONSEIL RÉGIONAL
5, rue de Jéricho
51037 Châlons-sur-Marne
Tél. : 03 26 70 31 31
Fax : 03 26 70 31 60

• PRÉFECTURE DE RÉGION
1, rue de Jessaint
51036 Châlons-sur-Marne
Tél. : 03 26 70 32 00

CORSE

• COLLECTIVITÉ TERRITORIALE
CONSEIL EXÉCUTIF
22, cours Grandval - BP 215
Ajaccio Cedex 1
Tél. : 04 95 51 64 64

• PRÉFECTURE DE RÉGION
Palais Lantivy
20188 Ajaccio
Tél. : 04 95 29 00 00
Fax : 04 95 29 00 36

FRANCHE-COMTÉ

• CONSEIL RÉGIONAL
Hôtel de région
4, square Castan
25031 Besançon
Tél. : 03 81 61 61 61
Fax : 03 81 83 12 92

• PRÉFECTURE DE RÉGION
8 *bis*, rue Charles-Nodier
25035 Besançon Cedex
Tél. : 03 81 81 80 80

HAUTE-NORMANDIE

• CONSEIL RÉGIONAL
25, bd Gambetta - BP 1129
76174 Rouen Cedex
Tél. : 02 35 52 56 00
Fax : 02 35 52 56 56

• PRÉFECTURE DE RÉGION
7, place Madeleine
76036 Rouen Cedex
Tél. : 02 35 76 50 00
Fax : 02 35 62 38 69

ÎLE-DE-FRANCE

• CONSEIL RÉGIONAL
33, rue Barbet-de-Jouy
75007 Paris
Tél. : 01 53 85 53 85
Fax : 01 53 85 53 89

• PRÉFECTURE DE RÉGION
17, bd Morland
75915 Paris
Tél. : 01 49 28 40 00

LANGUEDOC-ROUSSILLON

• CONSEIL RÉGIONAL
201, av. de la Pompignane
34064 Montpellier Cedex 2
Tél. : 04 67 22 80 00
Fax : 04 67 22 81 93

• PRÉFECTURE DE RÉGION
34062 Montpellier Cedex 2
Tél. : 04 67 61 61 61
Fax : 04 67 02 25 79

LIMOUSIN

• CONSEIL RÉGIONAL
27, bd de la Corderie
87031 Limoges Cedex
Tél. : 05 55 45 19 00
Fax : 05 55 45 18 25

• PRÉFECTURE DE RÉGION
Place Stalingrad
87031 Limoges Cedex
Tél. : 05 55 44 18 18
Fax : 05 55 79 86 58

LORRAINE

• CONSEIL RÉGIONAL
Place Gabriel-Hocquard
BP 1004
57036 Metz Cedex 1
Tél. : 03 87 33 60 00
Fax : 03 87 32 89 33

• PRÉFECTURE DE RÉGION
9, place de la Préfecture
57034 Metz Cedex
Tél. : 03 87 31 13 09
Fax : 03 87 32 71 78

MIDI-PYRÉNÉES

• CONSEIL RÉGIONAL
22, av. du Maréchal-Juin
31077 Toulouse Cedex
Tél. : 05 61 33 50 50
Fax : 05 61 33 52 66

• PRÉFECTURE DE RÉGION
Place Saint-Étienne
31038 Toulouse Cedex
Tél. : 05 61 33 40 00
Fax : 05 61 33 37 38

NORD-PAS-DE-CALAIS

• CONSEIL RÉGIONAL
Hôtel de région
59014 Lille Cedex
Tél. : 03 20 60 60 60
Fax : 03 20 57 39 48

• PRÉFECTURE DE RÉGION
2, rue Jacquemars-Giellée
59039 Lille Cedex
Tél. : 03 20 30 59 59

PAYS DE LA LOIRE

• CONSEIL RÉGIONAL
1, rue de la Loire
44066 Nantes Cedex 02
Tél. : 02 40 41 41 41
Fax : 02 40 47 76 85

• PRÉFECTURE DE RÉGION
6, quai Cernay
44035 Nantes Cedex
Tél. : 02 40 41 20 20

PICARDIE

• CONSEIL RÉGIONAL
Hôtel départemental
11, mail Albert-Ier
80000 Amiens
Tél. : 03 22 97 37 37
Fax : 03 22 92 73 11

• PRÉFECTURE DE RÉGION
51, rue de la République
80020 Amiens Cedex
Tél. : 03 22 97 80 80
Fax : 03 22 92 13 98

POITOU-CHARENTES

• CONSEIL RÉGIONAL
15, rue de l'Ancienne-Comédie
B P 575
86021 Poitiers Cedex
Tél. : 05 49 55 77 00
Fax : 05 49 55 77 88

• PRÉFECTURE DE RÉGION
Place Aristide-Briand
86021 Poitiers Cedex
Tél. : 05 49 55 70 00
Fax : 05 49 88 25 34

PROVENCE-ALPES-CÔTE D'AZUR

• CONSEIL RÉGIONAL
27, place Jules-Guesde
13481 Marseille Cedex 02
Tél. : 04 91 57 50 57
Fax : 04 91 57 51 51

• PRÉFECTURE DE RÉGION
Place Félix-Baret
13282 Marseille Cedex 06
Tél. : 04 91 57 20 00
Fax : 04 91 53 15 40

RHÔNE-ALPES

• CONSEIL RÉGIONAL
78, route de Paris - BP 19
69751 Charbonnières-les-Bains
Tél. : 04 72 59 40 00
Fax : 04 72 38 42 18

• PRÉFECTURE DE RÉGION
106, rue Pierre-Corneille
69419 Lyon Cedex 03
Tél. : 04 72 61 60 60
Fax : 04 78 60 49 38

GUADELOUPE

• CONSEIL RÉGIONAL
Hôtel de région
Champ-d'Arbaud
97100 Basse-Terre
Tél. : 0590 80 40 00
Fax : 0590 81 16 26

• PRÉFECTURE DE RÉGION
Palais d'Orléans
rue Lardenoy
97109 Basse-Terre Cedex
Tél. : 0590 99 39 00
Fax : 0590 81 58 32

GUYANE

• CONSEIL RÉGIONAL
66, avenue du Général-de-Gaulle
97300 Cayenne
Tél. : 0594 30 52 44
Fax : 0594 31 95 22

• PRÉFECTURE DE RÉGION
rue Fiedmond - BP 7008
97307 Cayenne Cedex
Tél. : 0594 39 45 00
Fax : 0594 30 02 77

MARTINIQUE

• CONSEIL RÉGIONAL
rue Gaston-Cluny - BP 601
97200 Fort-de-France
Tél. : 0596 59 63 00
Fax : 0596 72 68 10

• PRÉFECTURE DE RÉGION
rue Victor-Sévère - BP 647
97262 Fort-de-France Cedex
Tél. : 0596 63 18 61
Fax : 0596 71 40 29

RÉUNION

• CONSEIL RÉGIONAL
Avenue René-Cassin-Moufia
BP 402
97494 Sainte-Clotilde Cedex
Tél. : 0262 48 70 00
Fax : 0262 48 70 71

• PRÉFECTURE DE RÉGION
Place Barachois
97405 Saint-Denis Cedex
Tél. : 0262 40 77 77
Fax : 0262 41 73 74

Conception : Irène de Moucheron - Maquette : VOY'ELLE CRÉA - Couverture : Irène de Moucheron
Achevé d'imprimer en France en novembre 1996 sur les presses de Mame à Tours
Dépôt légal : novembre 1996 - ISBN 2-7071-2624-1